Thieme

Magga Corts

- Studium an der Deutschen Sporthochschule Köln (Studienschwerpunkte: Sportmedizin, Sporttherapie, Psychomotorik, Abschluss: Diplom Sportwissenschaft)
- langjährige Tätigkeit in der betrieblichen Gesundheitsförderung, Arbeitsmedizin und Sporttherapie
- Berufsfachschule IAT für Naturheilkunde in Köln
- Staatliche Abschlussprüfung zur Heilpraktikerin
- Abschluss acon-COLLEG DO.CN®, DO.CNPäd®
- BAO-Abschluss mit 5-jähriger Osteopathieausbildung
- Seit 1999 in eigener Praxis für Osteopathie und Naturheilkunde tätig.
- Dozentin für osteopathische Behandlungskonzepte osteopathische Techniken im Bereich der parietalen viszeralen, kraniosakralen Osteopathie und myofaszialer Wirkungsketten
- Autorin der Fachbücher „Diagnoseleitfaden Osteopathie" (Thieme 2020, 3. Aufl.), „Sportosteopathie" (Haug 2013) und „Anatomie für Osteopathen" (Thieme 2023, 2. Aufl.)
- magga.corts@praxis-corts.de

Anatomie für Osteopathen – Kopf

Lehrbuch und Atlas

Magga Corts

328 Abbildungen

Georg Thieme Verlag
Stuttgart · New York

Magga **Corts**
Elisenstr. 1
50667 Köln
Deutschland

Bibliografische Information der Deutschen Nationalbibliothek
Die Deutsche Nationalbibliothek verzeichnet diese Publikation in der Deutschen Nationalbibliografie; detaillierte bibliografische Daten sind im Internet über http://dnb.d-nb.de abrufbar.

Ihre Meinung ist uns wichtig! Bitte schreiben Sie uns unter: www.thieme.de/service/feedback.html

Wichtiger Hinweis: Wie jede Wissenschaft ist die Medizin ständigen Entwicklungen unterworfen. Forschung und klinische Erfahrung erweitern unsere Erkenntnisse, insbesondere was Behandlung und medikamentöse Therapie anbelangt. Soweit in diesem Werk eine Dosierung oder eine Applikation erwähnt wird, dürfen die Lesenden zwar darauf vertrauen, dass Autor*innen, Herausgeber*innen und Verlag große Sorgfalt darauf verwandt haben, dass diese Angabe dem Wissensstand bei Fertigstellung des Werkes entspricht.

Für Angaben über Dosierungsanweisungen und Applikationsformen kann vom Verlag jedoch keine Gewähr übernommen werden. Jede*r Benutzende ist angehalten, durch sorgfältige Prüfung der Beipackzettel der verwendeten Präparate und ggf. nach Konsultation eines/r Spezialist*in festzustellen, ob die dort gegebene Empfehlung für Dosierungen oder die Beachtung von Kontraindikationen gegenüber der Angabe in diesem Buch abweicht. Eine solche Prüfung ist besonders wichtig bei selten verwendeten Präparaten oder solchen, die neu auf den Markt gebracht worden sind. **Jede Dosierung oder Applikation erfolgt auf eigene Gefahr des Benutzenden.** Autor*innen und Verlag appellieren an alle Benutzenden, ihnen etwa auffallende Ungenauigkeiten dem Verlag mitzuteilen.

Georg Thieme Verlag KG
Rüdigerstraße 14, 70469 Stuttgart, Germany

www.thieme.com

Printed in Germany

Projektmanagement: Carolin Patricia Frotscher
Redaktion: Ulrike Marquardt, Renningen-Malmsheim
Covergestaltung: © Thieme
Bildnachweis Cover: © Thieme/Markus Voll, Karl Wesker
Zeichnungen: aus Schünke M, Schulte E, Schumacher U. Prometheus. LernAtlas der Anatomie. Illustrationen von M. Voll und K. Wesker. Stuttgart: Thieme.
Satz: Ziegler und Müller, text form files, Kirchentellinsfurt
Druck: Aprinta Druck GmbH, Wemding

DOI 10.1055/b000 000 503

ISBN 978-3-13-243966-5 1 2 3 4 5 6

Auch erhältlich als E-Book:
eISBN (PDF) 978-3-13-243967-2
eISBN (epub) 978-3-13-243968-9

Thieme Publikationen streben nach einer fachlich korrekten und unmissverständlichen Sprache. Dabei lehnt Thieme jeden Sprachgebrauch ab, der Menschen beleidigt oder diskriminiert, beispielsweise aufgrund einer Herkunft, Behinderung oder eines Geschlechts. Thieme wendet sich zudem gleichermaßen an Menschen jeder Geschlechtsidentität. Die Thieme Rechtschreibkonvention nennt Autor*innen mittlerweile konkrete Beispiele, wie sie alle Lesenden gleichberechtigt ansprechen können. Die Ansprache aller Menschen ist ausdrücklich auch dort intendiert, wo im Text (etwa aus Gründen der Leseleichtigkeit, des Text-Umfangs oder des situativen Stil-Empfindens) z. B. nur ein generisches Maskulinum verwendet wird.

Geleitwort

Mit ihrem neuen Buch „Anatomie für Osteopathen – Kopf" ist es Magga Corts hervorragend gelungen, für uns Osteopathen eine wichtige Lücke in der Literatur zu schließen. Dieses Werk ist eine Kombination aus Lehrbuch und Lernatlas und bietet neben sehr verständlichen Texten ein überaus anschauliches Bildmaterial. Die Erläuterungen einzelner Knochen, Nerven, Gewebeschichten (u. a.), eingebettet in den osteopathischen Gesamtkontext von Struktur und Funktionalität, ist didaktisch sehr gut umgesetzt. Ergänzend dazu lassen die Informationen über Bezüge und Wechselwirkungen von myofaszialen Ketten, kraniosakralen Bewegungsmustern anatomischer Strukturen und osteopathischen Korrespondenzen keine Wünsche offen. Ich bin mir sicher, dass dieses Lehrbuch ein „Must-have" für die Schülerinnen und Schüler unseres ACON-COLLEGs, für die Aus- und Fortbildungsangebote in unseren bundesweiten ACON-Arbeitskreisen und für alle lern- und wissbegierigen, osteopathisch arbeitenden Kolleginnen und Kollegen sein wird.

Thomas Schreiber
Bundesausschussvorsitzender der ACON e. V.

Geleitwort

Ein weiteres Buch aus der Feder von Magga Corts zu begleiten, ist eine große Freude. Nachdem das erste Anatomiebuch „Anatomie für Osteopathen" ein großer Erfolg ist und in Fachkreisen immense Beachtung findet, ist das neue Buch die konsequente Fortführung ihrer Arbeit. In diesem Buch steht das Kranium mit seinen vielfältigen, komplexen Strukturen im Mittelpunkt. In ihrer unnachahmlichen Didaktik zeigt Magga Corts uns anatomische Einblicke in diese Region, die das osteopathische Denken kennzeichnen. Ob es Durchtritte von Nerven oder Gefäßen am Schädel sind und die damit einhergehenden Entrapment-Möglichkeiten, ob es membranöse Strukturen sind, die unter Spannung geraten können, oder die Beziehung von knöchernen Strukturen zueinander, aus jeder Sicht ergeben sich Erklärungen für Behandlungsmöglichkeiten. Gerade im Vergleich mit anderen Anatomieatlanten zeigt sich, dass das osteopathische Denken oft andere Blickwinkel und Facetten benötigt.

Ich danke Magga Corts ganz herzlich für ihre präzise Arbeit, die eine Lücke in der anatomischen Didaktik schließt, und wünsche unseren Kollegen viel Erfolg bei der Anwendung des Buches.

Mit besten kollegialen Grüßen
Christian Blumbach
Vorstand ACON e. V.

Vorwort

Die Idee zu diesem Buch ist auf Nachfragen von Kollegen in osteopathischen Ausbildungsseminaren und Fortbildungsveranstaltungen entstanden. Als Dozentin wurde ich wiederholt gefragt, ob es ein Anatomielehrbuch gebe, welches das Kranium detailliert aus der osteopathischen Perspektive veranschaulicht und gleichzeitig komplexe osteopathische Zusammenhänge aufzeigt. Das war für mich Anlass, dieses Buch zu schreiben.

Jede Art von Einteilung stellt unterschiedliche Aspekte in den Vordergrund. So ist dieses Inhaltsverzeichnis eine übersichtliche Abfolge einzelner Strukturen. In den Unterkapiteln folgen dann die komplexen Verknüpfungen.

Bitte lesen Sie in dem speziell dafür gestalteten nachfolgendem Kapitel „Wie arbeitet man mit dem Buch“, wie das Buch strukturiert ist und wie Sie mit dem Buch arbeiten können.

In die osteopathischen Korrespondenzen fließen viele Aspekte ein, die auf praktischer Erfahrung basieren. Anatomische Gegebenheiten werden im funktionellen Kontext betrachtet. Hypothesen führen zu möglichen Erklärungen von Symptomen und Pathologien. Um osteopathische Dysfunktionen zu verdeutlichen und zu veranschaulichen, wird auf osteopathische Denkmodelle zurückgegriffen.

Damit wird auch deutlich, dass weiterhin Forschungsbedarf besteht und vieles noch empirisch untersucht werden muss. Eine Aufgabe dieses Buches ist auch, Denkanstöße zu geben und Perspektiven für wissenschaftliche Untersuchungen aufzeigen.

Dadurch ist eine Kombination aus Lehrbuch und Atlas entstanden, die die etablierten anatomischen Atlanten ergänzt. Gleichzeitig ist dieses Buch auch eine Ergänzung meines Buches „Anatomie für Osteopathen“ (2019). Viele Aspekte, die dort in textlicher Form dargestellt wurden, werden in diesem Werk veranschaulicht und vertiefend ausgeführt. Dennoch stehen beide Bücher unabhängig voneinander und sind auch jeweils als Einzelwerk eigenständig nutzbar.

Ganz herzlich möchte ich mich bei Frau Grübener vom Georg Thieme Verlag bedanken. Danke für die kreative konzeptionelle, inhaltliche Zusammenarbeit, für Anregungen und die methodisch-didaktischen Impulse für dieses Buch. Die jahrelange Zusammenarbeit mit Frau Grübener ist für mich als Autorin immer wieder eine kreative Quelle für das Schreiben.

Mein Dank gilt auch Frau Carolin Frotscher und Frau Ulrike Marquardt, die mir mit ihrer kompetenten Betreuung eine große Hilfe waren.

Danke möchte ich auch meiner Familie sagen, die mir bei dieser Arbeit stets mit Rat und Tat zur Seite stand.

Köln, Dezember 2022
Magga Corts

Wie arbeitet man mit diesem Buch?

Dieses Buch soll Sie dabei unterstützen, das für das osteopathische Handeln wichtige räumliche Denken in anatomischen Strukturen zu schulen. Die beschriebenen Wechselbeziehungen zwischen den verschiedenen Strukturen und Kausalzusammenhängen im Gesamtkontext des menschlichen Körpers sollen Sie anregen, vom Detail auf das Große und Ganze zu schließen.

In diesem Lehrbuch und Atlas wird das Kranium aus **verschiedenen Perspektiven** (ventral, lateral, kranial, kaudal) in unterschiedlichen Tiefen (oberflächliche Strukturen, tiefer liegende Strukturen) detailliert betrachtet. Details werden dann wieder in das große osteopathische Puzzle eingebaut und in die Wechselbeziehung zum gesamten Organismus gesetzt.

Einige Knochen, wie z. B. das Os sphenoidale, sind topografisch derart komplex eingebunden, dass sie aus verschiedenen Perspektiven betrachtet werden müssen. Es wurde danach gewichtet, aus welcher Perspektive man besonders vieles erkennen und funktionell ableiten kann. Einzelne Details im Zusammenhang mit anderen Schädelknochen sind bei den jeweiligen osteopathischen Korrespondenzen erfasst, die in der jeweiligen Perspektive funktionell von Interesse sind.

Wo finde ich was? Zu Beginn eines jeden **Hauptkapitels**, das sich im Titel durch die perspektivische Ansicht kennzeichnet, erfolgt ein **Überblick**. Es werden allgemeine Funktionszusammenhänge, topografische Merkmale sowie Regionen aus der jeweiligen Perspektive beschrieben.

Wenn man eine Übersicht über die oberflächlichen und muskulären Strukturen des Kraniums sucht, wird man in den Kapiteln zur **Faszienhülle** fündig.

Wenn Sie Näheres zu einem Knochen des Kraniums lesen wollen, erhalten Sie detaillierte Informationen in den Unterkapiteln des Kapitels **„Knöcherne Anteile des Kraniums"**.

Die Sortierung der Knochen innerhalb der Hauptkapitel erfolgte nach der Perspektive, aus der man vom Äußeren des Kraniums den besten Überblick hat. Knöcherne Anteile, die nicht unmittelbar großflächig am äußeren Kranium sichtbar sind, findet man im Kapitel „**Tiefere knöcherne Anteile**".

Bei den einzelnen **Schädelknochen** erfolgt zunächst eine allgemeine Form- und Funktionsbeschreibung, um einen ersten Überblick über die Funktionalität der anatomischen Struktur zu bekommen. Um die morphologische Wandlung anschaulicher darzustellen, wird jeweils kurz auf die embryologische Entwicklung eingegangen. Das Gestaltungsprinzip der einzelnen Kapitel: Es wird von der Gesamtübersicht zum Detail geführt.

Die **Anatomie** beinhaltet alle Strukturen, die für die osteopathischen Funktionszusammenhänge besonders wichtig sind. Neben den knöchernen Anteilen werden Suturen, benachbarte Knochen mit ihren suturalen Verbindungen, Foramina, Fissuren, Canales, Ligamenta, Muskeln, Faszien, intrakranielle Membranen, systemische Vaskularisation und das neurologische Netzwerk aufgeführt.

Die **Durchtrittsöffnungen** oder Passagen werden im Zusammenhang mit den durchtretenden Strukturen genannt. Die beteiligten vaskulären und neurologischen Anteile sind zur besseren Übersicht noch einmal gelistet.

Die dann folgenden **Abbildungen** veranschaulichen jeweils die knöcherne Struktur mit ihren Details aus allen Perspektiven (ventral, lateral, kaudal, kranial). **Gelb markiert** sind Strukturen, die aus osteopathischer Sicht interessant sind. Darauf wird u. a. detailliert jeweils in den Kapiteln „Osteopathische Korrespondenzen" eingegangen. Oder sie sind in der Beschreibung der Anatomie im Text fettgedruckt, weil die damit verbundenen Strukturen wichtig für den Gesamtkontext sind.

Sie suchen etwas zu myofaszialen Wirkungsketten und deren Bezug zu Kranium? Nach dem Kapitel „Anatomie" eines Schädelknochens können Sie in den Abschnitten „**Myofasziale Wirkungsketten**" dazu weitere Informationen finden.

Der „**Kraniosakrale Kontext**" bezieht sich auf die kraniosakrale Bewegung der anatomischen Struktur. Die physiologische Bewegung (biomechanisches Modell) wird beschrieben und der palpatorische Eindruck der stimmigen Bewegung dargestellt. Ergänzt wird dieses Kapitel, je nach Struktur, um die kraniometrischen Punkte und die Zuordnung zur Zentrallinie.

Sie möchten mehr vom kranialen Puzzle und dessen Wirkung auf den gesamten Organismus erfahren? Die **„Osteopathischen Korrespondenzen"** erörtern die komplexen Zusammenhänge. Hier werden Strukturen besprochen, die im Sinne des osteopathischen Puzzles weitreichende Verbindungen haben und Symptome sowie Pathologien aus osteopathischer Sicht erklären können. Viele Aspekte basieren auf praktischer Erfahrung.

Eine stichwortartige Auflistung der **„Korrespondierenden Strukturen"** stellt schließlich eine Auswahl dar, die den Kontext unterstreicht, dass es sich um den gesamten systemischen Ansatz des menschlichen Körpers handelt.

Komplexe knöcherne kraniale Strukturen wie Augenhöhle und Ohrenhöhle sind als einzelne Kapitel konzipiert.

Tipps und Hinweise für die Behandlung? Diese **Behandlungshinweise** enthalten zum einen eine Auswahl von Indikationen und zeigen zum anderen exemplarisch, welche Behandlungsmöglichkeit sich für die jeweilige Struktur anbietet. Hier werden beispielhaft Behandlungstechniken vorgeschlagen, die sich auf typische Funktionszusammenhänge bei Dysfunktion der beschriebenen Struktur beziehen. Hinweise zur Triggerpunktbehandlung runden das Kapitel ab.

Sie suchen osteopathische Aspekte zu neurophysiologischen Strukturen und zur Zirkulation? Die Kapitel **„Membran- und Gefäßsystem"** und **„ZNS, VNS und Hirnnerven, Plexus cervicalis"** zeigen den strukturellen Verlauf auf. Auch hier richten osteopathische Korrespondenzen den Fokus wieder auf das gesamte System. Denn Zirkulation und der neurophysiologische Gesamtkontext sind ein wichtiger Aspekt in den osteopathischen Denkmodellen.

Das Kapitel **„Differenzialdiagnostik im Überblick"** gibt eine Übersicht über ausgewählte Pathologien, die sich im kranialen Bereich zeigen können. Dies bildet ein kleines Repetitorium für differenzierte Anamnese, Inspektion, Untersuchung und Behandlungsstrategien.

Bei der Lektüre sowie bei der Entdeckung der anatomischen Welt der Osteopathie wünsche ich Ihnen viel Freude.

Inhaltsverzeichnis

1 Einstieg in die kraniosakralen Komponenten

1.1 Das kraniale Puzzle: eine Übersicht

Der menschliche Schädel besteht in seiner Gesamtheit aus **22 Knochen** (▸ Abb. 1.1), die über **Suturen** miteinander verbunden sind. Von den 22 Knochen sind 7 Knochen paarig angelegt. Grundsätzlich kann der Schädel unterteilt werden in **Neurokranium** (Hirnschädel) und **Viszerokranium** (Gesichtsschädel).

Zum Neurokranium gehören:

- Os frontale (Stirnbein)
- Os ethmoidale (Siebbein)
- Os sphenoidale (Keilbein)
- Os occipitale (Hinterhauptbein)
- Ossa parietalia (Scheitelbeine)
- Ossa temporalia (Schläfenbeine)

Das Viszerokranium setzt sich zusammen aus:

- Ossa maxillae (Oberkieferknochen)
- Ossa nasalia (Nasenbeine)
- Ossa lacrimalia (Tränenbeine)
- Ossa zygomatica (Jochbeine)
- Ossa palatinae (Gaumenbeine)
- Conchae nasalis inferior (untere Nasenmuscheln)
- Vomer (Pflugscharbein)

Os mandibulare (Unterkieferknochen), Os hyoideum (Zungenbein) und die Gehörknöchelchen (Amboss, Hammer, Steigbügel) werden als **extrakranielle Knochen** bezeichnet.

Die **Funktion** des knöchernen Schädels ist u. a. der Schutz des zentralen Nervensystems, der Augen, des Hör- und Gleichgewichtsorgans und der Nasen- und Mundhöhlen. Gleichzeitig ermöglicht die Konstruktion von Unterkiefer und Mundhöhle, die Nahrung aufzunehmen und zu zerkleinern.

Merke

Die Ausprägung des Neurokraniums ist im Wesentlichen durch das Wachstum des Gehirns und den Wachstumszug großer Gefäße bestimmt. Ohne den Gestaltwandel des Gehirns schon während der frühen embryonalen Entwicklung würden sich weder die duralen, noch die bindegewebigen, noch die knöchernen Schädelanteile mit ihren Ossifikationszentren adaptiv gestalten.

Das **Viszerokranium** basiert in seiner Gestalt auf der embryonal angelegten Nasenkapsel. Sie differenziert sich später zum Siebbein. Os maxillare und die kleineren Gesichtsknochen lagern sich auf ihr auf. Morphologische Veränderungen entstehen dann durch das weitere Wachstum der Kopforgane [8], [9], [10].

Die **Organe** des Kopfes sind von kaudal nach kranial: der Pharynx mit der anschließenden Mundhöhle mit dem Gaumen, die die Zunge beherbergt. Weitere Organe des Kopfes sind die Kopfspeicheldrüsen, der obere Bereich der Atemwege mit den Nasenhöhlen und den Nasennebenhöhlen, das Hör- und Gleichgewichtsorgan im Innenohr, die Augen und das ZNS (zentrales Nervensystem) in Form des Gehirns.

Das Gehirn liegt intrakranial, weiter kaudal verläuft es als Rückenmark im Rückenmarkkanal und reicht bis ca. Höhe Lendenwirbelkörper 1/2 (Conus medullaris).

Auch hier zeigt sich wie u. a. bei Nerven- und Gefäßsystem die **regionübergreifende Organisation**: Das Verdauungssystem beginnt topografisch im Kopfbereich und reicht als Kontinuum bis zum Beckenboden.

Das arterielle Gefäßsystem des Kraniums speist sich aus der **A. carotis communis**, die sich dann an der Karotisgabel in die A. carotis interna (größtenteils intrakraniale Versorgung) und A. carotis externa (größtenteils extrakraniale Versorgung) aufteilt.

Venös wird das Kranium aus 2 Systemen drainiert, oberflächlich über die **V. jugularis externa** und die intrakraniale Region über die **V. jugularis interna**. Ein Zusammenfluss findet im Angulus venosus statt auf Höhe des M. scalenus anterior.

Lymphknoten befinden sich zahlreich im Bereich der Atemwege und Regionen des Mundes und in den Gehörgängen. Hier können Krankheitserreger erleichtert eintreten. Die Drainage findet über den **Truncus jugularis sinister** und **Truncus jugularis dexter** statt.

Der **Liquor cerebrospinalis** zirkuliert in den Hohlräumen des ZNS (Ventrikel, intra- und extrakraniale Subarachnoidalräume). Er wird vorwiegend in den Seitenventrikeln vom Plexus choroideus gebildet. Die Fluktuation des Liquors ist für Sutherland eine Ursache für den Cranio-Rhythmic-Impulse [34].

Im Kopfbereich befinden sich neben den verschiedenen Anteilen des ZNS und den Hirnnerven auch **parasympathische Kopfganglien** (Ggl. ciliare, Ggl. pterygopalatinum, Ggl. oticum, Ggl. submandibulare).

Die **sympathischen Ganglien** für den Kopfbereich befinden sich im Halsbereich (Truncus sympathicus, Ggl. cervicale superius). Die ventralen Äste des zervikalen Spinalnervs bilden den Plexus cervicalis, der mit seinen sensiblen Ästen die Haut um das Ohr und das seitliche Hinterhaupt versorgt. Die sensible Versorgung des Hinterhaupts erfolgt über die dorsalen Spinalnerven aus C 2 (N. occipitalis major).

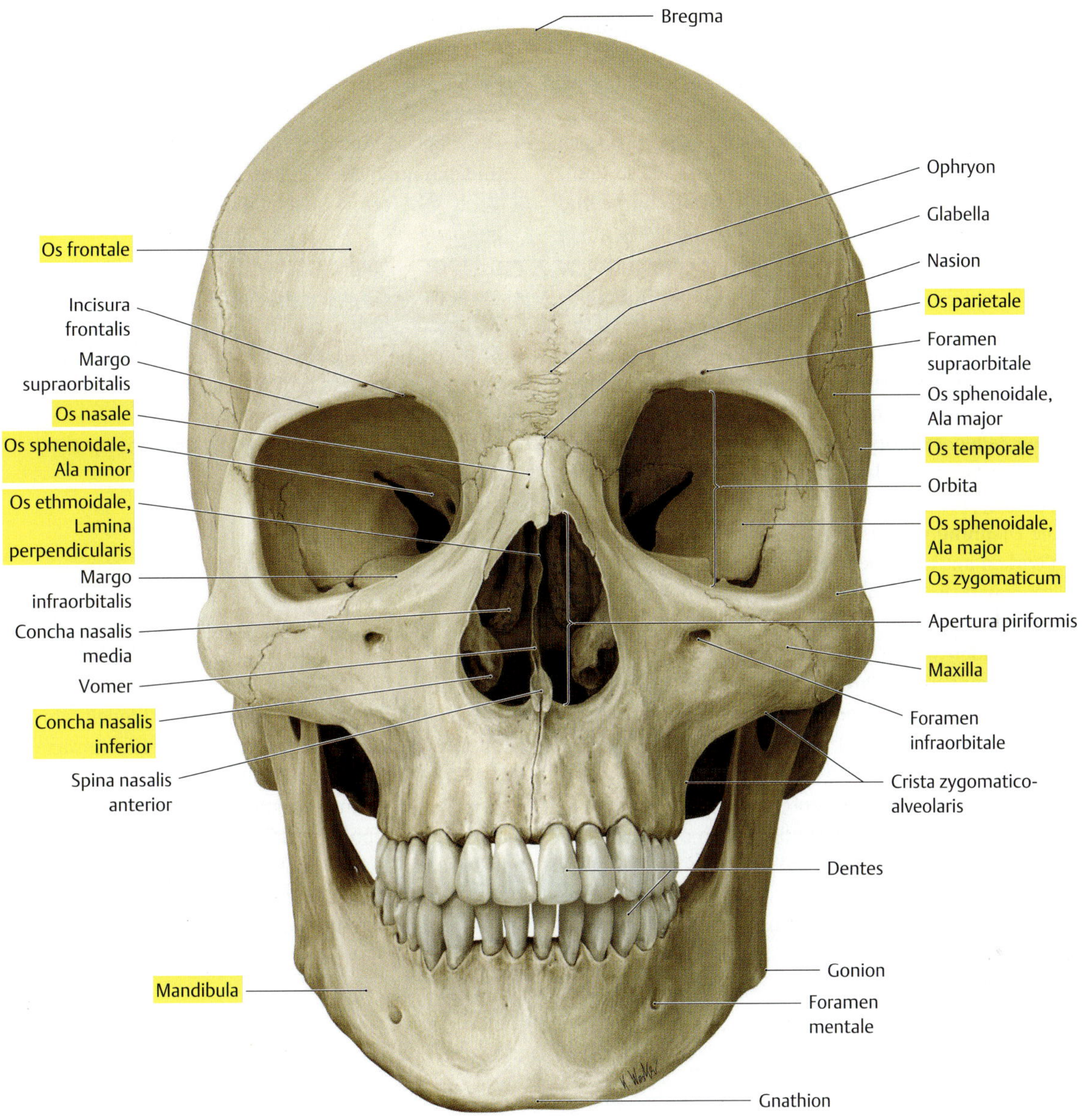

▸ **Abb. 1.1** Schädel von ventral (Norma facialis). Kraniometrische Punkte dienen der Orientierung, z. B. für behandlungstechnische Handhaltungen, gelb unterlegt sind die Knochen des Viszerokraniums. (Quelle: Schünke M, Schulte E, Schumacher U. Prometheus. LernAtlas der Anatomie. Kopf, Hals und Neuroanatomie. Illustrationen von M. Voll und K. Wesker. 6. Aufl. Stuttgart: Thieme; 2022)

Regionale Faszien des Kopfes umkleiden u. a. Muskeln und Organe des Kopfes, sind aber im Grunde die Fortsetzung des ganzkörperumfassenden **Faszienkontinuums**. Faszien umschließen auch die bindegewebig gefüllten Räume des Kraniums. Im Bereich des ZNS zeigen sie sich als strukturiertes Bindegewebe (Meningen). Faszien umhüllen und unterteilen den Körper in oberflächliche und tiefere Schichten. Ein Teil setzt an der Schädelbasis an. In ihrer Gesamtheit kann auch von **einer** Faszie gesprochen werden, deren Funktion nicht nur topografisch ist (umhüllen, unterteilen, verbinden, halten, formen, stabilisieren). Faszien haben nämlich auch **mechanische Aspekte**, wie Spannung übertragen und Gleitbewegungen ermöglichen. **Immunologisch** wirken sie durch ihre phagozytierenden Zellen. **Neurophysiologisch** sind die propriozeptiven Eigenschaften des Fasziennetzes von besonderer Bedeutung [101].

Die **Diaphragmen** als horizontal verlaufende Strukturen wirken im Fasziennetzwerk als Kreuzungspunkt, Stabilisator und Umlenkrolle. Die Diaphragmen sind Pufferzonen im Sinne der Körperstatik, unterstützen die zirkulierenden interstitiellen Flüssigkeiten des Körpers. Als venolymphatische Pumpe beeinflussen sie die Druckverhältnisse im Körper und sind Stütz- und Aufhängevorrichtungen für Organe [46], [80].

Aus osteopathischer Sicht ist die **komplexe Architektur** des Kraniums nicht nur aufgrund seiner Verbindung zum Sakrum entscheidend, sondern auch durch die faszialen, ligamentären, membranösen Kontinuitäten zum gesamten Organismus. Die zirkulatorischen Elemente (Blut, Lymphe, Liquor), die mechanische Funktionalität und neuronalen Verknüpfungen sind elementar. Es gilt das Grundprinzip: Funktion und Struktur sind reziprok gekoppelt.

Die **Funktionalität der Sinnesorgane** (Augen, Hörorgan, Gleichgewichtsorgan, Nase, Mund), propriozeptive-neurophysiologische Regelkreise und das emotionale Erleben, das vegetativ wesentlich Veränderungen im Gesamtorganismus beeinflussen kann, sind existenziell für die körpereigene Integration. Daraus ergibt sich eine holistische dynamische **architektonische Konstellation**, die für das osteopathische Behandeln elementar ist.

Die folgende Aufzählung zeigt strukturelle Anteile auf, die im Fokus osteopathischer Behandlungen stehen:
- Verbindung der einzelnen Schädelknochen über Suturen
- Hirn- und Rückenmarkshäute mit dem intrakranialen und extrakranialen Membransystem
- Ventrikelsystem, Liquor cerebrospinalis, rhythmische Zirkulation
- neuronale Komplexität und Verknüpfungen
- muskuläres Zusammenspiel und gelenkige Verbindungen
- Atmung, Atemmechanik, Herztätigkeit und Zirkulation
- Vaskularisation und Lymphabflüsse
- Viszera und myofasziale Einbindung
- Faszienkontinuum und die Bedeutung der Diaphragmen
- myofasziale Wirkungsketten
- Kraftlinien
- posturologische Körperkoordination

Es existieren zahlreiche **osteopathische Modelle**, die das kraniale Puzzle und seine Funktionalität zu erklären versuchen. Sie sind hilfreich für das grundlegende Verständnis des dynamischen Systems. Wie jedes Modell führt die Reduzierung darauf auch zu Defiziten. Die Ansätze für wissenschaftliche Untersuchungen, um genau das System näher zu klären, sind zahlreich. In Ermangelung wissenschaftlicher Ergebnisse wird hier auf das **biomechanische und funktionelle Behandlungsmodell nach Sutherland** zurückgegriffen. In den einzelnen Kapiteln wird näher auf die modellhaften Bewegungen eingegangen.

1.2 Hinweise zu Suturen und zur Schädelentwicklung

1.2.1 Überblick

Die Suturen sind ein Beispiel für die kinetische Morphologie anatomischer Strukturen. Es geht um Entwicklungsbewegungen, die zu ausgeformten differenzierten anatomischen Strukturen führen. Diese Kinetik beginnt mit der befruchteten Eizelle [8], [9].

Blechschmidt [10] sieht die **Suturenentstehung** im engen Zusammenhang mit dem embryonalen Wachstumszug von Blutgefäßen und Hirnwachstum. Das die Hirnanlage umgebende embryonale Bindegewebe (spätere Dura) adaptiert die kinematischen Wachstumskräfte und bildet Räume für die Gefäßentwicklung. Diese strangartigen Gewebeverdichtungen sind später gurtartige Verstärkungen der Dura. Sie sind Vorstufe der Schädelnähte. Schädelnähte sind dasjenige Bindegewebe, welches zwischen zwei benachbarten Schädelknochen liegt.

Eine **Schädelnaht** ist eine zugfeste Klammer, die den Knochenrand eines Schädelknochens umsäumt. Die Schädelnaht überbrückt die miteinander artikulierenden Schädelknochen. Im gesamten embryonalen, fetalen und postnatalen Entwicklungs- und Wachstumsverlauf zeigt sich, dass die Schädelnähte zudem auch eine Distanzierung der Schädelknochen voneinander unterstützen. Dadurch soll dem Schädelknochen Platz für das Knochenrandwachstum gelassen werden. Gleichzeitig halten die Schädelnähte die artikulierenden Schädelanteile gegen die Pulsationswellen der Gehirngefäße zusammen. Die Schädelknochenentwicklung basiert auf der Existenz der Schädelnähte. Die Schädelnähte sind Grundlage für die dynamisch-kinetische Entwicklung der Schädelknochen.

Die Suturen machen postnatal die weiteren **Wachstumsveränderungen** des kindlichen Schädels erst möglich. Die bindegewebige Verbindung der Schädelknochen untereinander ermöglicht eine hohe Elastizität und Plastizität. An den Kreuzungspunkten der Suturen befinden sich, postnatal noch gut sichtbar, bindegewebig überdeckte Spalten und Flächen zwischen den artikulierenden Schädelknochen. Dies sind die **6 Fontanellen**, von denen 2 beidseits des Schädels liegen (▸ **Abb. 1.2**).

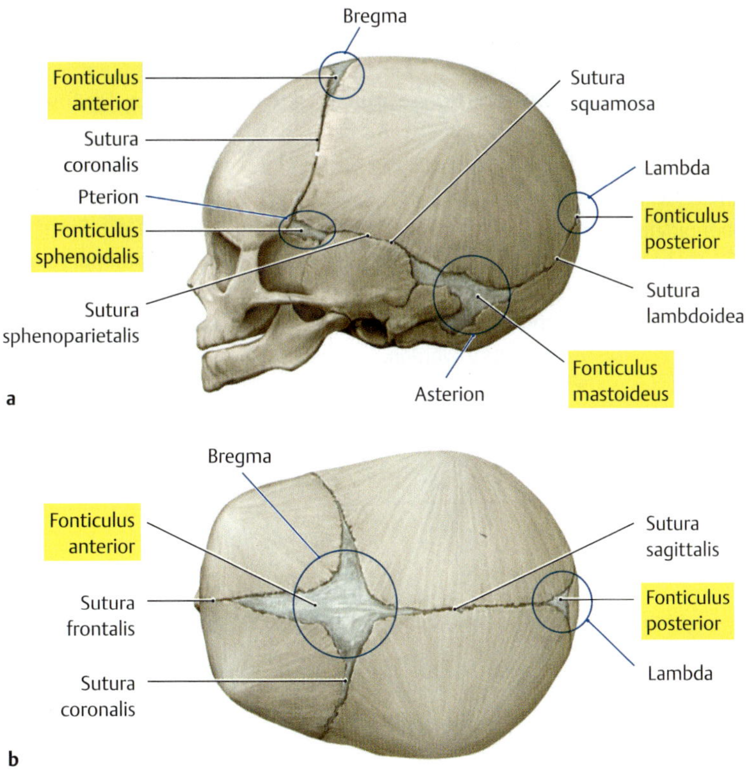

▸ **Abb. 1.2** Schädel eines Neugeborenen.
a Ansicht von links. (Quelle: Corts M. Diagnoseleitfaden Osteopathie. 3., unveränderte Auflage. Stuttgart: Thieme; 2020 nach Schünke M, Schulte E, Schumacher U. Prometheus. LernAtlas der Anatomie. Kopf, Hals und Neuroanatomie. Illustrationen von M. Voll und K. Wesker. 6. Aufl. Stuttgart: Thieme; 2022)
b Ansicht von kranial. (Quelle: Corts M. Diagnoseleitfaden Osteopathie. 3., unveränderte Auflage. Stuttgart: Thieme; 2020 nach Schünke M, Schulte E, Schumacher U. Prometheus. LernAtlas der Anatomie. Kopf, Hals und Neuroanatomie. Illustrationen von M. Voll und K. Wesker. 6. Aufl. Stuttgart: Thieme; 2022)

Die **Suturen verknöchern** zu deutlich unterschiedlichen Zeitpunkten mit unterschiedlichen Qualitäten. Quernähte entstehen zwischen gleich großen embryonalen Knochen. Breiten sich deren Ossifikationszentren schnell aus, dann verschieben sie sich gegen das Nahtbindegewebe. Hier bildet sich eine **Sutura serrata**, eine verzahnte Schädelnaht (z. B. Sutura sagittalis). Während des Gehirnwachstums versetzen sich diese Nähte kaum.

Eine **Sutura plana**, also ein parallel verlaufender Knochenrand, entwickelt sich bei Knochenanlagen, die sich langsam und geringfügig voneinander entfernen (z. B. Sutura internasalis).

Schrägnähte entstehen, wenn sich durch das Gehirnwachstum die Schädelnähte zueinander versetzen (z. B. Sutura zygomaticotemporalis). Erfolgt die Verschiebung quer zu den großen Knochenoberflächen, bildet sich hier eine **Schuppennaht** (z. B. Sutura parietomastoidea).

Tendenziell gilt, dass das Wachstum in Richtung anterior-posterior die transversalen Suturen unterstützt (z. B. Sutura coronalis, die sich zwischen dem Os frontale und den beiden Ossa parietalia befindet). Ein **Breitenwachstum** (transversal) ermöglichen die sagittalen Suturen (z. B. Sutur zwischen den beiden Ossa parietalia, Sutura sagittalis) [10].

Lage und Verknöcherung der Fontanellen

- **Hinterhauptsfontanelle** (kleine Fontanelle, Fonticulus posterior):
  - kranial zwischen Ossa parietalia und Os occipitale
  - begrenzende Nähte: Sutura sagittalis (kranial), Sutura lamboidea (beidseits lateral)
  - Verschluss: ca. 3. Lebensmonat
  - späterer kraniometrischer Punkt: Lambda
- **vordere Seitenfontanelle** (Fonticulus sphenoidalis):
  - beidseits lateral zwischen Os temporale, Os parietale und Os sphenoidale
  - begrenzende Nähte: Sutura coronalis (kranial), Sutura sphenoparietalis (okzipital)
  - Verschluss: ca. 6. Lebensmonat
  - späterer kraniometrischer Punkt: Pterion
- **Mastoidfontanelle** (Fonticulus mastoideus):
  - lateral zwischen Os temporale, parietale und occipitale
  - begrenzende Nähte: Sutura squamosa (kranial), Sutura lamboidea (okzipital)
  - Verschluss: ca. 18. Lebensmonat
  - späterer kraniometrischer Punkt: Asterion
- **Stirnfontanelle** (große Fontanelle, Fonticulus anterior):
  - zentral auf dem Schädeldach zwischen Ossa frontalia, Ossa parietalia
  - begrenzende Nähte: Sutura frontalis (ventral), Sutura coronalis (beidseits lateral), Sutura sagittalis (okzipital)
  - Verschluss: ca. 36. Lebensmonat

1.2.2 Pivot-Punkte und Dysfunktion

Pivot-Punkte: Umkehr- oder Wechselpunkte in der Ausrichtung der Suturenlippe werden als Pivot-Punkte bezeichnet. An diesen Punkten wechselt die abgeschrägte Suturenkante von innen nach außen oder umgekehrt. Eine nach innen abgeschrägte Suturenkante, also ausgerichtet zum Innern des Schädels, bedeckt eine nach außen gerichtete abgeschrägte Suturenkante (▸ **Abb. 1.3**). An den Pivot-Punkten findet keine Bewegung statt. Disengagement-Techniken orientieren sich an den Ausrichtungen von Suturenrändern.

Dysfunktion Sutur: Von einer Sutur in Dysfunktion spricht man, wenn beim Elastizitätstest eine Sutur oder ein Teil einer Sutur hart und unnachgiebig ist. D. h., sie ist in ihrer Mobilität eingeschränkt oder sogar unbeweglich. Der Druck bei der Untersuchung, der auf die Sutur gebracht wird, ist mäßig und langsam zunehmend. Je nach Suturenart (z. B. Schuppennaht, gezahnte Naht, Suturen mit Pivot-Punkten) ist die spezifische Behandlungstechnik auszuwählen.

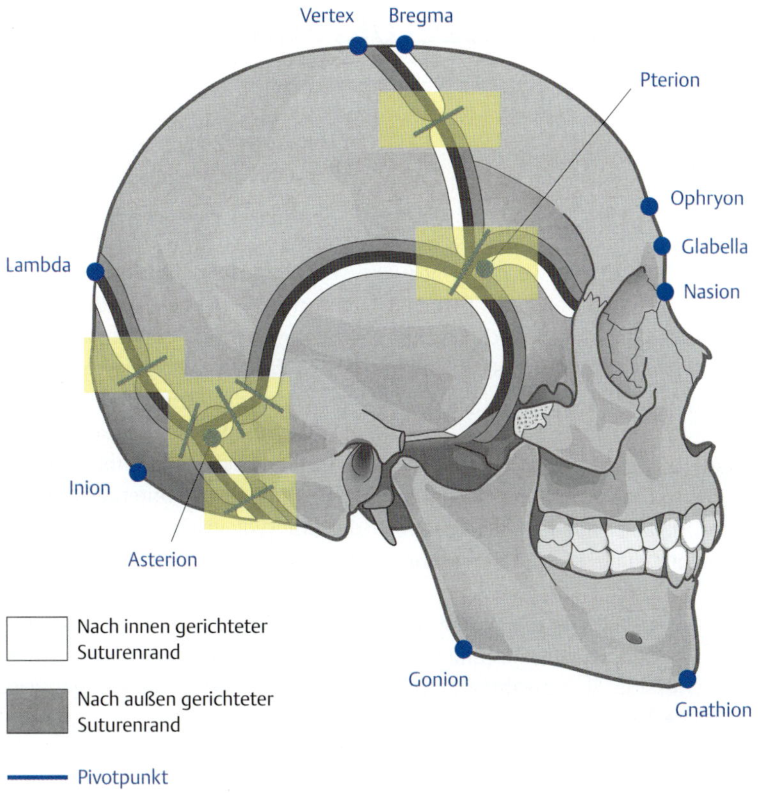

▶ **Abb. 1.3** Richtung der Suturenränder. Pivot-Punkte sind erkennbar durch Umkehr- oder Wechselpunkt. (Quelle: Corts M. Diagnoseleitfaden Osteopathie. 3., unveränderte Auflage. Stuttgart: Thieme; 2020, nach Liem T. Kraniosakrale Osteopathie. 7. Aufl. Stuttgart: Thieme; 2018)

2 Ventrale Ansicht Viszerokranium und Kranium

2.1 Überblick

2.1.1 Viszerokranium und Kranium

Das Gesicht kann in **3 Anteile** unterteilt werden: Ober-, Mittel- und Untergesicht. Prägend im Obergesicht ist das **Os frontale**. Das Mittelgesicht imponiert durch Augenhöhlen und Nase (Os nasale, Arcus zygomaticus, Maxilla). Das Untergesicht wird charakterisiert von Mund und Unterkiefer.

Die **Gesichtseingeweide** prägen die Knochen des Viszerokraniums (▶ Abb. 2.1, ▶ Abb. 2.2, ▶ Abb. 2.3). Die Augenhöhlen bieten dem Augapfel mit seinen Muskeln, Anhangsgebilden und seiner Gefäß- und Nervenversorgung Platz.

Deutlich ist der knöcherne Rahmen für die **Nasenhöhle**. Dieser bildet den Eingangsbereich zum Respirationstrakt und ist gleichzeitig für die Sinneswahrnehmung (Riechschleimhaut) wichtig (▶ Abb. 2.2).

Der **Mund** (Os maxillare, Os mandibulare) bildet den obersten Eingang des Verdauungstraktes. Er wird begrenzt von Lippen, Wangen, Gaumen, Rachen und Mundboden. Er beherbergt u. a. Zähne und Zunge. Er steht im engen funktionellen Zusammenhang mit dem Schlund. Er ist neben Nahrungsaufnahme und Atmung Voraussetzung für Sprache und gustatorische Sinneswahrnehmung.

Die **mimische Muskulatur** macht es möglich, dem menschlichen Gesicht Ausdruck zu verleihen. Die motorische Innervation der mimischen Muskeln ist die Aufgabe des **N. facialis**. Sensorisch wird die Gesichtshaut überwiegend vom **N. trigeminus** versorgt.

Embryologisch entwickelt sich das Gesicht aus verschiedenen **Wülsten** (▶ Abb. 2.4). Es entstehen Stirn-, Nasen-, Oberkiefer-, Unterkieferwülste, die sich im Laufe der embryologischen Entwicklung nach ventral vereinigen. Ober- und Unterkieferwülste sind paarig angelegt (Kap. 2.4.1). Das Einzige, was bei den vereinigten Wülsten frei bleibt, ist die Mundöffnung (quergestellt).

Der **Meckel-Knorpel** (Kap. 2.3.1, ▶ Abb. 2.20) spielt dabei eine wichtige entwicklungsgeschichtliche Rolle für die Entwicklung von Unterkiefer und Gehörknöchelchen. Das Gesicht ist in der frühen **embryonalen Zeit** durch das zunehmend wachsende Gehirn und das Herz bedrängt, das sich als Herzwulst zeigt. Daher rührt auch das klassische embryonale breite Gesicht, bei dem die

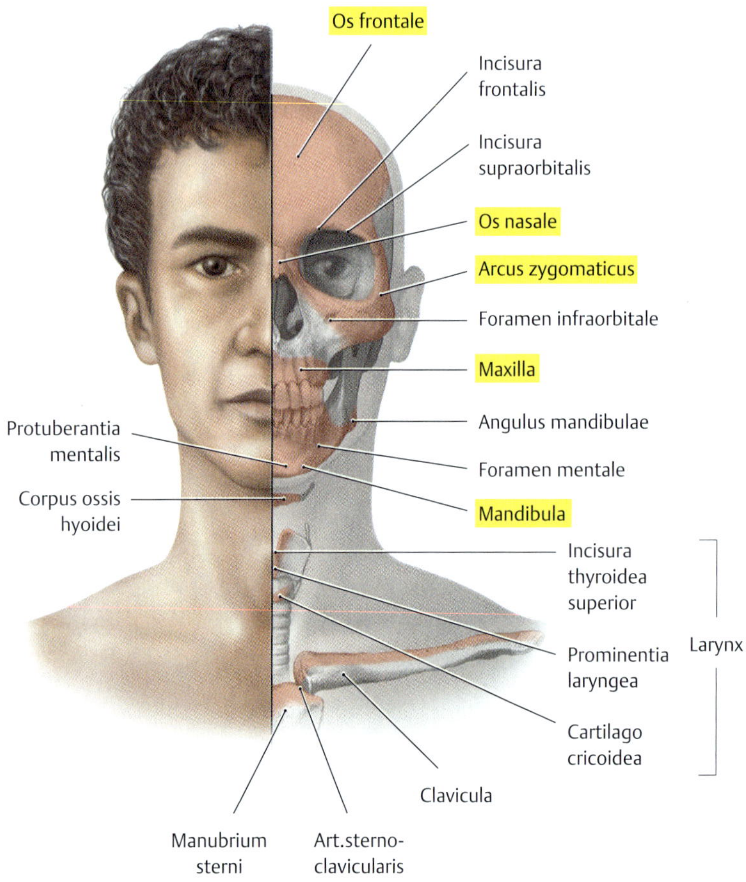

▶ **Abb. 2.1** Tastbare Knochenpunkte am Kopf und Hals. Knochenausformungen des Viszerokraniums durch Eingeweide des Kopfes. (Quelle: Schünke M, Schulte E, Schumacher U. Prometheus. LernAtlas der Anatomie. Kopf, Hals und Neuroanatomie. Illustrationen von M. Voll und K. Wesker. 6. Aufl. Stuttgart: Thieme; 2022)

Augen weit auseinanderstehen und anfangs sehr lateral orientiert sind (erweiterter Augen-Nasen-Abstand; Kap. 2.3.3). Ursprünglich aus einer Muskelplatte entwickeln sich die mimischen Muskeln, die sich mit der Ausformung des Gesichts weiter differenzieren. Das wird dadurch ermöglicht, dass das Herz beim Embryo weiter nach kaudal wandert, weil es, angeheftet am Zwerchfell, den Viszera folgt (Descensus). Das Gehirn steigt in dieser Phase kranial auf. So steht mehr Platz für die Gesichtsentwicklung zur Verfügung [8], [10].

2.1.2 Regionen

Ansicht der Regionen des Kopfes und des Halses von ventral rechts (▶ **Abb. 2.5**). Für die ventrale Ansicht des Kopfes werden topografisch betrachtet:

- Regio frontalis
- Regio orbitalis
- Regio nasalis
- Regio infraorbitalis
- Regio oralis
- Regio buccalis
- Regio mentalis

Diese Regionen entsprechen der ventralen Gesichtsfläche mit Übergang zum oberen ventralen Halsbereich. Die sensible Innervation des Gesichts zeigt ein ganz anderes Muster als die des Hinterhaupts. Der Gesichtsbereich wird vom N. trigeminus (V_1–V_3) versorgt, während Hals, Hinterkopf und Teile des hinteren lateralen Kraniums von den segmentalen zervikalen Nerven sensibel versorgt werden (▶ **Abb. 2.6**, ▶ **Abb. 2.7**).

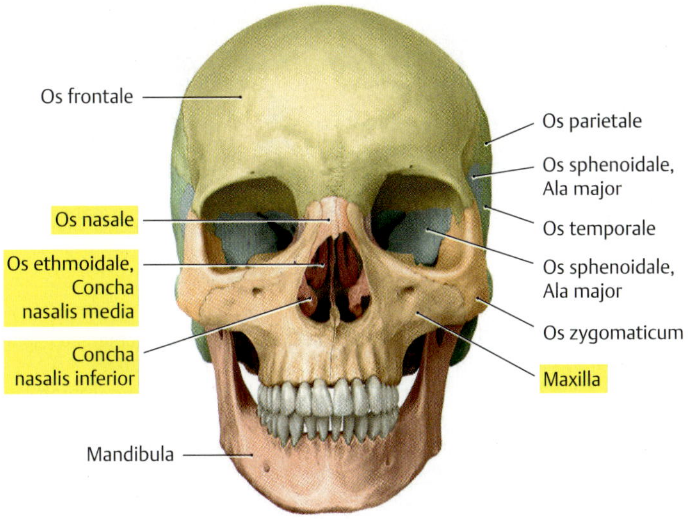

▶ **Abb. 2.2** Schädelknochen: knöcherne Anteile eines Erwachsenen und ihre Proportionen (von ventral). (Quelle: Schünke M, Schulte E, Schumacher U. Prometheus. LernAtlas der Anatomie. Kopf, Hals und Neuroanatomie. Illustrationen von M. Voll und K. Wesker. 6. Aufl. Stuttgart: Thieme; 2022)

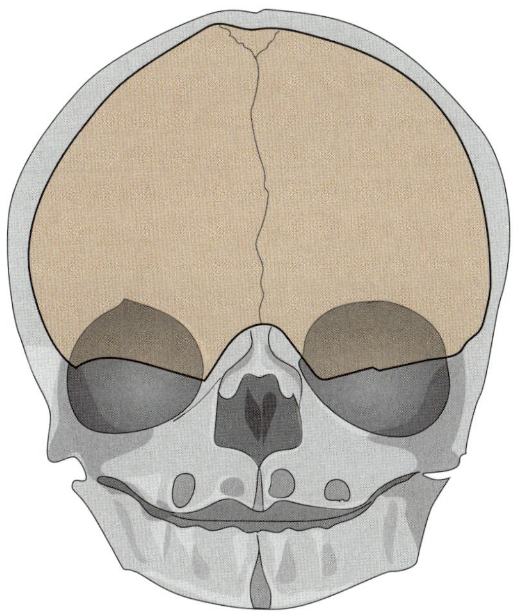

▶ **Abb. 2.3** Schädel eines Neugeborenen mit seinen Proportionen und Lage der Fontanellen (von ventral). (Quelle: Peters K, Bauer C. Checkliste Kinderosteopathie. Stuttgart: Karl F. Haug Verlag; 2017)

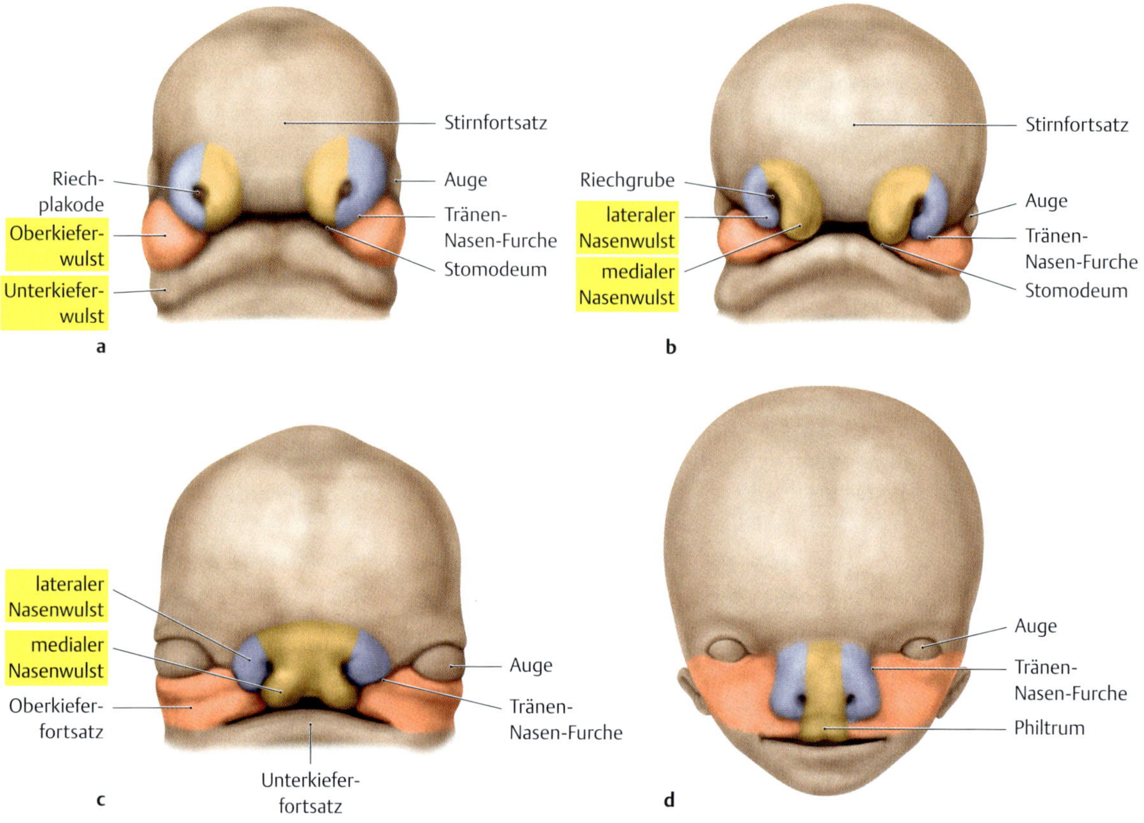

▶ **Abb. 2.4** Gesichtswülste und deren Verschmelzung (nach Sadler; von ventral).

a Gesicht eines Embryos im Alter von ca. 5 Wochen mit Gesichtswülsten. (Quelle: Schünke M, Schulte E, Schumacher U. Prometheus. Lern-Atlas der Anatomie. Kopf, Hals und Neuroanatomie. Illustrationen von M. Voll und K. Wesker. 6. Aufl. Stuttgart: Thieme; 2022)

b Gesicht eines Embryos im Alter von ca. 6 Wochen mit Furchung. (Quelle: Schünke M, Schulte E, Schumacher U. Prometheus. LernAtlas der Anatomie. Kopf, Hals und Neuroanatomie. Illustrationen von M. Voll und K. Wesker. 6. Aufl. Stuttgart: Thieme; 2022)

c Gesicht eines Embryos im Alter von ca. 7 Wochen mit verschmolzenen Nasenwülsten median und lateral. (Quelle: Schünke M, Schulte E, Schumacher U. Prometheus. LernAtlas der Anatomie. Kopf, Hals und Neuroanatomie. Illustrationen von M. Voll und K. Wesker. 6. Aufl. Stuttgart: Thieme; 2022)

d Gesicht eines Embryos im Alter von ca. 10 Wochen, Furchungen und Wanderbewegungen finden jetzt nicht mehr statt. (Quelle: Schünke M, Schulte E, Schumacher U. Prometheus. LernAtlas der Anatomie. Kopf, Hals und Neuroanatomie. Illustrationen von M. Voll und K. Wesker. 6. Aufl. Stuttgart: Thieme; 2022)

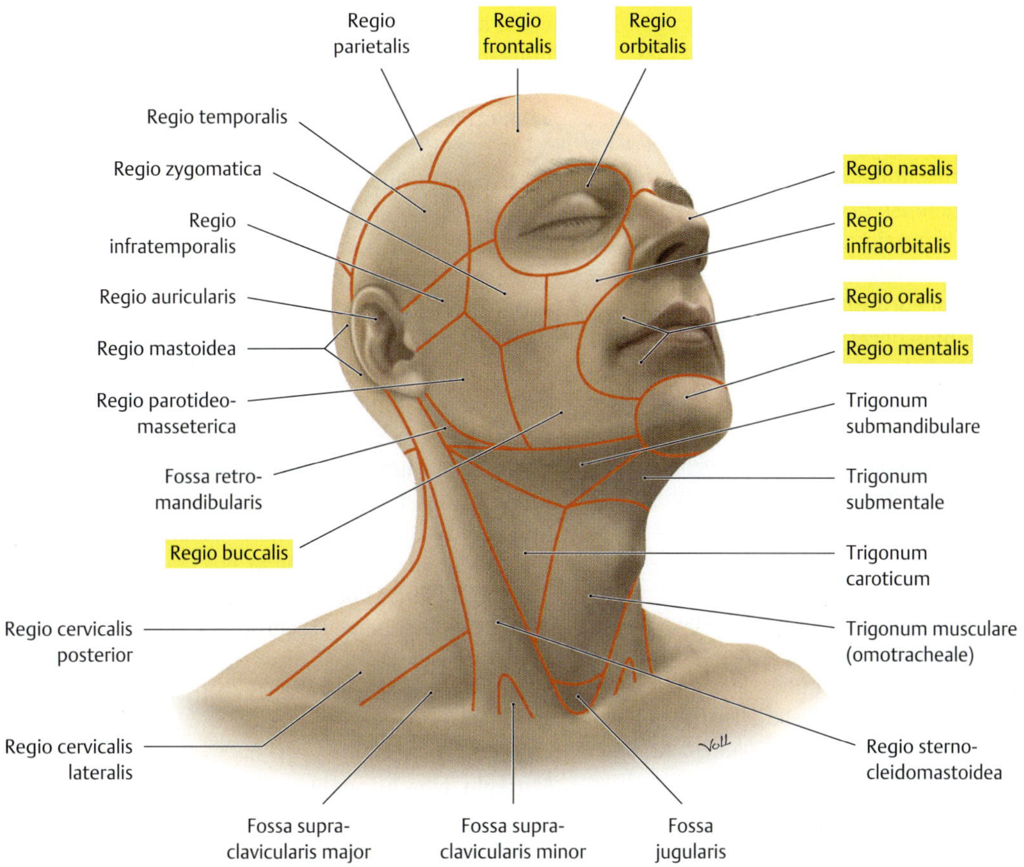

▶ **Abb. 2.5** Regionen des Kopfes und des Halses. (Quelle: Schünke M, Schulte E, Schumacher U. Prometheus. LernAtlas der Anatomie. Kopf, Hals und Neuroanatomie. Illustrationen von M. Voll und K. Wesker. 6. Aufl. Stuttgart: Thieme; 2022)

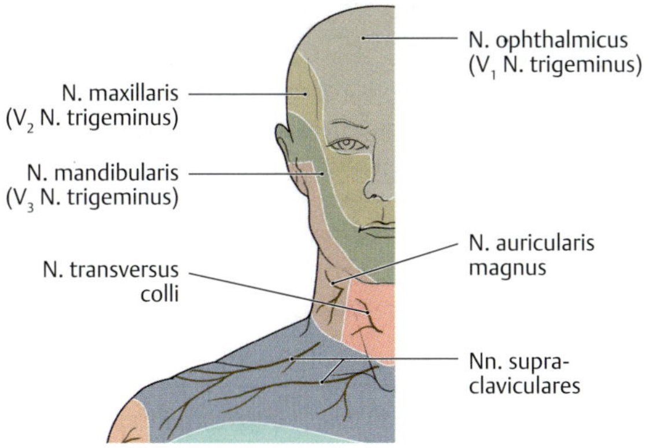

▶ **Abb. 2.6** Umfangreiche sensorische Versorgung des Gesichts durch den N. trigeminus (von ventral). (Quelle: Schünke M, Schulte E, Schumacher U. Prometheus. LernAtlas der Anatomie. Allgemeine Anatomie und Bewegungssystem. Illustrationen von M. Voll und K. Wesker. 6. Aufl. Stuttgart: Thieme; 2022)

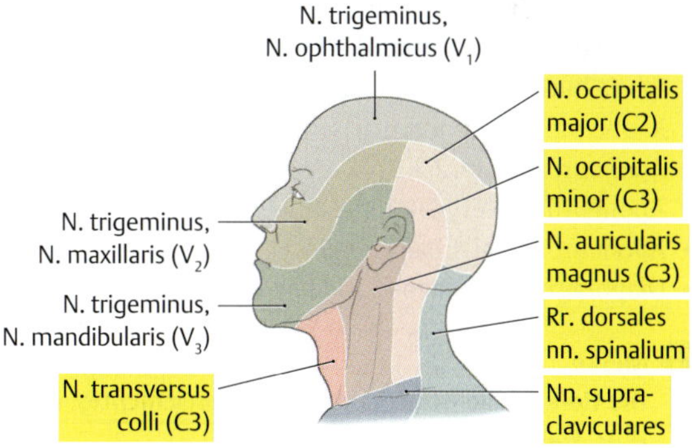

▶ **Abb. 2.7** Nervenäste der segmentalen zervikalen Nerven für die sensorische Versorgung des Hinterhaupts, Hals und Teile des lateralen Kraniums (von lateral). (Quelle: Schünke M, Schulte E, Schumacher U. Prometheus. LernAtlas der Anatomie. Kopf, Hals und Neuroanatomie. Illustrationen von M. Voll und K. Wesker. 6. Aufl. Stuttgart: Thieme; 2022)

2.2 Oberflächliche und tiefere Schicht

2.2.1 Faszienhülle, mimische Muskeln

Fascia superficialis: Carla Stecco [113] differenziert im Rahmen des Faszienkontinuums die Gesichtsfaszien in ein oberflächliches und ein tiefes Blatt. Die Fascia superficialis im Gesicht kennzeichnet sich durch ein System von muskulären und aponeurotischen Anteilen (**superfizielles muskuloaponeurotisches System – SMAS**). Die Fascia superficialis umschließt und verbindet im Gesicht die **mimischen Muskeln** in ihrer Gesamtheit. Kaudal setzt sie sich in die oberflächliche Halsfaszie fort, wo sie das **Platysma** beherbergt, das ebenfalls zur mimischen Muskulatur gezählt wird. Unter der Faszie befindet sich Fettgewebe, das je nach Region nur spärlich ausgeprägt ist. Das lockere, verschiebliche Gewebe dient als Gleitlager zur tieferen faszialen Schicht.

Tiefe Faszie: Die tiefe Faszie des Kopfes umscheidet **Drüsengewebe** und **Muskeln**. Am vorderen Masseterrand, im Bereich von Gl. parotidea und über dem Arcus zygomaticus befindet sich kein Fettgewebe. Hier liegen oberflächliche und tiefe Faszie direkt aneinander. **M. buccinator** und **M. zygomaticus** sind durch ihre Lage zwischen der oberflächlichen mimischen Muskulatur und der tiefen Kaumuskulatur der Verbindungsbereich von oberflächlicher zu tiefer Faszie [113].

Zur tiefen Gesichtsfaszie zählen:
- Vagina bulbi (Kap. 2.5.1)
- Fascia parotideomasseterica (Kap. 3.2.1)
- Fascia pterygoidea (Kap. 3.2.1)
- Fascia buccopharyngea (Kap. 3.2.1)
- Raphe pterygomandibularis, interpterygoidale Aponeurose (Kap. 2.3.1)
- Aponeurosis pterygotemporomandibularis (Kap. 2.3.1)
- Aponeurosis palatina (Kap. 2.4.1)
- Diaphragma styloideus („Rideau-Stylien“; Kap. 3.2.1)

Merke

Die tiefe Faszie ist im Kopfbereich einschichtig, im Hals dreischichtig.

Fascia superficialis und mimische Muskulatur: Das Gesicht ist der Körperbereich, der am deutlichsten **Empfindungen** und Gemütszustände zum Ausdruck bringen kann. Gekoppelt mit Körperhaltung und -bewegung bezeichnet man das zutreffend als Körpersprache.

Die mimischen Muskeln sind flache Muskeln, die am Schädel ihren Ursprung haben (▶ **Abb. 2.8**). Die verbindende und umschließende **Fascia superficialis** ist auch die Insertion der mimischen Muskulatur, also anders als bei den übrigen Skelettmuskeln, die ihren Ansatz an knöchernen Strukturen haben. Deshalb sind bei Kontraktion der Gesichtsmuskeln Hautverschiebungen möglich.

Die mimischen Muskeln umschließen die **Gesichtsöffnungen** Augen-, Nasen-, Mundhöhle und beeinflussen die Weite der Öffnungen (▶ **Abb. 2.8**, ▶ **Abb. 2.9**):
- **M. orbicularis oculi** ermöglicht Lidschluss und Augenzukneifen.
- **M. nasalis** kann die Nasenlöcher erweitern (Pars alaris) oder auch verengen (Pars transversa).
- Um die Lippen aufeinanderzupressen, kontrahiert sich **M. orbicularis oris**.
- Die fasziale Verbindung von **M. buccinator** zur weiter posterior liegenden Rachenfaszie, Raphe pterygomandibularis, unterstreicht die funktionelle Bedeutung des M. buccinator für den Kau- und Schluckakt (Kap. 2.3.2).
- Das **Platysma**, der größte mimische Muskel, ist der am weitesten kaudal liegende mimische Muskel im Gesicht und ist Bestandteil des SMAS.
- Kranial setzt sich das **SMAS** und damit auch die mimische Muskulatur über den M. epicranus zur Galea aponeurotica fort. Es bestehen auch Verbindungen zur Fascia temporoparietalis superficialis [113].

Innervation: Alle mimischen Muskeln werden vom **N. facialis (VII)** versorgt.

Muskeln, eine Auswahl (▶ Abb. 2.8, ▶ Abb. 2.9)
- **M. corrugator supercilii:**
  - **Ursprung**: Os frontale, Arcus superciliaris
  - **Ansatz**: Innenseite Augenbraue
  - **Innervation**: Rr. temporales → N. facialis (VII)
  - **Funktion**: zieht Augenbraue nach unten-innen („Zornesfalte“)
- **M. occipitofrontalis:**
  - **Ursprung**:
    - Venter frontalis: Margo supraorbitale
    - Venter occipitalis: Linea nuchae superior
  - **Ansatz**: Galea aponeurotica
  - **Innervation**: Rr. temporales, N. auricularis posterior → N. facialis (VII)
  - **Funktion**: Stirnrunzeln, Heben der Augenbrauen, Galea-aponeurotica-Gleiten
- **M. procerus:**
  - **Ursprung:** Os-nasale-Faszie
  - **Ansatz:** Region Glabella, Übergang in Fasern von M. occipitofrontalis
  - **Innervation**: Rr. temporales → N. facialis (VII)
  - **Funktion:** mediale Stirnhaut und mediale Augenbraue nach kaudal ziehend
- **M. temporoparietalis:**
  - **Ursprung**: Faszie M. temporalis
  - **Ansatz**: Galea aponeurotica
  - **Innervation**: Rr. temporales → N. facialis (VII)
  - **Funktion**: spannt Galea aponeurotica nach posterior
- **M. auricularis anterior:**
  - **Ursprung**: lateraler Rand Galea aponeurotica
  - **Ansatz**: Vorderseite Ohrmuschelhelix
  - **Innervation**: Rr. temporales → N. facialis (VII)
  - **Funktion**: anteriore Zugwirkung auf Ohrmuschel

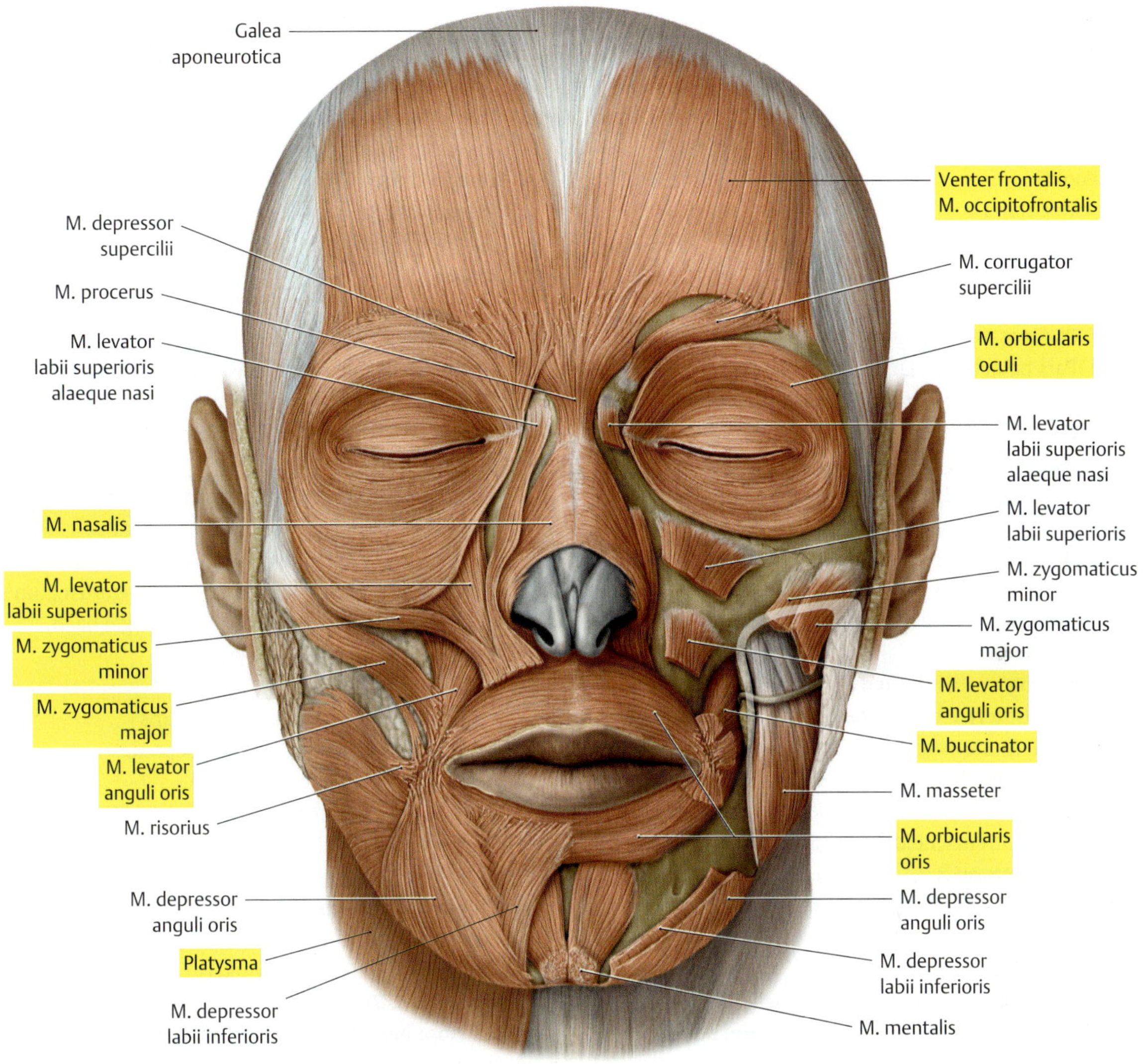

▸ **Abb. 2.8** Mimische Gesichtsmuskeln. (Quelle: Schünke M, Schulte E, Schumacher U. Prometheus. LernAtlas der Anatomie. Kopf, Hals und Neuroanatomie. Illustrationen von M. Voll und K. Wesker. 6. Aufl. Stuttgart: Thieme; 2022)

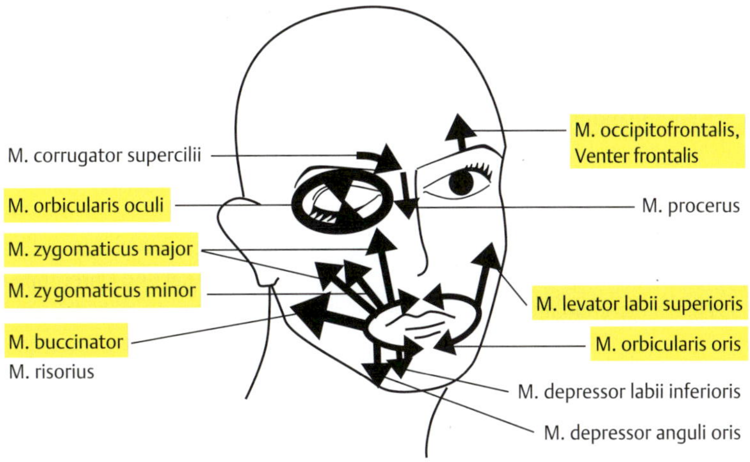

▸ **Abb. 2.9** Funktionen der Gesichtsmuskeln. (Quelle: Liem T. Praxis der Kraniosakralen Osteopathie. 4. Auflage. Stuttgart: Thieme; 2019; Grafik: C. Dardamissis, Freigold Konzept & Design, Hamburg)

- **M. auricularis posterior:**
  - **Ursprung**: Proc. mastoideus
  - **Ansatz**: Ohrhinterrand
  - **Innervation**: N. auricularis posterior → N. facialis (VII)
  - **Funktion**: posteriore Zugwirkung auf Ohrmuschel
- **M. orbicularis oculi:**
  - **Ursprung:**
    - dreiteilig
    - Pars orbitalis: Proc. frontalis (Os maxillare), Pars nasalis (Os frontale)
    - Pars palpebralis: Lig. palpebrale mediale
    - Pars lacrimalis: Crista lacrimalis posterior
  - **Ansatz:**
    - Pars orbitalis: Lidspalte
    - Pars palpebralis: Raphe palpebrae lateralis
    - Pars lacrimalis: Tränensack
  - **Innervation**: Rr. temporales und Rr. zygomatici → N. facialis (VII)
  - **Funktion**: Lidschluss, Verteilung Tränenflüssigkeit
- **M. buccinator:**
  - **Ursprung**: Außenflächen der Alveolarfortsätze (Ober-/Unterkiefer), Raphe pterygomandibularis
  - **Ansatz**: Mundwinkel mit M. orbicularis oris
  - **Innervation**: Rr. buccales → N. facialis (VII)
  - **Funktion**: formt die Wangenkontur, zieht die Wange zusammen, entscheidend für Saugbewegung
- **M. orbicularis oris:**
  - **Ursprung**: anteriore Flächen der Alveolarkämme vom Os maxillare und Os mandibulare
  - **Ansatz**: Lippenspalte
  - **Innervation**: Rr. buccales → N. facialis (VII)
  - **Funktion**: Lippenschluss oder Schürzen der Lippen
- **M. risorius:**
  - **Ursprung**: Faszie des M. masseter
  - **Ansatz**: Mundwinkel
  - **Innervation**: Rr. buccales → N. facialis (VII)
  - **Funktion**: lateral-dorsaler Zug am Mundwinkel
- **M. depressor anguli oris:**
  - **Ursprung**: Tuberculum mentale (Os mandibulare)
  - **Ansatz**: Mundwinkel
  - **Innervation**: R. marginalis mandibularis → N. facialis (VII)
  - **Funktion**: Zug an Mundwinkeln nach kaudal
- **M. depressor labii inferioris:**
  - **Ursprung**: Os mandibulare, Unterrand
  - **Ansatz**: Unterlippenhaut
  - **Innervation**: R. marginalis mandibularis → N. facialis (VII)
  - **Funktion**: Zug an Unterlippe nach kaudal
- **M. levator labii superioris:**
  - **Ursprung**:
    - Proc. frontalis (Os maxillare)
    - Caput angulare: Proc. frontalis (Os maxillare)
    - Caput infraorbitale: Orbita
    - Caput zygomaticum: Os zygomaticum
  - **Ansatz:** Oberlippe
  - **Innervation:** Rr. temporales und Rr. zygomatici → N. facialis (VII)
  - **Funktion:** hebt die Oberlippe
- **M. levator anguli oris:**
  - **Ursprung:** Fossa canina (Os maxillare)
  - **Ansatz:** Mundwinkel
  - **Innervation:** Rr. buccales des N. facialis (VII)
  - **Funktion:** hebt den Mundwinkel → Lachen
- **M. nasalis:**
  - **Ursprung:**
    - zweiteilig
    - Pars transversa: Fossa incisiva (Os maxillare)
    - Pars alaris: Fossa incisiva (Os maxillare), etwas kaudal von Pars transversa
  - **Ansatz:**
    - Pars transversa: Aponeurose Nasenrücken
    - Pars alaris: Knorpel Nasenflügel, -spitze
  - **Innervation:** Rr. buccales → N. facialis (VII)
  - **Funktion:** Pars transversa: zieht Knorpelgerüst zum Os maxillare, Pars alaris: zieht Nasenflügel nach lateral → Nasenlochvergrößerung
- **M. depressor septi nasi:**
  - **Ursprung:** Fossa incisiva (Os maxillaris)
  - **Ansatz:** Nasenseptum (Cartilago septi nasi), Nasenflügel (Cartilago alaris nasi)
  - **Innervation:** Rr. buccales → N. facialis (VII)
  - **Funktion:** zieht die Nasenspitze und Teile des Nasenflügels nach unten
- **M. zygomaticus major:**
  - **Ursprung:** Jochbein (Facies lateralis)
  - **Ansatz:** Modiolus (Mundwinkel), Oberlippe
  - **Innervation:** Rr. zygomatici → N. facialis (VII)
  - **Funktion:** hebt den Mundwinkel, Lachen
- **M. zygomaticus minor:**
  - **Ursprung:** Jochbein (Facies lateralis)
  - **Ansatz:** Oberlippe
  - **Innervation:** Rr. zygomatici→ N. facialis (VII)
  - **Funktion:** hebt die Oberlippe
- **Platysma**(▸ Abb. 2.10):
  - **Ursprung:** oberflächliche Faszie Thoraxbereich und Regio deltoidea
  - **Ansatz:** setzt sich über unteren Rand des Os mandibulare fort in die Haut im unteren Gesichtsfeld
  - **Innervation:** N. facialis
  - **Funktion** :
    - Kontraktion des Platysmas: zieht Unterkiefer, Mundwinkel und Unterlippe herab
    - bei fixiertem Unterkiefer wird die Haut des gesamten vorderen Halses gespannt
    - entkoppelt die mimische Muskulatur von den übrigen Körperregionen

! Merke

M. occipitofrontalis und M. temporoparietalis werden zusammen als Mm. epicranii bezeichnet. Diese Muskeln sind Bestandteil der oberflächlichen Rückenlinie [16].

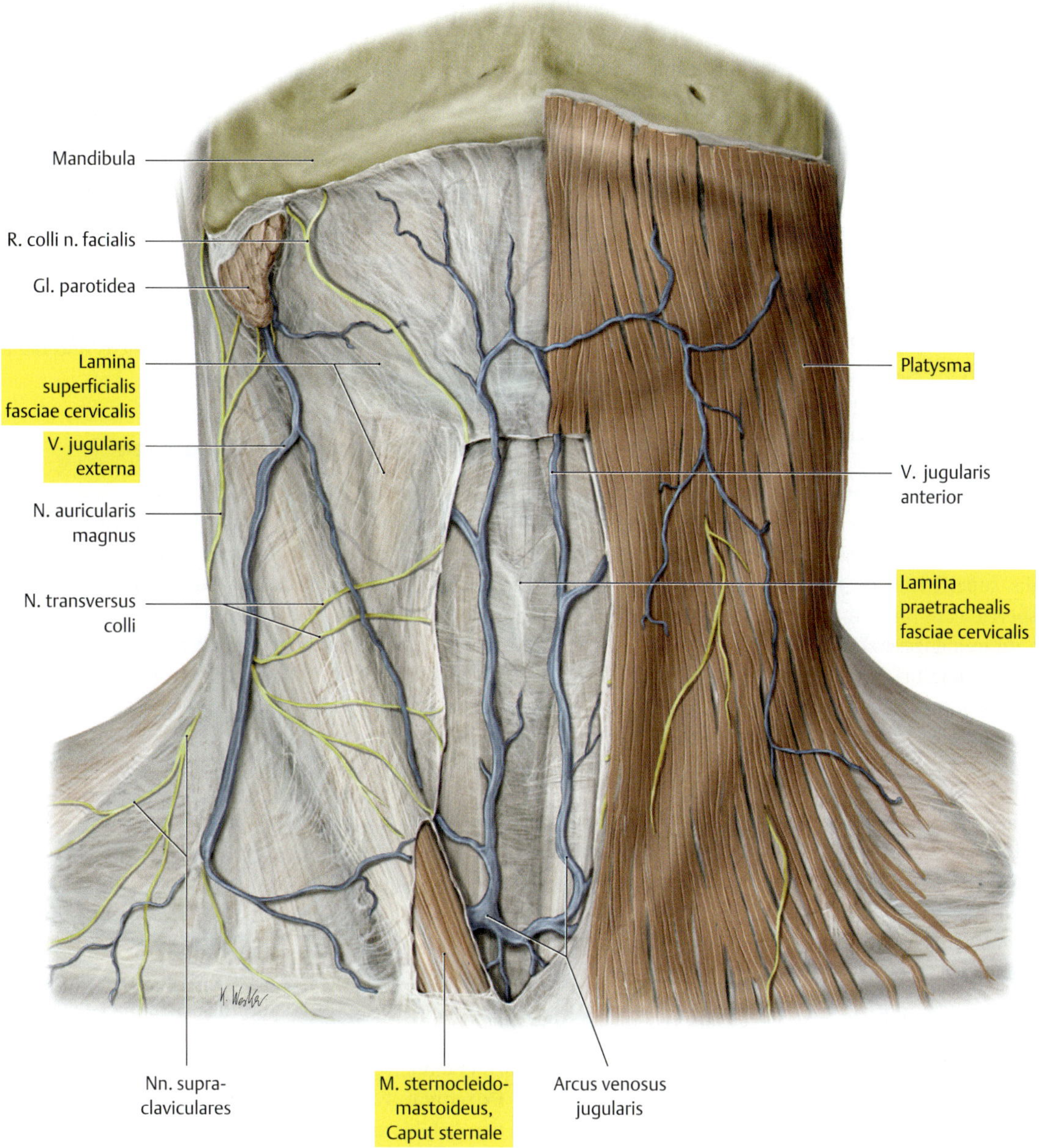

▶ **Abb. 2.10** Hals (Collum), oberflächliche Schicht: Platysma u. Lamina superficialis fasciae cervicalis. (Quelle: Schünke M, Schulte E, Schumacher U. Prometheus. LernAtlas der Anatomie. Kopf, Hals und Neuroanatomie. Illustrationen von M. Voll und K. Wesker. 6. Aufl. Stuttgart: Thieme; 2022)

Platysma: Die oberflächliche Verbindung zwischen Hals und Kopf ist das Platysma (▶ Abb. 2.10). Das Platysma ist eine **dünne Muskelplatte**, die zur oberflächlichen Schicht der Halsmuskulatur gehört. Sie reicht vom unteren Bereich der Haut im unteren Gesichtsfeld über das Os mandibulare und bis kaudal zur Haut im unteren Hals- und Thoraxbereich. Das Platysma liegt in der **Lamina superficialis cervicalis**. Es bedeckt die gesamte anteriore Fläche des Halses. Bei Kontraktion zieht es die Unterlippe (u.a. in Verbindung mit M. depressor labii inferioris, M. mentalis) und die Mundwinkel (u.a. zusammen mit M. depressor anguli oris) herab. Ist der Unterkiefer fixiert, spannt sich die Haut des gesamten vorderen Halses. Das Platysma entkoppelt die mimische Muskulatur von den anderen Körperregionen.

Fascia cervicalis superficialis: Stecco [113] beschreibt die Übergänge der Fascia cervicalis superficialis als ununterbrochene bzw. fließende Übergänge: Die Fascia cervicalis superficialis ist im Vergleich zum Kranium im Halsbereich aus 3 tiefen, regional unterschiedlichen Blättern zusammengesetzt:

- Lamina superficialis
- Lamina praetrachealis
- Lamina praevertebralis

Merke

Auch wenn hier Fascia superficialis nach Regionen differenziert betrachtet wird: Sie ist ein Kontinuum. Die Räume bzw. bindegewebigen Logen, die sich zwischen den Blättern der Halsfaszie befinden, dienen als Gleiträume (Spatium suprasternale, Spatium peripharyngeum).

Lamina superficialis fasciae cervicalis (▶ Abb. 2.10): Ist das oberflächliche Blatt und gestaltet sich wie eine Halskrause. Regional betrachtet beginnt sie dorsal an der Fascia nuchae am Proc. mastoideus, dem Knorpel des äußeren Gehörgangs und an dem Os mandibulare. Sie bedeckt und umschließt M. trapezius, **M. sternocleidomastoideus** und M. digastricus. Sie hat Verbindungen zum Zungenbein und korrespondiert mit Gl. submandibularis, Plexus cervicalis C2–C4 und **V. jugularis externa**. Sie erstreckt sich kaudal, geht in die oberflächliche Faszie des Thorax über bis zur Klavikula und setzt sich kaudal in die Faszien des Schultergürtels und der Arme fort. Im kaudal-dorsalen Bereich reicht sie bis zur Spina scapulae. Ventral reicht sie bis zum Sternum und fusioniert an der Mittellinie mit der Faszie der gegenüberliegenden Seite. Am Periost des Os hyoideum ist die Lamina superficialis angeheftet. Durch den Übergang in die Fascia masseterica, Fascia temporalis und Fascia parotidea wird hier der fließende Übergang in das Gesichtsfeld und auf die Galea aponeurotica deutlich.

Lamina praetrachealis: Ist die mittlere Halsfaszie. Sie bedeckt den vorderen Halsbereich wie ein Dreieck. Sie umfasst den Hals also nicht zirkulär. Aufgehängt am Os hyoideum erstreckt sie sich kaudal bis zum posterioren Rand des Sternums (Manubrium sterni) und der Klavikula. Dann geht sie in die Fascia endothoracica über. Der M. omohyoideus begrenzt sie seitlich.

Lamina praevertebralis: Sie umschließt neben der praevertebralen Muskulatur auch die Mm. scaleni sowie den M. levator scapulae und dorsal die autochthone Rückenmuskulatur. Die Lamina praevertebralis geht kaudal fließend in das Mediastinum über und beherbergt A. subclavia, Plexus brachialis, N. phrenicus und die Zervikalganglien des Truncus sympathicus.

Osteopathische Korrespondenzen

Venter frontalis des M. occipitofrontalis korrespondiert im Gesichtsbereich u.a. mit M. orbicularis oculi. Angestrengtes Sehen mit Stirnrunzeln und zusammengekniffenen Augenlidern kann die Galea aponeurotica unter Spannung setzen. Bei dauerhafter Anspannung sind Spannungskopfschmerzen möglich (Kap. 6.2.1). Zahlreiche myofasziale Wirkungsketten haben einen Bezug zum Kranium; siehe auch Os mandibulare (S. 38), Os frontale (S. 74), Os sphenoidale (S. 88), Kiefergelenk (S. 148), Os occipitale (S. 209). Lamina praetrachealis und praevertebralis sind Bestandteile der Zentralsehne und der tiefen Frontallinie ([16], Kap. 2.4.2, Kap. 7.1.1).

Mit ihren differenzierten Funktionen „stützend, stabilisierend, dynamische Kräfte weiterleitend und umlenkend“ können periphere Dysfunktionen zu Dysfunktionen im Kranium führen und umgekehrt. In der ventralen oberflächlichen Ansicht ist die oberflächliche rückwärtige Wirkungskette mit ihrem Ansatz über den Muskelansatz des M. occipitofrontalis am Os frontale am besten zu erkennen (Kap. 2.3.6). Dysfunktionen aus der unteren Extremität, z.B. Folgen eines Supinationstraumas, können sich bis zum Kranium auswirken und nachteilig Körperstatik und Bewegungsabläufe beeinflussen (z.B. gestörte Propriozeption, myofasziale Spannungen durch Fibuladysfunktion).

Mobilität durch Mehrschichtigkeit

Damit die Halsorgane (z.B. Trachea mit Kehlkopf, Ösophagus, Schilddrüse) und Gefäße gegenüber der faszialen und muskulären Umhüllung gut verschieblich sind, gestaltet sich die Halsfaszie dreilagig. Beim Schluckakt kann sich diese strangförmige Eingeweideanordnung, die mit einer Eingeweidefaszie umgeben ist, heben, senken und gleichzeitig auch den Bewegungen der HWS folgen. Das Kontinuum zum Mediastinum ist eine mögliche Ursache dafür, dass sich dysfunktionale myofasziale Spannungen aus den Oberbauchorganen über das Diaphragma abdominale und das Mediastinum auf das Kranium übertragen können (Wirkungskette Zentralsehne). Das Kontinuum der viszeralen Faszien reicht vom Kranium bis ins kleine Becken [102].

Verschieblichkeit und Zirkulation

Der oberflächliche Anteil der Halsfaszie dient funktionell der Verbindung von Subkutis und Muskel. Gleichzeitig gibt die Faszie dem Körper Form und Stütze. Für die lymphatische Zirkulation verbindet sie die Lymphgefäßkanäle untereinander (Vasa lymphatica superficialia = suprafaszial; Vasa lymphatica profunda = infrafaszial). Durch die Anheftungsstellen u. a. am Manubrium und an der Klavikula kommt es bei der Ein- und Ausatmung zu deutlichen Verschiebungen in der Fascia cervicalis superficialis, praetrachealis und praevertebralis. Die Atemmechanik als wesentlicher Motor der venös-lymphatischen Druck- und Sogpumpe unterstützt so die Gewebsdrainage. Spannt sich die infrahyoidale Muskulatur an, dann kommt es auch zu Spannungsänderungen in der Fascia praetrachealis. Der M. omohyoideus hält mit seiner Zwischensehne, die mit der Vagina carotica verbunden ist, das Lumen der V. jugularis interna frei. Die Kontinuität des venösen Abflusses aus dem Kranium ist damit gesichert. Die Vagina carotica ist in der Halsregion ein Faszienbereich, der die Leitungsbahnen (A. carotis communis, V. jugularis interna, N. vagus) umscheidet.

Die Fascia cervicalis superficialis bildet auch die Verbindungskanäle für alle Afferenzen der Rezeptoren (Tastsinn usw.) innerhalb der äußeren Haut (Integumentum commune) und für die Efferenzen des Sympathikus (Pilo-, Sudo- und Vasomotorik). Sie schützt die Blutgefäße vor Scherkräften, indem sie Spalten und Gleitlager (bindegewebige Verschieberäume, ein sog. Spatium) bildet, in denen die Gefäße verlaufen können. Das Spatium suprasternale liegt zwischen Lamina superficialis und praetrachealis. Spatium peripharyngeum umfasst dorsal/lateral den Rachen und ist dorsal durch die Lamina praevertebralis begrenzt.

Praxistipp

Adhäsionen

- Fasziale Adhäsionen in den Gleitlagern lassen sich mit spezifischen Faszientechniken (wie Schub- und Drehgriffen) lösen. Schlucken kann als Punctum mobile bei faszialen Techniken im Halsbereich eingesetzt werden.
- Infektionen der Halsorgane (z. B. bei einer Tonsillitis) können sich im Spatium peripharyngeum ausbreiten und sich bis in das Mediastinum absenken. Betroffen sein kann auch der Raum des Liquors und die V. jugularis.

Blickdiagnostik SSB-Dysfunktionen

Die SSB-Dysfunktionen (Synchondrosis-sphenobasilaris-Dysfunktionen) zeigen sich u. a. in der Physiognomie des Gesichts. Liem [59] führt aus, dass die SSB in der Kindheit als bewegliches Fulkrum bedeutend ist. Zwischen dem 13.–17. Lebensjahr verknöchert die SSB und zeigt nun mehr eine intraossäre Elastizität.

Auch wenn die SSB mit dem 13.–17. Lebensjahr ossifiziert ist, können sich ggf. Dysfunktionen aus dem pränatalen Zeitraum und dem Kindesalter anscheinend derart manifestieren, dass physiognomische Adaptionen beim Erwachsenen im Kranium sichtbar sind (Kap. 2.4.2, Kap. 3.2.1, Kap. 6.3.3).

Über die myofaszialen Verbindungen von der SSB und der Körperperipherie können zahlreiche Dysfunktionen Einfluss auf die SSB nehmen bzw. die beschriebene Dysfunktion kann sich auf korrespondierende Strukturen auswirken.

Die an der Schädelbasis ansetzenden Faszien und Muskelzüge können je nach Dysfunktion einen unterschiedlichen Spannungszustand und Muskeltonus zeigen. So kann womöglich bei einer Flexionsdysfunktion die Fascia cervicalis superficialis zusammen mit der subokzipitalen Muskulatur und dem M. trapezius einen Hypertonus entwickeln und das Os occipitale in Flexionsstellung bringen.

Insbesondere die viszerale Loge mit der Raphe pharyngobasilaris kann kaudalwärts einen ausgeprägten Zug auf die SSB ausüben. Unterschiedliche Spannungen faszial und muskulär im Rechts-Links-Vergleich sind bei Torsionsdysfunktionen denkbar. Die OAA (Okziput-Atlas-Axis-Region) kann durch die veränderten Zugkräfte in ihrer Funktionalität betroffen sein.

Die folgenden Dysfunktionen sind Dysfunktionen, die tendenziell eher als Kompensation auftreten denn als Folge eines traumatischen Geschehens (Sturz, Schlag).

Flexionsdysfunktion: Die Merkmale im Viszerokranium lassen sich in den ▸ Abb. 2.11 und ▸ Abb. 2.12 gut erkennen. Referenzbereiche sind Stirn, Augen und Orbita, Ohren, Mund und Nasolabialfalten, Mandibulaform und Kinn. Typisch bei der Flexionsdysfunktion ist die Seitengleichheit der Merkmale und die viszerokraniale „gedrungene Weite". Der Gaumen ist breit und abgeflacht. Basis ist ein Teil des Sakrums und die Position der Basis ist superior-posterior orientiert.

Extensionsdysfunktion: Die Merkmale lassen sich in der ▸ Abb. 2.13 und ▸ Abb. 2.14 gut erkennen. Referenzbereiche sind Stirn, Augen und Orbita, Ohren, Mund und Nasolabialfalten, Mandibulaform und Kinn. Typisch bei der Extensionsdysfunktion ist die Seitengleichheit der Merkmale und die viszerokraniale „lang gestreckte Enge". Basis ist ein Teil des Sakrums und die Position der Basis ist inferior-anterior orientiert.

Torsionsdysfunktion: Die Merkmale lassen sich in der ▸ Abb. 2.15 gut erkennen. Referenzbereiche sind Stirn, Augen und Orbita, Ohren, Mund und Nasolabialfalten, Mandibulaform, Kinn und Gesichtssymmetrie. Typisch bei der Torsionsdysfunktion ist die Ungleichheit der Gesichtshälften (hier rechts konvex, links konkav). Der Gaumen ist rechts mehr gotisch, links mehr breit und abgeflacht. Der Biss ist asymmetrisch.

Seitneigerotation rechts: Die Merkmale lassen sich in der ▸ Abb. 2.16 und ▸ Abb. 2.17 gut erkennen. Referenzbereiche sind Stirn, Augen und Orbita, Ohren, Mund und Nasolabialfalten, Mandibulaform, Kinn und Gesichtssymmetrie. Typisch bei der Seitneigedysfunktion ist die Ungleichheit der Gesichtsquadranten.

Weitere Dysfunktionen (Kap. 3.2.1)

- Vertical Strain mit Sphenoid in Flexion
- Vertical Strain mit Sphenoid in Extension
- Kompression der SSB
- laterale Kompression der SSB

Behandlungshinweise

- Gesichtsfaszien können in den einzelnen Gesichtsbereichen aufeinanderfolgend mobilisiert werden. Die mimischen Muskeln sind hier der Kontaktpunkt.
- Der Jochbeinbogen ist ein Übergangsbereich von den oberflächlichen zu den tiefen Faszien, an dem sich eine erhöhte fasziale Spannung zeigen kann. Techniken zur Harmonisierung des Jochbeins können hilfreich sein.
- Kombinationstechniken, bei denen das Os occipitale Punctum fixum und der jeweilige Gesichtsknochen (Os maxillare, Os zygomaticum, Os frontale) das Punctum mobile ist, können durch Annäherung der Knochen in ihrer Eigenbewegung harmonisiert werden. So lassen sich Spannungen im Viszerokranium reduzieren.
- Die Triggerpunktbehandlung (▸ Abb. 2.18) im Gesicht ist eine konstruktive Ergänzung nicht nur bei der osteopathischen Intervention im Viszerokranium. Sie ist auch sinnvoll z. B. bei der Behandlung der Okzipito-Atlas-Axis-Region (OAA), Verbesserung der Körperstatik und Tonusminderung der Augenringmuskeln. Sie dient sowohl als Vorbereitung auf weitere Techniken, als auch als Behandlungsabschluss.
- Die Fascia cervicalis superficialis kann direkt befreit werden mit einem myofaszialen Release. Übergang OAA und der Handballenkontakt unterhalb der Klavikula sind hier die Referenzpunkte für die Handpositionen. Über Kopfrotation und vertiefter Einatmung kann ein Enhancer gesetzt werden.

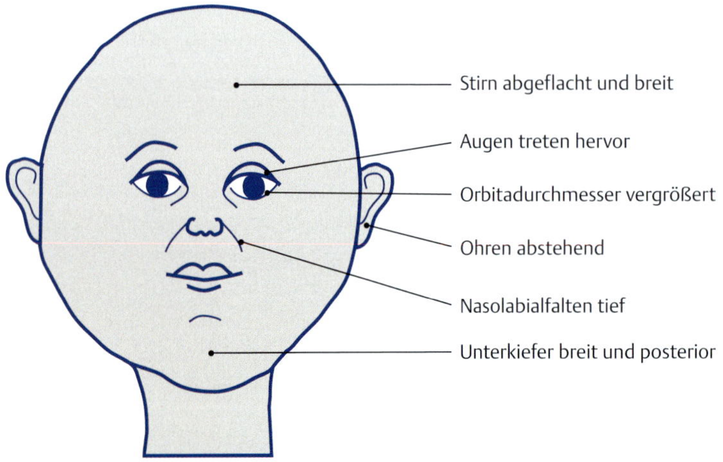

▸ **Abb. 2.11** Diagnostische Merkmale einer Flexion der SSB (von ventral). (Quelle: Liem T. Kraniosakrale Osteopathie. 7. Auflage. Stuttgart: Thieme; 2018; Grafik: C. Dardamissis, Freigold Konzept & Design, Hamburg)

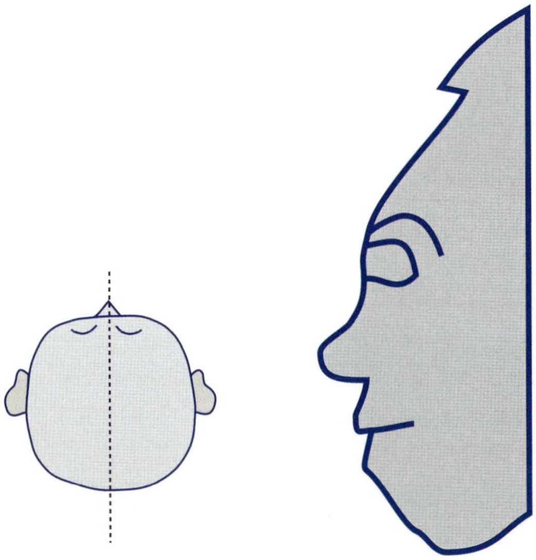

▶ **Abb. 2.12** Diagnostische Merkmale einer Flexion der SSB (von lateral). (Quelle: Liem T. Kraniosakrale Osteopathie. 7. Auflage. Stuttgart: Thieme; 2018; Grafik: C. Dardamissis, Freigold Konzept & Design, Hamburg)

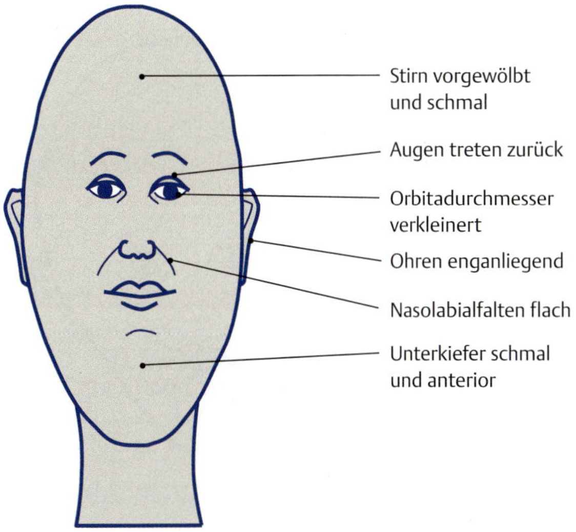

▶ **Abb. 2.13** Diagnostische Merkmale einer Extension der SSB (von ventral). (Quelle: Liem T. Kraniosakrale Osteopathie. 7. Auflage. Stuttgart: Thieme; 2018; Grafik: C. Dardamissis, Freigold Konzept & Design, Hamburg)

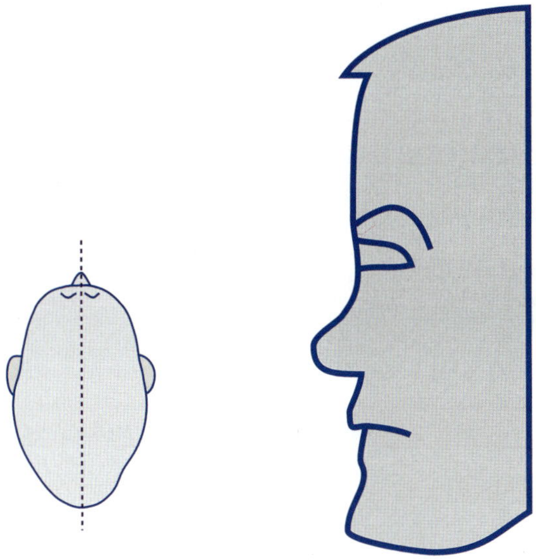

▶ **Abb. 2.14** Diagnostische Merkmale einer Extension der SSB (von lateral). (Quelle: Liem T. Kraniosakrale Osteopathie. 7. Auflage. Stuttgart: Thieme; 2018; Grafik: C. Dardamissis, Freigold Konzept & Design, Hamburg)

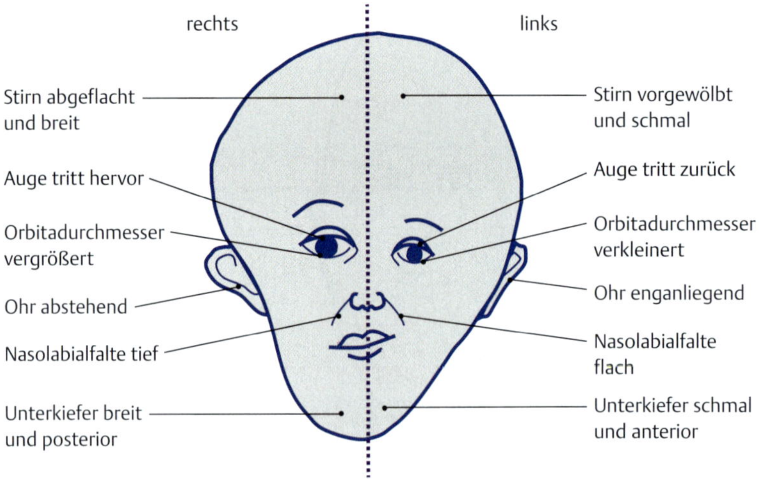

▶ **Abb. 2.15** Diagnostische Merkmale einer Torsion rechts der SSB. (Quelle: Liem T. Kraniosakrale Osteopathie. 7. Auflage. Stuttgart: Thieme; 2018; Grafik: C. Dardamissis, Freigold Konzept & Design, Hamburg)

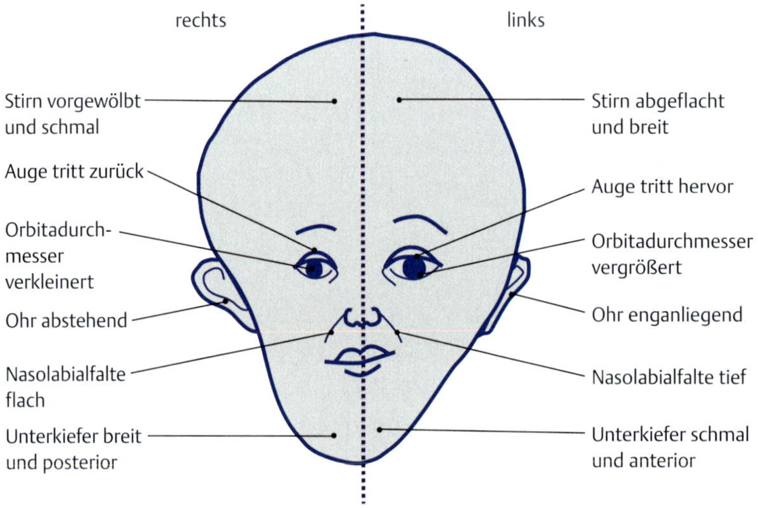

▶ **Abb. 2.16** Diagnostische Merkmale einer Seitneigerotation rechts (von ventral). (Quelle: Liem T. Kraniosakrale Osteopathie. 7. Auflage. Stuttgart: Thieme; 2018; Grafik: C. Dardamissis, Freigold Konzept & Design, Hamburg)

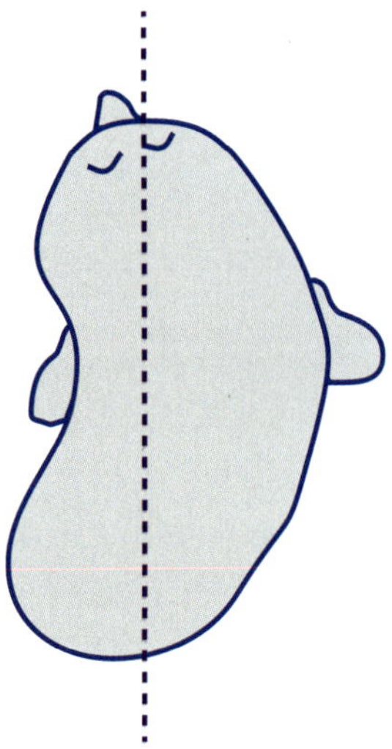

▶ **Abb. 2.17** Diagnostische Merkmale einer Seitneigerotation rechts (von kranial). (Quelle: Liem T. Kraniosakrale Osteopathie. 7. Auflage. Stuttgart: Thieme; 2018; Grafik: C. Dardamissis, Freigold Konzept & Design, Hamburg)

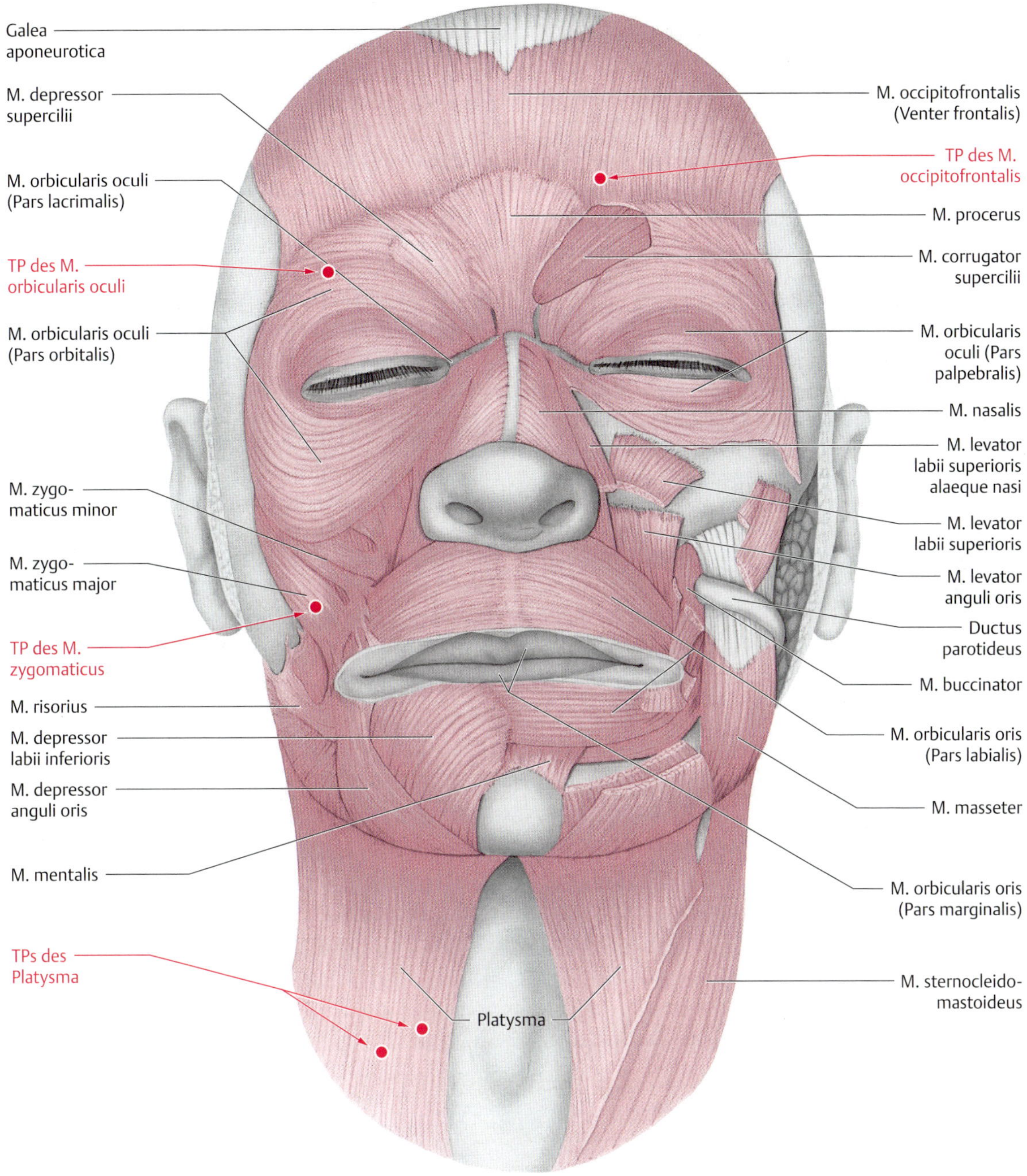

▶ **Abb. 2.18** Triggerpunkte. (Quelle: Richter P, Hebgen E. Triggerpunkte und Muskelfunktionsketten. 5. aktualisierte und erweiterte Auflage. Stuttgart: Thieme; 2021, nach Schünke M. Topografie und Funktion des Bewegungssystems. 3. Auflage. Stuttgart: Thieme; 2018)

2.3 Knöcherne Anteile Viszerokranium und Kranium

2.3.1 Os mandibulare

Das Os mandibulare (Unterkieferknochen) ist der stärkste und – im Vergleich zu den anderen Gesichtsknochen – **größte Knochen** im Gesichtsfeld. Der hufeisenförmig gebogene Knochen wird in der Osteopathie als paariger Knochen angesehen und zu den **peripheren Schädelknochen** gezählt (▶ **Abb. 2.19**). Denn erst in den ersten Lebensjahren verknöchert die Symphysis mentalis.

Mit dem Os temporale ist das Os mandibulare über ein echtes Gelenk (**Temporomandibulargelenk**, Kap. 3.3.2) verbunden. Aufgrund dieser gelenkigen Verbindung ist das Os mandibulare ein Knochen des Viszerokraniums mit einem erheblichen Bewegungsausmaß. Diese Beweglichkeit ist Grundlage für die orofasziale Entwicklung mit dem sich später herausbildenden Gegenbiss zu den Oberkieferzähnen. Hier entfaltet sich ein massives Kraftzentrum.

Gleichzeitig ist das Os mandibulare über die Einbindung in die **suprahyoidale Muskulatur** mit dem Os hyoideum verbunden. Grundsätzlich ist das Hyoid eine filigrane Knochenstruktur und der einzige Knochen im menschlichen Körper, der keine gelenkige oder knöcherne Verbindung zu einem anderen Knochen hat. Gerade das Zusammenspiel Os mandibulare und **Hyoid** ermöglicht erst komplexe Bewegungsabläufe wie Schlucken und Sprechen. Das Os mandibulare ist Punctum fixum beim Schlucken, Punctum mobile beim Sprechen und Kauen.

Das Os mandibulare besitzt eine **membranöse Anlage** und **zahlreiche Ossifikationszentren**. Die Anlage entsteht aus dem embryonalen **Meckel-Knorpel**. Dies ist eine Knorpelspange des 1. Schlundbogens (S. 43). Hieraus entwickeln sich bis zur ca. 24. SSW i. u. aus den dorsalen Enden der Knorpelspange die Gehörknöchelchen Hammer (Malleus), Amboss (Incus) und das Lig. sphenomandibulare. Das Mesenchym umgibt den Knorpel und ist für die Entwicklung des Os mandibulare wichtig. Denn die ventralen Enden des Meckel-Knorpels bilden sich zurück und aus dem Mesenchym entwickelt sich durch desmale Ossifikation der Unterkieferknochen (▶ **Abb. 2.20**).

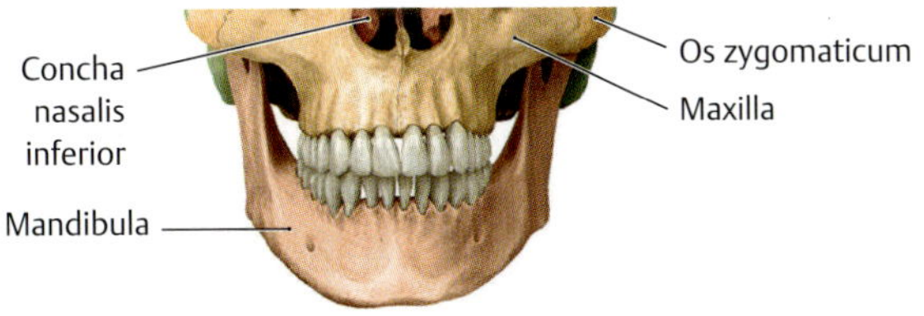

▸ **Abb. 2.19** Übersichtsbild Os mandibulare. (Quelle: Schünke M, Schulte E, Schumacher U. Prometheus. LernAtlas der Anatomie. Kopf, Hals und Neuroanatomie. Illustrationen von M. Voll und K. Wesker. 6. Aufl. Stuttgart: Thieme; 2022)

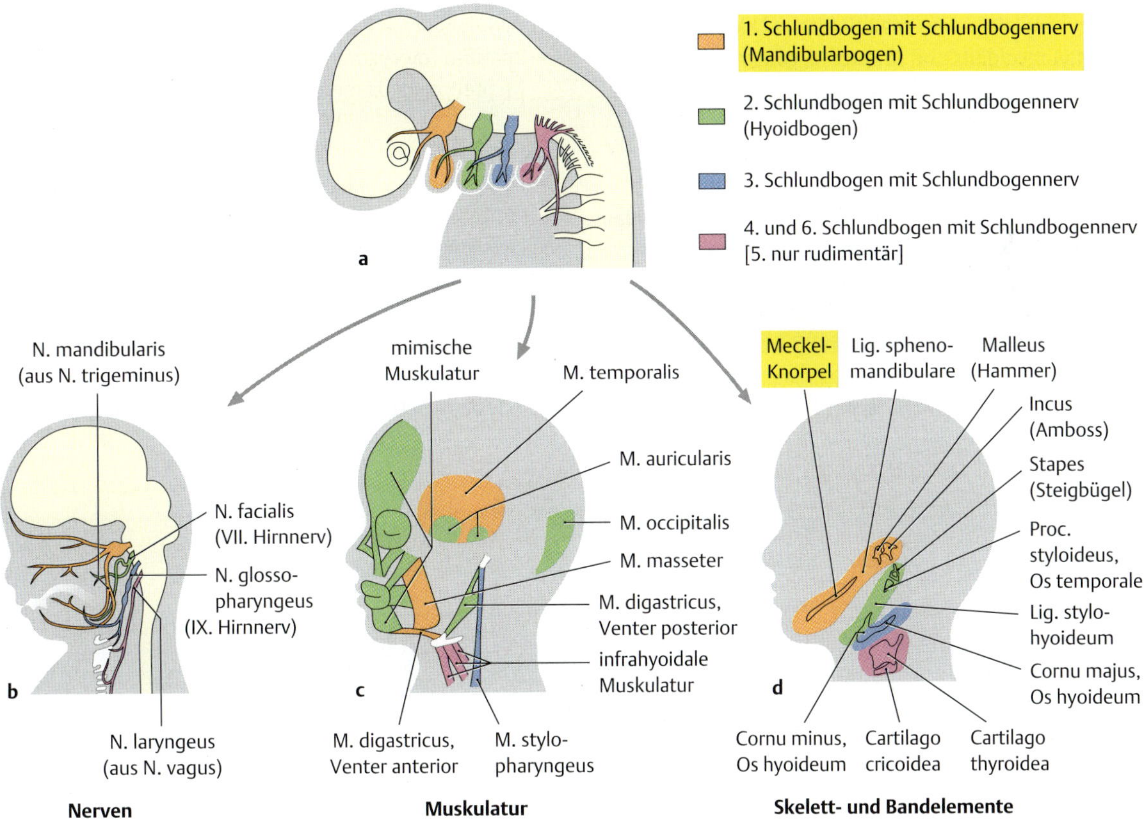

▸ **Abb. 2.20** Das System der Schlund- bzw. Kiemenbögen (nach Sadler und Drews 2014). (Quelle: Schünke M, Schulte E, Schumacher U. Prometheus. LernAtlas Allgemeine Anatomie und Bewegungssystem. Illustrationen von M. Voll und K. Wesker. 6. Aufl. Stuttgart: Thieme; 2022)

Anatomie

Knöcherne Anteile (▶ Abb. 2.21)

- Corpus mandibulae (horizontal), Facies interna et externa
- R. mandibulae (vertikal)
- **Proc. condylaris mit Caput mandibulae** → Gelenkpartner Art. temporomandibulare, mit Faserknorpel im ventralen Caputanteil überdeckt
- Collum mandibulae → medial Ansatz M. pterygoideus lateralis
- Incisura mandibulae
- Angulus mandibulae → lateral Ansatz M. masseter
- Sulcus mylohyoideus mandibulae → Ursprung: M. mylohyoideus und Ansatz: M. constrictor pharyngis superior
- Fovea pterygoidea mandibulae → Ansatz M. pterygoideus medialis
- **Proc. coronoideus** → Ansatz M. temporale
- Linea mylohyoidea → Ursprung: M. mylohyoideus, M. geniohyoideus und Ansatz: M. constrictor pharyngis superior, Raphe pterygomandibularis
- **Protuberantia mentalis**: Palpationspunkt
- Tuberculum mentale → Ursprung M. depressor anguli oris
- Pars alveolaris und Zahnfächer (Juga alveolaria)

Benachbarte Knochen (▶ Abb. 2.2)

- Os temporale (superior-posterior, Art. temporomandibularis)
- Os maxillare (superior, Gegenbiss über die obere Zahnreihe)

Foramina, Canales

- Foramen mandibulae → Canales mandibulae → A./V./N. alveolaris inferior (V_3)
- Foramen mentale → Canales mandibulae → A./V./N. mentalis (V_3)
- Sulcus mylohyoideus → A./V. /N. mylohyoidea/ mylohyoideus (V_3)
- Spatium pterygomandibulare → R. mandibulae und M. pterygoideus medialis → N. alveolaris inferior (V_3)

Ligamente

- Lig. stylomandibulare (Proc. styloideus Os temporale → hinterer Rand Angulus mandibulae)
- Lig. sphenomandibulare (Spina angularis Os sphenoidale → Lingula mandibulae, Nähe Foramen mandibulae)
- Gelenkkapsel mit Lig. laterale und mediale
- Pintus-Ligament (Gehörknöchelchen Malleus → Fissura petrotympanica → Caput mandibulae)

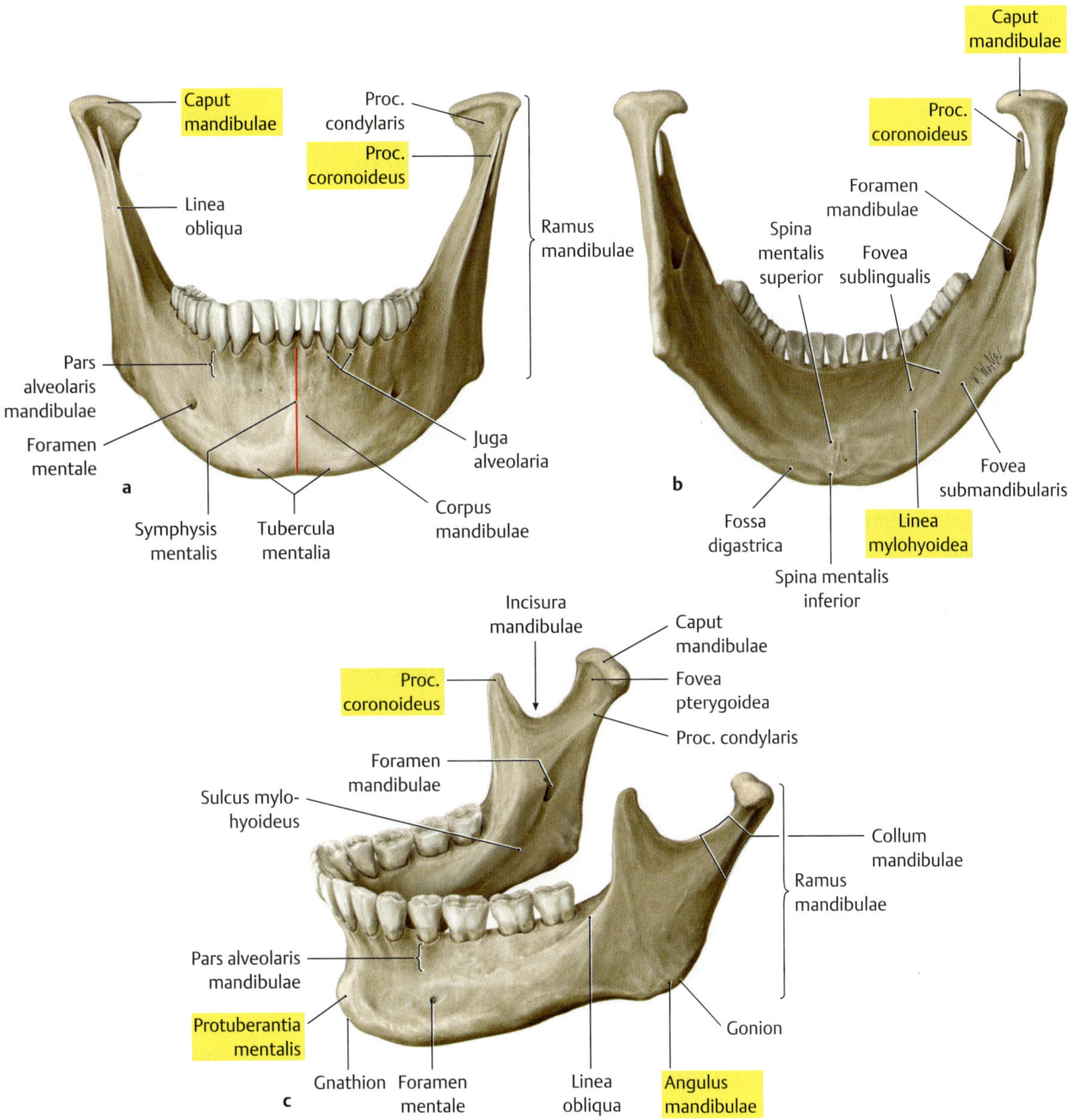

▸ **Abb. 2.21** Os mandibulare.

a Ansicht von ventral. (Quelle: Schünke M, Schulte E, Schumacher U. Prometheus. LernAtlas der Anatomie. Kopf, Hals und Neuroanatomie. Illustrationen von M. Voll und K. Wesker. 6. Aufl. Stuttgart: Thieme; 2022)

b Ansicht von dorsal. (Quelle: Schünke M, Schulte E, Schumacher U. Prometheus. LernAtlas der Anatomie. Kopf, Hals und Neuroanatomie. Illustrationen von M. Voll und K. Wesker. 6. Aufl. Stuttgart: Thieme; 2022)

c Ansicht von ventrolateral. (Quelle: Schünke M, Schulte E, Schumacher U. Prometheus. LernAtlas der Anatomie. Kopf, Hals und Neuroanatomie. Illustrationen von M. Voll und K. Wesker. 6. Aufl. Stuttgart: Thieme; 2022)

Muskeln (▶ Abb. 2.22, ▶ Abb. 2.23)

- **M. temporalis (Kap. 3.3.2):**
  - **Ursprung:** Schläfenbeinschuppe (Facies temporalis)
  - **Ansatz:** Proc. coronoideus mandibulae, Crista temporalis mandibulae
  - **Funktion:** Mundschließer, Protrusions-, Retrusionsbewegung Os mandibulare
  - **Innervation:** N. mandibularis (V_3)
- **M. pterygoideus medialis:**
  - **Ursprung:**Proc. pterygoideus des Os sphenoidale (Fossa pterygoidea und Lamina lateralis)
  - **Ansatz:** Angulus mandibulae (medial an Tuberositas pterygoidea mandibulae)
  - **Funktion:** Mundschließer, einseitige Kontraktion → Protrusionsbewegung Os mandibulare
  - **Innervation:** N. mandibularis (V_3), N. pterygoideus medialis
- **M. pterygoideus lateralis:**
  - **Ursprung:**
    - zweiköpfig
    - Caput superius: Ala major ossis sphenoidalis
    - Caput inferius: Proc. pterygoideus ossis sphenoidalis, Lamina lateralis
  - **Ansatz:**
    - Caput superius: Gelenkkapsel und Discus articularis
    - Caput inferus: Proc. condylaris mandibulae, Fovea pterygoidea
  - **Funktion:** Mundöffner
  - **Innervation:** N. mandibularis (V_3)
- **M. masseter (Kap. 3.3.2):**
  - **Ursprung:**
    - Pars superficialis am Arcus zygomaticus (die ersten beiden Drittel)
    - Pars profunda am Arcus zygomaticus (die hinteren beiden Drittel)
  - **Ansatz:** Angulus mandibulae, Tuberositas masseterica
  - **Funktion:** Mundschließer, Protrusion
  - **Innervation:** N. mandibularis (V_3)
- **M. mylohyoideus:**
  - **Ursprung:** Innenseite des Unterkiefers (Linea mylohyoidea)
  - **Ansatz:** über eine median gelegene Ansatzsehne (Raphe mylohyoidea) am Zungenbeinkörper
  - **Funktion:** Spannen und Heben des Mundbodens, zieht Zungenbein nach vorne, Unterstützung der Kieferöffnung und Seitwärtsbewegung
  - **Innervation:** N. mylohyoideus (V_3)
- **M. genioglossus:**
  - **Ursprung:** Corpus mandibulae, Spina mentalis superior
  - **Ansatz:** Zungenkörper, Zungenaponeurose, Os hyoideum, Epiglottis
  - **Funktion:** Flexion ventrokaudal, Zunge herausstrecken, bildet Großteil der Zungenmuskelmasse
  - **Innervation:** N. hypoglossus (XII)
- **M. geniohyoideus:**
  - **Ursprung:** Corpus mandibulae, Spina mentalis inferior
  - **Ansatz:** Zungenbeinkörper
  - **Funktion:** zieht Zungenbein nach vorne, Unterstützung der Kieferöffnung
  - **Innervation:** Rr. ventrales des 1. und 2. Zervikalnervs
- **M. digastricus:**
  - **Ursprung:** Corpus mandibulae (Venter anterior), medial vom Proc. mastoideus (Venter posterior; Os temporale)
  - **Ansatz:** über eine Zwischensehne mit bindegewebiger Schlaufe am Zungenbeinkörper
  - **Funktion:** Heben des Zungenbeins, Unterstützung der Kieferöffnung
  - **Innervation:** N. mylohyoideus (V_3; Venter anterior), N. facialis (VII; Venter posterior)
- **M. buccinator:**
  - **Ursprung:** Außenfläche Alveolarfortsätze Os maxillare, Os mandibulare, Raphe pterygomandibularis
  - **Ansatz:** Mundwinkel mit M. orbicularis oris
  - **Funktion:** formt Wangenkontur, zieht Wangen zusammen, entscheidend für Saugbewegung
  - **Innervation:** N. facialis (VII)
- **M. constrictor pharyngis superior:**
  - **Ursprung:** Hamulus pterygoideus ossis sphenoidale, Raphe pterygomandibulare, Linea mylohyoidea, Zungenkörper
  - **Ansatz:** Raphe pharyngis, M. levator veli palatini, Tuba auditiva
  - **Funktion:** Verengung des Nasenpharynx; verhindert, dass Speisebrei beim Schlucken in die Nasenhöhle gelangt
  - **Innervation:** N. glossopharyngeus (IX), N. vagus (X)

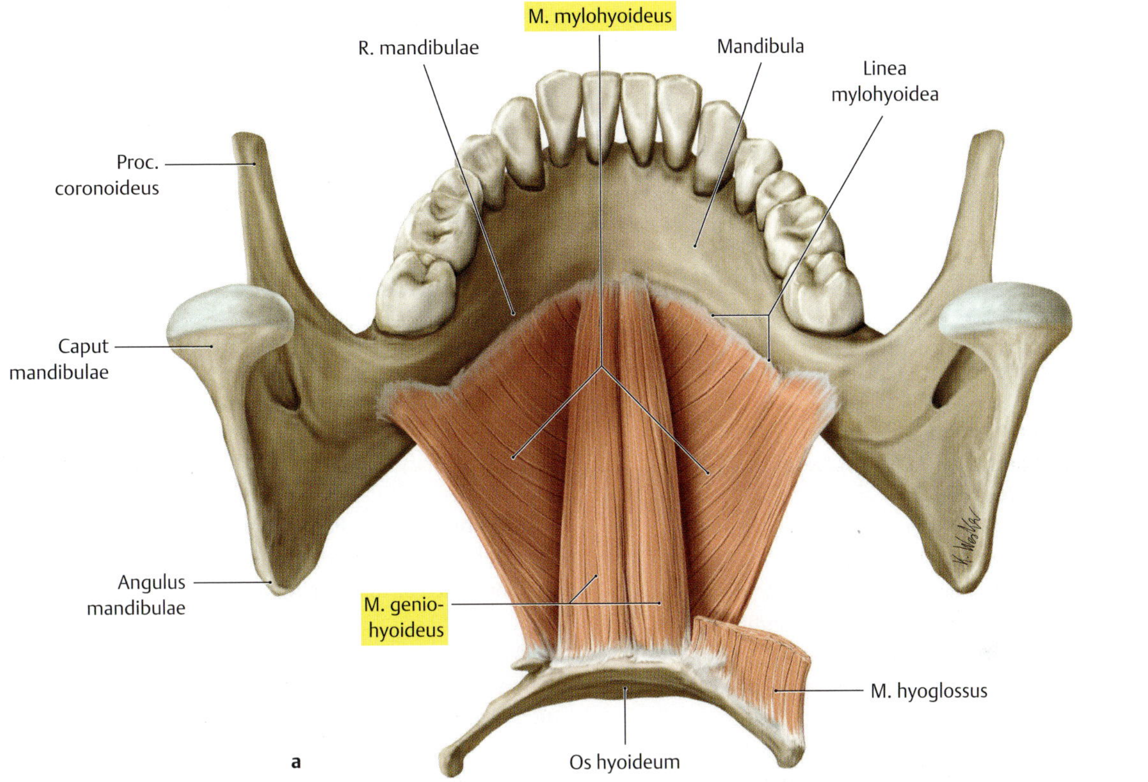

a

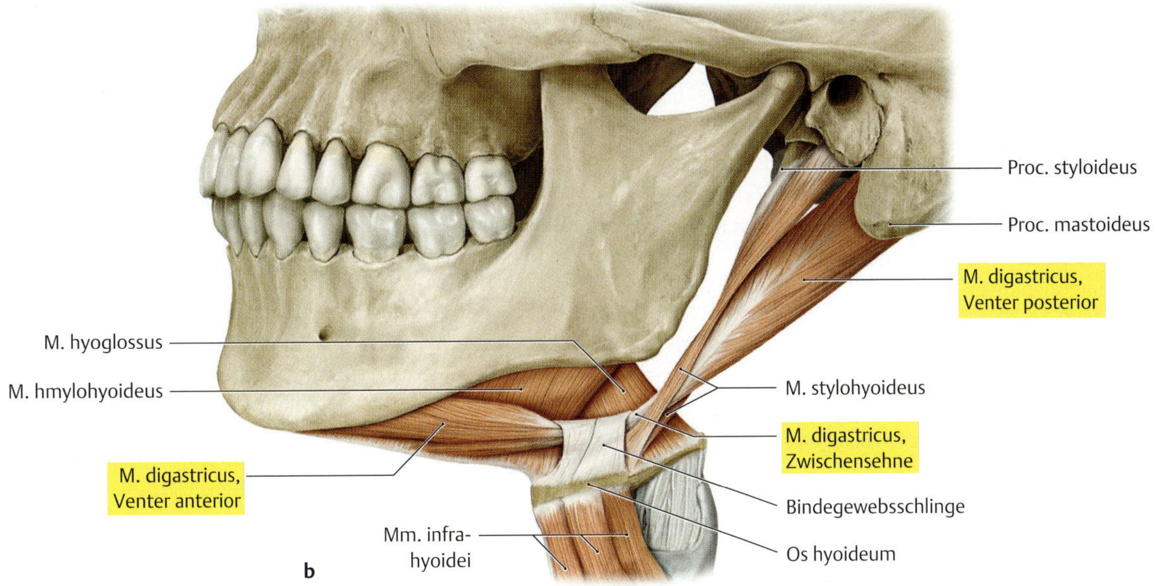

b

▶ **Abb. 2.22** Mundboden (Diaphragma oris)

a Ansicht von dorsokranial auf den Mundboden. Deutlich sichtbar sind die Ansätze von M. mylohyoideus und M. geniohyoideus am Innenrand des Os mandibulare. Myofasziale Techniken intraoral oder von kaudal nutzen diese Region zur Detonisierung der Mundbodenmuskulatur. Die suprahyoidale Muskulatur ist Bestandteil der tiefen Frontallinie. (Quelle: Schünke M, Schulte E, Schumacher U. Prometheus. LernAtlas der Anatomie. Kopf, Hals und Neuroanatomie. Illustrationen von M. Voll und K. Wesker. 6. Aufl. Stuttgart: Thieme; 2022)

b Ansicht von links-lateral zeigt die komplexe Einbindung des M. digastricus mit Venter anterior und Venter posterior. Er verbindet funktionell das Os mandibulare mit dem Os temporale. Deutlich zu erkennen die differenzierte Aufhängung des Os hyoideum, das u. a. für den Schluckakt und die Kehlkopfbewegung elementar ist. (Quelle: Schünke M, Schulte E, Schumacher U. Prometheus. LernAtlas der Anatomie. Kopf, Hals und Neuroanatomie. Illustrationen von M. Voll und K. Wesker. 6. Aufl. Stuttgart: Thieme; 2022)

Faszien

- Raphe pterygomandibularis (Verwachsungsnaht Schlundschnürermuskulatur)
- Fascia buccopharyngea (Faszie um M. buccinator)
- Aponeurosis pterygotemporomandibularis → verbindet Proc. pterygoideus, Lamina lateralis mit Foramen ovale)
- Fascia masseterica (Faszie M. masseter und Gl. parotis)
- Fascia cervicalis superior (Lamina superficialis fasciae cervicalis)
- Pharynxanheftung über u.a. Schlundmuskeln (Linea mylohyoidea)

Systemische Vaskularisation

- A./V. masseterica → Ast aus A./V. maxillaris → Incisura mandibulae
- A./V. mentalis → Ast aus A./V. alveolaris inferior → Foramen mentale
- A./V. alveolaris inferior → Ast aus A./V. maxillaris → Foramen mandibulae, Canalis mandibulae → kleine Foramina zu Zahnfächern
- A./V. mylohyoidea → Ast aus V. maxillaris → Sulcus mylohyoideus
- Die venösen Gefäße münden i.d.R. in den Plexus venosus pterygoideus → V. maxillaris → V. facialis → V. jugularis

Neurologisches Netzwerk

- N. massetericus → N. mandibularis (V_3) → Incisura mandibulae
- N. alveolaris inferior → N. mandibularis (V_3) → Canalis mandibulae → Foramina zu Zahnfächern
- N. mentalis → N. mandibularis (V_3) → Canalis mandibulae → Foramen mentale
- N. mylohyoideus → N. mandibularis (V_3) → Sulcus mylohyoideus

Myofasziale Wirkungsketten

Das Os mandibulare ist über die suprahyoidale Muskulatur, M. masseter und M. temporalis in die tiefe myofasziale Frontallinie eingebunden ([16], Kap. 2.4.2).

Das Os mandibulare ist über die Fascia masseterica und Fascia colli superficialis und media in die Bogensehne eingebunden (Kap. 3.2.1).

Kraniosakraler Kontext

Das Os mandibulare beschreibt in der kranialen Inspiration (▶ **Abb. 2.24**) eine Außenrotation, in der kranialen Exspiration eine Innenrotation. Die Rotation erfolgt um 2 vertikale Achsen, die auf Höhe des 1. Backenzahns liegen.

Normalbefund bei Palpation: In Außenrotation bewegen sich die Kinnspitze nach posterior, der Proc. condylaris nach medial und der Angulus mandibulae nach lateral.

Die Bewegung ist symmetrisch, mit gleicher ausgewogener Amplitude und Kraft. Die Bewegung wirkt leicht und frei.

Kraniometrischer Punkt

- Zwischen den Tubercula mentalia liegt in der Vertiefung der kraniometrische Punkt „Gnathion“. Er ist das Synonym für die Kinnspitze.
- Der laterale Kinnwinkel wird mit dem kraniometrischen Punkt „Gonion“ bezeichnet.

Hinweis: Die Quellenangaben [15], [58], [59] beziehen sich auf den gesamten „Kraniosakralen Kontext“.

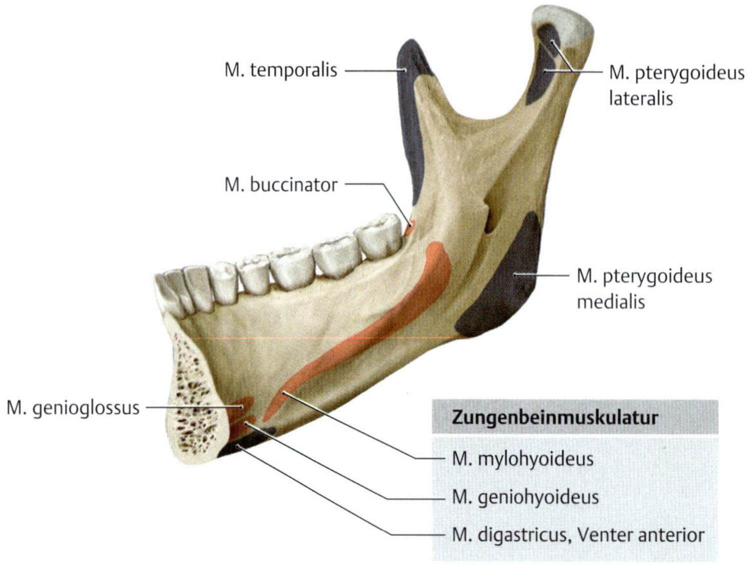

▶ **Abb. 2.23** Ansicht von medial auf die rechte Hälfte des Os mandibulare (Innenansicht). Ursprünge und Ansätze der Muskeln am Os mandibulare zeigen die funktionelle Integration des Os mandibulare in die Kau-, Mundboden- und suprahyoidale Muskulatur. Nicht sichtbar: Ansätze der Schlundmuskulatur. Die Kaumuskulatur ist Bestandteil der tiefen Frontallinie und Bogensehne. Ursprungs- und Ansatzflächen der Muskeln sind farblich hervorgehoben (Ursprung: rot, Ansatz: blau). (Quelle: Schünke M, Schulte E, Schumacher U. Prometheus. LernAtlas der Anatomie. Kopf, Hals und Neuroanatomie. Illustrationen von M. Voll und K. Wesker. 6. Aufl. Stuttgart: Thieme; 2022)

Osteopathische Korrespondenzen

Os sphenoidale und Kaumuskel

Der M. pterygoideus medialis ist als Mundschließer ein Synergist zu M. masseter und M. temporalis. Am **Angulus mandibulae** bildet der M. pterygoideus medialis mit dem M. masseter eine Muskelschlinge, sodass beide Muskeln eine Funktionseinheit bilden. Der Ursprung am Proc. pterygoideus bindet das Os sphenoidale in die massiven Kaukräfte ein und macht es hierüber auch für Dysfunktionen angreifbar. Besonders einseitige muskuläre Dysbalancen können das Os sphenoidale und damit die SSB für Dysfunktionen anfällig machen.

Mandibulaposition und Posturologie

Die Kaumuskulatur (Kap. 3.3.2) stabilisiert über den Mundschluss das Kranium und ermöglicht den Schluckakt. Bei Fehlstellungen des Unterkiefers kann es zu posturologischen Veränderungen kommen, die sich auf die gesamte Körperstatik auswirken können (▶ **Abb. 2.25**).

Bei Prognathie kann das Os occipitale verstärkt in Extension stehen. Der Aufpressdruck im Kiefergelenk verlagert sich und kann zu Knackgeräuschen und Schmerzen beim Kauen führen. Durch die nach anterior verlagerten Okziputkondylen auf dem Atlas bildet sich dorsal ein verengter Raum zwischen Okziput und Atlas. Reaktiv kann ein Hypertonus der subokzipitalen Muskulatur entstehen, der sich z. B. auf den Sehapparat (Bulbus-Fascia-occuli-Komplex, Kap. 2.5) auswirken kann. Neurovegetative und zirkulatorische Störungen sind möglich (mögliches Symptom: Schwindel), Kopfschmerzen im Versorgungsgebiet des N. occipitalis sind denkbar.

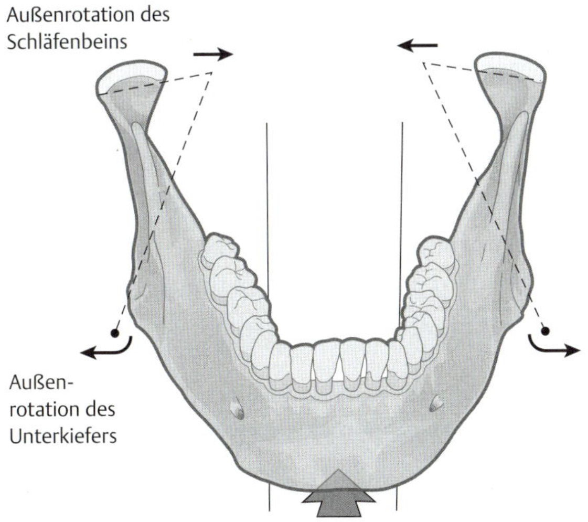

▶ **Abb. 2.24** Os mandibulare in der Inspirationsphase (von ventral). (Quelle: Liem T. Kraniosakrale Osteopathie. 7. Aufl. Stuttgart: Thieme; 2018)

Kieferwinkel und Morphologie

Der Angulus mandibulae ist die Verbindung zwischen Corpus und R. mandibulae. Durch den wachstumsbedingten Gestaltwandel zeigt sich beim Säugling ein Winkel von ca. 140°. Der Kieferwinkel beim Erwachsenen liegt bei ca. 120°. Die Morphologie zeigt, dass die mit dem Saugen, Trinken und später beim Kauen auftretenden Kräfte Mundhöhle und Unterkiefer prägen. Beim Neugeborenen zeigt die desmale Entwicklung des Os mandibulare die Symphysis mentalis als bindegewebige mediane Brücke zwischen der rechten und linken Hälfte des Unterkiefers. Sie verknöchert im Lauf des 1. Lebensjahres. Besonders bei Kindern ist anamnestisch zu erfassen, ob das Kind als Säugling gestillt wurde (Saugkräfte wirken auf Morphologie ein) und ob es frühkindliche kieferorthopädische Eingriffe gab. Gleiches gilt für die Zahnentwicklung. Die Alveolarfortsätze verändern sich massiv durch diesen Entwicklungsprozess. Dieser wirkt sehr stark auf das gesamte Körpersystem ein (Kap. 3.3.2).

Schlund- und Mundboden

Die **Linea mylohyoidea** ist Ansatzbereich für Schlund- und Mundbodenmuskulatur, insbesondere für M. mylohyoideus, M. constrictor pharyngis superior und Raphe pterygomandibularis. Die Einbindung des Os mandibulare sowohl in das Kiefergelenk als auch in Gewebe des Schlundes und des Schluckaktes setzen den Unterkiefer unterschiedlichsten Kräften aus. Im Gegensatz dazu führt eine Fehlstellung im Bereich des Kiefergelenks zur dysfunktionalen Bewegung des Os mandibulare und zur Provokation von Dysfunktionen im Bereich des Os hyoideum und des Schlundes. Durch die myofasziale Verkettung können so im Bereich der Zentralsehne Dysfunktionen entstehen (Kap. 7.1.1).

Die Zentralsehne stellt eine myofasziale Wirkungskette dar. Sie besteht aus myofaszialen und membranösen Strukturen, die von Falx cerebri bzw. Falx cerebelli zentral im Inneren des Körpers über die obere Thoraxapertur zum Diaphragma abdominale ziehen. Die Zentralsehne erfasst die myofaszialen Strukturen der Viszera und setzt sich bis zum Diaphragma urogenitale fort. Sie korrespondiert weiter mit medialen Anteilen der unteren Extremität. Die Zug- und Kraftlinien bedürfen der Ausbalancierung. Der Brustwirbel TH4 ist hier zentral (Kap. 3.3.2). Eine Dysfunktion kann sich z. B. auf den Ösophagus auswirken und zu einem gestörten Durchtritt durch das Diaphragma abdominale führen. Die Zentralsehne ist eng verbunden mit Os hyoideum, Os mandibulare/Kiefergelenk, Ossa temporalia, Os sphenoidale und Os occipitale. Indirekt wirkt die Zentralsehne über das Os hyoideum auf das Gleichgewicht von Schultergürtel, Kiefergelenk und Ossa temporalia ein. Die posturologische Funktion der Zentralsehne ist elementar und verdeutlicht den Zusammenhang von Kranium und Körperhaltung, aber auch von Viszera auf Kranium.

Die komplexen Wechselwirkungen zeigen sich damit in den Funktionen von Atmungs-, Bewegungs-, Halte- und Stützapparat, Magen-Darm-Trakt, Kreislauf- und Hormonsystem und Nerven-Sinnes-Komplex. Unabhängig von jeder strukturellen Verbindung ist die Beachtung und Einbindung der mentalen und psychischen Komponente für die Homöostase im Gesamtsystem Körper unerlässlich.

Proc. condylaris

Er besitzt eine knorpelige Abdeckung und steht mit dem Os temporale (Tuberculum articulare) indirekt gelenkig in Verbindung (Kap. 3.2.1). Zwischen beiden Gelenkflächen befindet sich der Discus articularis, der physiologisch die Funktion einer Gelenkpfanne übernimmt. Embryologisch bilden Discus articularis und die Sehne des M. pterygoideus lateralis eine Funktionseinheit. Die Einbindung des Diskus ist komplex.

Fascia masseterica

Sie umschließt einen Teil des M. masseter und auch die Gl. parotis, die in der Fossa retromandibularis liegt.

Im Bereich der Parotis können Stauungen auftreten, wenn die Mundboden- und Kaumuskulatur hyperton ist oder auch myofasziale Adhäsionen die Gewebegleitfähigkeit einschränken. Besonders der M. masseter ist für die Drainage der Parotis wichtig. Durch seine wechselhafte Spannung über die Kaubewegung „streicht" der Muskel die Parotis aus. Das erzeugt einen Drainageeffekt. Die Fascia masseterica ist Bestandteil der Bogensehne (Kap. 3.2.1).

Lig. sphenomandibulare und Lig. stylomandibulare

Massive kieferchirurgische Eingriffe, z. B. komplikationsreiche Extraktionen von Weisheitszähnen, können eine Überdehnung der Bänder verursachen. Dies kann zu Dysfunktionen im Bereich von Os temporale und Os sphenoidale führen.

Raphe pterygomandibularis

Sie ist eine Naht, an der der M. buccinator und der Schlundschnürer, M. constrictor pharyngis superior, zusammengewachsen sind. Sie setzt am kaudalen Ende des Os sphenoidale (Hamulus pterygoideus) an und kaudal an der Linea mylohyoidea. Sie ist Bestandteil der Zentralsehne und korrespondiert damit direkt im komplexen System (z. B. Atmungs- und Bewegungssystem, Halte- und Stützapparat, Magen-Darm-Trakt, Kreislauf- und Hormonsystem und Nerven-Sinnes-Komplex; Kap. 7.1.1).

M. buccinator

Er gehört zur mimischen Muskulatur und formt die Wangen. Er zieht diese zusammen und drückt den Speisebrei in Richtung Zahnreihe. Bedeckt mit einer Faszie wird der Muskel vom Ausführungsgang der Gl. parotis (Ductus parotideus) durchdrungen. Fasziale Adhäsionen können die Funktionalität des Ductus parotideus stören und eine Drainage vermindern. Dysfunktionen im Bereich der oberen Zentralsehne können eine Ursache sein.

Im Säuglingsalter ist der Muskel existenziell, denn er macht die Saugbewegung beim Stillen erst möglich. Es besteht ein Unterschied, ob ein Säugling gestillt oder direkt über die Flasche ernährt wurde. Der Saugmechanismus an der Brust erfordert nämlich einen wesentlich höheren Saugkraftaufwand als der Schnuller. Physiologisch ist das sinnvoll, denn durch die starken Saugkräfte beim Stillen wird das orofasziale System geformt. Kinder, die nicht gestillt worden sind, neigen zu einem hohen Gaumen (gotischer Gaumen). Myofasziale Kettten können durch Saugen und Schlucken harmonisiert werden [65].

Aponeurosis pterygotemporomandibularis

Sie verbindet Proc. pterygoideus und Lamina lateralis mit dem Foramen ovale. Dabei bedeckt sie den M. pterygoideus lateralis. Myofasziale Spannungen des Muskels können einen Zug auf die Aponeurosis bringen. Der Austrittsbereich des Foramen ovale kann unter Spannung geraten und die durchtretenden Strukturen (N. mandibularis [V_3], A. pterygomeningea, Plexus venosus) beeinträchtigen. Venöse Stauungen und nervale Irritationen sind möglich.

Zunge

Die Zunge ist neben der Parotis ein weiteres Weichteil, das mit dem Os mandibulare in Verbindung steht. Der Zungengrund ist funktionell verbunden mit der Mundbodenmuskulatur. Bewegungen der Zunge, Ruhelagerung und Lautbildung haben Einfluss auf Spannungen im orofaszialen System (▶ **Abb. 2.85**, ▶ **Abb. 2.86**, ▶ **Abb. 3.70**).

Korrespondierende Strukturen

Auswahl an korrespondierenden Strukturen, die unter systemischen Aspekten therapeutisch von Bedeutung sein können:

- weitere Äste des N. mandibularis (V_3)
- Äste der A. maxillaris, A. carotis externa, A. meningea media
- Fascia cervicalis profunda, temporalis
- Faszien des Pharynx
- Störungen des visuellen Systems
- Organe, die mit der Zentralsehne in Verbindung stehen
- Os hyoideum
- HWS
- Körperstatik
- reziproke Spannungsmembran
- SSB

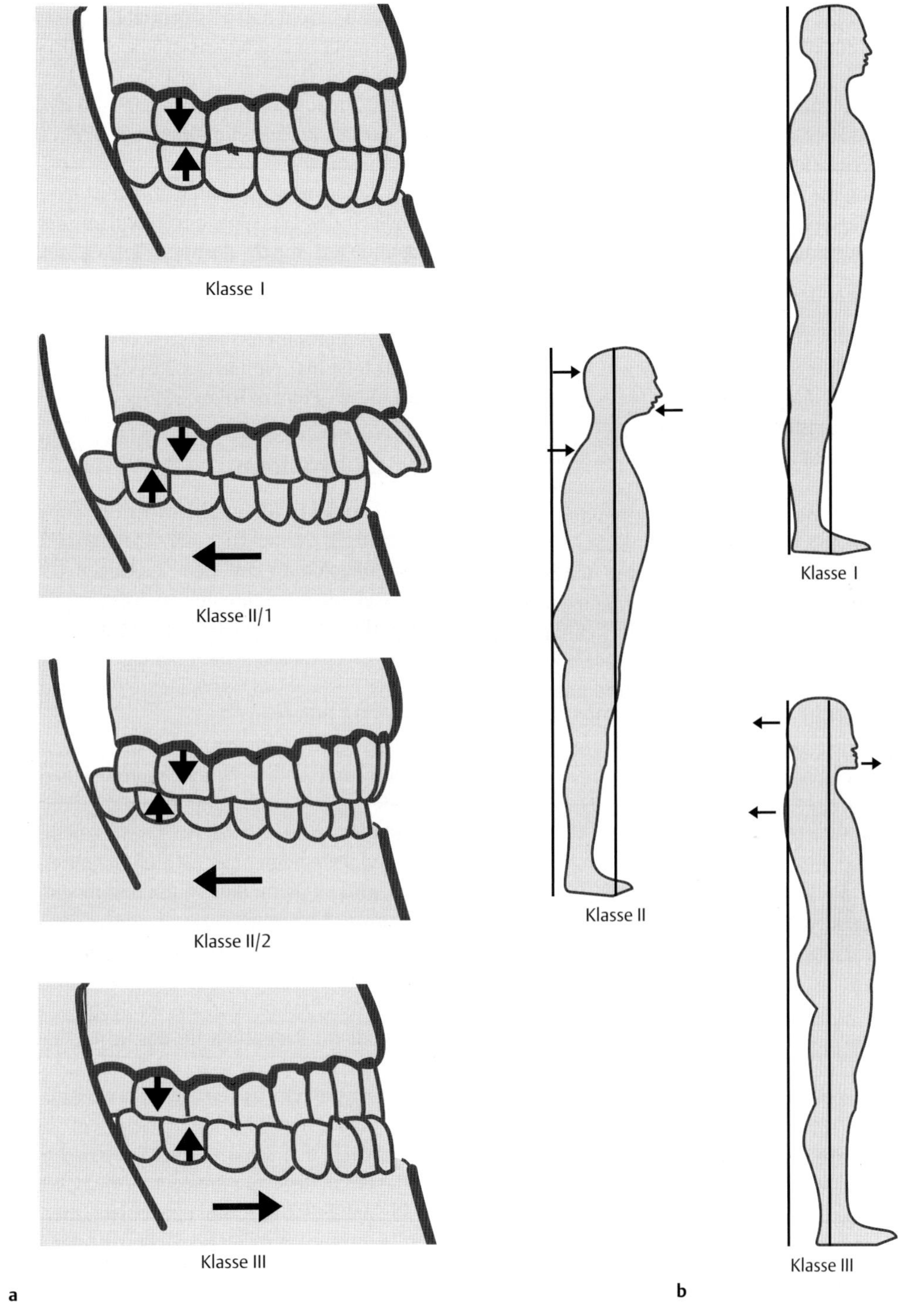

▸ **Abb. 2.25** Einfluss der Mandibulaposition auf den zervikothorakalen Übergang. (Quelle: Liem T. Praxis der Kraniosakralen Osteopathie. 4., überarbeitete und erweiterte Auflage. Stuttgart: Thieme; 2019; Grafik: C. Dardamissis, Freigold Konzept & Design, Hamburg)

Behandlungshinweise

- Indikationen für die Behandlung des Os mandibulare sind u. a.:
  - Zahn-, Kopfschmerzen
  - Knack- und Reibegeräusche
  - Schmerzen im Kiefergelenk
  - Dysfunktion der OAA-Region
  - Verspannungen der Kaumuskulatur
  - Trigeminusneuralgien
  - Bruxismus
  - Schluckbeschwerden
  - Globusgefühl
  - Sekretionsstörungen der Gl. parotis
  - körperstatische Probleme
  - Störungen des visuellen Systems
- Der Mundboden kann über myofasziale Techniken entspannt werden, korrespondierende Triggerpunkte können ergänzend in die Behandlung eingebunden werden (▶ Abb. 2.26, ▶ Abb. 3.53, ▶ Abb. 3.54).
- Bei einem hypertonen Mundboden sollte der Zungenkörper mitbehandelt werden. Ist der Zungenkörper sehr gespannt, bietet sich eine dezente Dehnung von medial nach lateral und ventral/dorsal an der Zungenunterseite am Übergang zum Zungengrund und Mundboden an. Dabei sollte der Mund nur leicht und nicht maximal geöffnet sein (erhöht den Tonus von Zungengrund und Mundboden).
- Ein Unwinding der Zunge kann den gesamten Zungenkörper entspannen [59]
- Für manche Patienten ist es zu Beginn der Behandlung angenehmer, die Zungenspitze ganz leicht gegen die Rückseite der oberen Schneidezähne zu drücken (Orientierung für Zungenlage).
- Intraorales myofasziales Ausstreichen des M. buccinator kann die Raphe pterygomandibularis, die ein Ursprung des M. buccinator ist, entspannen.
- Bei starker muskulärer Spannung in der Kaumuskulatur sind zur Entstauung venolymphatische Behandlungstechniken für V. jugularis interna und externa hilfreich. Über die Behandlung der Schädelbasis ist die Befreiung des Foramen jugulare eine gute Ergänzung [30]. Der Ausgleich aller Diaphragmen wirkt auf das gesamte Körpersystem im Sinne der venolymphatischen Zirkulation harmonisierend ein. Hier ist auch auf eine mögliche Dysfunktion der 1. Rippe zu achten.
- Bei Dysfunktionen des Os mandibulare im Bereich der Art. temporomandibularis ist u. a. ein MET oder HVLA-Technik für TH 4 angezeigt [32], [40]. Dieser ist nach dem Kräftepolygon von Littlejohn [35] derjenige Wirbel, der bei Störungen im Kieferbereich in Dysfunktion geraten kann.
- Nach kieferchirurgischen Eingriffen ist ein Spannungsausgleich der Lig. sphenomandibulare und Lig. stylomandibulare durch Postional-Release und Balance-and-Hold Technik hilfreich. Die indirekte Befreiung kann die bewegungsphysiologischen ligamentären Züge harmonisieren [114].
- Möglich ist hier ein intraossärer Ausgleich der Mandibula mittels Point of Balance [46].

2.3.2 Os hyoideum

Das Os hyoideum (Zungenbein) ist ein unpaariger hufeisenförmiger Knochen, der beidseitig über das **Lig. stylohyoideum** mit dem jeweiligen Os temporale (**Proc. styloideus**) verbunden ist. Nach kaudal verbindet das **Lig. thyrohyoideum** das Zungenbein mit dem Schildknorpel. Es existieren keine gelenkigen Verbindungen zu anderen Knochen. Das Os hyoideum befindet sich ventral der HWS auf Höhe von C 3.

Die bewegliche Aufhängung des Os hyoideum ist durch die obere und untere **Zungenbeinmuskulatur** möglich (ventrale Hals- und Mundbodenmuskulatur). Der **M. hypoglossus** ist ebenfalls in das muskuläre Aufhängesystem eingebunden. Der Schlundschnürer (**M. constrictor pharyngis medius**) nutzt den Innenrand des Os hyoideum als Ursprung.

Um den Kiefer öffnen zu können, bedarf es des **Zungenbeins**. Es koordiniert die Kraftübertragung von Muskeln des Mundbodens und des Kehlkopfs. Damit hat es eine besondere Bedeutung für das Schlucken und Sprechen.

Das Os hyoideum hat eine **chondrale** Anlage. Es entstammt dem 2. und 3. Schlundbogen (vgl. folgende Anmerkungen zu den Schlundbögen). Blechschmidt [8] betont, dass es in der Embryonalentwicklung keine Kiemen oder kiemenähnliche Ausbildungen gibt, die polygenetischen Ursprungs sind. Bei der Geburt ist das Hyoid noch knorpelig. Es sind **4 Ossifikationszentren** (2 im Corpus, je 1 pro kleines und großes Horn) angelegt. Spätestens in der Pubertät verknöchert das Zungenbein.

Schlundbögen

Durch die Krümmung im Kopfbereich entwickelt der Embryo Ende der 3. bis 5. Woche Beugefalten (Schlundbögen, Viszeralbögen) im Bereich des Darmrohrs (▶ **Abb. 2.20**). Sechs spangenförmige Wulstbildungen des Mesenchyms entstehen. Sie beinhalten das Mesenchym, eine Knorpelspange, eine Muskelanlage, eine Nervenanlage und eine Arterienanlage.

- Aus dem **1. Schlundbogen** (Mandibulabogen) entwickeln sich aus dem Meckel-Knorpel (Os mandibulare) Hammer, Amboss und Lig. sphenomandibulare. Kaumuskulatur, Teile der Mundbodenmuskulatur (M. mylohyoideus, Venter anterior des M. digastricus, Trommelfellspanner/M. tensor tympani, Gaumensegelspanner/M. tensor veli palatini) nehmen ihren Ursprung aus der Muskelanlage. Aus der Nervenanlage entwickelt sich der N. trigeminus (V). Die Anlage der Arterien ist später an A. carotis externa und A. maxillaris beteiligt.
- Der **2. Schlundbogen** wird auch Hyoidbogen (Reichert-Knorpel) genannt. Aus dieser Knorpelspange entwickeln sich neben der oberen Hälfte des Corpus und den Cornua minus des Os hyoideum auch der Proc. styloideus (Os temporale), die Stapes (Steigbügel) und das Lig. stylohyoideum. Aus der Muskelanlage des 2. Schlundbogens bilden sich Teile der mimischen Gesichtsmuskulatur, M. stylohyoideus, M. digastricus venter posterior, M. stapedius. Aus der Nervenanlage entwickelt sich der N. facialis (VII).
- Der **3. Schlundbogen** bildet die untere Hälfte des Corpus sowie das Cornu majus des Os hyoideum. Aus der Muskelanlage entstehen die oberen und mittleren Schlundschnürermuskeln (Mm. constrictor pharyngis superior, medius) und die Muskeln des weichen Gaumens. N. glossopharyngeus (IX) hat hier seine Anlage.
- Aus dem **4. Schlundbogen** entsteht der obere Kehlkopfknorpel. Die Muskelanlage bildet den Ursprung für den mittleren und unteren Schlundschnürer, M. levator veli palatini und die äußere Kehlkopfmuskulatur (M. cricothyreoideus). Der N. laryngeus superior (N. vagus) entsteht hier aus der Nervenanlage. Aortenbogen und A. subclavia entstehen aus der Arterienanlage.
- Aus dem **5. Schlundbogen** bleiben keine Strukturen nachhaltig erhalten.
- Der **6. Schlundbogen** bildet die übrigen Anteile des Kehlkopfes. Seine Muskelanlage ist die Basis für die innere Kehlkopfmuskulatur und für den unteren Teil des Schlundschnürers. N. laryngeus recurrens (N. vagus) entsteht aus der Nervenanlage. A. pulmonalis sinister und dexter entstehen aus der Anlage der Arterien.

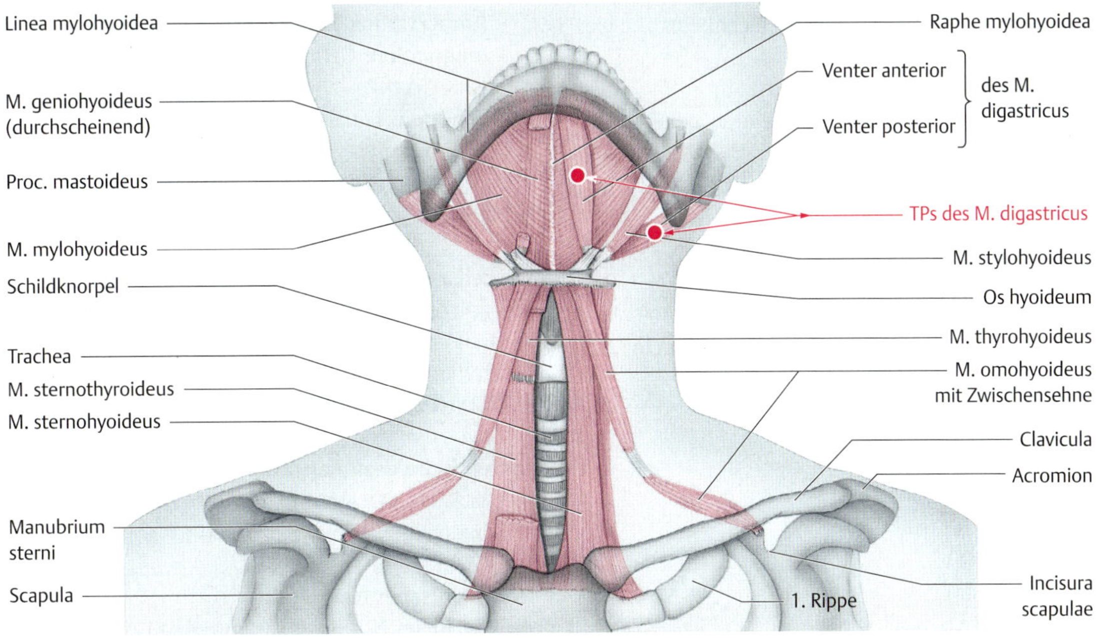

▶ **Abb. 2.26** Triggerpunkte. (Quelle: Richter P, Hebgen E. Triggerpunkte und Muskelfunktionsketten. 5. Auflage. Stuttgart: Thieme; 2021. Nach Schünke M. Funktionelle Anatomie: Topographie und Funktion des Bewegungssystems. 3. Aufl. Stuttgart: Thieme; 2018)

Anatomie

Knöcherne Anteile (▶ Abb. 2.27)

- Corpus (zahlreiche Muskelansätze und Faszien)
- Cornu majus (seitlicher lang gezogen; Ansätze von M. hypoglossus, M. thyrohyoideus, Schlundschnürer, Lig. thyrohyoideum)
- Cornu minus (Ansatz Lig. stylohyoideum, M. chondroglossus)

Benachbarte Knochen: Das Os hyoideum ist der einzige Knochen im menschlichen Körper, der keinen Kontakt zu anderen Knochen hat.

Ligamente, Membran

- Lig. stylohyoideum (Proc. styloideus des Os temporale → Cornu minus Os hyoideum)
- Lig. thyrohyoideum laterale und mediale (lateral und medial am Unterrand des Os hyoideum → Oberrand Cartilago thyroidea)
- Membrana thyrohyoidea (flächige Membran; Unterrand Os hyoideum → Oberrand Cartilago thyroidea)

Muskeln, suprahyoidale

- **M. geniohyoideus** (Kap. 2.3.1)
- **M. mylohyoideus** (Kap. 2.3.1)
- **M. digastricus** (Kap. 2.3.1)
- **M. stylohyoideus:**
  - **Ursprung:** Proc. styloideus des Os temporale
  - **Ansatz:** Cornu majus des Os hyoideum
  - **Innervation:** N. facialis (VII)
  - **Funktion:** beteiligt am Schluckakt, Kontrolle der Anspannung des Mundbodens
- **M. chondroglossus:**
  - **Ursprung:** kleineres Horn des Zungenbeins
  - **Ansatz:** Aponeurosis linguae
  - **Innervation:** N. hypoglossus (XII)
  - **Funktion:** zieht die Zunge nach hinten, beteiligt am Kauen, Schlucken, Sprechen

Muskeln, infrahyoidale (▶ Abb. 2.28)

- **M. sternohyoideus:**
  - **Ursprung:** Manubrium sterni des Brustbeins, mediales Ende der Klavikula, Sternoklavikulargelenk
  - **Ansatz:** unterer Rand des Zungenbeinkörpers
  - **Innervation:** Nervenfasern aus Ansa cervicalis profunda
  - **Funktion:** zieht das Zungenbein nach unten
- **M. thyrohyoideus:**
  - **Ursprung:** Linea obliqua des Schildknorpels
  - **Ansatz:** unterer Rand der Basis des großen Zungenbeinhorns
  - **Innervation:** R. thyrohyoideus (aus der Radix superior der **Ansa cervicalis profunda**; ▶ Abb. 3.13)
  - **Funktion:** verschließt den Kehlkopf
- **M. omohyoideus:**
  - **Ursprung:** Oberrand der Scapula
  - **Ansatz:** unterer Rand des Zungenbeinkörpers
  - **Innervation:** Ansa cervicalis profunda, Plexus cervicalis (C 1–C 3/C 4)
  - **Funktion:** unterstützt den Schluckakt, fixiert Zungenbein, spannt Halsfaszie und hält das V. jugularis offen, zieht Kehlkopf und Zungenbein nach kaudal am Ende des Schluckakts

Muskeln, dorsal Os hyoideum

- **M. constrictor pharyngis medius**
  - zweiteilig: Pars chondropharyngea und Pars ceratopharyngea
  - **Ursprung**:
    - Pars chondropharyngea: kleines Horn des Zungenbeins
    - Pars ceratopharyngea: großes Zungenbeinhorn
  - **Ansatz:** schräg nach kranial, medial und dorsal
  - **Innervation:** Geflecht aus N. glossopharyngeus [IX], N. vagus [X])
  - **Funktion:** beteiligt am Schluckvorgang und bei der Bildung von pharyngealen Lauten
- M. stylohyoideus (S. 44)
- **M. digastricus, Venter posterior** (Kap. 2.3.1)

Faszien

- Fascia cervicalis: Lamina superficialis
- Fascia cervicalis: Lamina praetrachealis
- Lamina suprahyoidea
- Pharynx

Systemische Vaskularisation

- A. facialis → A. carotis externa
- A. lingualis → A. carotis externa

Neurologisches Netzwerk

- Geflecht aus N. glossopharyngeus [IX], N. vagus [X]
- N. trigeminus (V)

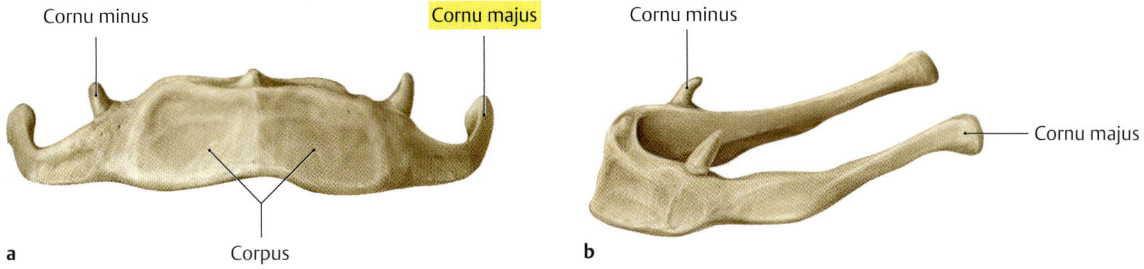

► **Abb. 2.27** Os hyoideum (Zungenbein).

a Ansicht von ventral. (Quelle: Schünke M, Schulte E, Schumacher U. Prometheus. LernAtlas der Anatomie. Kopf, Hals und Neuroanatomie. Illustrationen von M. Voll und K. Wesker. 6. Aufl. Stuttgart: Thieme; 2022)

b Ansicht von lateral. (Quelle: Schünke M, Schulte E, Schumacher U. Prometheus. LernAtlas der Anatomie. Kopf, Hals und Neuroanatomie. Illustrationen von M. Voll und K. Wesker. 6. Aufl. Stuttgart: Thieme; 2022)

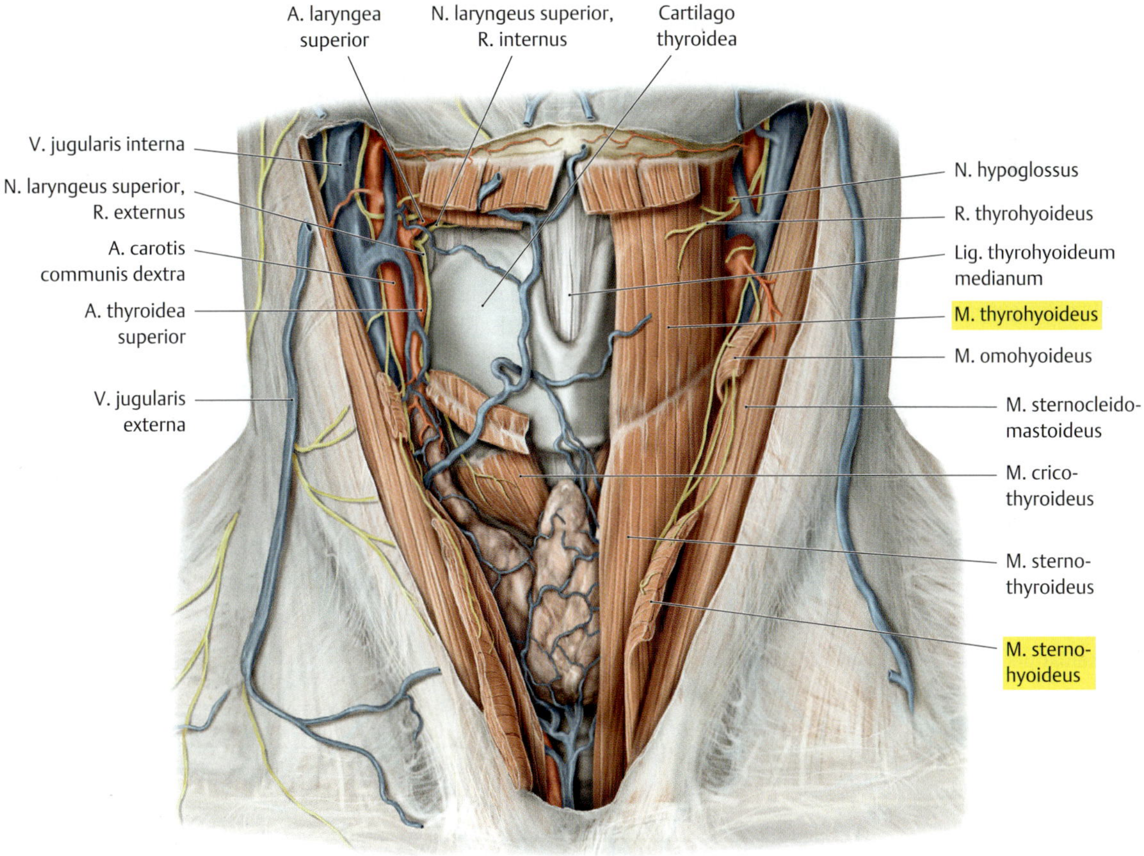

► **Abb. 2.28** Hals (Collum), mittlere Schicht. Ansicht infrahyoidale Muskulatur. (Quelle: Schünke M, Schulte E, Schumacher U. Prometheus. LernAtlas der Anatomie. Kopf, Hals und Neuroanatomie. Illustrationen von M. Voll und K. Wesker. 6. Aufl. Stuttgart: Thieme; 2022)

Myofasziale Wirkungskette

Die gesamte Schlundmuskulatur und hyoidale Muskulatur sind Bestandteile der tiefen Frontallinie, Zentral- und Bogensehne ([16], Kap. 2.4.2, Kap. 2.4.2, Kap. 7.1.1).

Kraniosakraler Kontext

Eine spezialisierte Bewegung im kraniosakralen System wird nicht beschrieben.

Osteopathische Korrespondenzen

Schlund

Der Schlundschnürer (▸ Abb. 2.29) besteht aus 3 Teilen, die sich dachziegelartig überlappen. Der mittlere Schlundschnürer, M. constrictor pharyngis medius, hat seine Ursprünge u. a. am Os hyoideum, Os sphenoidale, Os mandibulare und Zungenkörper und seine Ansätze in der Raphe pharyngis (verbindet sich dort mit den Fasern der gegenüberliegenden Seite). Weitere Fasern ziehen zur Tuba auditiva und zum Gaumensegelheber, M. levator veli palatini. Fächerartig verwoben ist der untere Anteil des oberen Schlundschnürers mit den kranialen Fasern des mittleren Schlundschnürers.

M. constrictor pharyngis inferior (auch M. cricopharyngeus genannt) hat seine Ursprünge am Schildknorpel (Pars thyropharyngea) und Ringknorpel (Pars cricopharyngea). Auch seine Fasern ziehen in die Raphe pharyngis. Beim Schlucken verengen sich die 3 Muskeln derart, dass der Speisebolus in Richtung Speiseröhre geschoben wird.

Bei der Phonation ist insbesondere der kaudale Anteil des Schlundschnürers beteiligt. Pars cricopharyngea kann als Synergist zum Stimmbandmuskel indirekt eine Stimmlippenverkürzung ermöglichen. Dadurch entspannen sich die Stimmlippen, der Ton wird tiefer. Die Lage des Kehlkopfs kann u. a. durch die Spannung der Pharynxwand beeinflusst werden. Je tiefer der Kehlkopfstand ist, desto tiefer wird der Ton. Pars thyropharyngea ist an der Stimmlippenverlängerung beteiligt, erhöht die Stimmlippenspannung und führt zu einem helleren und lauteren Ton.

Die Schlundmuskeln werden vom Plexus pharyngeus innerviert, einem Nervengeflecht, an dem N. glossopharyngeus (IX) und N. vagus (X) beteiligt sind.

Praxistipp

Kehlkopf und Tonlage

- Je angespannter eine Situation ist (sympathikoton), desto mehr Spannung entsteht im Kehlkopfbereich, desto höher die Lage des Kehlkopfs und desto mehr Spannung in den Stimmlippen. Folge: helle, laute Stimme.
- Über ruhiges Sprechen mit tiefer Tonlage kann der Parasympathikus aktiviert werden und so eine sympathikotone Gemütslage in eine parasympathisch dominierte Stimmungslage bringen.
- Parasympathische Stimulation ist auch über die Entspannung der Halsfaszien möglich (Kap. 3.3.2).

Komplexe Wirkung der oberflächlichen und tiefen Kopf- und Rachenfaszien

Die Fascia buccopharyngea umkleidet von außen die Pharynxmuskulatur und reicht vom M. buccinator (Wangenmuskel) über den oberen Schlundschnürer (**M. constrictor pharyngis superior**) zu Gaumensegel und Pharynx. Der Wangenmuskel hat über die Fascia buccopharyngea einen funktionellen Bezug zur Raphe pterygomandibularis, der Insertion des M. constrictor pharyngis superior. Die Raphe pterygomandibularis wird von der Fascia buccopharyngea im Bereich von Hammulus pterygoideus und der Linea mylohyoidea (Os mandibulare) gebildet.

Angeheftet am Periost des Os maxillare im Bereich des Proc. alveolaris und der medialen Lamina des Proc. pterygoideus, zieht die Fascia buccopharyngea über den M. constrictor pharyngis superior nach dorsal und fließt ein in die Tunica adventitia des Pharynx und des Ösophagus.

Bezeichnenderweise setzt sich M. buccinator als Muskel der mimischen Muskulatur mit seiner Faszienumkleidung zum Pharynx fort. Er verbindet die tiefe Faszienebene (Fascia buccopharyngea) über die Mundwinkel mit der oberflächlichen Gesichtsfaszie (SMAS). Erklärbar ist dies über die Funktion des M. buccinator, der beim Kauen den Speisebrei in Richtung Zungengrund treibt. Insoweit hat der M. buccinator eine Zwitterstellung. Er ist ein Muskel der Mimik, aber auch des Kauapparats. Er verbindet damit die Bewegung des Mundes mit dem Rachen.

Die **Fascia pharyngobasilaris** (▸ Abb. 2.29) bedeckt die Innenseite der Pharynxmuskulatur. Sie ist die Pars profunda der ventralen Anteile der Halsfaszien. Das fasziale funktionelle Kontinuum erstreckt sich weiter über Fascia praetrachealis, Fascia thyroidea. Diese bilden einen Teil der Pars media der Fascia cervicalis.

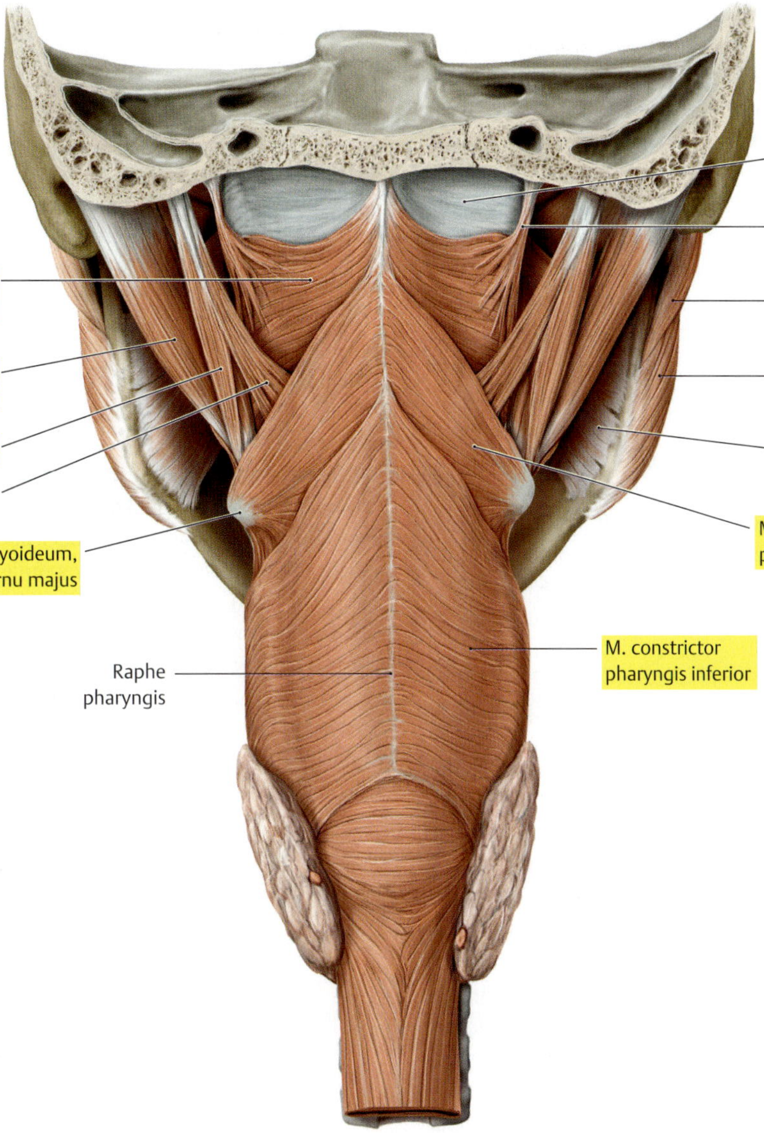

▸ **Abb. 2.29** Muskeln des Pharynx (von dorsal), dachziegelförmige Lage der Schlundschnürer. (Quelle: Schünke M, Schulte E, Schumacher U. Prometheus. LernAtlas der Anatomie. Kopf, Hals und Neuroanatomie. Illustrationen von M. Voll und K. Wesker. 6. Aufl. Stuttgart: Thieme; 2022)

Dysfunktionale Spannungen können sich negativ auf die anliegenden Gefäß- und Nervenstrukturen auswirken und die Funktionalität stören. Beispielsweise am Foramen lacerum → N. petrosus major (VII), der parasympathisch die Tränen-, Nasen- und Gaumendrüsen innerviert. N. petrosus profundus (Plexus caroticus) ist für die sympathische Versorgung der vorgenannten Drüsen und die Innervation des M. orbitalis zuständig. Bei Kontraktion des Muskels wird die V. ophthalmica in ihrem venösen Abfluss etwas gehemmt. Das Gefäß schwillt an, der Augapfel tritt etwas hervor. Im Bereich der Fissura sphenopetrosa kann der N. petrosus minor (IX) irritiert werden. Denkbar ist eine Beeinträchtigung der parasympathischen Innervation der Speicheldrüsen. Eine myofasziale Dysbalance im Bereich der Schlundheber, insbesondere des M. salpingopharyngeus, kann im Ansatzbereich an der Tuba auditiva (Tubenknorpel) den Druckausgleich zwischen Paukenhöhle und Außenluft behindern (▶ Abb. 2.30, ▶ Abb. 2.31, ▶ Abb. 2.32, ▶ Abb. 2.33).

Zunge

Sie ist ein muskulöses Mundorgan, von Schleimhaut überzogen, liegt auf dem Mundboden und füllt bei geschlossenem Mund die gesamte Mundhöhle aus. Die Zunge ist über das Zungenbändchen mit dem Mundboden verbunden. Mit dem Zungenbein ist der posteriore Anteil der Zunge verbunden. Dies ist auch der umfangreichste Anteil der Zunge. Das sehr bewegliche Organ verschiebt im Mund den Speisebrei und transportiert ihn in den Rachen. Für die Lautbildung ist u. a. das Zusammenspiel mit den Lippen entscheidend. Die Oberfläche der Zunge ist mit Geschmacksknospen versehen, die das Schmecken ermöglichen. M. constrictor pharyngis superior hat u. a. neben seinen Ursprüngen am Proc. pterygoideus des Os sphenoidale, der Raphe pterygomandibularis und Os mandibulare Faserzüge zur Zunge. Ein Hypertonus des M. constrictor pharyngis superior kann ein Gefühl vermitteln, dass die Zunge sich nicht entspannen kann und sich Enge im Schlundbereich einstellt (▶ Abb. 2.34).

Praxistipp

Entspannung

Eine Behandlung der lateralen Zungenunterseite kann den Muskelkörper der Zunge und den M. constrictor pharyngis superior entspannen und damit auch die Region des Os hyoideum. Im Gegenzug kann sich eine Behandlung des Zungenbeins entspannend auf den Schlund- und Mundraum auswirken. Das kann positiv auf die peripheren faszialen Verbindungen im Bereich der Zentral- und Bogensehne wirken.

Zirkulation

Ein verknöchertes Lig. stylohyoideum kann bei der Kopfdrehung die A. carotis interna komprimieren, was Zirkulationsprobleme im Gehirn verursachen kann. Ebenso kann das dysfunktionale Band die symmetrische Aufhängung des Os hyoideum stören oder aber das Spannungsgleichgewicht zwischen Os temporale und Zungenbein beeinträchtigen. Das kann sich auch dysfunktional auf das Tentorium cerebelli auswirken. Über den M. digastricus korrespondiert das Os hyoideum mit Os temporale und Os mandibulare. Neben Schluckstörungen, Mundbodenspannungen kann das Os temporale in Dysfunktion sein und den venösen Abfluss durch das Foramen jugulare beeinflussen.

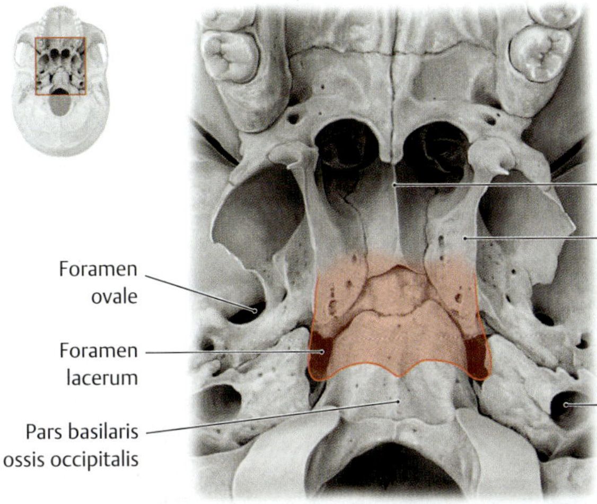

▸ **Abb. 2.30** Fascia pharyngobasilaris an der Schädelbasis. (Quelle: Schünke M, Schulte E, Schumacher U. Prometheus. LernAtlas der Anatomie. Kopf, Hals und Neuroanatomie. Illustrationen von M. Voll und K. Wesker. 6. Aufl. Stuttgart: Thieme; 2022)

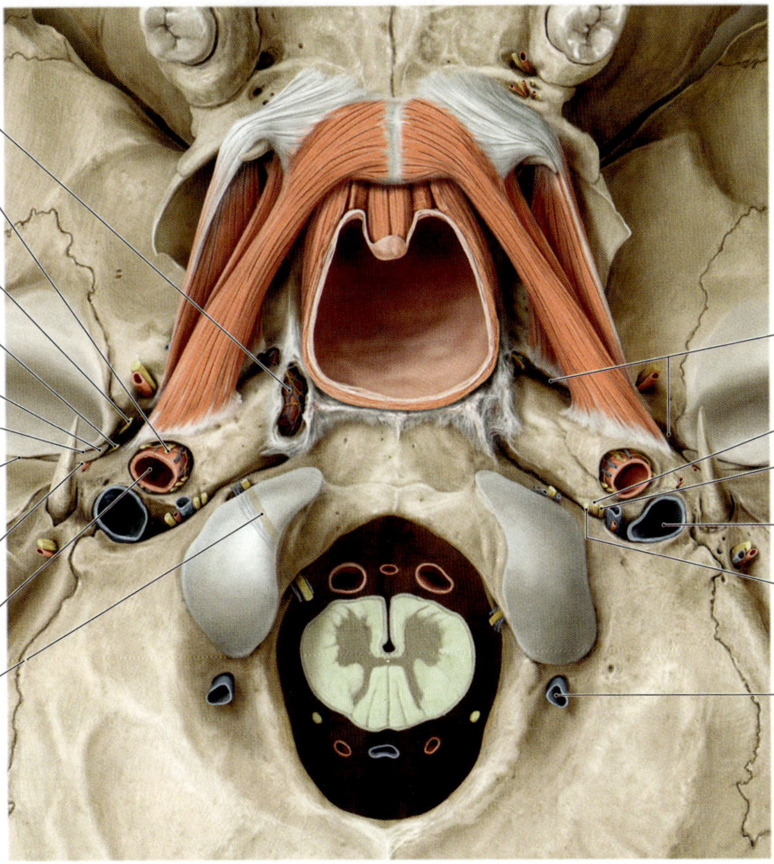

▸ **Abb. 2.31** Leitungsbahnen am Übergang von der Schlundaufhängung zur Schädelbasis. (Quelle: Schünke M, Schulte E, Schumacher U. Prometheus. LernAtlas der Anatomie. Kopf, Hals und Neuroanatomie. Illustrationen von M. Voll und K. Wesker. 6. Aufl. Stuttgart: Thieme; 2022)

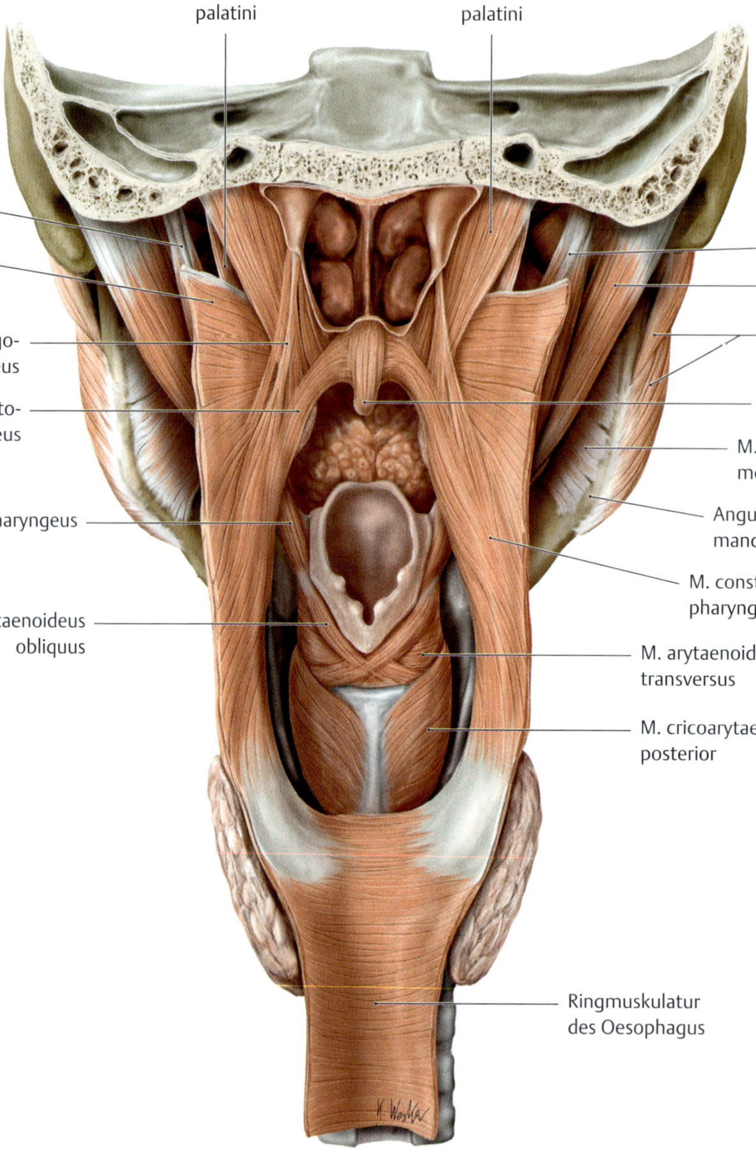

▶ **Abb. 2.32** Kaudalzug über Schlundmuskulatur: Muskulatur des Pharynx, Schlundheber, die den Pharynx beim Schlucken verkürzen; Innervation über den N. glossopharyngeus (IX). (Quelle: Schünke M, Schulte E, Schumacher U. Prometheus. LernAtlas der Anatomie. Kopf, Hals und Neuroanatomie. Illustrationen von M. Voll und K. Wesker. 6. Aufl. Stuttgart: Thieme; 2022)

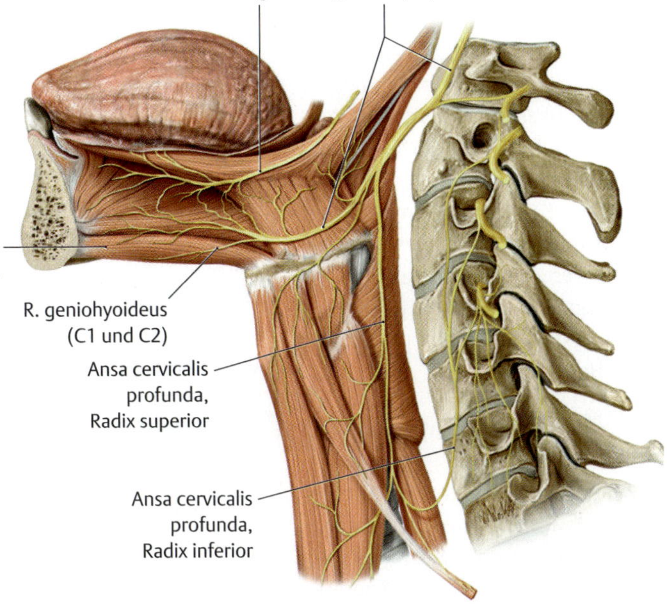

▸ **Abb. 2.33** Innervation der Mundbodenmuskulatur. (Quelle: Schünke M, Schulte E, Schumacher U. Prometheus. LernAtlas der Anatomie. Kopf, Hals und Neuroanatomie. Illustrationen von M. Voll und K. Wesker. 6. Aufl. Stuttgart: Thieme; 2022)

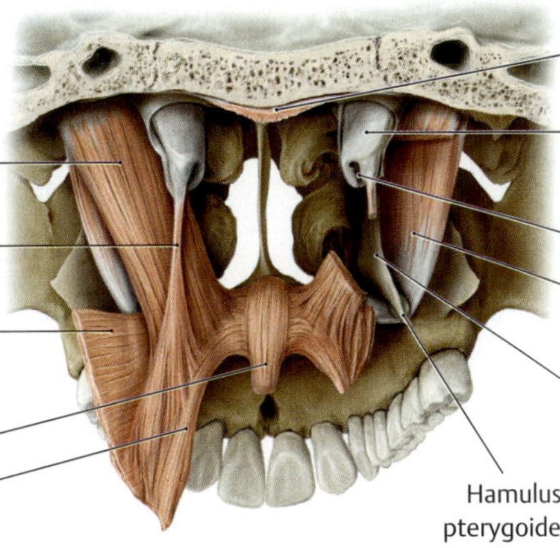

▸ **Abb. 2.34** Schlundheber, Schlundschnürer und Gaumensegel. (Quelle: Schünke M, Schulte E, Schumacher U. Prometheus. LernAtlas der Anatomie. Kopf, Hals und Neuroanatomie. Illustrationen von M. Voll und K. Wesker. 6. Aufl. Stuttgart: Thieme; 2022)

Vermittler zwischen Kopfmuskeln und Rumpfwandmuskeln

Das Os hyoideum ist zum einen Stützpfeiler für die Zungenmuskulatur und Mandibulabewegung, zum anderen ist es Punctum mobile beim Schluckakt. Beim Schlucken ziehen die suprahyoidalen Muskeln (Kopfmuskeln) das Zungenbein nach kranial. Die infrahyoidale Muskulatur bringt das Zungenbein (Rumpfwandmuskulatur) nach kaudal. Durch seine dominante Lage in der Zentralsehne können sich vielfältige Dysfunktionen aus der Körperperipherie auf die Mobilität des Zungenbeins auswirken (Spannungen in den Diaphragmen, im Beckenboden, Abdomen, Mediastinum, dysfunktionale Mobilität der Thoraxorgane, insbesondere Herz und Lunge; Kap. 3.3.2, ▶ **Abb. 2.35**).

Thorax, Schultergürtel, Zirkulation

Über die infrahyoidale Muskulatur besteht eine direkte Verbindung zum Sternum. Bewegungseinschränkungen des Thorax und verminderte Mobilität durch dysfunktionale Atmung können Spannungen aus dem Thoraxbereich auf das Zungenbein übertragen (▶ **Abb. 2.33**, ▶ **Abb. 2.35**).

M. omohyoideus verbindet das Zungenbein mit dem Schulterblatt. In seinem Verlauf ist er so in die Fascia praetrachealis (Vagina carotica) eingebunden, dass er sie spannt und das Lumen des V. jugularis interna freigehalten wird. M. omohyoideus ist damit elementar für die kontinuierliche venöse Drainage des Kraniums. Gleichzeitig kann er über den Ansatz am Schulterblatt im Zusammenspiel mit dem M. levator scapulae und den Rhombenmuskeln an Dysfunktionen der Skapula beteiligt sein. Nervale Irritationen an der Incisura scapulae (N. supraspinatus) sind möglich. Daraus können myofasziale Spannungen in der Region des Os hyoideum entstehen. Dysfunktionen in den umliegenden Nervenästen der Hirnnerven (VII, IX, X, XII) und auch im Netzwerk des spinalen Nervensystems (Ansa cervicalis) sind möglich. Über langkettige Muskelverbindungen, wie M. erector spinae, werden dorsal Zugkräfte auf die gesamte Wirbelsäule bis zum Sakrum übertragen. M. sternocleidomastoideus wirkt zusätzlich über die Klavikula auf den Schultergürtel ein (▶ **Abb. 2.36**).

Korrespondierende Strukturen

Auswahl an korrespondierenden Strukturen, die unter systemischen Aspekten therapeutisch von Bedeutung sein können:

- Organe, die mit der Zentralsehne in Verbindung stehen
- OAA, HWS, BWS, LWS, Becken
- Kiefergelenk
- Körperstatik, Propriozeption
- reziproke Spannungsmembran
- visuelles System
- SSB

Behandlungshinweise

- Bei Globusgefühl kann das Os hyoideum in Kombination mit dem M. sternocleidomastoideus mit myofaszialen Techniken behandelt werden. Insbesondere bei einem Globusgefühl im Hals sind parasympathisch wirkende Techniken hilfreich.
- Bei einer verminderten seitlichen Verschieblichkeit des Os hyoideum kann mit Einstellen des State of Bind auf der restriktiven Seite nach und nach in Richtung Entspannung mobilisiert werden [114].
- Ein Sternum-Recoil wirkt neben dem forcierten venolymphatischen Effekt detonisierend auf die infrahyoidale Muskulatur. Vorher kann ein Point of Balance gesetzt werden [46].
- Triggerpunktbehandlung der suprahyoidalen Muskulatur kann die Mobilität des Os hypideum verbessern.
- Die Testung und Behandlung des Schulterblattgleitlagers ist ein wichtiger Teilaspekt in der Behandlung des Os hyoidale [15].
- Point of Balance am Lig. stylohyoideus setzen detonisiert das Ligament.
- Temporalrollen kann zusätzlich das Stylusdiaphragma entspannen.
- Ein Release der Faszie des M. subclavius wirkt ausgleichend auf der Klavikula und Platysma [108].

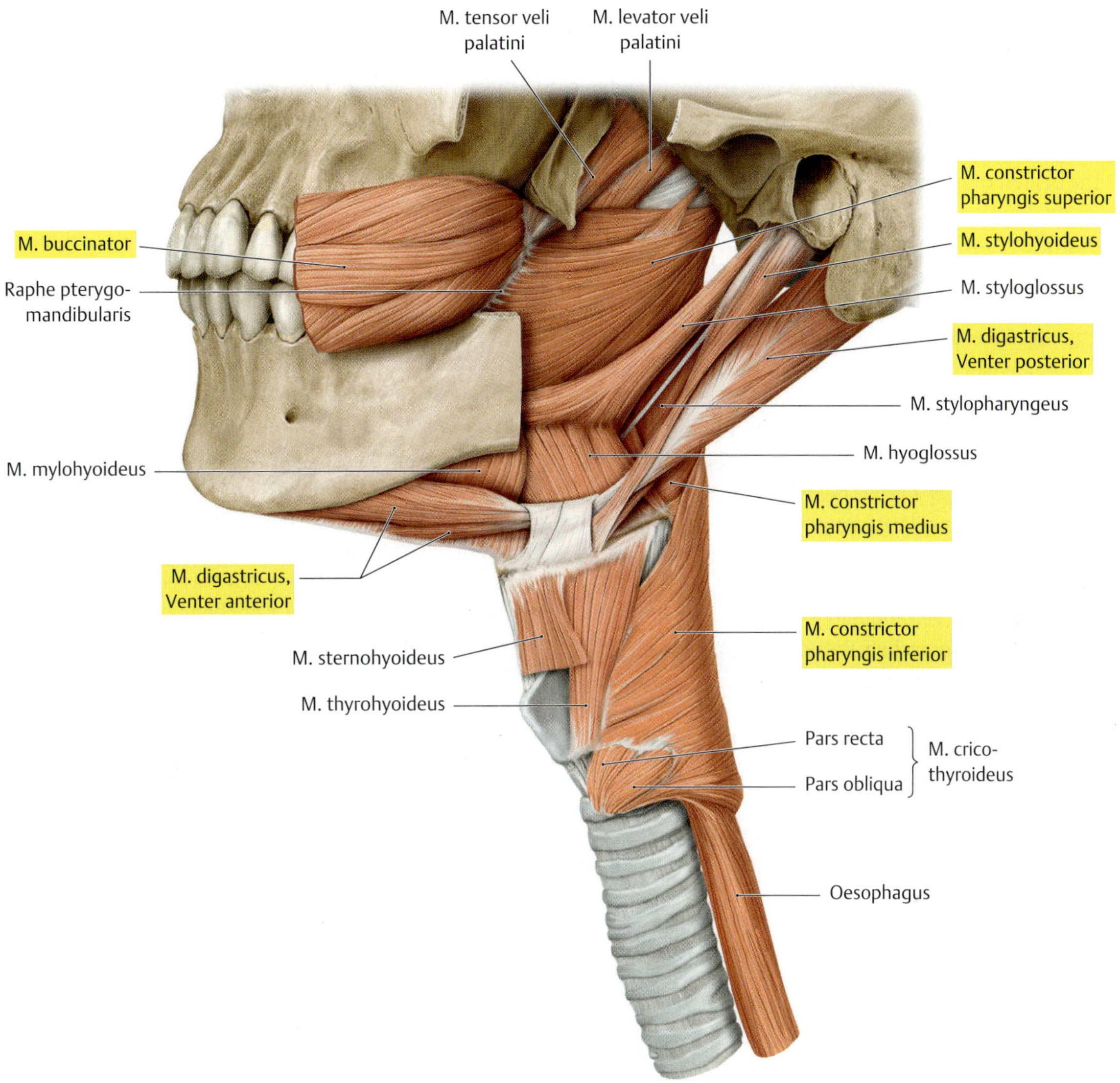

▸ **Abb. 2.35** Muskeln des Pharynx (von links). (Quelle: Schünke M, Schulte E, Schumacher U. Prometheus. LernAtlas der Anatomie. Kopf, Hals und Neuroanatomie. Illustrationen von M. Voll und K. Wesker. 6. Aufl. Stuttgart: Thieme; 2022)

2.3.3 Os maxillare

Das paarige Os maxillare (Oberkieferknochen; ▶ Abb. 2.37) gehört zu den **peripheren Schädelknochen** und ist der zentrale Gesichtsknochen im oberen Gesichtsfeld.

Die beiden Ossa maxillaria bestimmen durch ihre Form auch die **Physiognomie** des Gesichts. Die zerklüftete Gestalt des Os maxillare und die zahlreichen Fortsätze sind Merkmale für die vielfältige Integration dieses Gesichtsknochens innerhalb des Kraniums. Das Os maxillare bildet maßgeblich den Orbitaboden und ist auch beteiligt an der medialen Augenhöhlenwand, am Boden der Nasenhöhle, an der lateralen Nasenwand und am knöchernen Gaumen. Das Bauprinzip des Kraniums, die knöcherne Leichtbauweise, spiegelt sich in den beiden Kieferhöhlen wider. Der Korpus des Os maxillare beherbergt mit dem Sinus maxillaris die größte Nasennebenhöhle. Die Kaukräfte werden über das Os maxillare auf das Gesicht verteilt. Das Os maxillare steht mit 9 weiteren Knochen in gelenkiger Verbindung.

In der **embryologischen Entwicklung** zeigt sich früh die **desmale Knochenentwicklung** mit dem **primären Ossifikationszentrum** im Korpus des Os maxillare (ca. 6.–7. SSW). Das Os maxillare entwickelt sich aus dem 1. Schlundbogen (Mesenchymverdichtung mit Beginn der 4. Entwicklungswoche des Embryos).

Im Bereich des **1. Schlundbogens** (auch Mandibularbogen genannt) entstehen Ober- und Unterkieferwulst. Es entwickeln sich hier neben Os mandibulare, Os maxillare, Os palatinum, Squama des Os temporale auch die Gehörknöchelchen. Die paarigen Anlagen des Os maxillare liegen jeweils lateral zur Nasenanlage. Von kranial werden die Maxillaanlagen von den Augenanlagen begrenzt, kaudal von den Mundhöhlenanlagen und lateral vom Gesichtsepithel.

Durch die **Entwicklungsbewegungen** zeigt sich anfangs ein breites Gesicht mit weitem Augenabstand und großer Nasenanlage. Nachdem Herz und Diaphragma sich nach kaudal absenken, wird longitudinal Raum geschaffen. Das Gesicht kann sich nun weiter in vertikaler, sagittaler und transversaler Richtung entwickeln. Im Übrigen beeinflusst die Morphologie des Os maxillare auch die Wachstumskräfte insbesondere der Nasen-, Augen- und Mundhöhlenanlagen.

Das Os maxillare zeichnet sich vorgeburtlich durch einen vermehrt **spongiösen Knochenbau** aus, anders als das Os mandibulare, das als früh beweglicher Knochen bereits anderen Kräften in der embryonalen, fetalen Entwicklung ausgesetzt ist. **Postnatal** verändert sich das Os maxillare deutlich. Anfangs zeigt sie sich im Antlitz mit kleinen Kieferhöhlen eher abgeflacht. Durch die dann von außen einwirkenden Kräfte (Saug-, Schluck-, Atembewegung) und die später einwirkenden Kräfte von Kauen, Zähnen und Zungenbewegungen beim Sprechen beeinflussen sich Form und Funktion gegenseitig.

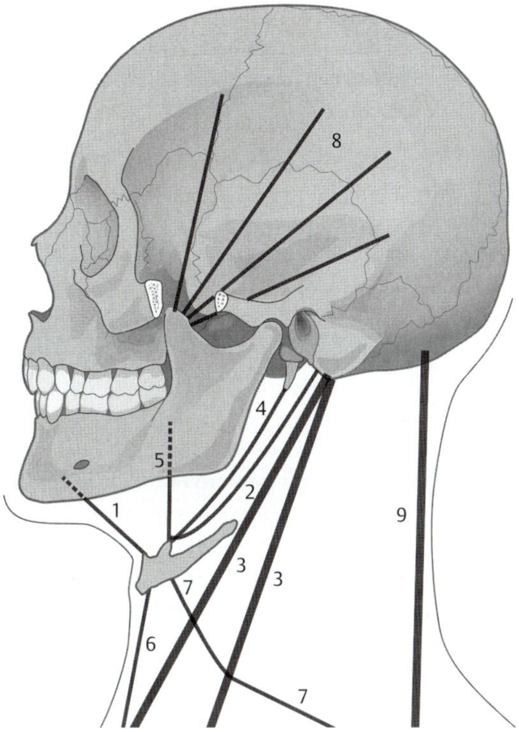

▶ **Abb. 2.36** Laterales funktionelles Dreieck. **1** M. digastricus (Venter anterior). **2** M. digastricus (Venter posterior). **3** M. sternocleidomastoideus. **4** M. stylohyoideus. **5** Suprahyoidale Muskeln. **6** Infrahyoidale Muskeln. **7** M. omohyoideus. **8** M. temporalis. **9** Rückenmuskeln. (Quelle: Liem T. Praxis der Kraniosakralen Osteopathie. 4. Auflage. Stuttgart: Thieme; 2019)

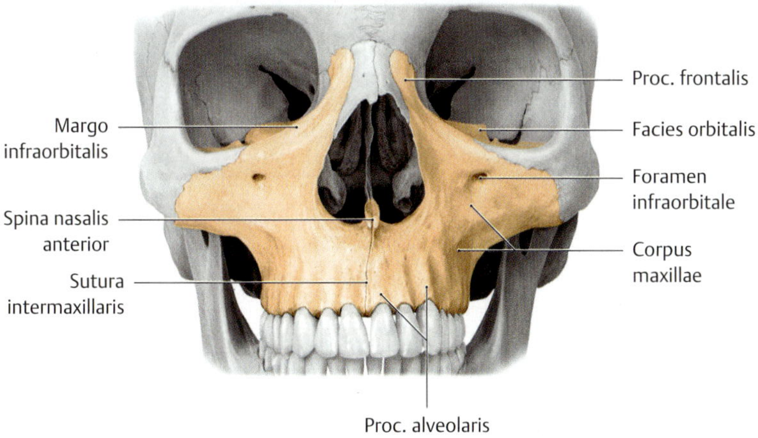

▶ **Abb. 2.37** Os maxillare, paarig angelegt. (Quelle: Schünke M, Schulte E, Schumacher U. Prometheus. LernAtlas der Anatomie. Kopf, Hals und Neuroanatomie. Illustrationen von M. Voll und K. Wesker. 6. Aufl. Stuttgart: Thieme; 2022)

Anatomie

Knöcherne Anteile (▸ Abb. 2.38)

- Korpus mit Sinus maxillaris, Facies nasalis, Facies orbitalis, Facies infratemporalis, Sulcus palatinus major
- Proc. frontalis (Kontakt mit Os frontale, Os nasale, Os lacrimale, mediale, untere Nasenmuschel)
- Proc. zygomaticus (Kontakt zu Os zygomaticum)
- Proc. palatinus (Kontakt zu Os palatinum, Septum nasale, Os incisivum)
- Proc. alveolaris (Knochenfächer)

Benachbarte Knochen und ihre Suturen

- Os frontale (superior, Sutura frontomaxillaris)
- Vomer (superior, Sutura vomeromaxillaris)
- Os nasale (superior-anterior, Sutura nasomaxillaris)
- Os ethmoidale (superior-medial, Sutura ethmoidomaxillaris)
- Os lacrimale (superior-posterior, Sutura lacrimomaxillaris)
- Os zygomaticum (lateral, Sutura zygomaticomaxillaris)
- Os palatinum (posterior, Sutura palatina transversa, Sutura palatomaxillaris)
- gegenüberliegendes Os maxillare (medial, Sutura intermaxillaris; intraoral, Sutura palatina mediana)
- Concha nasalis inferior (medial, Sutura conchomaxillaris)
- Os incisivum (medial, Sutura incisiva)

! Merke

Sutura intermaxillaris und Sutura palatina transversa werden gemeinsam als Sutura cruciformis bezeichnet.

Foramina, Fissuren, Canales

- Foramen infraorbitale: 1 cm unterhalb des unteren Orbitarandes oberhalb der Fossa canina → A. infraorbitalis→ A. maxillaris → A. carotis externa; N. infraorbitalis → N. maxillaris (V_2) → Foramen rotundum
- Fissura orbitalis inferior (zusammen mit Os sphenoidale) → A. infraorbitalis → A. maxillaris → A. carotis externa; V. ophthalmica inferior→ Plexus venosus pterygoideus und Sinus cavernosus, N. zygomaticus, N. infraorbitalis → N. maxillaris (V_2)
- Sulcus, Canalis infraorbitalis (Verbindung zwischen Foramen infraorbitale Sinus maxillaris)
- Canales alveolares (Bereich Tuber maxillae, seitliche hintere und vordere Wand, Corpus maxillae); R. alveolaris superior anterior, medius und posterior → N. maxillaris (V_2)

Mimische Muskeln (▸ Abb. 2.39; Kap. 2.2.1)

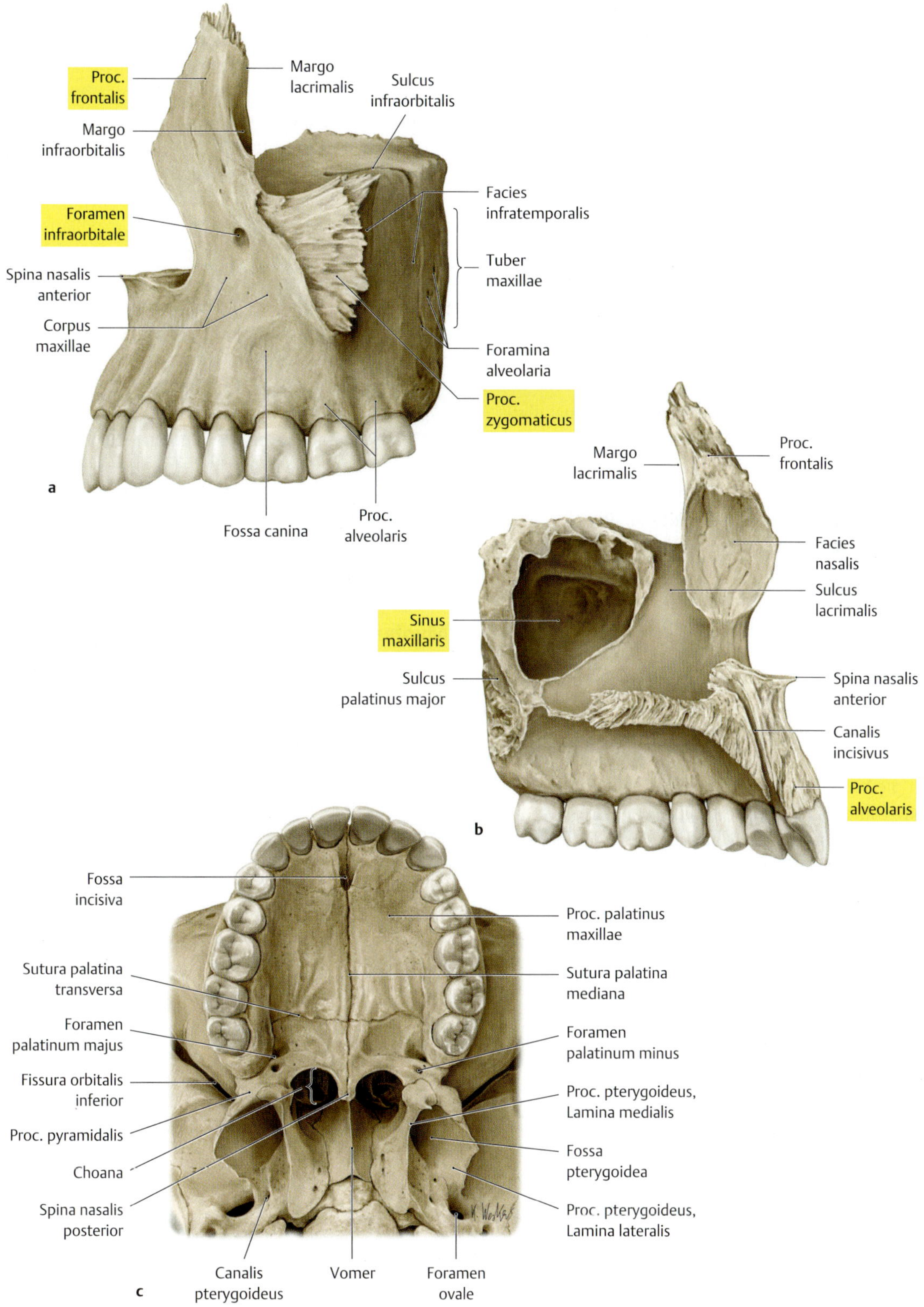

▸ **Abb. 2.38** Isolierter Oberkieferknochen.

a Isolierter Oberkieferknochen (von lateral). (Quelle: Schünke M, Schulte E, Schumacher U. Prometheus. LernAtlas der Anatomie. Kopf, Hals und Neuroanatomie. Illustrationen von M. Voll und K. Wesker. 6. Aufl. Stuttgart: Thieme; 2022)

b Isolierter Oberkieferknochen (von medial). (Quelle: Schünke M, Schulte E, Schumacher U. Prometheus. LernAtlas der Anatomie. Kopf, Hals und Neuroanatomie. Illustrationen von M. Voll und K. Wesker. 6. Aufl. Stuttgart: Thieme; 2022)

c Harter Gaumen. Beachte die Verbindung zwischen Nasenhöhle (deren Boden durch den harten Gaumen gebildet wird) und Nasopharynx, die Choanen. (Quelle: Schünke M, Schulte E, Schumacher U. Prometheus. LernAtlas der Anatomie. Kopf, Hals und Neuroanatomie. Illustrationen von M. Voll und K. Wesker. 6. Aufl. Stuttgart: Thieme; 2022)

- M. buccinator
- M. orbicularis oris
- M. orbicularis oculi
- M. levator labii superioris
- M. nasalis
- M. depressor septi nasi
- M. levator anguli oris

Kaumuskulatur (Kap. 2.3.1): M. pterygoideus medialis

Faszien: Fascia buccopharyngea (umschließt M. buccinator)

Systemische Vaskularisation (▸ Abb. 2.40, ▸ Abb. 2.41)

- Die arteriellen Gefäße entstammen der A. maxillaris → A. retromandibularis → A. carotis externa.
- A./V. alveolaris superior anterior (Ast der A. infraorbitalis → A. maxillaris → Endast A. carotis externa), Canalis infraorbitalis zu Schneidezähnen
- A./V. alveolaris superior posterior
- A./V. palatina descendens, Canalis palatinus major
- A./V. palatina major, Foramen palatinum majus
- A./V. infraorbitalis, Foramen infraorbitale, Canalis infraorbitalis
- V. ophthalmica inferior (Ursprung vorderer Orbitaboden; ▸ Abb. 2.42)
- Die venösen Gefäße münden hauptsächlich in den Plexus venosus pterygoideus. Dieser leitet das Blut weiter in die V. maxillaris → V. retromandibularis → V. jugularis interna. Teilweise speist der Plexus venosus pterygoideus auch die V. facialis. Sie mündet direkt in die V. retromandibularis.

Neurologisches Netzwerk (▸ Abb. 2.43, ▸ Abb. 2.44)

- N. maxillaris (V_2) → Foramen rotundum → Aufzweigung in Fossa pterygopalatina
- N. zygomaticus (V_2) → Durchtritt Fossa orbitalis inferior (in Verbindung mit sympathischem N. petrosus profundus in Augenhöhle) → sensible Versorgung der Haut über Os zygomaticum und Os temporale
- N. infraorbitalis (V_2) → Durchtritt Foramen infraorbitale → sensible Versorgung des Sinus maxillaris, Zähne (Oberkiefer) und der Haut zwischen Oberlippe/unterem Augenlid
- N. alveolaris superior (V_2) → Durchtritt Canales alveolares → Rückseite Facies infratemporalis → versorgt sensibel Zähne des Oberkiefers
- N. palatinus major (V_2) → Durchtritt Canalis palatinus major → Foramen palatinum majus → versorgt sensibel Mundschleimhaut (harter Gaumen) und palatinal gelegene Gingiva (Oberkiefer)
- N. nasopalatinus (V_2) → Durchtritt Foramen sphenopalatinum und Canalis incisivus → versorgt sensibel palatinale Seite des Alveolarfortsatzes und die Mundschleimhaut hinter den oberen Schneidezähnen

Myofasziale Wirkungsketten

Es besteht eine Verbindung zur tiefen Frontallinie über den M. pterygoideus medialis, der u. a. einen Ursprung am Tuber maxillae hat. Der M. pterygoideus medialis bildet eine Muskelschlinge mit dem M. masseter, der Bestandteil der tiefen Frontallinie ist. Das Os maxillare ist über die Fascia masseterica in die Bogensehne eingebunden ([16], Kap. 2.4.2, Kap. 3.2.1).

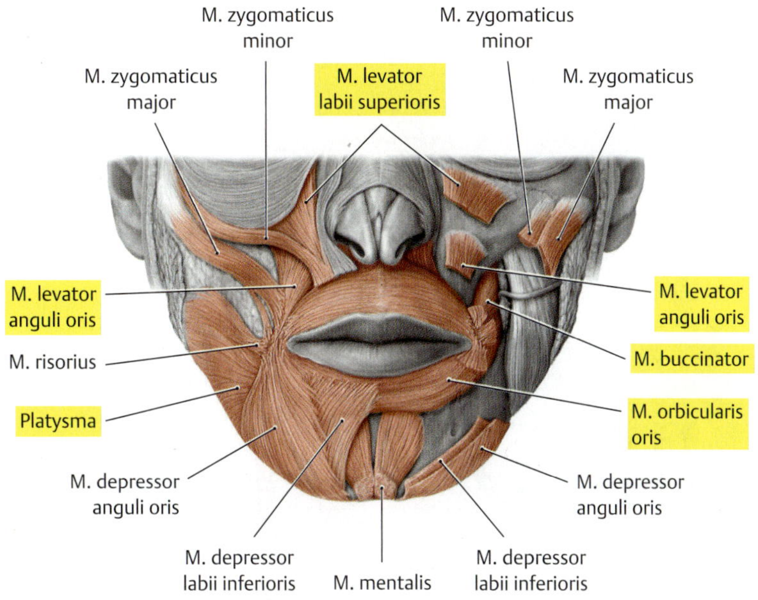

▸ **Abb. 2.39** Mimische Gesichtsmuskulatur der Mundregion, die mit dem Os maxillare in Verbindung steht. (Quelle: Schünke M, Schulte E, Schumacher U. Prometheus. LernAtlas der Anatomie. Kopf, Hals und Neuroanatomie. Illustrationen von M. Voll und K. Wesker. 6. Aufl. Stuttgart: Thieme; 2022)

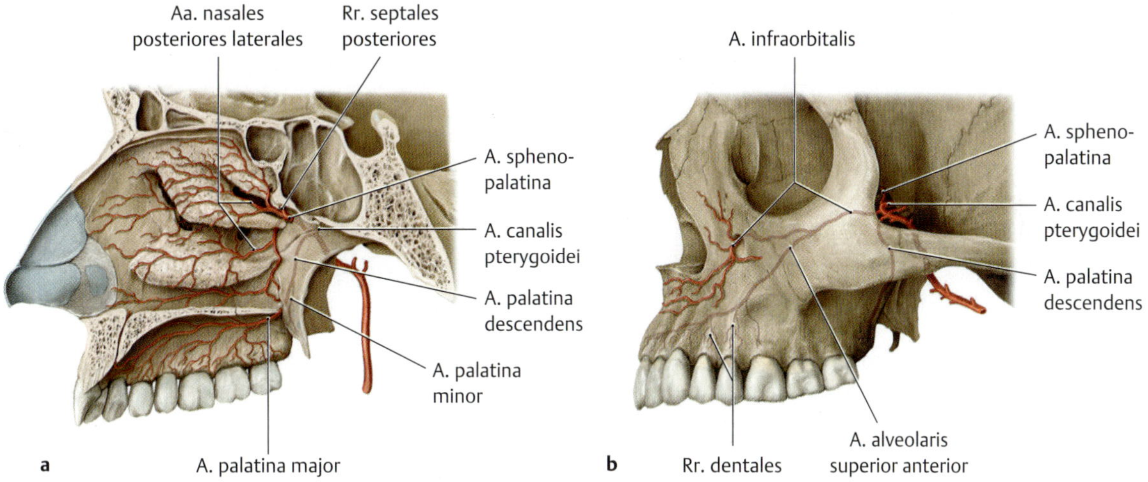

▸ **Abb. 2.40** Ausgewählte, klinisch wichtige Äste der A. maxillaris.

a Arterielle Äste im Bereich des harten Gaumens und der angrenzenden Nasenhöhle. (Quelle: Schünke M, Schulte E, Schumacher U. Prometheus. LernAtlas der Anatomie. Kopf, Hals und Neuroanatomie. Illustrationen von M. Voll und K. Wesker. 6. Aufl. Stuttgart: Thieme; 2022)

b A. infraorbitalis und ihr Versorgungsgebiet im Os maxillare. (Quelle: Schünke M, Schulte E, Schumacher U. Prometheus. LernAtlas der Anatomie. Kopf, Hals und Neuroanatomie. Illustrationen von M. Voll und K. Wesker. 6. Aufl. Stuttgart: Thieme; 2022)

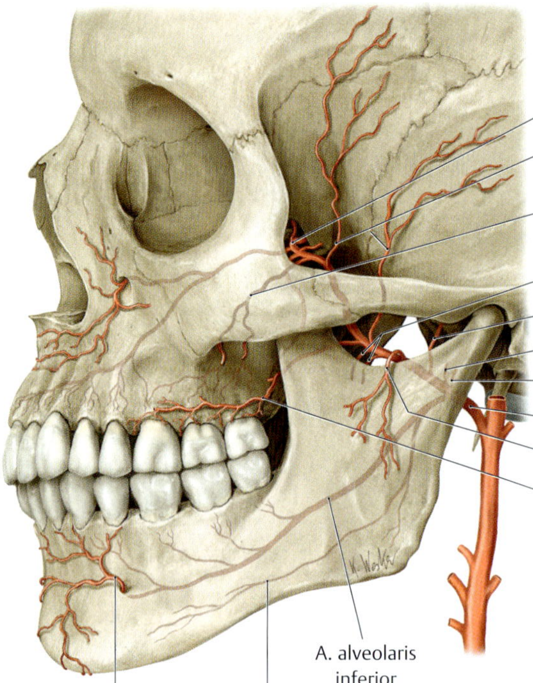

▸ **Abb. 2.41** A. maxillaris und ihre Äste in der linken Gesichtshälfte. Ihr Ursprung liegt in der Ebene hinter dem R. mandibulae des Os mandibulare. Sie wird gespeist aus der A. retromandibularis. (Quelle: Schünke M, Schulte E, Schumacher U. Prometheus. LernAtlas der Anatomie. Kopf, Hals und Neuroanatomie. Illustrationen von M. Voll und K. Wesker. 6. Aufl. Stuttgart: Thieme; 2022)

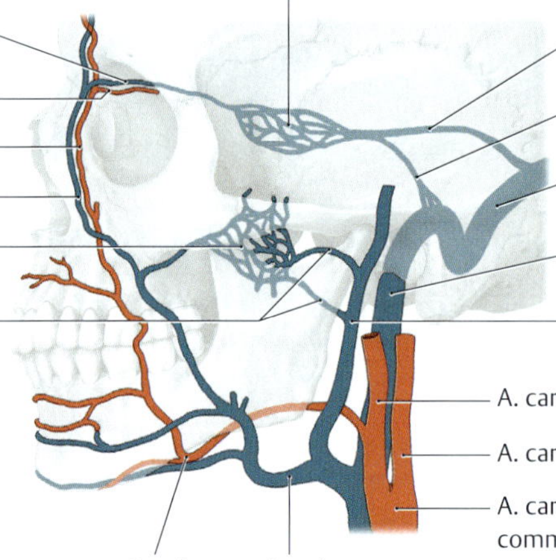

▸ **Abb. 2.42** Ansicht Plexus venosus pterygoideus, V. maxillaris, V. facialis, V. retromandibularis; siehe auch Netzwerkspannung beim Kauen und Schlucken (S. 156). Der Plexus venosus pterygoideus ist von den Kaumuskeln umschlossen (M. pterygoideus lateralis, medialis und M. temporalis). Die Muskelaktivität hilft bei der Drainage des Plexus. Ein Hypertonus der beteiligten Kaumuskeln kann womöglich Stauungen im Entsorgungsgebiet des Plexus verursachen. (Quelle: Schünke M, Schulte E, Schumacher U. Prometheus. LernAtlas der Anatomie. Kopf, Hals und Neuroanatomie. Illustrationen von M. Voll und K. Wesker. 6. Aufl. Stuttgart: Thieme; 2022)

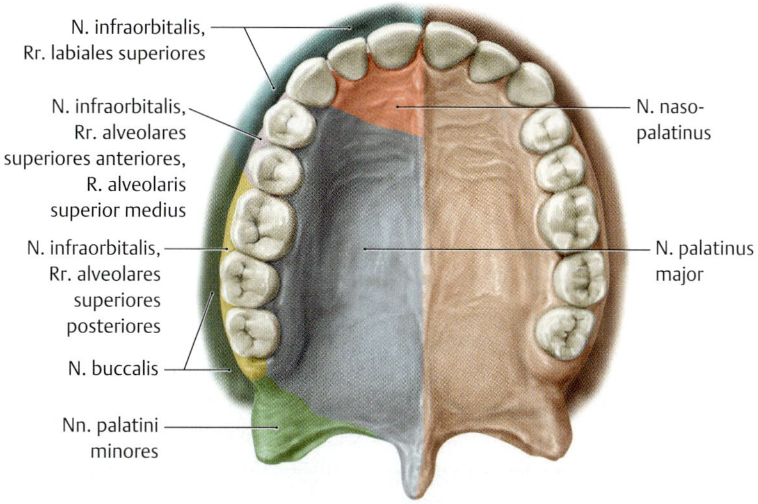

▸ **Abb. 2.43** Ansicht von kaudal: Sensible Innervationsgebiete der Schleimhaut des harten Gaumens. (Quelle: Schünke M, Schulte E, Schumacher U. Prometheus. LernAtlas der Anatomie. Kopf, Hals und Neuroanatomie. Illustrationen von M. Voll und K. Wesker. 6. Aufl. Stuttgart: Thieme; 2022)

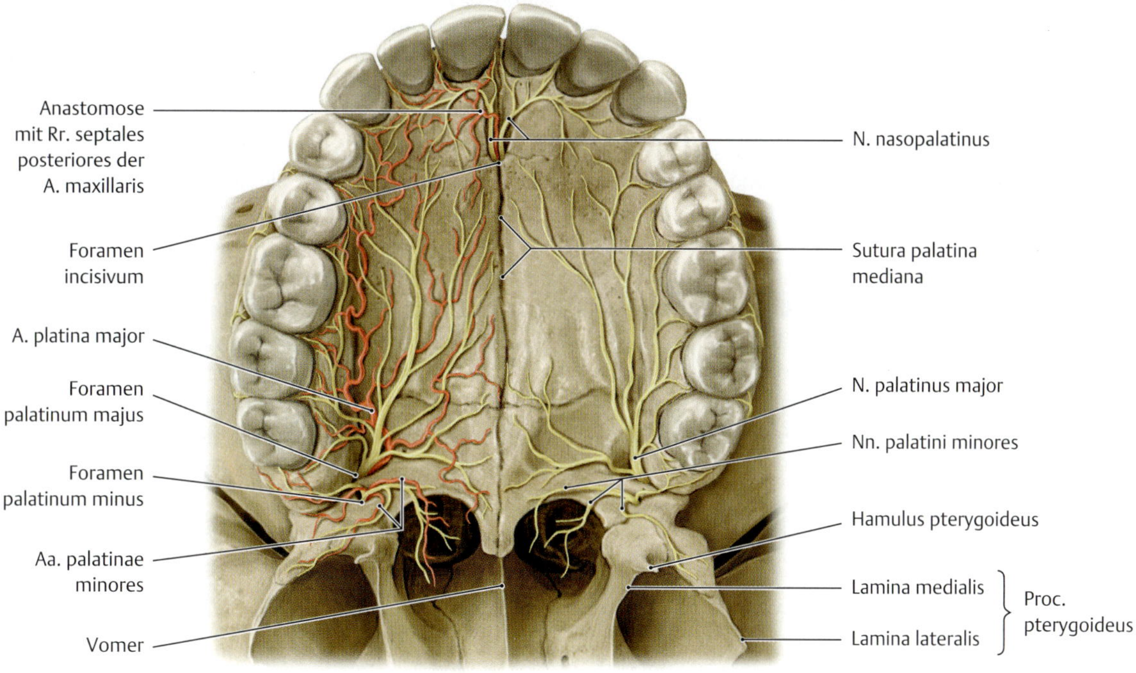

▸ **Abb. 2.44** Gefäß- und Nervenbahnen des harten Gaumens. (Quelle: Schünke M, Schulte E, Schumacher U. Prometheus. LernAtlas der Anatomie. Kopf, Hals und Neuroanatomie. Illustrationen von M. Voll und K. Wesker. 6. Aufl. Stuttgart: Thieme; 2022)

Kraniosakraler Kontext

Bei der kranialen Inspiration bewegt sich das Os maxillare in Außenrotation, während der kranialen Exspiration in Innenrotation. Die Bewegungsachse verläuft vertikal zwischen dem 1. und 2. Schneidezahn.

Normalbefund bei Palpation: Bei der kranialen Inspiration bewegt sich das Os maxillare in Außenrotation, der mediale Anteil nach posterior, der laterale nach anterior; intraossär kommt es zu einer Verkürzung. Folglich gehen die Daumen und Zeigefinger nach posterior, der Mittelfinger nach anterior, Ring- und Kleinfinger nach lateral. In der kranialen Exspiration ist die Bewegung umgekehrt (► **Abb. 2.45**).

Die Bewegung ist symmetrisch, mit gleicher ausgewogener Amplitude und Kraft. Die Bewegung wirkt leicht und frei.

Zentrallinie: Der Vomer als Knochen der Zentrallinie ist direkter Überträger der kranialen Bewegung auf das Os maxillare.

Hinweis: Die Quellenangaben [15], [58], [59] beziehen sich auf den gesamten „Kraniosakralen Kontext".

Osteopathische Korrespondenzen

Kraftverteilung beim Kauen und Dysfunktionen

Der **Proc. alveolaris** beherbergt die Zahnwurzeln. Von außen erscheint er als bogenförmiger Rand, der die obere Zahnreihe trägt. Das Os incisivum ist ursprünglich ein selbstständiger Knochen und ist aus dem Oberkieferwulst entstanden, er trägt die oberen Schneidezähne. Hier befindet sich auch die Sutura incisiva, die das Os incisivum von dem Os maxillare trennt. Die Sutur verknöchert am Ende der Jugendzeit. Existent bleibt dann der Canalis incisivus. Hier tritt der N. nasopalatinus durch und versorgt sensibel die Mundschleimhaut hinter den Schneidezähnen (► **Abb. 2.46**, Kap. 3.3.2).

> **Praxistipp**
> **Zahnorthopädische Eingriffe**
> Durch zahnorthopädische Eingriffe (z. B. durch feste Zahnspangen) können zeitweilige Irritationen im Versorgungsgebiet des N. nasopalatinus auftreten. Zudem kann die Sutura palatina mediana in ihrer Mobilität durch eine Zahnspange, die fixierend auf die Sutur einwirkt, eingeschränkt werden.

Über die obere Zahnreihe, insbesondere die Eckzähne, wird der Aufpressdruck, der beim Kauen entsteht, auf die Knochenpfeiler (**Proc. frontalis**) des korrespondierenden Knochens (Os frontale) und in den medialen Oberrand der Orbita übertragen. Eine weitere Druckverteilung erfolgt ebenfalls über den **Proc. zygomaticus** auf das Os zygomaticum. So werden die Kaukräfte auf das gesamte Kranium übertragen.

Aber auch über die direkte Verbindung zum Os lacrimale und Os nasale stehen diese Suturen unter dem Einfluss der Kaukräfte. Eine einseitige oder unphysiologische Kaukraftverteilung kann dadurch über das Os maxillare auch zu osteopathischen Dysfunktionen im Bereich des Os lacrimale und Os nasale führen (Kap. 3.3.2).

Intra- und interossäre Dysfunktionen können auch durch intrauterine Lagen des Fötus und durch Geburtstraumata ausgelöst werden. Das Os incisivum ist dabei nicht selten betroffen. Stürze, Schläge oder andere externe Krafteinwirkungen können die Funktionalität der Suturen und Durchtrittsbereiche im Bereich des Os maxillare massiv stören (primäre Dysfunktion).

Sekundäre Dysfunktionen in der Innen- und Außenrotation des Os maxillare können durch dysfunktionale Tensionen im myofaszialen Membransystem, durch eine Dysfunktion der SSB oder durch kieferorthopädische Eingriffe entstehen.

Gaumenplatte

Der Proc. palatinus bildet als horizontale Gaumenplatte einen Großteil des knöchernen Gaumens. Säuglinge, die nicht an der Mutterbrust gestillt worden sind, zeigen deshalb womöglich ein hohes Gaumendach. Eine Erklärung dafür ist, dass durch das Füttern mit der Flasche der Säugling geringere Saugkräfte entwickeln muss, als wenn er an der Brust gestillt wird. Ursächlich ist anscheinend, dass ein Säugling beim Stillen an der Brust einen deutlich größeren Unterdruck entwickeln muss, was eine komplexe Muskelarbeit erfordert. Beim Füttern mit der Flasche wirken weniger formende Kräfte auf den orofaszialen Bereich. Auch der veränderte Zungendruck bei einem Latexsauger, der mehr anteromedial gegen den Gaumen gedrückt wird, scheint sich anders formend auf Gaumendach und Kieferwachstum auszuwirken.

Nasenscheidewand

Eine weitere Verbindung des Proc. palatinus ist die nach kranial ausgerichtete Crista nasalis. Diese kammartige Struktur steht in direkter Verbindung mit der Nasenscheidewand. Ein hohes Gaumendach kann sich daher auch formend auf Nasenscheidewand und Nasenhöhlen auswirken, mit der möglichen Folge der Nasenhöhlenverengung, ggf. auch mit Verformung der Nasenscheidewand (Kap. 2.4.3).

Es kann zu funktionellen Abflussbehinderungen von Nasensekreten kommen. Die Mikrozirkulation (vaskulär, lymphatisch) kann beeinträchtigt werden und zu Störungen der Nasenschleimhaut führen. Die Neigung zu vermehrter Mundatmung ist möglich.

Fissura orbita inferior

Verengungen im Bereich der Fissura orbita inferior, z. B. bei venösem Rückstau in die V. ophthalmica inferior, können u. a. den N. zygomaticus irritieren. Typische klinische Zeichen sind Schmerzen und Missempfindungen im Bereich der Hautareale von Os zygomaticum und Os temporale (Kap. 2.5.1).

Canalis infraorbitalis

Der **N. infraorbitalis**, der sich als Ast vom N. maxillaris (V_2) in der Fossa ptyergopalatina durch die Fissura orbitalis inferior fortsetzt, gelangt gemeinsam mit der A./V. infraorbitalis über den Orbitaboden zum Canalis infraorbitalis des Os maxillare. Die Strukturen gelangen durch das **Foramen infraorbitale** an die Gesichtsoberfläche. Der Nerv bildet die sensible Versorgung der Gesichtshaut im Bereich der Wange von der Oberlippe bis zum Unterlid und des Sinus maxillaris. Die Decke des Canalis infraorbitalis wird teilweise von einer Knochenlamelle des Os zygomaticum gebildet und zeigt sich dann als Fissur am Dach des Canalis infraorbitalis.

Dysgnathien, kieferorthopädische Eingriffe und Verspannungen der Kaumuskulatur können das Os maxillare beeinflussen, intraossäre Spannungen provozieren und sich ggf. auch auf die suturalen Verbindungen und Durchtrittskanäle auswirken. Störungen der sensiblen Versorgungsgebiete sind möglich, z. B. in Form von Missempfindungen der sensibel versorgten Gesichtshaut.

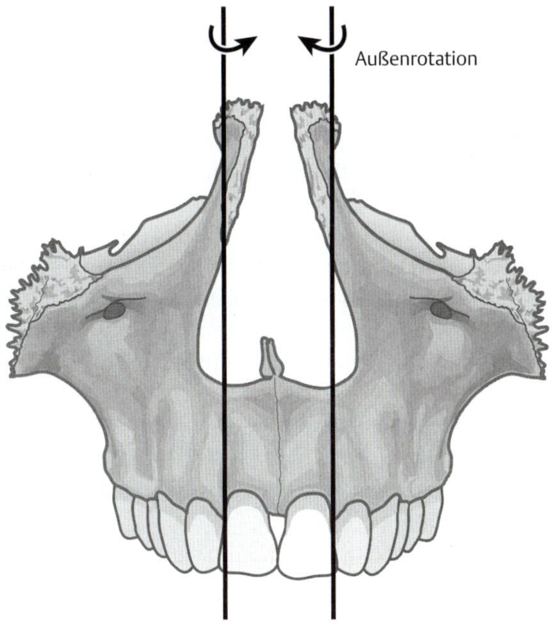

▶ **Abb. 2.45** Os maxillare in der Inspirationsphase. (Quelle: Liem T. Kraniosakrale Osteopathie. 7. Aufl. Stuttgart: Thieme; 2018)

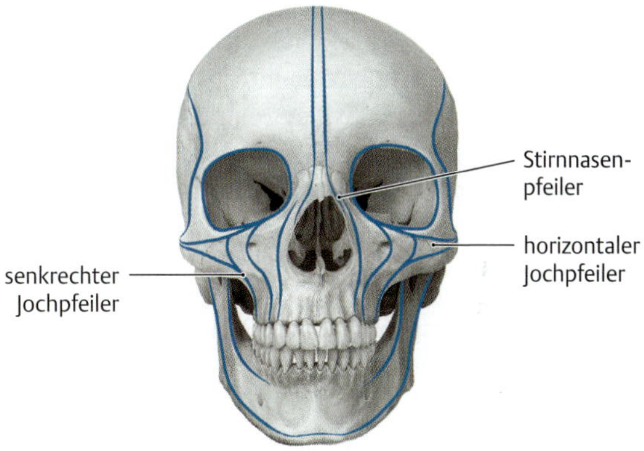

▶ **Abb. 2.46** Hauptkraftlinien (blau) im Bereich des Gesichtsschädels (von ventral). (Quelle: Schünke M, Schulte E, Schumacher U. Prometheus. LernAtlas der Anatomie. Kopf, Hals und Neuroanatomie. Illustrationen von M. Voll und K. Wesker. 6. Aufl. Stuttgart: Thieme; 2022)

Missempfindungen Zahnbereich

Vermeintliche Zahnschmerzen, die ohne zahnmedizinischen Befund sind, können durch intraossäre Spannung in dem Os maxillare entstehen und die abgehenden Äste des N. infraorbitalis irritieren. Diese Äste sind **R. alveolaris superior anterior, medius und posterior (Rr. alveolares superiores)**.

Noch im Canalis infraorbitalis ziehen die Rr. alveoloares superiores anteriores (▶ **Abb. 2.47**) nach kaudal in einen Knochenkanal zu den Schneide- und Eckzähnen und versorgen diese sensibel.

R. alveolaris superior medius versorgt sensibel die Prämolaren und die Schleimhaut des **Sinus maxillaris**. Rr. alveolares superiores posteriores zweigen vor Eintritt des N. infraorbitalis durch die Fissura orbitalis inferior nach kaudal ab und versorgen sensibel die Molaren, das Zahnfleisch und die Wangeninnenseite. Der Plexus dentalis superior wird von den Rr. alveolares superiores gebildet. Über dieses Nervengeflecht wird weiter der gesamte Zahnbereich mit Gingiva im Oberkiefer sensibel versorgt.

Missempfindungen im Bereich des harten Gaumens (Versorgungsgebiet Nn. palatini majores) können durch Dysfunktionen im Bereich des Canalis palatinus major entstehen, z. B. durch intraossäre Spannungen in dem Os maxillare. Dieser Kanal wird vom Os palatinum und dem Os maxillare gebildet. Er ist der Verbindungsgang von der Fossa pterygopalatina zur Mundhöhle. Der Austrittsbereich ist das Foramen palatinum majus.

Korrespondierende Strukturen

Auswahl an korrespondierenden Strukturen, die unter systemischen Aspekten therapeutisch von Bedeutung sein können:

- Faszien des Pharynx (u. a. Fascia buccopharyngea)
- Zentralsehne
- Organe, die mit der Zentralsehne in Verbindung stehen
- Os mandibulare, Os hyoideum
- Knochen der Zentrallinie
- Fossa ptyerygopalatinum
- Ganglion pterygopalatinum
- HWS
- CTÜ
- reziproke Spannungsmembran
- SSB
- Körperstatik

Behandlungshinweise

- Indikation für die Behandlung des Os maxillare sind u. a.:
  - Gesichtsschmerz im mittleren Bereich
  - Störungen der Nasen- und teilweise der Mundschleimhaut
  - Rhinitis
  - Sinusitis
  - Konjunktivitis
  - Sprach- und Schluckstörungen
  - Zahnfehlstellungen
  - Bissstörungen
- Bei osteopathischen Dysfunktionen im Bereich des N. infraorbitalis ist auch eine Behandlung über das Os zygomaticum sinnvoll (bildet das Dach des Canalis infraorbitalis).
- Bei einer kraniomandibulären Dysfunktion (CMD) entsteht häufig ein Hypertonus des M. masseter. Er kann die Grundspannung des M. pterygoideus medialis beeinflussen, der in direkter Verbindung mit dem Os maxillare steht. Es bietet sich an, das Os maxillare bei der Behandlung einer CMD zu berücksichtigen, auch wenn nur viele kleine Muskeln am Os maxillare ansetzen.
- Ein unilateraler Release am Os maxillare zur Reorganisation der physiologischen Bewegung in Innen- und Außenrotation [30].
- Ein Sympathikotonus kann die Sekretproduktion der Tränendrüse vermindern. Vegetative ausgleichende Techniken, z. B. mittels CV4-Technik, können den Sympathikus detonisieren und zu einer Vasodilatation führen. Man denke auch hier immer an das Ggl. cervicale superius, aus dem die sympathischen Fasern stammen (Umschaltung Grenzstrang in C 8).
- Ursache metabolischer Dysfunktionen im Bereich Oberkieferzähne, Zahnfleisch oder Gaumenschleimhaut können vaskuläre Störungen im versorgenden Gefäßnetz sein.
- Durch die Sutura ethmoidomaxillaris besteht über das Os ethmoidale eine indirekte Verbindung zur SSB. Bei Dysfunktionen des Os maxillare, insbesondere z. B. durch Zahnspangen, Zahnkorrekturen oder Bissfehlfunktionen, treten massive Kräfte auf. Hilfreich ist ein Behandlungskonzept, das u. a. Os maxillare, Os ethmoidale und SSB integriert.
- Eine Harmonisierung der beiden Maxillahälften ist durch bilateralen Release am intraoral harten Gaumen möglich [30].
- Der Sinus maxillaris (▶ **Abb. 2.48**) reicht an seiner tiefsten Stelle bis dicht an die Zahnwurzeln der Molaren im Oberkiefer heran. Bei Zahnextraktionen, Wurzelspitzenresektionen oder auch bei Zahnimplantaten besteht das Risiko eines Durchbruchs in die Kieferhöhle. Wenn dies nicht entdeckt wird, können sich Infektionen und Abszesse der Kieferhöhle bilden. Typische Symptome sind infraorbitale Druckschmerzen, Vornüberbeugen führt zu starkem Schmerz.
- Entspannung eines hohen Gaumens (gotischer Gaumen) kann mit einem intraoralen Spread der Sutura intermaxillaris erfolgen.
- Disengagement der Suturen um das Os incisivum als Nachbehandlung von Stürzen auf den Oberkieferbereich

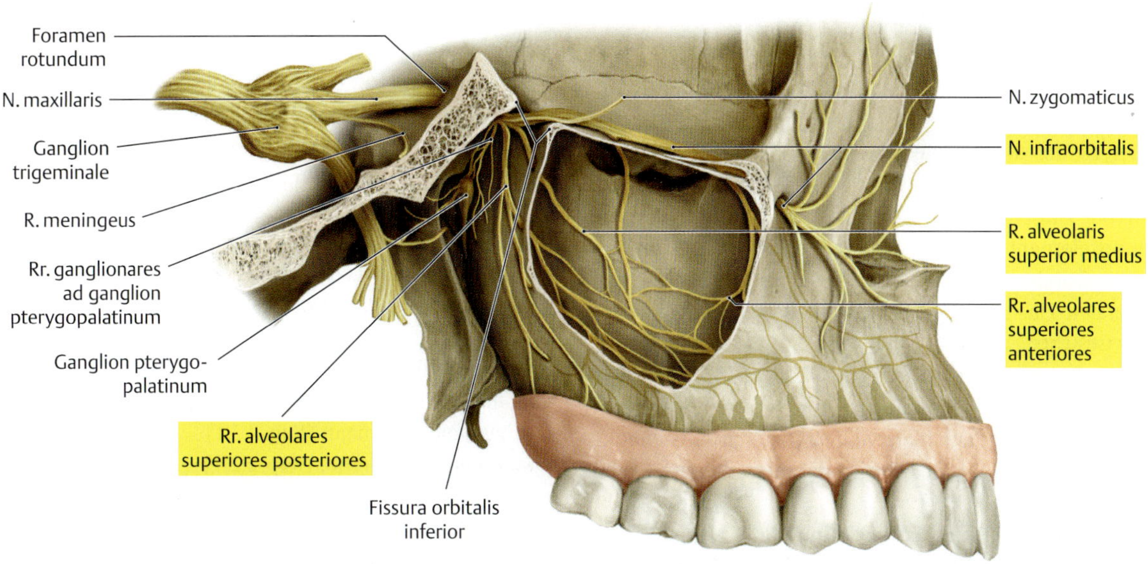

▸ **Abb. 2.47** Nervales Netzwerk: sensibler Endast N. maxillaris (V_2) zur Versorgung der Zahnfächer. Gut sichtbar der Nervenaustritt desN. infraorbitalis durch das Foramen infraorbitale. Bei einer Trigeminusneuralgie reagiert der austretende Nerv auf Druck schmerzhaft. (Quelle: Schünke M, Schulte E, Schumacher U. Prometheus. LernAtlas der Anatomie. Kopf, Hals und Neuroanatomie. Illustrationen von M. Voll und K. Wesker. 6. Aufl. Stuttgart: Thieme; 2022)

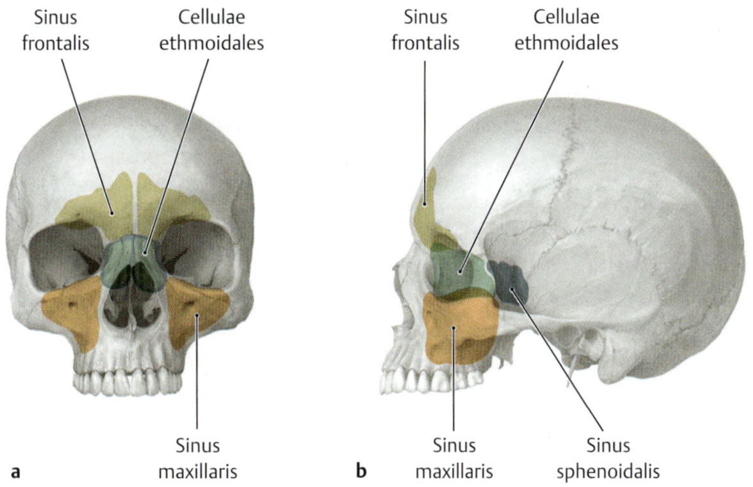

▸ **Abb. 2.48** Sinus maxillaris.

a Ansicht von ventral. (Quelle: Schünke M, Schulte E, Schumacher U. Prometheus. LernAtlas der Anatomie. Kopf, Hals und Neuroanatomie. Illustrationen von M. Voll und K. Wesker. 6. Aufl. Stuttgart: Thieme; 2022)

b Ansicht von lateral. (Quelle: Schünke M, Schulte E, Schumacher U. Prometheus. LernAtlas der Anatomie. Kopf, Hals und Neuroanatomie. Illustrationen von M. Voll und K. Wesker. 6. Aufl. Stuttgart: Thieme; 2022)

2.3.4 Os zygomaticum

Das paarige Os zygomaticum (Jochbein) gehört zu den **peripheren Schädelknochen** (▶Abb. 2.49). Seine Gestalt erinnert durch seine 4 Ränder an ein ungleichförmiges Viereck, das durch seine 3 gebogenen Flächen sehr plastisch dreidimensional wirkt. Es formt maßgeblich die laterale **Augenhöhlenwand** und ist ein wichtiges **Verbindungselement** zwischen Viszerokranium und Neurokranium. Durch seine exponierte Lage gestaltet es mit seiner lateralen Fläche auch die individuell ausgeprägte Form des Gesichts.

Das Os zygomaticum **leitet Kräfte**, die z. B. über den Druck beim Zubeißen entstehen, an Os frontale, Os temporale und Os sphenoidale weiter. Dadurch entstehen 2 sowohl vertikal als auch horizontal ausgerichtete Kraftvektoren.

In der **embryonalen Entwicklung** bildet sich aus dem mesenchymalen Bindegewebe (**desmale Ossifikation**) etwa in der 8. Woche **ein Ossifikationszentrum**. Postnatal zeigt sich das Os zygomaticum abgeflacht, was zum eher breiten Säuglingsgesicht passt. Später prägen u. a. die Wachstums- und Muskelkräfte die Morphologie des Jochbeins (gebogen, „Eckpfeiler" in der oberen Gesichtshälfte).

Merke
In der Architektur ist ein Joch eine Einheit mit 4 Stützen.

Anatomie

Knöcherne Anteile (▶Abb. 2.50)
- Korpus mit Facies lateralis, orbitalis und temporalis
- Proc. frontalis (Kontakt zum Os frontale)
- Proc. temporalis (Kontakt zum Os temporale)
- Proc. maxillaris (Kontakt zum Os maxillare)
- 4 Ränder (anterior-superior, anterior-inferior, posterior-superior, posterior-inferior)

Benachbarte Knochen und ihre Suturen (▶Abb. 2.49)
- Os frontale (superior, Sutura frontozygomatica)
- Os temporale (posterior, Sutura zygomaticotemporalis)
- Os maxillare (anterior, Sutura maxillozygomatica)
- Os sphenoidale (medial, Sutura sphenozygomatica)

Foramina, Canales: Beim Jochbein ist jede Fläche von einem Foramen durchdrungen (▶Abb. 2.50). Daran schließt sich der Canalis zygomaticus an. Er beginnt am Foramen zygomaticoorbitale und mündet nach einer Aufspaltung im Korpus des Os zygomaticum jeweils am Foramen zygomaticofaciale und Foramen zygomaticotemporale. Es existieren somit 3 miteinander in Verbindung stehende Kanäle.

- Foramen zygomaticofaciale (Facies lateralis) → Canalis zygomaticofacialis → Durchtritt R. zygomaticofacialis (sensibler Ast N. zygomaticus [V_2])
- Foramen zygomaticoorbitale (Facies orbitales) → Canalis zygomaticoorbitalis → Durchtritt Nn. zygomaticofacialis et zygomaticotemporalis (sensible Äste N. zygomaticus [V_2])
- Foramen zygomaticotemporale (Facies temporalis) → Canalis zygomaticotemporalis → Durchtritt N. zygomaticotemporalis (sensibler Ast N. zygomaticus [V_2])

Muskeln
- M. temporalis (Kap. 2.3.1) → Facies temporalis
- M. masseter (Kap. 2.3.1) → Proc. temporalis
- M. zygomaticus major (Kap. 2.2.1)
- M. zygomaticus minor (Kap. 2.2.1)

Faszien: Fascia temporalis (medialer/lateraler Rand des Os zygomaticum, Bezug zur Galea aponeurotica)

Systemische Vaskularisation
- Rr. zygomatici der A. lacrimalis → A. ophthalmica → A. carotis interna
- Rr. zygomatici der V. lacrimalis → drainiert in V. ophthalmica superior → Sinus cavernosus → V. jugularis interna (Foramen zygomaticoorbitale, Foramen zygomaticotemporale und Foramen zygomaticofaciale)

Neurologisches Netzwerk
- R. zygomaticotemporalis → Ast von N. zygomaticus (V_2) → Foramen zygomaticotemporale
- R. zygomaticofacialis → Ast von N. zygomaticus (V_2) → Foramen zygomaticofaciale
- beide Rami verlaufen vor ihrer Aufzweigung gemeinsam im Foramen zygomaticoorbitale

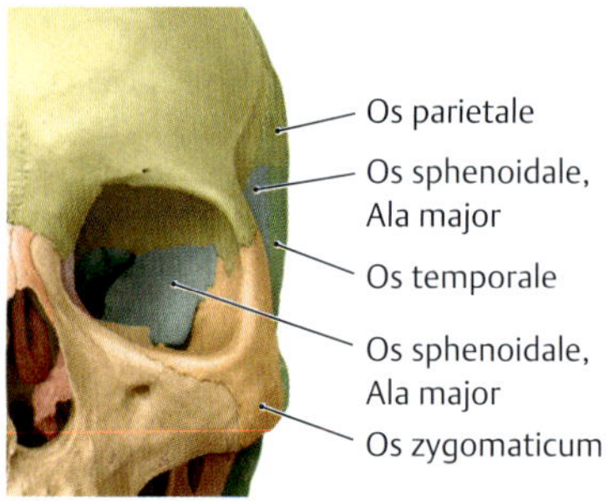

▶**Abb. 2.49** Os zygomaticum. (Quelle: Schünke M, Schulte E, Schumacher U. Prometheus. LernAtlas der Anatomie. Kopf, Hals und Neuroanatomie. Illustrationen von M. Voll und K. Wesker. 6. Aufl. Stuttgart: Thieme; 2022)

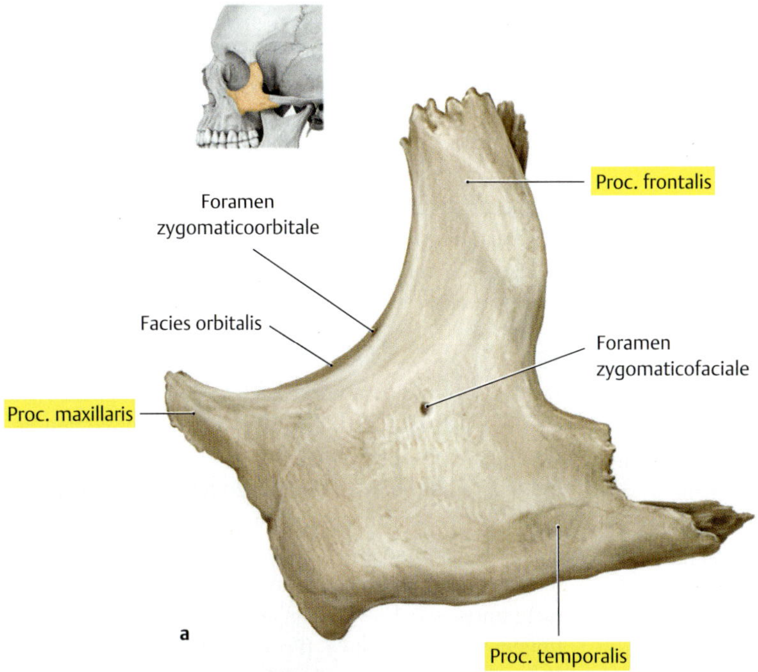

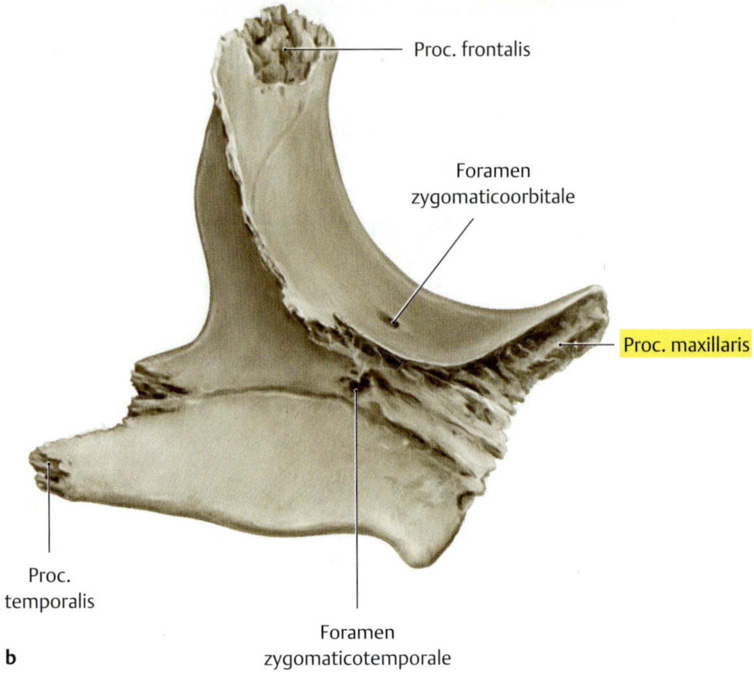

▸ **Abb. 2.50** Os zygomaticum.

a Facies lateralis (von links lateral). (Quelle: Schünke M, Schulte E, Schumacher U. Prometheus. LernAtlas der Anatomie. Kopf, Hals und Neuroanatomie. Illustrationen von M. Voll und K. Wesker. 6. Aufl. Stuttgart: Thieme; 2022)

b Facies temporalis (von medial). (Quelle: Schünke M, Schulte E, Schumacher U. Prometheus. LernAtlas der Anatomie. Kopf, Hals und Neuroanatomie. Illustrationen von M. Voll und K. Wesker. 6. Aufl. Stuttgart: Thieme; 2022)

Myofasziale Wirkungsketten

Über den Bezug M. masseter, M. temporalis und auch zur Fascia temporalis besteht eine Verbindung zur tiefen Frontallinie. Über die Fascia masseterica ist das Os zygomaticum in die Bogensehne eingebunden ([16], Kap. 2.4.2, Kap. 3.2.1).

Kraniosakraler Kontext

Bei der kranialen Inspiration bewegt es sich in Außenrotation, während der kranialen Exspiration in Innenrotation. Die schräge horizontale Bewegungsachse verläuft von dorsal-kranial-lateral nach ventral-kaudal-medial.

Normalbefund bei Palpation: Die Flexionsbewegung des Os sphenoidale bewirkt in der kranialen Inspirationsphase die Außenrotation des Os zygomaticum (▶ **Abb. 2.51**). Der Proc. temporalis bewegt sich nach lateral, kaudal und anterior. In der Extensionsbewegung des Os sphenoidale ist die Bewegung umgekehrt.

Die Bewegung ist symmetrisch, mit gleichmäßig ausgewogener Amplitude und Kraft. Die Bewegung wirkt leicht und frei.

Hinweis: Die Quellenangaben [15], [58], [59] beziehen sich auf den gesamten „Kraniosakralen Kontext".

Osteopathische Korrespondenzen

Sensible Versorgung

Externe Krafteinwirkungen wie Stürze oder Schläge können massive Restriktionen im Bereich der Suturen und am Os zygomaticum selbst auslösen. Kommt es zu einer massiven Kompressionsdysfunktion, kann der N. zygomaticus (u. a. sensible Versorgung der Haut über dem Os zygomaticum und Os temporale) irritiert werden. Insbesondere auch deswegen, weil vom Foramen zygomaticoorbitale an der Facies orbitalis der Canalis zygomaticus verläuft. Innerhalb des Jochbeins spaltet er sich in 2 weitere Kanäle auf. Diese beiden Kanäle münden am Foramen zygomaticofaciale und zygomaticotemporale.

Geburt

Geburtstraumata können intra- und interossäre Dysfunktionen hervorrufen. Störungen der SSB sowie Spannungen des myofaszialen Systems und Membransystems können sekundäre Dysfunktionen in Innen- und Außenrotation beim Os zygomaticum hervorrufen.

Kaumuskulatur

Intraossäre Dysfunktionen im Os zygomaticum können auch durch Dysgnathien und Verspannungen der Kaumuskulatur entstehen.

Das Os zygomaticum wirkt bei der Kraftentwicklung beim Kauen vermittelnd auf Os temporale und Os maxillare ein. Es kann, bezogen auf Os temporale und Os maxillare, Kräfte lenken und mindern. Die horizontal und vertikal ausgerichtete Sutura maxillozygomatica scheint hier vielfältige Kraftlinien umzulenken, i. S. Struktur und Funktion bedingen sich gegenseitig (▶ **Abb. 2.50**).

Halsfaszien

Myofasziale Spannungen aus den ventralen Halsfaszien können sich u. a. über die Fascia temporalis auf das Os zygomaticum übertragen. Viszerale Dysfunktionen können so auch auf die obere Gesichtshälfte dysfunktionalen Einfluss haben.

SSB

Das Os zygomaticum wirkt nach Sutherland ebenso wie das Os palatinum als Bremse bei der kraniosakralen Bewegung des Os sphenoidale auf den Gesichtsschädel, insbesondere über die Verbindung zum Os maxillare. Damit wirkt das Os zygomaticum integrierend zwischen dem Viszerokranium, der Schädelbasis und dem Schädeldach. Intraossäre Spannungen sind im Bereich des Jochbeins nicht untypisch. Hier wirken jedoch meist mehr Dysfunktionen von Os frontale **(Proc. frontalis)**, Os maxillare **(Proc. maxillare)** und/oder Os temporale **(Proc. temporalis)** als primäre Dysfunktion auf das Os zygomaticum ein.

Sutura temporozygomatica

Dysfunktionen über die Sutura temporozygomatica zum Os temporale können das Os temporale in seiner kraniosakralen Bewegung behindern. Das Os temporale steht in enger Verbindung zum Os occipitale und wirkt bei einer Dysfunktion massiv restriktiv auf die SSB ein.

Korrespondierende Strukturen

Auswahl an korrespondierenden Strukturen, die unter systemischen Aspekten therapeutisch von Bedeutung sein können:

- Zentralsehne
- Organe, die mit der Zentralsehne in Verbindung stehen
- Fossa ptyerygopalatina
- N. trigeminus
- Fascia masseterica
- Orbita
- reziproke Spannungsmembran
- SSB
- HWS
- CTÜ
- Körperstatik

Behandlungshinweise

- Indikationen für die Behandlung des Os zygomaticum sind u. a.:
  - Wangen-, Schläfenschmerzen und Missempfindungen
  - CMD
  - Störungen des Sinus maxillaris

- Hypertension der Kaumuskulatur
- Schmerzen in der Region des Bulbus oculi

- Bei Gesichtsschmerzen, die durch dysfunktionale Spannungen entstehen, kann das Zusammenspiel von Os frontale, Os maxillare und Os zygomaticum gestört sein. Bei der Anwendung der ausgewählten Behandlungstechnik ist wichtig, dass die Gewebedynamik, die die 3 Knochen haben, unterstützt und harmonisiert wird.
- Ein Molding kann die intraossäre Spannung im Os zygomaticum mindern.
- Spannungsmuster bei Rotationsdysfunktion des Os zygomaticum ausgleichen mit Setzen des PBFT, vorher den PBMT einstellen und PBT so lange halten bis Korrektur im Gewebe erfolgt ist [62].

Merke

Eine Fraktur des Orbitabodens entsteht durch Gewalt oder einen Sturz. Typische klinische Zeichen für eine Jochbeinfraktur sind Stufenbildung am lateralen Orbitarand, massive Hämatombildung und Schwellungen, ggf. Sensibilitätsstörungen im Wangen-, Schläfenbereich, Einblutungen in die Orbita, Nasenbluten, massive Schmerzen.

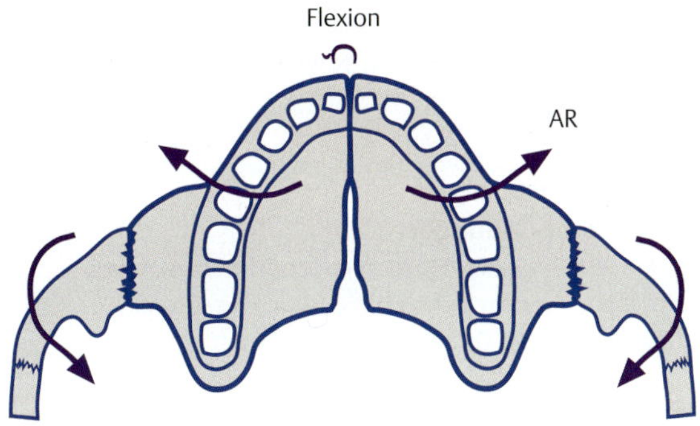

▸ **Abb. 2.51** Os zygomaticum in der Inspirationsphase (von kaudal). (Quelle: Liem T. Kraniosakrale Osteopathie. 7. Aufl. Stuttgart: Thieme; 2018; Grafik: C. Dardamissis, Freigold Konzept & Design, Hamburg)

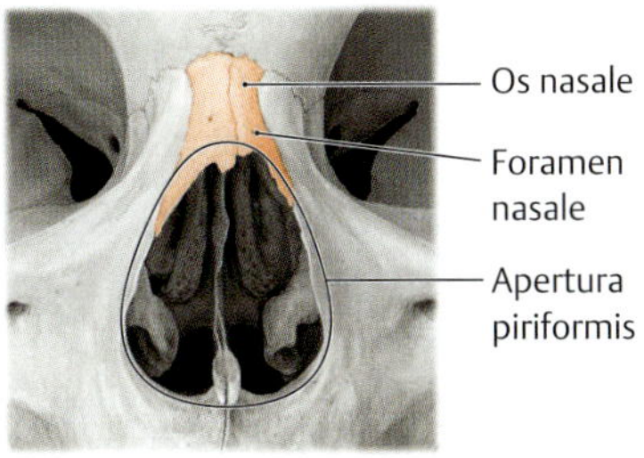

▸ **Abb. 2.52** Os nasale. (Quelle: Schünke M, Schulte E, Schumacher U. Prometheus. LernAtlas der Anatomie. Kopf, Hals und Neuroanatomie. Illustrationen von M. Voll und K. Wesker. 6. Aufl. Stuttgart: Thieme; 2022)

2.3.5 Os nasale

Das Os nasale (Nasenbein) ist paarig angelegt und gehört zu den **peripheren Schädelknochen** (▸ Abb. 2.52, ▸ Abb. 2.53). Es ist filigran und bildet den knöchernen **Nasenrücken**. Für den Naseninnenraum ist es das Dach der Nasenhöhle. Die mittige Verbindung der beiden Ossa nasalia gestaltet sich als Sutur mit innenliegender Knochenleiste. Diese steht in Kontakt zur **Nasenscheidewand**. Der posteriore Anteil steht in Verbindung mit dem Os ethmoidale. Die Gefäße und Nerven verlaufen in einer knöchernen Rinne an der Unterseite des Os nasale.

Merke

Die Ossa nasalia sind die prägende äußere knöcherne Struktur der Nase im kranialen Bereich und sind bei Mittelgesichtsfrakturen häufiger beteiligt.

Das eigentliche **Nasenskelett** besteht aus **unterschiedlichem Gewebe**. Die distal-kaudalen Bereiche der Nase sind geprägt durch knorpelige Anteile mit einer, im Vergleich zum kranialen knöchernen Nasenrücken, elastischen Komponente. Die **Nasenflügel** sind eine Mischung aus Bindegewebe und Knorpelplatte. Das **Nasenseptum** selbst besteht im distalen-kaudalen Bereich (Proc. lateralis) aus einer knorpeligen Platte, die sich flügelartig ausbreitet. Die knorpeligen distalen Anteile beginnen am knöchernen Rand der Nasenhöhle (**Apertura piriformis**).

In der embryologischen Entwicklung zeigt sich früh die **desmale** Knochenentwicklung mit je einem **primären Ossifikationszentrum** in den beiden Ossa nasalia (ca. 8.–9. SSW).

Vergleicht man die **Proportionen** des Schädels zwischen einem Neugeborenen und einem Erwachsenen, so zeigt sich beim Neugeborenen eine kleine Nase mit flachem nasalem Rücken. Insgesamt wirken die Gesichtsproportionen beim Neugeborenen breit und kurz.

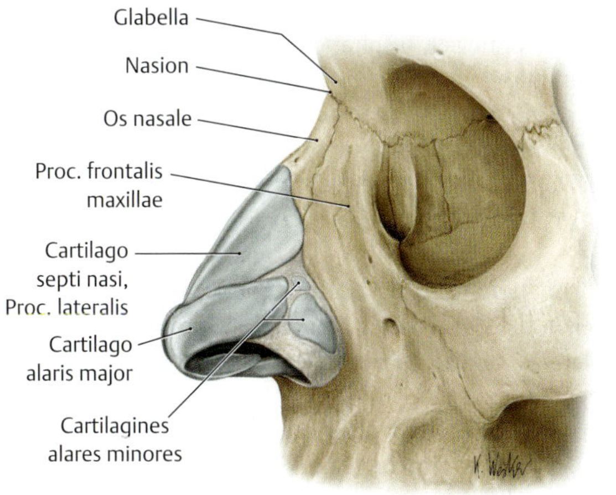

▸ **Abb. 2.53** Skelett der äußeren Nase. (Quelle: Schünke M, Schulte E, Schumacher U. Prometheus. LernAtlas der Anatomie. Kopf, Hals und Neuroanatomie. Illustrationen von M. Voll und K. Wesker. 6. Aufl. Stuttgart: Thieme; 2022)

Anatomie

Knöcherne Anteile (▶ Abb. 2.52, ▶ Abb. 2.53)
- 2 Flächen
- intern: konkav geformt
- extern: konvex geformt (Kontakt zum Os frontale, Os maxillare und Os ethmoidale)
- Crista nasalis interna (Kontakt zum Os nasale der Gegenseite, Nasenseptum)

Benachbarte Knochen und ihre Suturen
- Os frontale (superior, Sutura frontonasalis)
- Os ethmoidale (posterior, Sutura ethmoidonasalis)
- Os nasale der Gegenseite (medial, Sutura internasalis)
- Os maxillare (lateral, Sutura nasomaxillaris)

Foramina, Canales
- Sulcus ethmoidalis
- Foramen nasale

Muskeln, Faszien
- M. nasalis (Kap. 2.2.1)
- ist Bestandteil der Fascia superficialis → SMAS (Kap. 2.2.1)

Systemische Vaskularisation: A. ethmoidalis anterior → Ast der A. ophthalmica → A. carotis interna
V. ethmoidale anterior → V. ophthalmica inferior → Sinus cavernosus → V. jugularis interna

Neurologisches Netzwerk: N. ethmoidalis anterior → Ast aus N. nasociliaris → N. ophthalmicus (V_1)

Myofasziale Wirkungsketten

Keine direkte Einbindung.

Kraniosakraler Kontext

Bei der kranialen Inspiration bewegt es sich in Außenrotation (▶ **Abb. 2.54**), die Sutura internasalis posteriorisiert sich. Während der kranialen Exspiration erfolgt eine Innenrotation, die Sutura nasalis anteriorisiert sich. Die vertikale Bewegungsachse verläuft mittig durch den kranialen Anteil des Os nasale.

Normalbefund bei Palpation: In der Außenrotation bewegen sich die lateralen Ränder des Os nasale nach anterolateral. In der Innenrotation ist die Bewegung entgegengesetzt.

Die Nasenbeinbewegung ist symmetrisch, mit gleicher ausgewogener Amplitude und Kraft. Die Bewegung wirkt leicht und frei.

Kraniometrischer Punkt: Am Übergang von beiden Ossa nasalia zum Os frontale liegt der kraniometrische Punkt „Nasion". Er ist das Synonym für Nasenwurzel.

Hinweis: Die Quellenangaben [15], [58], [59] beziehen sich auf den gesamten „Kraniosakralen Kontext".

> **Praxistipp**
> **Dysfunktion**
> Hinweis auf Dysfunktionen sind schmerzhafte Suturen am Os nasale und Asymmetrie.

Osteopathische Korrespondenzen

Die beiden Ossa nasalia stabilisieren den Nasenrücken und sichern den Raum für eine gute Atemluftzirkulation in den Conchae nasales bis hoch zu den Riechzellen. Direkte Traumata der Nase (z. B. Fußball) provozieren Dysfunktionen. Auch ein erhöhter Druck auf den Nasenrücken (z. B. Brille, Gesichtsschutz) kann Dysfunktionen auslösen.

Das Os nasale steht unter direktem Einfluss der Ossa maxillare und frontale. Dysfunktionen bei diesen beiden Knochen können Dysfunktionen im Os nasale provozieren (sekundäre Dysfunktion).

Die Rr. nasales der A. ethmoidalis versorgen Nasenschleimhaut und Nasenrücken. Der N. ethmoidalis anterior begleitet die arteriellen Äste und gelangt durch einen Schlitz lateral der Crista galli (wie die Gefäßäste) in die Nasenhöhle. Neben der Nasenschleimhaut versorgt er auch die Haut der äußeren Nasenspitze und der Nasenflügel sensibel.

> **Praxistipp**
> **Missempfindungen**
> Missempfindungen in diesem Bereich sollten Anlass geben, auch nach Dysfunktionen in den suturalen Verbindungen Os nasale, Os ethmoidale zu suchen.

Korrespondierende Strukturen

Auswahl an korrespondierenden Strukturen, die unter systemischen Aspekten therapeutisch von Bedeutung sein können:
- A. ophthalmica
- N. trigeminus
- Vomer
- Zentralsehne
- Orbita

Behandlungshinweise

- Indikationen für die Behandlung des Os nasale sind u. a.:
  - eingeschränkte Nasenatmung
  - Sekretionsstörung der Nasenschleimhaut
  - Sturz- oder Schlagtrauma am Gesichtsschädel

- Bei Dysfunktion des Os nasale sollten u. a. die korrespondierenden Schädelknochen Os frontale, Os maxillare und Os ethmoidale ebenfalls mitbehandelt werden.
- Über das mehrdimensionale Kräftepolygon (u. a. kraniosakrale Bewegung, vertikale Kraftverteilung der Kaukräfte) ist das Os nasale als sehr kleiner filigraner Knochen komplex zwischen den deutlich massiveren „Knochennachbarn" eingebettet.
- Bei Stauchung bzw. Kompression der Sutura frontonasalis können Disengagement-Techniken hilfreich sein [62].
- Bei induzierten Behandlungstechniken müssen die Bewegungen auf die Elastizität des Gewebes abgestimmt werden (Behandlungsmodalität: nachgiebig einleitend).

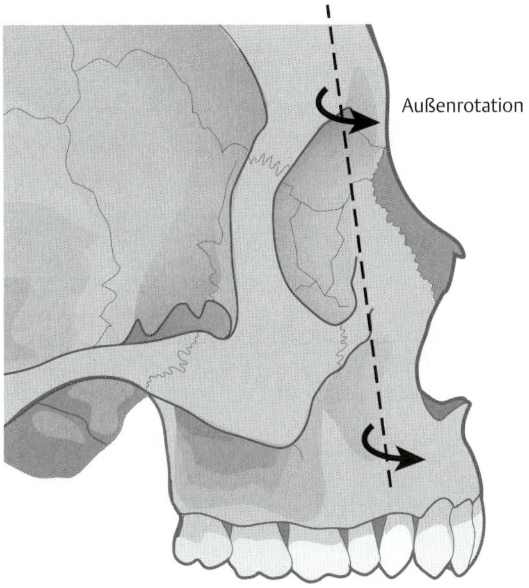

▶ **Abb. 2.54** Rechtes Os nasale in der Inspirationsphase (von lateral). (Quelle: Liem T. Kraniosakrale Osteopathie. 7. Aufl. Stuttgart: Thieme; 2018)

2.3.6 Os frontale

Das Os frontale (Stirnbein) prägt den **Stirnbereich** des Kraniums (▶ **Abb. 2.55**). Seine rundmuschelförmige Gestalt ist charakteristisch für den ventralen Bereich. Das Stirnbein befindet sich als Knochen des **Neurokraniums** im direkten Übergang zum Viszerokranium.

Man unterscheidet den vertikalen (**Stirnbereich**) und horizontalen Bereich (**Orbitabereich**). Im kranialen Anteil befindet sich die vordere **Schädelgrube**. Mit seinen ventrokaudalen Anteilen gestaltet das Os frontale die kranialen Ränder der Orbita und ist medial an der **Nasenhöhle** beteiligt. Durch seine Lage steht es mit 7 weiteren Schädelknochen in nachbarschaftlicher Verbindung. Das Bauprinzip des Kraniums, die knöcherne Leichtbauweise, spiegelt sich in den beiden Stirnhöhlen wider.

Das Os frontale ist paarig angelegt. Ein Großteil des Os frontale gestaltet sich aus einer **desmalen** Knochenentwicklung. Nur der Bereich der Spina nasalis entwickelt sich **chondral**. Die ersten **Ossifikationszentren** zeigen sich zwischen der 8. und 9. Woche i. u.

Beide Anteile des Os frontale sind über die **Sutura frontalis** miteinander verbunden. Spätestens bis zum 7. Lebensjahr ist bei bis zu ca. 90 % der Bevölkerung die Sutura verknöchert. Sie wird als Sutura metopica bezeichnet. Modellierend auf die Sutur wirkt in der **postnatalen Wachstumsphase** die morphologische Größenzunahme des Frontallappens und der damit verbundene Zug über die Falx cerebri, die an der Innenseite des Os frontale ansetzt.

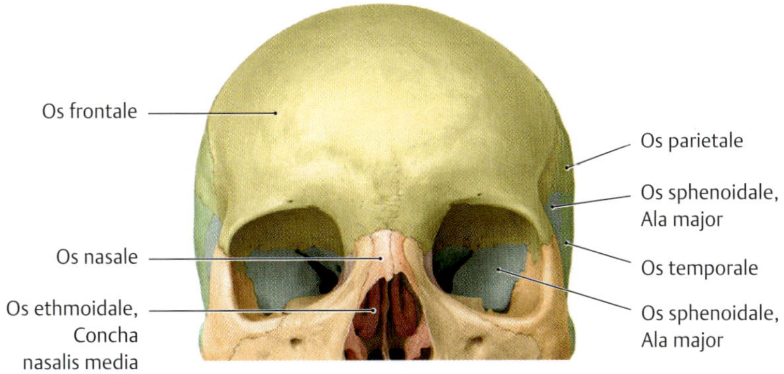

▶ **Abb. 2.55** Os frontale. (Quelle: Schünke M, Schulte E, Schumacher U. Prometheus. LernAtlas der Anatomie. Kopf, Hals und Neuroanatomie. Illustrationen von M. Voll und K. Wesker. 6. Aufl. Stuttgart: Thieme; 2022)

Anatomie

Knöcherne Anteile (▶ Abb. 2.56)

- **vertikal**:
  - Pars frontalis: Squama frontalis mit Facies interna und externa, bildet die Stirn
- **horizontal**:
  - Pars orbitalis: paarig, bildet das Dach der Orbita
  - Pars nasalis: median, beinhaltet die Incisura ethmoidalis mit den Cellulae frontales, über die der Sinus frontalis drainiert wird
  - Spina nasalis: befindet sich kaudal-median und anterior der Incisura ethmoidalis

Benachbarte Knochen und ihre Suturen (▶ Abb. 2.55)

- Os parietale (posterior, Sutura coronalis)
- Os sphenoidale (posterior, Sutura sphenofrontalis)
- Os nasale (anterior-inferior, Sutura frontonasalis)
- Os maxillare (inferior-medial, Sutura frontomaxillaris)
- Os lacrimale (inferior-medial, Sutura frontolacrimalis)
- Os ethmoidale (inferior, Sutura frontoethmoidalis)
- Os zygomaticus (lateral, Sutura zygomaticofrontalis)

Foramina, Fissuren, Canales

- Incisura ethmoidalis
- Foramen caecum
- Foramen supraorbitale
- Foramen ethmoidale posterius
- Foramen ethmoidale anterius

Muskeln

- M. epicranius (muskulärer Gewebespanner der Galea aponeurotica, Kap. 2.2.1)
- Teile der mimischen Muskulatur (für das Stirnrunzeln und den Lidschluss)
- M. temporalis (Kap. 2.3.1)
- M. obliquus superior occuli (Bulbus, bindegewebig an Fovea trochlearis; Kap. 2.4.2)

Faszien

- Fascia temporalis; Ansatz: Linea temporalis superior, Lamina superficialis und Lamina profunda
- Falx cerebri; Ansatz: vorne Crista frontalis, Crista galli, hinten Protuberantia occipitalis interna

Systemische Vaskularisation

- A. temporalis superficialis, R. frontalis → A. carotis externa
- V. temporalis superficialis → V. retromandibularis → V. jugularis interna
- Sinus sagittalis superior → Confluens sinuum → Sinus transversus → Sinus sigmoideus → V. jugularis interna → Foramen jugulare
- A. ethmoidalis posterior/anterior → A. ophthalmica → A. carotis interna → Foramen ethmoidale posterius/anterius
- V. ethmoidalis posterior/anterior → V. ophthalmica superior → Sinus cavernosus → V. jugularis interna
- A. supraorbitalis (→ A. ophthalmica → A. carotis interna → Foramen supraorbitalis)
- V. supraorbitalis → V. angularis → V. facialis → V. retromandibularis → V. jugularis interna
- A. supratrochlearis (→ A. ophthalmica → A. carotis interna → Foramen frontale)
- V. supratrochlearis → V. ophthalmica superior → V. angularis → V. facialis → V. retromandibularis → V. jugularis interna

Neurologisches Netzwerk

- N. lacrimalis (V_1) → entlang Facies orbitalis
- R. lateralis N. supraorbitalis (V_1) → Foramen supraorbitale
- R. medialis N. supraorbitalis (V_1) → Foramen frontale
- N. supratrochlearis (V_1) → Septum orbitale
- N. ethmoidalis posterior (V_1) → Foramen ethmoidale posterius
- N. ethmoidalis anterior (V_1) → Foramen ethmoidale anterius
- Lobus frontalis

Die aufgeführten Nervenäste versorgen im Wesentlichen sensibel die Stirnhaut und das obere Augenlid.

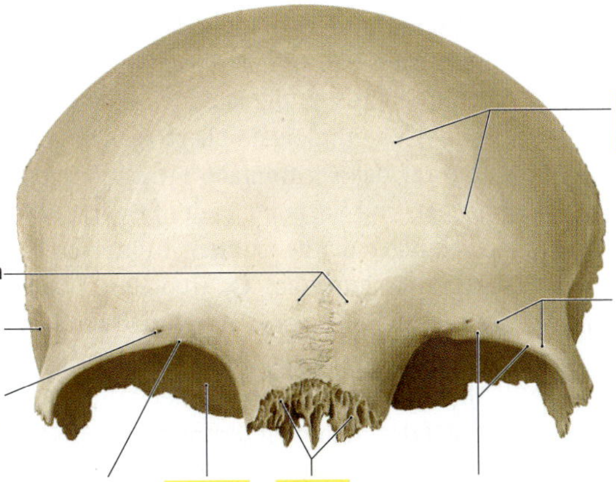

a

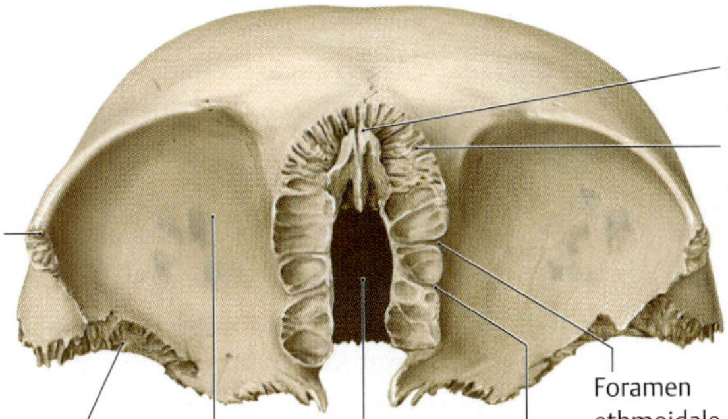

b

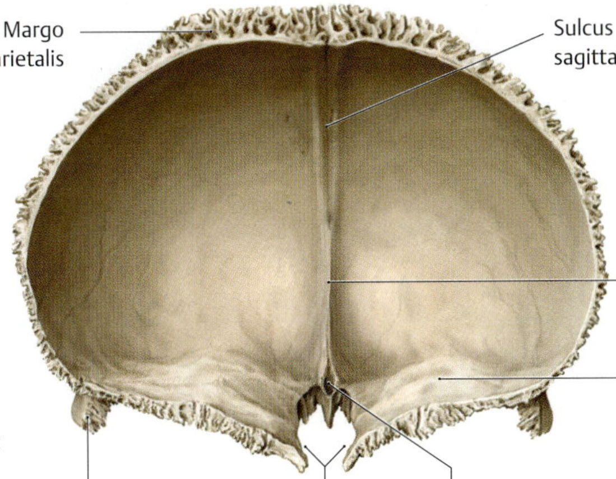

c

▸ **Abb. 2.56** Os frontale.

a Os frontale, Facies externa (von ventral). (Quelle: Schünke M, Schulte E, Schumacher U. Prometheus. LernAtlas der Anatomie. Kopf, Hals und Neuroanatomie. Illustrationen von M. Voll und K. Wesker. 6. Aufl. Stuttgart: Thieme; 2022)

b Os frontale, Facies orbitalis (von kaudal). (Quelle: Schünke M, Schulte E, Schumacher U. Prometheus. LernAtlas der Anatomie. Kopf, Hals und Neuroanatomie. Illustrationen von M. Voll und K. Wesker. 6. Aufl. Stuttgart: Thieme; 2022)

c Os frontale, Facies interna (von dorsal). (Quelle: Schünke M, Schulte E, Schumacher U. Prometheus. LernAtlas der Anatomie. Kopf, Hals und Neuroanatomie. Illustrationen von M. Voll und K. Wesker. 6. Aufl. Stuttgart: Thieme; 2022)

Myofasziale Wirkungsketten

Über den M. temporalis ist das Os frontale Bestandteil der tiefen Frontallinie (Kap. 2.4.2). Über die Falx cerebri ist es an der Zentralsehne (Kap. 7.1.1) beteiligt. Über den **M. erector spinae** mit dem Übergang zur Galea aponeurotica ist das Os frontale ebenfalls Bestandteil der oberflächlichen Rückenlinie (► Abb. 2.57).

Oberflächliche Rückenlinie [16]: Sie ist eine geradlinige Verbindung von der Fußsohle über die dorsale Seite des gesamten Körpers bis zur Stirn (Os frontale). Sie unterstützt den gesamten Körper in der Extensionsbewegung, stabilisiert die aufgerichtete Haltung bzw. begleitet die Überstreckung.

Verlauf oberflächliche Rückenlinie: plantare Fläche der Zehen → M. abductor hallucis, M. abductor digiti minimi → Fascia plantaris → Kalkaneus → Achillessehne → M. gastrocnemius → Epicondylus medialis/lateralis femoris → M. semitendinosus, M. semimembranosus, M. biceps femoris (ischiokrurale Muskeln) → Tuber ischiadicum → Lig. sacrotuberale → Os sacrum → M. erector spinae, Fascia sacrolumbalis → Linea nuchae inferior/superior → Galea aponeurotica → Os frontale, Margo supraorbitalis

Kraniosakraler Kontext

Als Knochen der Peripherie bewegt sich das Os frontale während der kranialen Inspiration in Außenrotation (► Abb. 2.58), die Sutura metopica nach posterior-superior und flacht sich ab, der Proc. zygomaticus bewegt sich nach anterior-inferior und lateral. Die Bewegungen sind bei der Exspiration, bei der das Os frontale eine Innenrotation beschreibt, genau umgekehrt. Die beiden vertikalen Achsen verlaufen durch die Tuber des Os frontale.

Normalbefund bei Palpation: In der Inspirationsphase senkt sich die Sutura metopica nach posterior ab, anterolateral heben sich die lateralen Ränder. Die Falx cerebri und das Os ethmoidale übertragen eine Rotationsbewegung auf das Os frontale. Intraossär verkürzt sich der Knochen und flacht ab. In der Exspirationsphase sind die Bewegungen der benannten Strukturen entgegengesetzt.

Die Bewegung des Os frontale ist symmetrisch, mit gleicher ausgewogener Amplitude und Kraft. Die Bewegung wirkt leicht und frei.

Hinweis: Die Quellenangaben [15], [58], [59] beziehen sich auf den gesamten „Kraniosakralen Kontext“.

Kraniometrische Punkte

- **Nasion**: Am Übergang vom Os frontale zum Nasenbein liegt der kraniometrische Punkt „Nasion“. Er ist das Synonym für die Nasenwurzel.
- **Glabella**: Dieser Punkt befindet sich mittig zwischen den Augenbrauenbögen als abgeflachtes Knochenplateau und bedeutet Stirnglatze.
- **Ophryon**: Dieser Punkt liegt oberhalb von Glabella.
- **Bregma**: Das ist ein Verbindungspunkt zwischen dem Os frontale und den Ossa parietalia (entspricht der großen Fontanelle des Säuglings).
- **Pterion**: Dieser Verbindungspunkt liegt zwischen dem Os frontale, Os parietale, Os sphenoidale und Os temporale (entspricht der vorderen seitlichen Fontanelle des Säuglings).

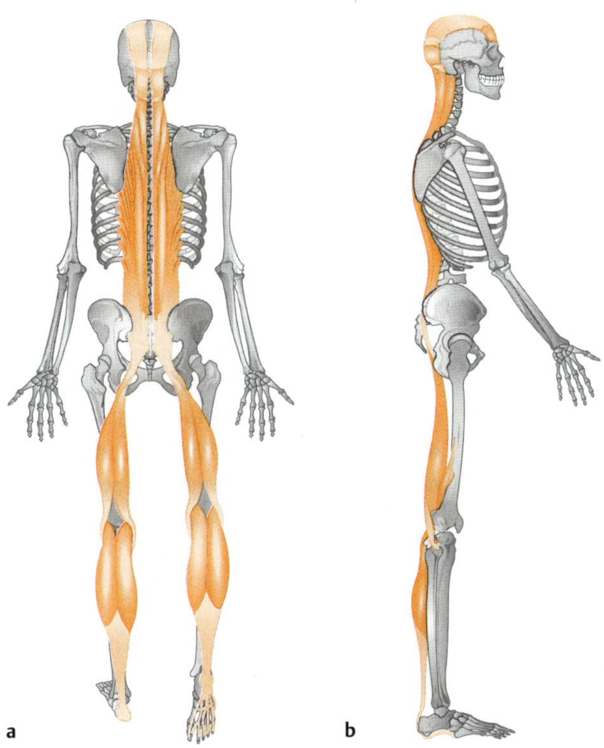

▸ **Abb. 2.57** Myofasziale Wirkungsketten: oberflächliche Rückenlinie. (Quelle: Corts M, ter Harmsel I. Sportosteopathie. Stuttgart: Haug; 2013)

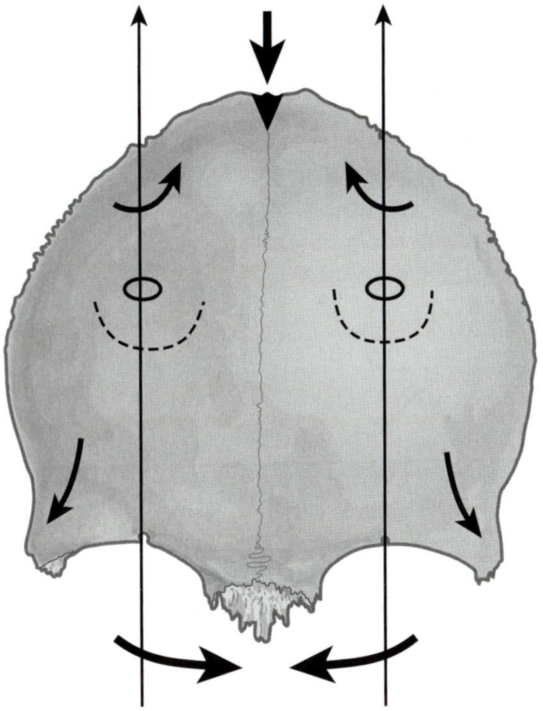

▸ **Abb. 2.58** Außenrotation des Os frontale in der Inspirationsphase (von ventral). (Quelle: Liem T. Kraniosakrale Osteopathie. 7. Aufl. Stuttgart: Thieme; 2018)

Osteopathische Korrespondenzen

Die Bewegungen des Os frontale und Os maxillare sind physiologisch fein aufeinander abgestimmt. Das **Foramen caecum** ist bei Kindern frei. Hier verläuft eine V. emissaria. Diese ist eine sogenannte Kurzschlussverbindung zwischen den Venen, die die spongiösen Knochenstrukturen des Schädeldachs versorgen (Diploevenen), und den venösen Blutleitern im Kranium. Bei Erwachsenen ist i. d. R. das Foramen caecum verschlossen. Infekte bei Kindern im Stirnhöhlenbereich können über die V. emissaria schneller in den Bereich der Dura mater vordringen und eine Meningitis verursachen.

Spannungskopfschmerzen

Das Os frontale kann über die Kontaktstelle **Crista frontalis** einen positiven Einfluss auf die venösen Blutleiter und insbesondere auf die Drainage des Sinus sagittalis superior und Sinus sagittalis inferior haben. Gleiches gilt für die Entspannung der Falx cerebri. Daher sind bei Spannungskopfschmerzen Behandlungstechniken des Os frontale unter Einbeziehung der Squama frontalis angebracht.

Gewalteinwirkung und Trauma

Massive Restriktionen im Bereich der Suturen können durch externe Krafteinwirkungen (z. B. Stürze, Schläge) auf das Os frontale ausgelöst werden. Geburtstraumata können intra- und interossäre Dysfunktionen hervorrufen. Störungen der SSB sowie Spannungen des myofaszialen Systems und des Membransystems können sekundäre Dysfunktionen in Innen- und Außenrotation hervorrufen.

CMD

Bei kraniomandibulären Dysfunktionen kann über die Fascia temporalis das Os frontale in seiner kranialen Bewegungsdynamik eingeschränkt sein. Häufig treten diese Dysfunktionen einseitig auf, meist da, wo der Muskeltonus des M. masseter am höchsten ist.

Generelle Dysfunktionen

Denkt man an die zahlreichen faszialen Kontinuitäten und die Einbindung des Os frontale in die verschiedenen Muskelketten, können sich Dysfunktionen aus der gesamten Körperperipherie auf das Os frontale auswirken.

Suturale Dysfunktionen des Os frontale können z. B. die Funktionalität der Augenhöhle (**Pars orbitalis**, Suturae frontolacrimale, frontozygomatica) und der Nasenhöhle (**Pars nasalis**, Sutura frontonasalis) beeinträchtigen.

Dysfunktion der Sutura frontoethmoidalis

Membranöse Dysfunktionen und Irritation der Nn. ethmoidales anterior und posterior sind bei einer Dysfunktion der Sutura frontoethmoidalis (Bereich **Incisura ethmoidalis**, Foramina ethmoidalia anterius und posterius) möglich. Verstärkt werden sie noch, wenn gleichzeitig die Sutura sphenofrontalis dysfunktional ist, da hier die SSB mitbetroffen ist. Ein Symptom können Kopfschmerzen infolge einer dysfunktionalen Drainage des Sinus frontalis superior sein (venöser Stau). Riechstörungen können gleichfalls auftreten, wenn die Dysfunktion der Sutura frontoethmoidalis intraossäre Spannungen im Bereich der Lamina cribrosa provoziert. Die Fila olfactoria können in der Reizweiterleitung zum Bulbus olfactorius beeinträchtigt werden. Dieser Aspekt ist besonders im Zusammenhang mit Unfällen wie Sturz-, Schleuder- und Aufpralltraumata interessant.

Korrespondierende Strukturen

Auswahl an korrespondierenden Strukturen, die unter systemischen Aspekten therapeutisch von Bedeutung sein können:

- Aa. temporalis, carotis interna
- V. diploica frontalis (drainiert in Plexus pterygoideus)
- Falx cerebelli, Tentorium cerebelli
- reziproke Spannungsmembran
- venöse Blutleiter
- Vomer
- Zentralsehne und ihre einzelnen Bestandteile
- alle Organe, die über die Zentralsehne wirken können
- Liquor cerebrospinalis
- Art. temporomandibularis
- SSB
- HWS
- CTÜ
- Körperstatik

Behandlungshinweise

- Indikationen für die Behandlung des Os frontale sind u. a.:
  - Kopfschmerzen
  - Sinusitis
  - Geburtstraumata
  - Sinusitis
  - Geruchsstörungen
- Die Sutura sphenofrontalis lässt sich sehr gut mit der Cant-hook-Technik behandeln [59].
- Disengagement-Techniken sind hilfreich bei Kompressionsdysfunktionen, insbesondere zwischen Os frontale und Os ethmoidale.
- Frontal lift ist hilfreich bei Spannungen in der Falx cerebri.
- Nach der Geburt kann es durch die Kompressionskräfte während der Entbindung zum fixierten Übergang vom Os frontale zu Os ethmoidale kommen. Die inhärenten Bewegungen auch von den korrespondierenden Knochen Os lacrimale und Os nasale können gestört sein. Hilfreich ist bei Säuglingen der Fluid-Drive mit frontookzipitale Handhaltung [76].
- Durale Behandlungstechniken im Zusammenhang mit Dysfunktion in Außenrotation des Os frontale können mit dem Frontal Spread ergänzt werden.
- Ein Disengagement der Sutura metopica ist besonders bei Traumata, z. B. bei Aufpralltrauma auf der Stirn indiziert.
- Mobilisation der oberflächlichen Rückenlinie als Übung für den Patienten: Dachstellung Vierfüßlerstand [17].

2.4
Tiefere knöcherne Anteile Viszerokranium und Kranium

2.4.1 Os palatinum

Das paarige Os palatinum (Gaumenbein) gehört zu den **peripheren Schädelknochen** (▸ Abb. 2.59). In der Frontalebene ähnelt die Gestalt des Os palatinum einem „L" (Blick von dorsal, Os palatinum links). Es sind 2 **lamellenartige Knochenplatten**, die im nahezu rechten Winkel aufeinander stehen.

Das Os palatinum befindet sich zwischen Os sphenoidale und Os maxillare. Es grenzt – wie das Os maxillare – den Mund vom Nasenraum ab **(Lamina horizontalis, Proc. sphenoidalis)**, bildet den hinteren **Anteil des harten Gaumens**, ist Ansatz für den weichen Gaumen und bildet zusammen mit der **Lamina perpendicularis** und Proc. pterygoideus des Os sphenoidale die **Flügelgaumengrube** (Fossa pterygopalatina). Das Os palatinum ist an der Nasenscheidewand **(Crista nasalis)**, am Nasenboden und über den Proc. orbitalis auch an der Augenhöhle beteiligt.

Über **Gaumen- und Kaumuskulatur** ist das Os palatinum komplex eingebunden und starken dynamischen Kräften ausgesetzt. Über verschiedene **Nervenkanäle** und Foramina korrespondiert das Os palatinum mit Ästen des **N. maxillaris** (V_2).

Das paarige Os palatinum entwickelt sich aus dem **1. Schlundbogen** (Mesenchymverdichtung mit Beginn der 4. Entwicklungswoche des Embryos). Im Bereich des 1. Schlundbogens (auch als Mandibularbogen bezeichnet) entstehen Ober- und Unterkieferwulst. Es entwickeln sich hier neben Os mandibulare, Os maxillare, Os palatinum und Squama des Os temporale auch die Gehörknöchelchen.

Anatomie

Knöcherne Anteile (▸ Abb. 2.38, ▸ Abb. 2.60, ▸ Abb. 2.61)

- Lamina horizontalis: bildet ein Drittel des harten Gaumens und Nasenhöhlenbodens
- Lamina perpendicularis: ergänzt lateralen Rand der Nasenwand
- Proc. orbitalis: bildet einen Teil des hinteren medialen Orbitabodens
- Proc. sphenoidalis: beteiligt an oberer Nasenhöhlenwand
- Proc. pyramidalis: beteiligt an Fossa pterygoidea
- Crista nasalis: Naht, an der Laminae horizontales verwachsen sind, hier Verbindung zum Vomer

Benachbarte Knochen und ihre Suturen

- Os maxillare (anterior, über Sutura palatomaxillaris)
- Os sphenoidale (posterior, über Sutura sphenopalatina)
- Os ethmoidale (superior, über Sutura palatoethmoidalis)
- Vomer (superior, über Sutura vomeropalatina)
- Concha nasalis inferior (medial, über Sutura palatina mediana)

Foramina, Canales

- Foramen palatinum majus (gebildet von Lamina horizontalis und Os maxillare, Durchtritt von: N. palatinus major [V_2], A. palatina descendens)
- Foramen palatinum minus (liegt in Lamina horizontalis, Durchtritt von: N. palatinus minor, A./V. palatina minor aus A. palatina descendens)
- Canalis palatinus major (verbindet Fossa pterygopalatina mit Mundhöhle → mündet in Foramen palatinum majus)
- Canales palatini minores (Abzweigung von Canalis palatinus major, verbindet Fossa pterygopalatina mit Mundhöhle, mündet in Foramen palatinum minus)
- Canalis palatovaginalis (gebildet von Proc. sphenoidalis und Proc. vaginalis des Os sphenoidale), Durchtritt des R. pharyngeus nervi maxillaris, A./V. pharyngea ascendens

Muskeln

- M. pterygoideus lateralis (Bezug zum Os palatinum: äußere Fläche Proc. pyramidalis; Kap. 2.3.1)
- M. pterygoideus medialis (Bezug zum Os palatinum: hinterer äußerer Rand Proc. pyramidalis; Kap. 2.3.1)
- M. tensor veli palatini (Kap. 3.3.1)

Faszien: Aponeurosis palatina bildet weichen Gaumen, hat Verbindung zu Raphe pterygomandibularis (Schlundschnürermuskulatur); Bezug zum Os palatinum: hinterer Bereich Lamina horizontalis

Systemische Vaskularisation

- A. sphenopalatina → A. maxillaris → A. carotis externa → Foramen sphenopalatinum
- V. sphenopalatina → Plexus venosus pterygoideus → V. maxillaris → V. retromandibularis → V. jugularis interna
- A. palatina descendens → A. maxillaris → Foramen palatinum minus und majus
- V. palatina descendens → V. angularis → V. facialis → V. retromandibularis → V. jugularis interna
- A. pharyngea ascendens → Ast aus A. carotis externa
- V. pharyngea ascendens → V. jugularis interna

Neurologisches Netzwerk

- N. palatinus major, Ast von (V_2) → Foramen palatinum majus
- N. palatinus minor, Ast von (V_2) → Foramen palatinum minus
- N. nasopalatinus, Ast von (V_2) → Foramen sphenopalatinum
- R. pharyngeus nervi maxillaris (V_2) → Canalis palatovaginalis
- Ggl. pterygopalatinum → Fossa pterygopalatina

Myofasziale Wirkungsketten

Über die Aponeurosis palatinae besteht eine Verbindung zur Raphe pterygomandibularis. Sie ist Bestandteil der Zentralsehne.

Über den M. pterygoideus medialis besteht eine Verbindung zur tiefen Frontallinie. Der M. pterygoideus medialis bildet eine Muskelschlinge mit dem M. masseter, der Bestandteil der tiefen Frontallinie ist [16].

Kraniosakraler Kontext

Bei der kranialen Inspiration bewegt sich das Os palatinum in Außenrotation – palpabel an der **Lamina horizontalis**, die das hintere Drittel des knöchernen Gaumens bildet – und die Procc. pterygoidei gleiten nach kaudal-posterior (▸ **Abb. 2.62**, ▸ **Abb. 2.63**). Während der kranialen Exspiration bewegt sich das Os palatinum in Innenrotation, die Procc. pterygoidei gleiten nach kranial-anterior.

Das Os palatinum reicht mit seinem vertikalen Anteil bis in die Augenhöhle und korrespondiert hier mit dem N. zygomaticus. Die vertikale Bewegungsachse verläuft mittig durch die Lamina horizontalis.

Normalbefund bei Palpation: Bei der kranialen Inspiration senkt sich die Sutura palatina mediana ab, bei der kranialen Exspiration hebt sie sich.

Die Bewegung ist symmetrisch, mit gleicher ausgewogener Amplitude und Kraft. Die Bewegung wirkt leicht und frei.

Hinweis: Die Quellenangaben [15], [58], [59] beziehen sich auf den gesamten „Kraniosakralen Kontext".

Osteopathische Korrespondenzen

Orbitaboden

Das Os palatinum ist mit dem **Proc. orbitalis** am Orbitaboden beteiligt und korrespondiert dort mit dem N. infraorbitalis und N. zygomaticus. Osteopathische Behandlungen des Os palatinum können sich positiv auf Gewebeverspannungen um den N. infraorbitalis und N. zygomaticus auswirken.

Im Rahmen einer CMD kann es zu starken Spannungen in den Mm. pterygoidei medialis und lateralis kommen. Dysfunktionen über die muskulären Ansätze zwischen Os palatinum (Proc. pyramidalis) und Os sphenoidale (Proc. pterygoideus) können die Folge sein.

Osteopathische kraniale Bewegung

Das Os palatinum „bremst" durch seine Position zwischen dem Os sphenoidale (Proc. pterygoideus) und dem Os maxillare die kraniale Bewegung auf das Viszerokranium. Dysfunktionen des Os palatinum können daher vielfältige Folgen für den Gesichtsschädel haben. Hier kommen insbesondere kieferorthopädische Eingriffe, Zahnextraktionen und myofasziale Störungen der Kaumuskulatur in Betracht.

Zusammen mit dem **Vomer** (Kap. 3.4)wirkt das Os palatinum auch als Vermittler und Kraftminderer der Kaukräfte zwischen Os maxillare und Os sphenoidale. Dysfunktionen im Bereich Os palatinum können das funktionelle Zusammenspiel von Vomer, Os sphenoidale und Os maxillare stören.

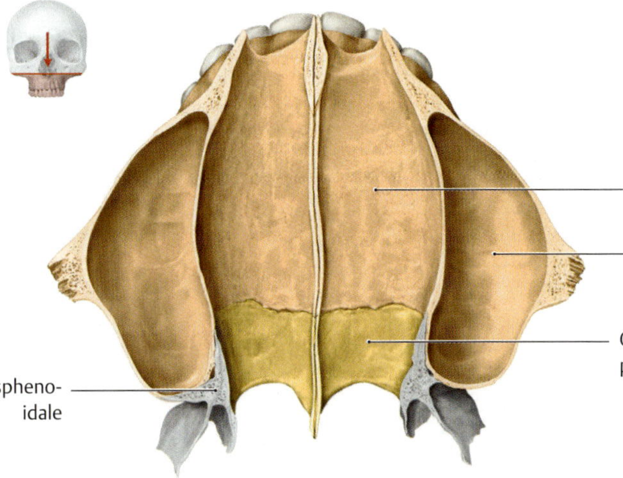

▸ **Abb. 2.59** Os palatinum. (Quelle: Schünke M, Schulte E, Schumacher U, Voll M, Wesker K. 2.17 Harter Gaumen (Palatum durum). In: Schünke M, Schulte E, Schumacher U, Voll M, Wesker K, Hrsg. Prometheus LernAtlas – Kopf, Hals und Neuroanatomie. 5. Auflage. Stuttgart: Thieme; 2018)

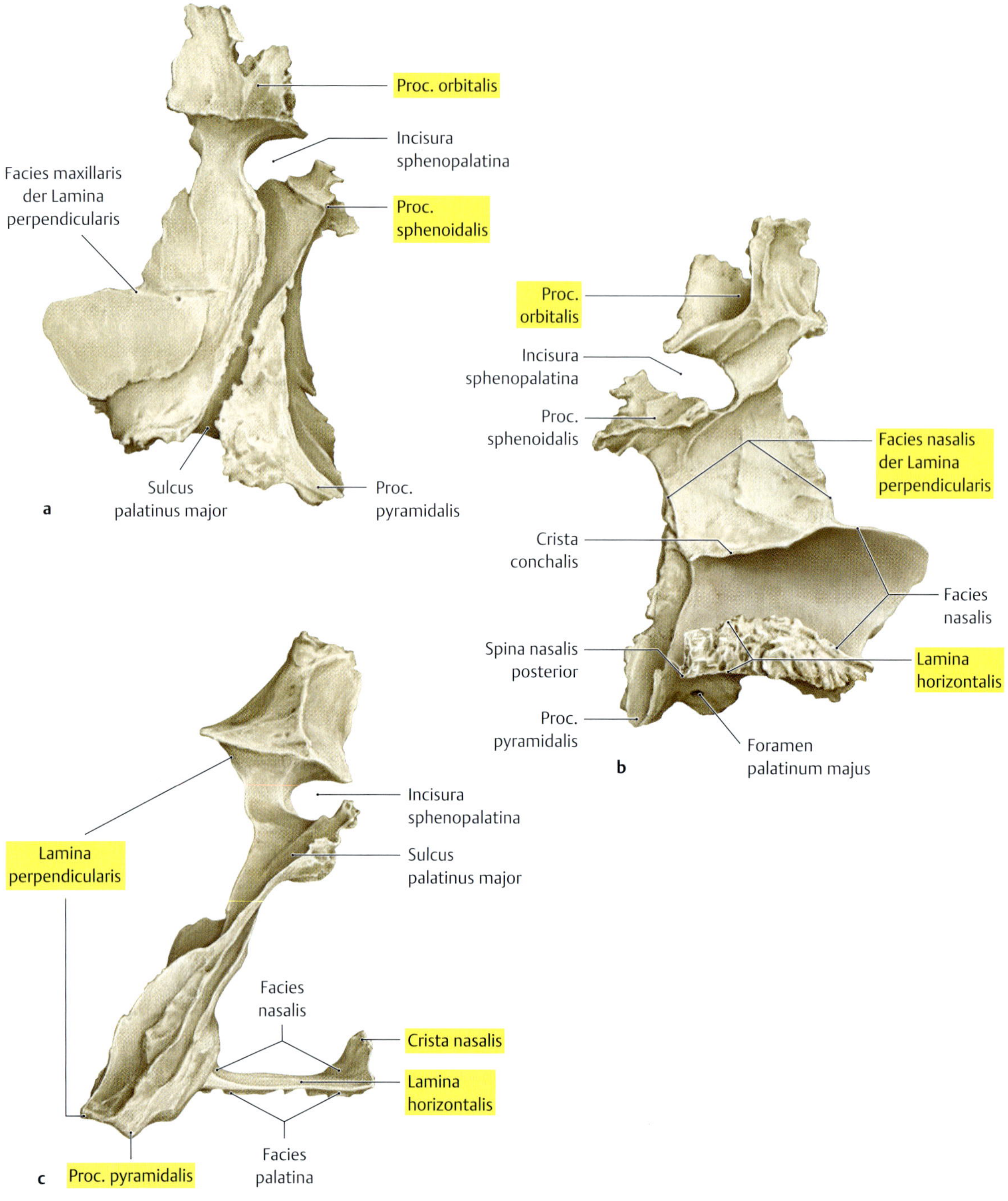

▶ **Abb. 2.60** Os palatinum.

a Ansicht von lateral. (Quelle: Schünke M, Schulte E, Schumacher U. Prometheus. LernAtlas der Anatomie. Kopf, Hals und Neuroanatomie. Illustrationen von M. Voll und K. Wesker. 6. Aufl. Stuttgart: Thieme; 2022)

b Ansicht von medial. (Quelle: Schünke M, Schulte E, Schumacher U. Prometheus. LernAtlas der Anatomie. Kopf, Hals und Neuroanatomie. Illustrationen von M. Voll und K. Wesker. 6. Aufl. Stuttgart: Thieme; 2022)

c Ansicht von dorsal. (Quelle: Schünke M, Schulte E, Schumacher U. Prometheus. LernAtlas der Anatomie. Kopf, Hals und Neuroanatomie. Illustrationen von M. Voll und K. Wesker. 6. Aufl. Stuttgart: Thieme; 2022)

Weicher Gaumen

Die Gaumenaponeurose ist u. a. am dorsalen Bereich der Lamina horizontalis des Os palatinum befestigt. Sie bildet den weichen Gaumen und korrespondiert mit der Gaumenmuskulatur (M. levator veli palatini, M. tensor veli palatini, M. uvulae, M. palatopharyngeus, M. palatoglossus) und den Gaumenbögen. Daraus ergeben sich komplexe osteopathische Verbindungen, die für die Behandlung u. a. von Dysfunktionen im Bereich Os palatinum, Schluckakt und Paukenhöhle interessant sind.

Teile der Gaumenmuskulatur sind auch Anteile der Zungen- und Rachenmuskulatur (M. palatoglossus, M. palatopharyngeus). Die Rachenmuskulatur ist am Schluckakt beteiligt und transportiert den Speisebrei nach kaudal Richtung Ösophagus. Der M. constrictor pharyngis superior, ist der am weitesten kranial gelegene „Schlundschnürermuskel. Seine Ursprünge liegen am Os sphenoidale (Hamulus pterygoideus), Os mandibulare (Linea mylohyoidea) und an der Raphe pterygomandibularis (myofaszialer Übergang von M. constrictor pharyngis superior mit M. buccinator) sowie der Zunge.

Praxistipp
Schluckstörungen
Die osteopathische Behandlung von SSB, Os palatinum, Os maxillare, Os mandibulare, Zungengrund, Halsfaszien und der suprahyoidalen Muskulatur kann insbesondere bei psychovegetativen Schluckstörungen hilfreich sein.

Ansätze des M. constrictor pharyngis superior befinden sich u. a. am M. levator veli palatini und an der Mündungsöffnung der Tuba auditiva zum Nasen-Rachen-Raum (Ostium tympanicum tubae auditivae). Um die Belüftung des Mittelohrs und einen ggf. notwendigen Druckausgleich zu ermöglichen, reicht oft Schlucken oder Gähnen. Es kontrahieren bei diesen Bewegungen u. a. der Gaumensegelheber (M. levator veli palatini), der Gaumensegelspanner (M. tensor veli palatini) und der Tuben-Rachen-Muskel (M. salpingopharyngeus). Vv. pharyngea stammen aus dem Plexus venosus pharyngeus. Sie sorgen für die venöse Entsorgung der Gaumenbögen und Ohrtrompete. Der Plexus liegt in der dorsalen Pharynxwand, drainiert die Schlundschnürmuskeln und die Tonsilla

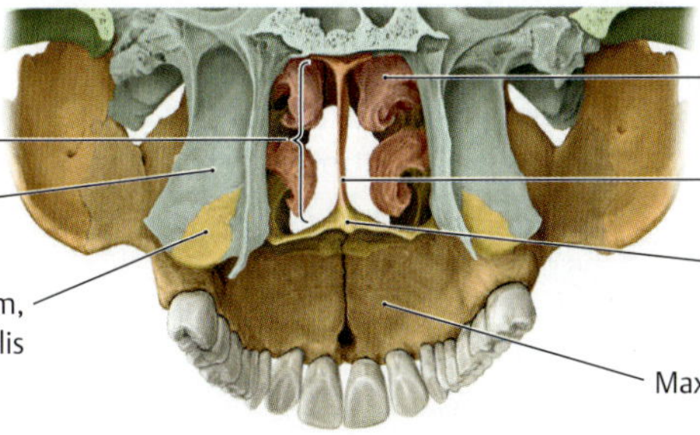

▸ **Abb. 2.61** Os palatinum (von dorsal). (Quelle: Schünke M, Schulte E, Schumacher U. Prometheus. LernAtlas der Anatomie. Kopf, Hals und Neuroanatomie. Illustrationen von M. Voll und K. Wesker. 6. Aufl. Stuttgart: Thieme; 2022)

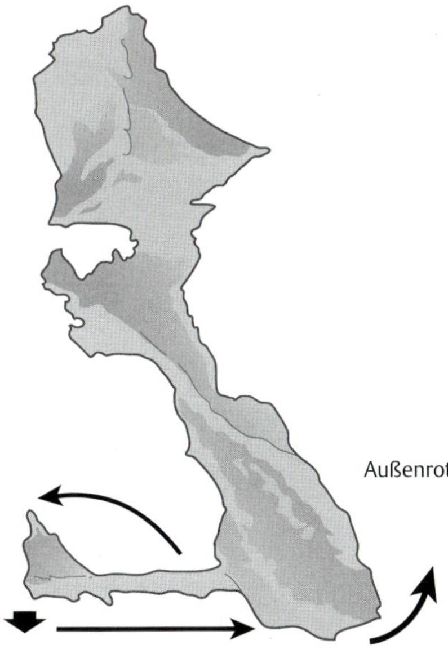

▸ **Abb. 2.62** Rechtes Os palatinum in der Inspirationsphase (von dorsal). (Quelle: Liem T. Kraniosakrale Osteopathie. 7. Aufl. Stuttgart: Thieme; 2018)

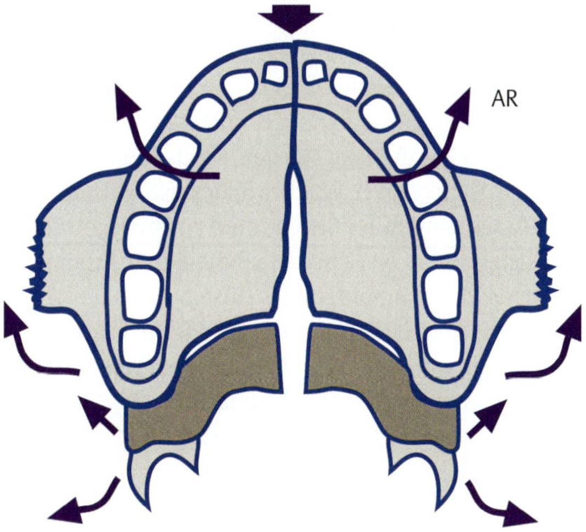

▸ **Abb. 2.63** Os palatinum zwischen dem Os maxillare und dem Proc. pterygoideus in der Inspirationsphase (von kaudal). (Quelle: Liem T. Kraniosakrale Osteopathie. 7. Aufl. Stuttgart: Thieme; 2018; Grafik: C. Dardamissis, Freigold Konzept & Design, Hamburg)

palatina. Über die Vv. pharyngeae mündet er in die V. jugularis interna. Zirkulatorische Dysfunktionen können einen venösen Stau machen und dadurch die Mikrozirkulation und die Drainage der Ohrtrompete stören. Bei wiederkehrenden Mittelohrentzündungen ist an eine Dysfunktion der Rachenmuskulatur und/oder an eine Drainagedysfunktion zu denken.

Missempfindungen im Bereich der Gaumen- oder Rachenschleimhaut können durch eine Dysfunktion des N. palatini major, N. palatini minor und R. pharyngeus nervi maxillaris ausgelöst werden. Auslöser kann auch eine Dysfunktion der Gaumensuturen sein (z. B. bei Gesichtstraumata durch Sturz, Schlag oder kieferorthopädische operative Eingriffe).

Schluckakt

Bei Kontraktion schließt der M. constrictor pharyngis superior zusammen mit dem Gaumensegel den dorsalen Abschnitt der Nasenhöhle und das Ostium ab. Die aufgenommene Flüssigkeit oder der Speisebrei können so ausschließlich nach kaudal in den Pharynx gleiten und mithilfe der mittleren und unteren Pharynxmuskulatur zum Ösophagus weitergeleitet werden; siehe auch Os hyoideum (S. 46).

Tritt beim Säugling während des Stillens Muttermilch aus dem Nasenbereich aus, muss u. a. geprüft werden, ob der weiche Gaumen unbeschädigt ist (inkomplettes Gaumensegel). Die Maximalform ist die inkomplette Verschmelzung des Proc. maxillaris mit dem Proc. nasalis in der embryonalen Entwicklung, ca. 7. SSW (sog. Lippen-Kieferspalte). Diese Entwicklungsstörung ist deutlich sichtbar. Sie entsteht, wenn die Vereinigung der paarigen Wülste im Bereich des Oberkiefers inkomplett ist. Beim Neugeborenen zeigt sich eine Lippen-Kiefer-Gaumenspalte. Das kann unterschiedliche Ausprägungen haben: Zum einen können Lippe, Oberkiefer, harter und/oder weicher Gaumen betroffen sein. Die Spaltbildung kann verdeckt, partiell oder total sein.

Schluckstörungen können z. B. auch nach Apoplex und operativen Eingriffen im Rachen- und Kehlkopfbereich auftreten. Ein positiver Wasserschlucktest (geringe Mengen Wasser werden im Sitzen intervallweise getrunken) zeigt sich kurz nach Wasseraufnahme durch Aspirationsstörungen, durch unmittelbares Husten nach dem Schlucken, ggf. Würgereflex und eine veränderte Stimme.

Motorisch wird der M. constrictor pharyngis superior vom N. glossopharyngeus (IX.) und N. vagus (X.) innerviert. Vegetative Dystonien können sich auf die Physiologie des Schluckakts auswirken.

Flügelgaumengrube

Die Fossa pterygopalatina befindet sich zwischen Os maxillare, Os sphenoidale und Os palatinum **(Proc. pyramidalis)** und ist eine Vertiefung in der Nähe der Schädelbasis (▶ **Abb. 2.64**). Hier liegt eines der 4 paarig angelegten parasympathischen Kopfganglien, **Ggl. pterygopalatinum** (Ggl. ciliare, oticum, submandibulare).

Dysfunktionen des Os palatinum beruhen nicht selten auf Traumata wie Stürzen, Zahnextraktionen, kieferorthopädischen Eingriffen. Hierbei wirkt das Os maxillare als Kraftüberträger auf das Os palatinum und kann dort zu Dysfunktionen führen. Durch die Beteiligung an der Fossa pterygopalatina können Gewebespannungen und dysfunktionale Fehlstellungen des Os palatinum raumbegrenzend wirken und die Funktionalität des Ggl. pterygopalatinum beeinträchtigen. Eine Funktion des Ganglions ist die Innervation von Nasen-, Gaumen- und Rachendrüsen, die die Sekretion verstärken können. (Kap. 2.3.3, Kap. 2.4.2)

Korrespondierende Strukturen

Auswahl an korrespondierenden Strukturen, die unter systemischen Aspekten therapeutisch von Bedeutung sein können:

- Canalis pterygoideus (Kap. 2.4.2)
- Ggl. pterygopalatinum
- Fissura orbitalis inferior
- A./V. meningea media
- N. maxillaris (V_2)
- N. canalis pterygoidei
- N. petrosus major (VII)
- N. petrosus profundus (Plexus caroticus)
- Faszien des Pharynx: Fascia buccopharyngea, pharyngobasilaris, praetrachealis, thyreoidea
- Karotisloge
- tiefe Frontallinie
- Zentralsehne
- Organe, die mit der Zentralsehne in Verbindung stehen
- reziproke Spannungsmembran
- SSB
- HWS
- CTÜ
- Körperstatik

Behandlungshinweise

- Indikationen für die Behandlung des Os palatinum sind u. a.:
  - Gaumenschmerzen
  - Dysfunktion der Tränen- und Nasendrüsen
  - Rhinitis
  - Sinusitis
  - Missempfindungen im Gaumen-Rachen-Bereich
  - Schnarchen
- Bei osteopathischen Dysfunktionen im Bereich von hartem, weichem Gaumen und Rachen können osteopathische Behandlungen des Zungengrunds und des Os hyoideum hilfreich sein.
- Trockene Schleimhäute, Störungen der Sekretion sind eine Indikation für die indirekte osteopathische Behandlung über das Os palatinum für das Ggl. pterygopalatinum. Ursachen für eine mögliche vegetative Dysfunktion sind zu berücksichtigen.
  Die Befreiung der Sutura pterygopalatina durch ein Disengagement kann hilfreich sein.
- Harmonisierung der Sutura cruciforme mit punktuellem Druck auf die Sutur. Bei dieser direkten Technik ist die Amplitude klein mit langsamen Wechsel von Druck und Entlastung. Das wirkt ausgleichend auf den harten Gaumen und bietet sich besonders bei Patienten an, die Zahnschienen tragen (intraossäre und suturale Spannungsmuster).
- Eine veränderte Spannung des weichen Gaumens kann zum Schnarchen führen. Eine Kompression des Os palatinum kombiniert mit einer SSB-Dysfunktion kann Ursache sein. Eine verstärkte kyphotische Haltung kann im Bereich der ventralen Körperfaszien einen verstärkten kaudalen faszialen Zug über die Bogensehne bewirken. Auch über die mögliche Dysfunktion der Aponeurosis palatinae besteht eine Verbindung zur Raphe pterygomandibularis und somit auch zur SSB und zur Zentralsehne. Mit den Balanced-Ligamentous-Techniken kann ein Spannungsausgleich erreicht werden. In diesem Zusammenhang ist bei einer kyphotischen Haltung auch auf Thoraxbewegung und Mobilität der Lunge zu achten. Zur Harmonisierung der Motilität und Motrizität der Lunge kann mit einem Point of Balance gearbeitet werden.
- Bei myofaszialen Dysfunktionen im Bereich der Raphe pterygomandibularis können Behandlungen über Anteile der Zentralsehne sinnvoll sein.

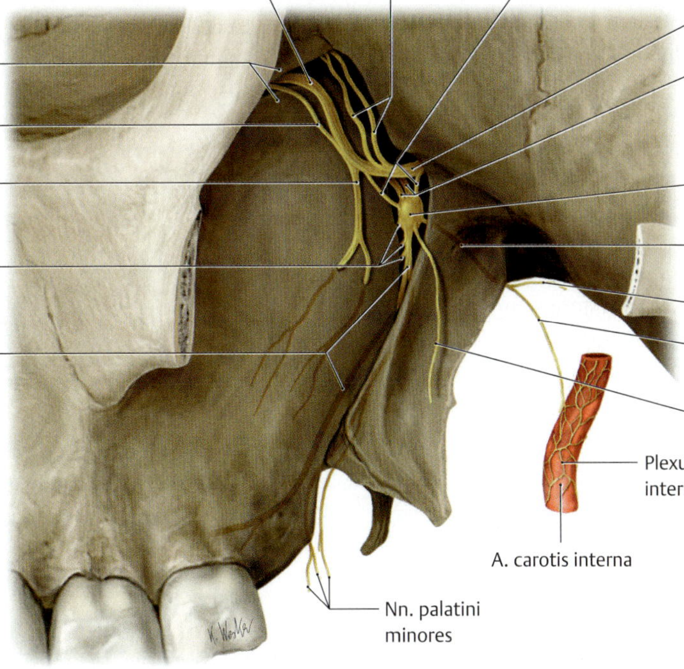

▶ **Abb. 2.64** Lage des Ganglion pterygopalatinum, Ansicht von lateral (linke Seite). (Quelle: Schünke M, Schulte E, Schumacher U. Prometheus. LernAtlas der Anatomie. Kopf, Hals und Neuroanatomie. Illustrationen von M. Voll und K. Wesker. 6. Aufl. Stuttgart: Thieme; 2022)

2.4.2 Os sphenoidale

Das Os sphenoidale (Keilbein) ist eine der komplexesten Knochenstrukturen im menschlichen Körper (▶ Abb. 2.65). Es wird dem **Neurokranium** zugeordnet, obwohl es auch am Viszerokranium beteiligt ist. Es liegt ventral vor den beiden Ossa temporalia und dem Os occipitale. Das Os sphenoidale ist ein **unpaariger Knochen**.

Von dorsal betrachtet hat es eine **schmetterlingsartige Form**. Es hat 2 große Flügel (**Alae majores**), 2 kleine Flügel (**Alae minores**) und 2 kleine kaudale Ausläufer (**Procc. pterygoidei**) sowie einen kleinen würfelförmigen Körper mit den beiden Keilbeinhöhlen. Von ventral betrachtet ähnelt es einer Wespe, die beidseits vorhandenen **Aperturae sinus sphenoidalis** wirken wie „zwei Augen".

Merke

Typisch für das Os sphenoidale ist seine zentrale Lage und die sich daraus ergebenden zahlreichen Durchtritts- und Ansatzstellen für Nerven, Gefäße, Faszien.

Topografisch ist das Os sphenoidale mit seinen ventralen Anteilen am **Gesichtsschädel** beteiligt und mit den dorsalen am **Hirnschädel**. Funktionell wirkt das Os sphenoidale wie eine **Weiche** zwischen dem Neurokranium und dem Viszerokranium. Es bestehen zahlreiche nervale, vaskuläre Verbindungen von Gehirnstrukturen zu Orbita und Sehorgan, aber auch zu Mund und Schlund. Es korrespondiert mit der sensiblen Innervation des Gesichts, der Dura u. a. über den 5. Hirnnerv, den **N. trigeminus**.

Das Os sphenoidale ist auch an der **vegetativen Komponente** beteiligt. Topografisch liegt zwischen den knöchernen Lamellen des Proc. pterygoideus die **Fossa pterygoidea**. Weiter rostral schließt sich die Fossa pterygopalatina an. Hier liegt das Ggl. pterygopalatinum und der N. maxillaris (V_2) teilt sich in N. zygomaticus und N. infraorbitalis auf. Auch die A. maxillaris verzweigt sich hier. Es bestehen Verbindungen sowohl über den N. canalis pterygoidei zum Plexus caroticus internus und zum Hirnnervenkern, Ncl. salivatorius superior, als auch über den N. glossopharyngeus zur Parotis. Faszial korrespondiert das Os sphenoidale insbesondere mit der Loge des Pharynx, intrakranial mit den Membranen, dem Diaphragma sellae und der Dura mater. Damit besteht auch ein Bezug zu den **venösen Blutleitern** des Kraniums.

Ligamentäre Verbindungen bestehen zum Unterkiefer und ggf. zum Ohr (nicht immer angelegt).

Das Os sphenoidale ist ein Tausendsassa. Abgesehen davon, dass es neben dem Os occipitale den zentralen Knochen der SSB bildet, ist es auch eine **wesentliche Stütze** der Schädelbasis. Es ist die Grenze zwischen der vorderen und der mittleren Grube des Schädels. Es beherbergt die **Hypophyse**, die vom Hypothalamus gesteuert wird und eine übergeordnete Rolle im hormonellen System innehat. Korrespondenzen bestehen darüber hinaus zu weiteren verschiedenen Anteilen des Gehirns (u. a. Lobus temporalis, 3. Ventrikel)

Das Os sphenoidale entwickelt sich aus einer **Vielzahl von Ossifikationszentren**. Dabei haben der Korpus, Ala minor und Ansatz der Ala major eine **chondrale**, die Procc. pterygoidei und der superiore Anteil der Alae majores eine **desmale** Anlage. Zum Zeitpunkt der Geburt kennzeichnet sich das Os sphenoidale durch eine Dreiteilung (Korpus mit Alae minores, Alae majores mit Procc. pterygoidei). Ca. im 7.–9. Lebensmonat verknöchert das Os sphenoidale. Postnatal entwickelt sich das Os sphenoidale dann weiter. Es adaptiert sich mit seinem neurokranialen Anteil an das Wachstum des Gehirns (bis ca. 7. Lebensjahr) und mit seinem Anteil am Viszerokranium an die veränderte Physiognomie bis ins Jugendalter.

Anatomie

Knöcherne Anteile (▶ Abb. 2.65, ▶ Abb. 2.66)

- **Korpus** (medial) mit innenliegendem paarigem Sinus sphenoidalis
  - **kaudale Anteile:**
    - Rostrum sphenoidale (kaudale Verbindung zum Sulcus vomeris) mit Fortsetzung in knöchernes Pharynxdach
    - Proc. vaginalis (kaudale gelenkige Verbindung zum Vomer)
  - **dorsale Anteile:** Dorsum sellae (Verbindung zum Os occipitale)
  - **kraniale Anteile:**
    - Spina ethmoidalis (Verbindung zur Lamina cribrosa des Os ethmoidale)
    - **Jugum sphenoidale** (Verbindung zwischen beiden Alae minores)

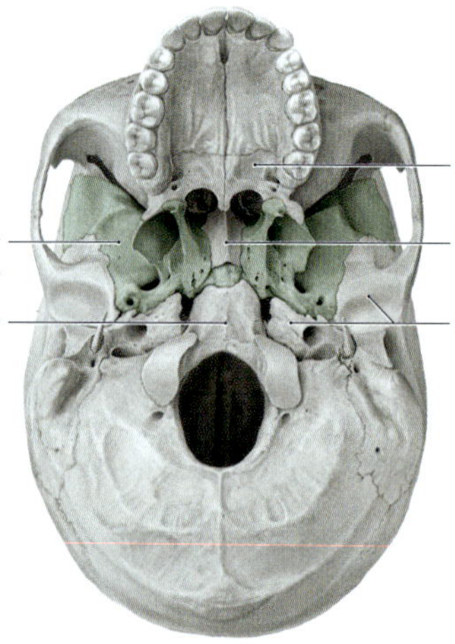

▶ **Abb. 2.65** Übersichtsbild Os sphenoidale und die Einbindung in die Schädelbasis, Ansicht von kaudal. (Quelle: Schünke M, Schulte E, Schumacher U, Voll M, Wesker K. 2.12 Keilbein (Os sphenoidale). In: Schünke M, Schulte E, Schumacher U, Voll M, Wesker K, Hrsg. Prometheus LernAtlas – Kopf, Hals und Neuroanatomie. 6. Auflage. Stuttgart: Thieme; 2022)

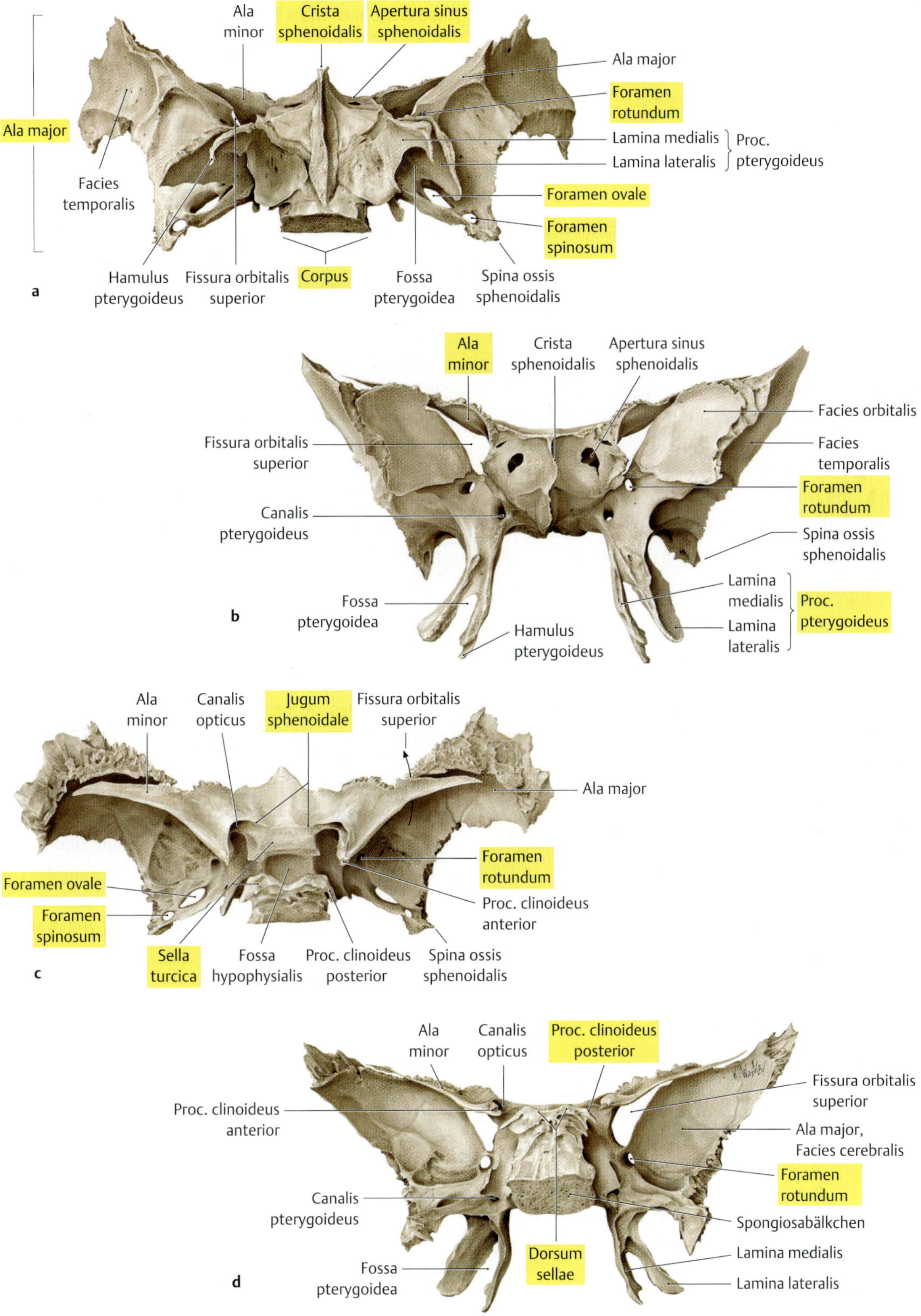

▶ **Abb. 2.66** Os sphenoidale.

a Ansicht von kaudal. (Quelle: Schünke M, Schulte E, Schumacher U. Prometheus. LernAtlas der Anatomie. Kopf, Hals und Neuroanatomie. Illustrationen von M. Voll und K. Wesker. 6. Aufl. Stuttgart: Thieme; 2022)

b Ansicht von ventral. (Quelle: Schünke M, Schulte E, Schumacher U. Prometheus. LernAtlas der Anatomie. Kopf, Hals und Neuroanatomie. Illustrationen von M. Voll und K. Wesker. 6. Aufl. Stuttgart: Thieme; 2022)

c Ansicht von kranial. (Quelle: Schünke M, Schulte E, Schumacher U. Prometheus. LernAtlas der Anatomie. Kopf, Hals und Neuroanatomie. Illustrationen von M. Voll und K. Wesker. 6. Aufl. Stuttgart: Thieme; 2022)

d Ansicht von dorsal. (Quelle: Schünke M, Schulte E, Schumacher U. Prometheus. LernAtlas der Anatomie. Kopf, Hals und Neuroanatomie. Illustrationen von M. Voll und K. Wesker. 6. Aufl. Stuttgart: Thieme; 2022)

    • Sella turcica (Türkensattel) ventral mit querem Tuberculum sellae und Querrinne zum Canalis opticus beidseits, mittig mit Fossa hypophysialis, dorsal mit Dorsum sellae mit Procc. clinoidei posteriores
  - **ventrale Anteile:**
    • **Crista sphenoidalis** (Verbindung zum Os ethmoidale)
    • Apertura sinus sphenoidalis (Kontaktstelle zur Nasenhöhle)
  - **laterale Anteile:**
    • beidseits Wurzeln der Alae minores und majores
    • Wände der Sella turcica sind mediale Wände des Sinus cavernosus mit Sulcus caroticus für den Verlauf der A. carotis interna
    • untere laterale Wand bildet posterioren Anteil der medialen Wand der Orbita
- **Ala major** (beidseitig)
  - nach lateral ausgerichtet
  - bildet Boden der mittleren Schädelgrube (anterolateral)
  - 4 Flächen:
    • Facies cerebralis (anterior-superiorer Anteil ist Begrenzung Fissura orbitalis superior, Foramen ovale, rotundum, spinosum, venosum [inkonstant])
    • Facies temporalis (mit Sulcus tubae auditivae)
    • Facies orbitalis (dorsolaterale Orbitawand)
    • Facies maxillaris (Verbindung zum Os maxillare)
- **Ala minor** (beidseitig)
  - nach lateral ausgerichtet
  - bildet ventral hinteren-oberen Anteil der Orbita
  - lateral: Begrenzung für Fissura orbitalis superior
  - posteriorer Anteil bildet Proc. clinoideus
  - kaudal: Mulde für A. carotis interna
  - medial: Korpusnähe Canalis opticus
- **Proc. pterygoideus** (beidseitig), nach kaudal ausgerichtet
  - laterale und mediale Lamina
  - mediale Lamina mit Fortsatz Hamulus pterygoideus und Proc. vaginalis
  - Proc. vaginalis (bildet mit Vomer den Canalis vomerovaginalis, mit dem Os palatinum den Canalis palatovaginalis)
  - Laminae begrenzen Fossa pterygopalatina
  - Incisura pterygoidea (kaudal Einschnitt der Laminae) artikuliert mit Os palatinum (Proc. pyramidalis)
  - an der Basis Canalis pterygoideus → Fossa pterygopalatina
  - ist mobiler Fixpunkt (hier knöchernes Fulcrum) für Lig. pterygomandibulare, Fascia pterygoidea, Fascia buccopharyngea

Benachbarte Knochen und ihre Suturen (▸ Abb. 2.67; ▸ Abb. 2.68)
- Os parietale (superior, Sutura sphenoparietalis)
- Os frontale (anterior, Sutura sphenofrontalis)
- Os ethmoidale (anterior, Sutura sphenoethmoidalis)
- Vomer (inferior, Sutura sphenovomeriana)
- Os zygomaticum (anterolateral, Sutura sphenozygomatica)
- Os palatinum (anterior-inferior, Sutura sphenopalatina)
- Os temporale (lateral, Sutura sphenosquamosa, Sutura sphenopetrosa)
- Os occipitale (posterior, Synchondrosis sphenobasilaris, Sutura sphenooccipitale)

Foramina, Fissuren, Canales
- Foramen rotundum → N. maxillaris (V_2), V. emissaria
- Foramen ovale → N. mandibularis (V_3), N. petrosus minor (IX), R. meningeus accessorius, Plexus venosus
- Foramen spinosum → N. recurrens meningeus von N. mandibularis (V_3), A./V. meningea media
- Foramen venosum → nicht immer angelegt, V. emissaria
- Foramen lacerum → in Verbindung mit Os temporale, Os occipitale → N. canalis pterygoidei → N. petrosus major et profundus, N. petrosus minor, A. canalis pterygoidea, A. pharyngea ascendens, Vv. emissariae, A. carotis interna liegt auf
- Sulcus tubae auditivae → Halbrinne zusammen mit Pars petrosa Os temporale → Anheftung knorpeliger Tubenanteil
- Canalis pterygoideus → N. petrosus major und N. petrosus major profundus
- Canalis vomerovaginalis → Verbindung von Fossa pterygopalatina zu Nasenpharynx → Ast von A. sphenopalatina
- Canalis palatovaginalis → Verbindung von Fossa pterygopalatina zu Nasenpharynx → Ast der A. maxillaris → R. pharyngeus, sensibler Ast N. maxillaris (V_2) → N. pharyngeus
- Canalis opticus (Ala minor) → N. opticus, A. ophthalmica
- Fissura sphenopetrosa → N. petrosus minor (IX)
- Fissura orbitalis superior → von medial: N. oculomotorius (III), N. abducens (VI), N. nasociliaris → N. ophthalmicus (V_1); von lateral: N. trochlearis (IV), N. lacrimalis, N. frontalis → beide aus N. ophthalmicus (V_1), V. ophthalmica superior
- Fissura orbitalis inferior (zusammen mit Os maxillare) → V. ophthalmica inferior (Plexus venosus pterygoideus), N. zygomaticus, N. infraorbitalis

Ligamente

- Lig. sphenomandibulare (Spina ossis sphenoidalis zu R. mandibulae [Innenseite])
- Lig. von Gruber (Lig. sphenopetrosum; **Dorsum sellae**, Proc. petrosus, zu Apex, Pars petrosa)
- Lig. pterygospinale (Lamina laterale des Proc. pterygoideus zu Spina ossis sphenoidalis)
- Lig. von Hyrtl (Lamina laterale des Proc. pterygoideus zur Außenseite des Foramen ovale)
- Lig. mallei anterius (Proc. anterius des Hammers in Fossa petrotympanica zu Spina ossis sphenoidalis)

Kaumuskulatur (Kap. 2.3.1)

- M. temporalis
- M. pterygoideus medialis
- M. pterygoideus lateralis

Externe Augenmuskulatur

- **M. rectus superior:**
  - **Ursprung:** Anulus tendineus communis
  - **Ansatz:** obere Seite Bulbus oculi, ventral des Aequator bulbi
  - **Innervation:** N. oculomotorius (III)
  - **Funktion:** dreht den Bulbus oculi nach kranial (Elevation), Innenrotation
- **M. rectus inferior:**
  - **Ursprung:** Anulus tendineus communis
  - **Ansatz:** untere Fläche medial Bulbus oculi
  - **Innervation:** N. oculomotorius (III)
  - **Funktion:** dreht den Bulbus oculi nach kaudal (Depression), Außenrotation
- **M. rectus medialis:**
  - **Ursprung:** Anulus tendineus communis
  - **Ansatz:** mediale Seite Bulbus oculi, ventral des Aequator bulbi
  - **Innervation:** N. oculomotorius (III)
  - **Funktion:** dreht Bulbus oculi einwärts (Adduktion)
- **M. rectus lateralis:**
  - **Ursprung:** Anulus tendineus communis
  - **Ansatz:** Außenseite Bulbus oculi, ventral des Aequator bulbi
  - **Innervation:** N. abducens
  - **Funktion:** dreht Bulbus oculi nach lateral (Abduktion)
- **M. obliquus superior:**
  - **Ursprung:** Os sphenoidale
  - **Ansatz:** Bulbus oculi, kranialer temporaler Quadrant
  - **Innervation:** N. trochlearis
  - **Funktion:** dreht Bulbus oculi nach innen (Abduktion), Depression
- **M. levator palpebrae superioris:**
  - **Ursprung:** Anulus tendineus communis
  - **Ansatz:** Aponeurose
  - **Innervation**: durch R. superior (N. oculomotorius)
  - **Funktion:** hebt das Oberlid
- **M. tensor veli palatini** (Kap. 3.3.1)
- **M. palatopharyngeus:**
  - **Ursprung:** Gaumenaponeurose, Proc. pterygoideus, Lamina medialis
  - **Ansatz:** dorsale Wand Phrarynx
  - **Innervation:** durch Plexus pharyngeus
  - **Funktion:** Unterstützung Schluckakt
- **M. constrictor pharyngis superior** (Kap. 2.3.1)

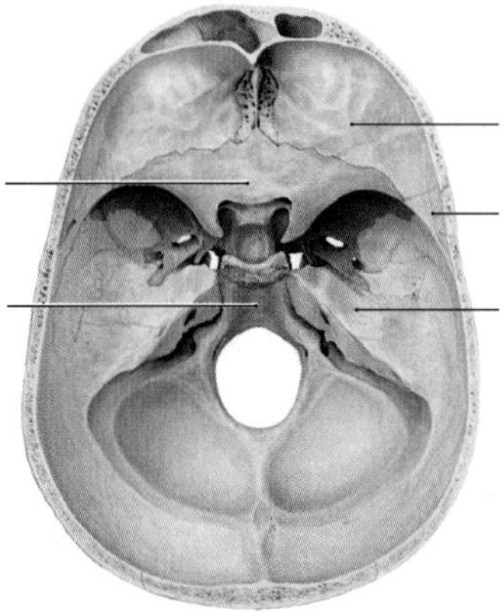

► **Abb. 2.67** Innerhalb der Schädelbasis, Ansicht von kranial. (Quelle: Schünke M, Schulte E, Schumacher U. Prometheus. LernAtlas der Anatomie. Kopf, Hals und Neuroanatomie. Illustrationen von M. Voll und K. Wesker. 6. Aufl. Stuttgart: Thieme; 2022)

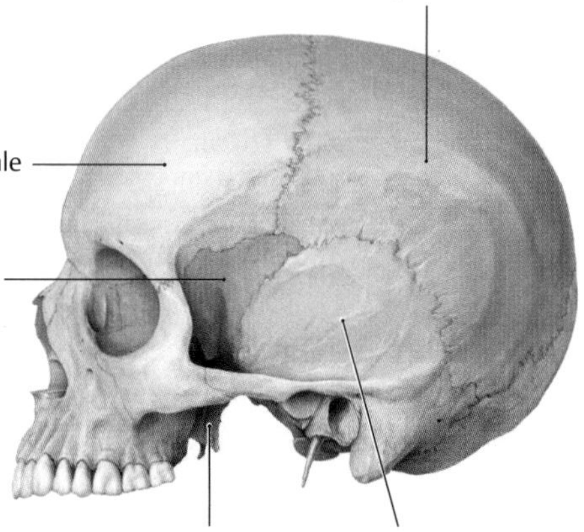

► **Abb. 2.68** Lage Ala major des Os sphenoidale und angrenzende Knochen, Ansicht von links-lateral. (Quelle: Schünke M, Schulte E, Schumacher U. Prometheus. LernAtlas der Anatomie. Kopf, Hals und Neuroanatomie. Illustrationen von M. Voll und K. Wesker. 6. Aufl. Stuttgart: Thieme; 2022)

Faszien, intrakraniale Membranen

- Fascia orbitalis (Auskleidung der Orbita)
- Aponeurosis interpterygoidea (Spina ossis sphenoidalis zum Foramen spinosum und Foramen ovale)
- Pharynx mit viszeraler Loge über Lamina medialis von Proc. pterygoideus und Foramen lacerum
- Tentorium cerebelli (Ansätze an Procc. clinoidei anterior und posterior)
- Diaphragma sellae (Sella turcica, Seitenränder)
- Duraanteil anterior
- Raphe pterygomandibularis (Teil der Halsfaszie im Spatium peripharyngeum)
- Raphe pharyngis (Rachennaht am dorsalen Pharynx → Ansatz für Rachenmuskeln, setzt am Tuberculum pharyngeum des Os occipitale an)

Systemische Vaskularisation

- A. carotis interna (Sulcus caroticus media → Foramen lacerum)
- A. cerebri anterior (Ast aus A. cerebri medialis → A. carotis interna)
- A. ophthalmica (Ast aus A. carotis interna → Canalis opticus)
- A. meningea media (Foramen spinosum → Sutura sphenosquamosa → A. maxillaris → A. carotis externa)
- V. emissaria v. Nühn (Foramen rotundum)
- V. meningea media (Foramen spinosum)
- Sinus cavernosus (entlang Korpus des Os sphenoidale)
- V. ophthalmica superior (Fissura orbitalis superior → Sinus cavernosus)
- Plexus venosus pterygoideus (Fossa infratemporalis)

Neurologisches Netzwerk

- N. opticus (II) → Canalis opticus
- N. oculomotorius (III) → Fissura orbitalis superior
- N. trochlearis (IV) → Fissura orbitalis superior
- N. ophthalmicus (V_1) → Fissura orbitalis superior
- N. maxillaris (V_2) → Foramen rotundum
- N. abducens (VI) → verläuft unter Lig. sphenopetrosum
- N. canalis pterygoidei → Canalis pterygoideus → Fossa pterygoidea (N. petrosus major, parasympathischer Ast N. facialis (VII), und N. petrosus profundus, sympathischer Ast aus Plexus caroticus internus)
- N. petrosus minor (IX) → Foramen ovale
- Plexus caroticus internus → entlang A. carotis interna
- Ggl. pterygopalatinum → Fossa pterygopalatina
- Hypothalamus (über Hypophysenstiel → Durchtritt Diaphragma sellae)
- Hypophyse → Sella turcica
- Frontallappen Nähe Ala minor (u. a. motorisches Sprachzentrum in der Großhirnrinde)
- anteriorer Anteil Temporallappen
- 3. Ventrikel → kranial Sella turcica

Myofasziale Wirkungsketten

Über die Kaumuskulatur (M. temporalis, Mm. pterygoidei medialis und lateralis) besteht eine Verbindung zur tiefen Frontallinie. Der M. pterygoideus medialis bildet eine Muskelschlinge mit dem M. masseter, der ebenfalls Bestandteil der tiefen Frontallinie ist [16].

Die Anheftung des Tentorium cerebelli am Dorsum sellae und an den Proc. clinoidei anteriores und posteriores stellt den Bezug zur Zentralsehne her [16].

Tiefe Frontallinie

Sie umfasst dreidimensional den Raum und bildet das Zentrum der myofaszialen Zugketten. Sie reicht von den Füßen bis zur Synchondrosis sphenobasilaris ([16], ▸ Abb. 2.69).

Ihre Funktion ist die Stützung des Körpers. Sie übt über die Bewegung des Zwerchfells (Atembewegung) einen zentralen Einfluss auf sämtliche Körperregionen aus. Sie stabilisiert als die am tiefsten liegende Muskelkette den Rumpf von innen, überträgt Kräfte als verbindende Struktur zwischen unterer Extremität, inneren Organen und dem Kranium. Sie kann u. a. Spannungen aus dem peritonealen und retroperitonealen Bereich auf die HWS und das Kranium übertragen.

Verlauf tiefe Frontallinie: Basis phalangis distalis II–V (plantar), Tuberositas ossis navicularis, Os cuboideum, Basis ossis metatarsi II und III → M. flexor hallucis longus, M. flexor digitorum longus, M. tibialis posterior → Facies posterior tibiae und fibulae → Fascia poplitea → Gelenkkapsel Knie → Epicondylus medialis femoris

- **unterer posteriorer Bereich:** Mm. adductores magnus und minimus (Septum intermusculare posterius) → R. ossis ischii → Diaphragma urogenitale → M. piriformis → Os coccygis → Lig. longitudinale anterius → Wirbelkörper LWS
- **unterer anteriorer Bereich:** Linea aspera → Septum intermusculare mediale → Mm. adductores brevis, longus und magnus → Trochanter minor → M. psoas major, M. iliacus, M. pectineus (Trigonum femorale) → Wirbelkörper LWS, Procc. transversi L 1–L 5 → M. quadratus lumborum
- **oberer posteriorer Bereich:** Wirbelkörper LWS → Lig. longitudinale anterius, M. longus colli, M. longus capitis → Pars basilaris ossis occipitalis
- **oberer mittlerer Bereich:** Wirbelkörper LWS → Crura mediale und laterale des Diaphragma abdominale, Centrum tendineum → Mediastinum, Perikard, Pleura parietalis → Lig. longitudinale anterius, Fascia cervicalis (Lamina praevertebralis), Raphe pharyngis, Mm. scaleni → Faszie des M. scalenus medius → Procc. transversi C 2–C 7, Pars basilaris ossis occipitalis

- **oberer anteriorer Bereich:** Wirbelkörper LWS → Crura mediale und laterale des Diaphragma abdominale, Centrum tendineum → ventral Pars costalis (Diaphragma abdominale) → Proc. xiphoideus, dorsale Seite der Cartilago costalis → Fascia endothoracica, M. transversus thoracis → dorsale Seite Manubrium → Mm. infrahyoidei (M. omohyoideus, M. sternohyoideus), Lamina praetrachealis → Os hyoideum → Mm. suprahyoidei (M. digastricus, M. hypoglossus, M. mylohyoideus, M. genohyoideus) → Os mandibulare → M. masseter → Arcus zygomaticus → M. temporalis → Squama ossis temporalis, Os parietale → Mm. pterygoidei lateralis und medialis → Os sphenoidale → Proc. pterygoideus, Ala major ossis sphenoidalis

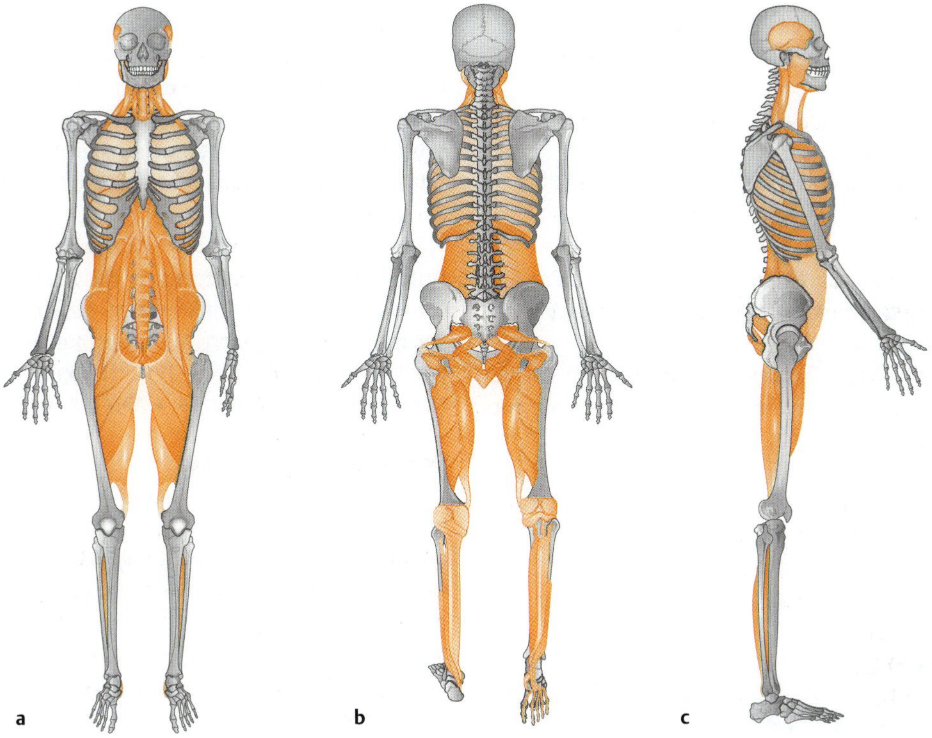

▸ **Abb. 2.69** Myofasziale Wirkungsketten: tiefe Frontallinie. (Quelle: Corts M, ter Harmsel I. Sportosteopathie. Stuttgart: Haug; 2013)

Kraniosakraler Kontext

Das Os sphenoidale bewegt sich in der kranialen Inspiration in Flexion, in der kranialen Exspiration in Extension. Die transversale Achse, um die sich das Os sphenoidale bewegt, liegt ventral vor der Sella turcica.

Die Dysfunktionen der SSB werden nach den noch möglichen Bewegungen des Os sphenoidale benannt (Kap. 6.3.3).

Normalbefund bei Palpation

- **Inspirationsphase** (▶ Abb. 2.70, ▶ Abb. 2.71)
  - Die Alae majores bewegen sich in Außenrotation (nach außen, vorne und unten).
  - Die Alae minores gleiten nach vorne, unten und außen.
  - Der hintere Teil des Keilbeinkörpers hebt sich (superior), der vordere Teil senkt sich (inferior).
  - Die Sella turcica geht nach superior-anterior.
  - Die Procc. pterygoidei gleiten nach hinten außen.
  - Der Margo zygomaticus alae majoris geht nach anterior, inferior, lateral.
- **Exspirationsphase**: Die Bewegungsrichtungen der benannten Strukturen sind in der Exspirationsphase entgegengesetzt.

Die Bewegung ist symmetrisch, mit gleicher ausgewogener Amplitude und Kraft. Die Bewegung wirkt leicht und frei.

> **Praxistipp**
> **Dysfunktionen**
> Für Sutherland steht das Os sphenoidale im engen Zusammenhang mit Dysfunktionen des Gesichtsschädels.

Kraniometrischer Punkt (▶ Abb. 2.72): Pterion: Dieser Verbindungspunkt liegt zwischen Os frontale, Os parietale, Os sphenoidale und Os temporale (entspricht der vorderen seitlichen Fontanelle des Säuglings).

Zentrallinie: Das Os sphenoidale wird den Knochen der Zentrallinie zugeordnet.

Hinweis: Die Quellenangaben [15], [58], [59] beziehen sich auf den gesamten „Kraniosakralen Kontext".

Osteopathische Korrespondenzen

Bulbusbewegung

Das **Lig. sphenopetrosum** (Lig. von Gruber) überkreuzt den N. abducens (VI), der den M. rectus lateralis innerviert. Der Muskel dreht den Augapfel nach lateral, abduziert ihn also.

Bei zahnchirurgischen Eingriffen, besonders bei Extraktionen, kann das Ligament beeinträchtig werden und unphysiologisch unter Spannung kommen. Eine Dysfunktion der Sutura sphenopetrosa kann damit einhergehen. Denkbar ist eine Beeinträchtigung der nervalen Versorgung, die dann zum einseitigen Schielen führt (Zugkraft des M. rectus medialis überwiegt). Je nach Ausmaß könnte es zum „Doppelbild sehen" kommen. Eine Verknöcherung des Ligaments ist auch möglich. Ein verengter Durchtrittsbereich kann ebenfalls den Nerv in seiner Funktionalität stören.

Stauungen im Bereich des Sinus cavernosus können zu Irritationen der naheliegenden Nervenverläufe führen, die ebenfalls mit dysfunktionalen Augapfelbewegungen korrespondieren können (N. oculomotorius [III], N. trochlearis [IV], N. abducens [VI], N. ophthalmicus [V_1], N. maxillaris [V_2]; Kap. 2.5.1, ▶ **Abb. 2.84**).

Sehstörungen N. opticus

Eine Dysfunktion des Os sphenoidale kann die Eigenmobilität der Orbita stören. Der Canalis opticus kann unter unphysiologische Spannung geraten. Denkbar ist eine Beeinträchtigung der Durascheide, die den Sehnerv umgibt. Auch das begleitende Gefäß, A. ophthalmica, kann unter Kompression geraten. Der Anulus tendineus communis kann gleichfalls unter unphysiologischer Spannung stehen und sich so auf den mittigen Durchtrittsbereich des N. opticus übertragen.

Frühkindliche Sehstörungen

Durch Geburtstraumata kann es beim Neugeborenen zu intraossären Störungen des Os sphenoidale kommen. Seine noch nicht ausgereifte Verknöcherung kann zu Dysfunktionen der Orbita führen. Komplexe Beschwerdebilder, die sich v. a. aus den am Sehen beteiligten Strukturen ergeben (N. opticus, aber auch die der Bulbusbewegung), können auftreten (Kap. 2.5.1, Kap. 6.3.3).

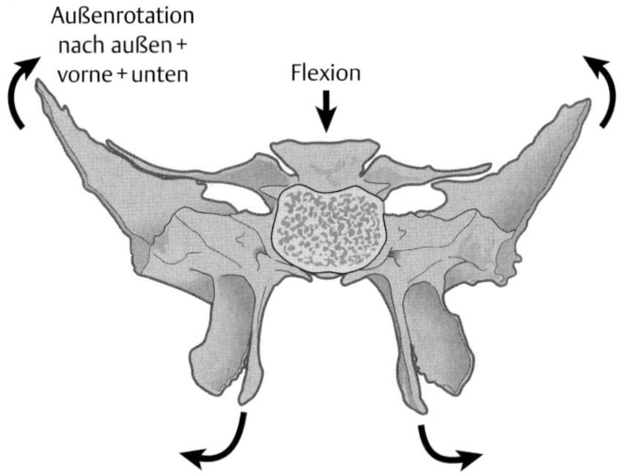

► **Abb. 2.70** Os sphenoidale in der Inspirationsphase (von dorsal). (Quelle: Liem T. Kraniosakrale Osteopathie. 7. Aufl. Stuttgart: Thieme; 2018)

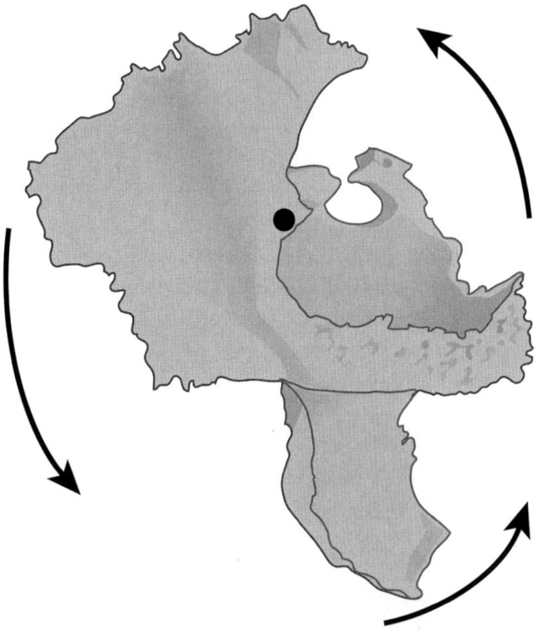

► **Abb. 2.71** Os sphenoidale in der Inspirationsphase (von lateral). (Quelle: Liem T. Kraniosakrale Osteopathie. 7. Aufl. Stuttgart: Thieme; 2018)

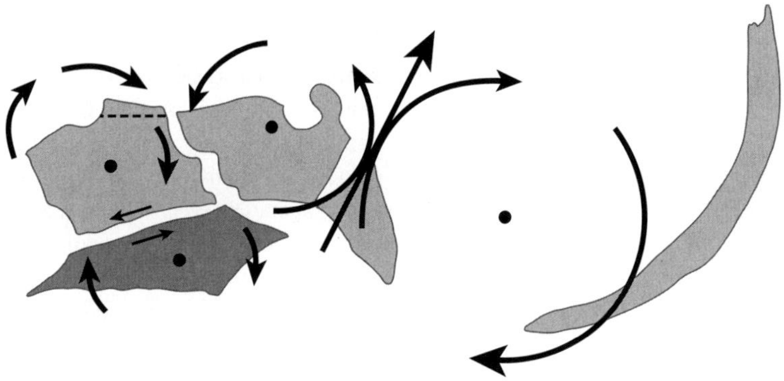

► **Abb. 2.72** Vomer und die Schädelbasis in der Inspirationsphase. (Quelle: Liem T. Kraniosakrale Osteopathie. 7. Aufl. Stuttgart: Thieme; 2018)

Störungen der Tränen-, Gaumen- und Nasendrüsen

Das Foramen lacerum ist inkomplett mit Faserknorpel angefüllt. Das Foramen wird in Verbindung mit dem Os temporale gebildet. Der N. petrosus profundus (Plexus caroticus internus) und N. petrosus major (VII) treten hindurch. Dysfunktionen des Os sphenoidale können den Durchtrittsbereich des Foramen stören. N. petrosus major, als parasympathischer Ast des N. facialis, kann in seiner Funktion, die Glg. palatinae, nasales und lacrimales zu innervieren, beeinträchtigt werden. Das gleiche gilt für die sympathische Innervation der Drüsen über den N. petrosus profundus.

SSB-Dysfunktionen

Faszien und Aponeurosen aus dem Hals- und Pharynxbereich können unphysiologische Spannungen auf die SSB übertragen und zu Dysfunktionen führen. Die Zentralsehne kann über das Mediastinum und die viszerale Loge Dysfunktionen der Viszera ebenfalls auf das Os sphenoidale übertragen (Kap. 6.3.3, Kap. 7.1.1).

Drainagestörungen der venösen Abflüsse

Dysfunktionen von Sphenoid und SSB können unphysiologische Spannungen auf das Tentorium cerebelli, die Falx cerebri, Falx cerebelli und die extrakraniale Dura mater spinalis ausüben.

Venöse Stauungen, verminderter venöser Abfluss, Störung der Mikrozirkulation in den anhängigen Geweben sind möglich. Stauungskopfschmerz kann ein Symptom sein.

Kopfschmerzen

Dysfunktionen des Os sphenoidale können Spannungen auf die A. meningea media über das Foramen spinosum oder die Sutura sphenosquamosa übertragen. Migräneartige Kopfschmerzen können die Folge sein. Schließt man primäre Traumata wie Sturz, Schläge, operative Eingriffe aus, kann u. a. auch ein Hypertonus der Kaumuskulatur eine mögliche Ursache für die Dysfunktion sein. Anamnestisch ist die Frage nach Zähneknirschen, CMD, Mundpresse, Zahnspangenbehandlung und kieferchirurgischen Eingriffen unerlässlich.

Diaphragma sellae und endokrines System

Das Diaphragma sellae überspannt die in der Fossa hypophysalis (Bereich Sella turcica) liegende Hypophyse. Es lässt aber am Hiatus diaphragmaticus den Hypophysenstil durchtreten, der zum Hypothalamus führt (Hypothalamus-Hypophysen-Achse). Das Diaphragma (Ansatz Proc. clinoideus posterior und anterior) grenzt damit die Hypophyse zum Zwischenhirn (Diencephalon) ab.

Unphysiologische Spannungen im Bereich des Diaphragma sellae, z. B. durch Dysfunktion des Os sphenoidale, können die Hypophyse, die sich auf der Oberseite des Korpus in der Fossa hypophysialis befindet, in ihrer Funktion beeinträchtigen. Bezogen auf die Bedeutung „Fluktuation des Liquors" ist hier auf die räumliche Nähe zum 3. Hirnventrikel zu achten. Bedenkt man, dass die Hypophyse über 2 Wege vom Hypothalamus stimuliert wird –Hypothalamus wirkt vaskulär auf die Adenohypophyse und neuronal über den Tractus hypothalamohypophysialis auf die Neurohypophyse –, ist die Bedeutung der Mikrozirkulation offensichtlich.

! Merke

Die Hypophyse teilt sich in 2 Anteile auf:

- **Adenohypophyse (Vorderlappen)**
- **Neurohypophyse (Hinterlappen)**

Die Adenohyphophyse ist elementar für die Ausschüttung von glandotropen Hormonen:

- **TSH (thyreoideastimulierendes Hormon)**
- **ACTH (adrenokortikotropes Hormon)**
- **FSH (follikelstimulierendes Hormon)**
- **LH (luteinisierendes Hormon)**

Die Hormone STH (Somatotropes Hormon), MSH (melanozytenstimulierendes Hormon) und Prolaktin wirken direkt auf das Erfolgsorgan.
Die Hormone ADH (antidiuretisches Hormon) und Oxytocin werden über die Neurohypophyse sezerniert (Zwischenlager der über den Hypothalamus produzierten Hormone).
Ein Hypophysenadenom führt zur Akromegalie.

Unterstützung des Geruchssinns

Das Os ethmoidale und das Os sphenoidale korrespondieren über die Spina ethmoidalis miteinander. Die kraniosakrale Bewegung wird u. a. hier auf das Os ethmoidale übertragen. Die wechselhaften Spannungen, die sich aus der kraniosakralen Bewegung ergeben, können hier adaptiert werden. Sie können u. a. eine positive Drainagefunktion z. B. im Bereich der Lamina cribrosa (Lage der Fila olfactoria) und des Foramen caecum (V. emissaria) haben. Das Anregen der Zirkulation kann den mikrozellulären Stoffwechsel begünstigen.

Verminderter Druckausgleich der Paukenhöhle

Die Dysfunktion des Os sphenoidale kann das Gaumensegel in Dysbalance bringen. Die Wirkung des M. tensor veli palatini (erweitert Durchgang), der vom **Proc. pterygoideus** zum Tubenknorpel zieht, kann beeinträchtig sein. Beim Schluckakt kann dann im Zusammenspiel mit dem M. levator veli palatini (verengt den Durchgang) das muskuläre Zusammenspiel gestört sein, wodurch der Druckausgleich in der Paukenhöhle beeinträchtigt wird. Die Entwicklung einer Otitis media ist möglich.

Auch die Innervation des M. tensor veli palatini über Äste des N. mandibularis (V_3) kann über Engpassstellen wie das **Foramen ovale** dysfunktional sein. Besonders dann, wenn dysfunktionale Faszien des Rachens und Gaumens (Aponeurosis palatina, pterygotemporomandibularis) dysbalancierte Spannungen auf die Strukturen übertragen.

Medialer Kopfschmerz, zirkulatorische Störungen der kranialen Dura mater

Durch das **Foramen spinosum** verlaufen A./V. meningea media. Die V. meningea media drainiert die Dura mater und mündet im Plexus venosus. Dysfunktionale Faszienspannung, insbesondere der Aponeurosis interpterygoidea, kann den Durchtrittsbereich verengen und die Drainageleistung der Vene mindern, ggf. auch die arterielle Mikrozirkulation im Versorgungsgebiet der A. meningea media stören. Gleichfalls zieht der N. recurrens meningeus vom N. mandibularis (V_3) durch das Foramen spinosum. Im Bereich der mittleren Schädelgrube versorgt er sensibel die Dura mater. Dysfunktionen können hier zu Kopfschmerzen führen.

Deutlicher kann der Kopfschmerz werden, wenn die Dura mater unter vermehrter dysfunktionaler Spannung steht und gleichzeitig eine Dysfunktion der Sutura sphenosquamosa und Sutura sphenofrontalis (große Auflageflächen) vorliegt. Die eingeschränkte Bewegung des Os sphenoidale in Kombination mit dem Os temporale kann massiv die kraniosakrale Dynamik stören (Kap. 3.3.1, Kap. 6.3.3).

Venöse Stauungen im Plexus pterygoideus

Durch eine dysfunktionale Bewegungsübertragung vom Os sphenoidale auf das Os palatinum (Procc. pterygoidei gleiten auf Ossa palatina) kann es zu einer Einschränkung des Os maxillare kommen. Das kann Strukturen in der Fossa pterygopalatina beeinträchtigen. Zirkulatorische Störungen im Plexus pterygoideus sind denkbar, aber auch im Bereich des Ggl. pterygopalatinum. Damit kann die Sekretion im Bereich der Siebbeinzellen, des Sinus sphenoidalis, der Nasenschleimhaut, von Gaumen und Tränendrüse gestört werden (Kap. 7.1.4).

Korrespondierende Strukturen

Auswahl an korrespondierenden Strukturen, die unter systemischen Aspekten therapeutisch von Bedeutung sein können:

- Fascia cervicalis superficialis, medialis
- Fascia buccopharyngea, pharyngobasilaris, praetrachealis, thyreoidea, Karotisloge (Faszien des Pharynx)
- reziproke Spannungsmembranen
- Zentralsehne (einzelne Bestandteile, alle Organe, die über die Zentralsehne wirken können)
- Os hyoideum
- Kiefergelenk
- Liquor cerebrospinalis
- venöse Blutleiter
- Ggl. oticum
- Diaphragmen

Behandlungshinweise

- Indikationen für die Behandlung des Os sphenoidale sind u. a.:
  - Kopf-, Augenschmerzen
  - Sehstörungen
  - Zirkulationsstörung im Bereich des Bulbus oculi
  - Störungen der Augenbewegung
  - CMD
  - Skoliosen
  - endokrine Störungen im Bereich der Hypophyse
  - Störungen der Schleimhautsekretion im Bereich Augen, Mund-Rachen-Raum, Kieferhöhlen, Nasen- und Nasennebenhöhlen
  - Paukenhöhlenergüsse
- Zum Lösen der L-förmig verlaufenden Sutura sphenofrontalis bietet sich die Cant-hook-Technik an.
- Bei Dysfunktionen im Bereich der Hypophyse kann man sich die räumliche Nähe des 3. Ventrikels zunutze machen und mit einer CV3-Technik behandeln.
- Belüftungsstörungen der Tuba auditiva und Stau im Sinus sphenoidalis können mit Earpull-Technik, Unwinding der Halsfaszien, Befreiung der Sutura sphenopetrosa und Drainagetechniken für den Plexus pterygoideus behandelt werden.
- Eine abschließende Behandlung der SSB mit der Schädeldachhaltung als indirekte Technik kann noch bestehende Dysfunktionen der SSB ausgleichen.
- Mögliche Behandlungsabfolge bei Paukenhöhlenerguss mit Berücksichtigung der tiefen Frontallinie: Befreiung Os sacrum und Diaphragma pelvis durch mediales Gapping der Ilii, PBLT im Bereich Os sacrum suchen und Entspannung des Gewebes abwarten, Befreiung des Diaphragma abdominale und zervikothorakales Diaphragma (ggf. mit Enhancer der tiefen Ein- und und langsamen Ausamtung), PBLT an Atlas, myofaszialer Release Os occipitale, Befreiung Foramen jugulare, Temporalrollen mit Schmetterlingsgriff, Drainage der venösen Blutleiter, harmonisieren der SSB über Schädeldachhaltung.
- Mobilisation der tiefen Frontallinie mit Einzelübungen für den Patienten: Traktionszug Nacken, Bogenspanner, Thoraxschraube, Diagonalzug, Wandgrätsche, umgekehrter Hürdensitz, Ausfallschritt [17].

2.4.3 Os ethmoidale

Das Os ethmoidale (Siebbein; ▶ **Abb. 2.73**) liegt tief median, befindet sich mittig zwischen den Augenhöhlen und ist an der Schädelbasis beteiligt. Das Os ethmoidale wird dem **Viszerokranium** zugeordnet. Es befindet sich kaudal der vorderen Schädelgrube, ist sogar am Grubengrund beteiligt, bildet einen Teil der Nasenhöhle und ist komplex in die knöchernen Schädelstrukturen eingebunden. Es ist der korrespondierende Knochen zwischen Nasenhöhle und der vorderen Schädelgrube.

Das Os ethmoidale ist kranial vom Os frontale begrenzt und steht kaudal mit den beiden Ossa maxillaria in Verbindung. Zum Os sphenoidale befindet sich das Os ethmoidale anterior und es korrespondiert inferior mit dem Vomer und der knorpeligen Nasenscheidewand. Damit ist es auch an zahlreichen Räumen des Schädels beteiligt: Nasenhöhle, Orbita, vordere Schädelgrube.

Charakteristisch sind die **3 Bereiche**, in die das Os ethmoidale unterteilt werden kann:

- **Lamina cribrosa** als kranial liegende horizontale Platte
- **Lamina perpendicularis** als senkrecht stehende Knochenmittelwand
- paariges Labyrinthus ethmoidalis, das sich durch seine zahlreichen knöchernen Perforationen kennzeichnet

Das Os ethmoidale hat eine **chondrale Anlage** und zeigt im Laufe der intrauterinen Entwicklung **3 Ossifikationszentren** (Massae lateralis und Lamina perperpendicularis). Kennzeichnend ist, dass durch den postnatalen physiognomischen Wandel des Viszerokraniums der vollständige Abschluss der Ossifikation des Os ethmoidale in einigen Bereichen erst im Jugendalter beendet ist (Lamina perpendicularis), wohingegen die Crista galli und Lamina cribrosa Ende des 2. Lebensjahres knöchern fusionieren.

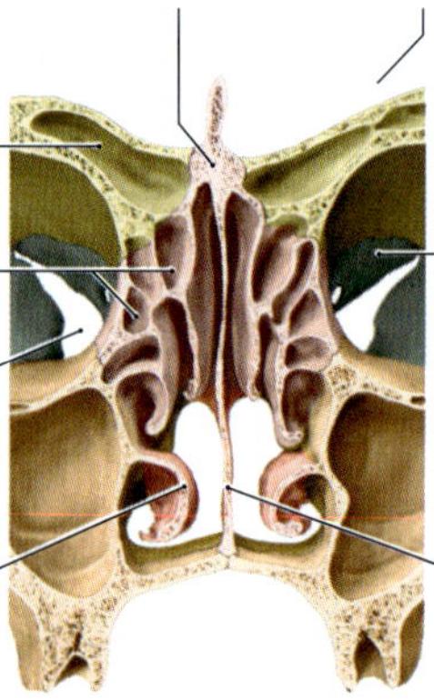

▶ **Abb. 2.73** Übersichtsbild Os ethmoidale (von ventral). (Quelle: Schünke M, Schulte E, Schumacher U. Prometheus. LernAtlas der Anatomie. Kopf, Hals und Neuroanatomie. Illustrationen von M. Voll und K. Wesker. 6. Aufl. Stuttgart: Thieme; 2022)

Anatomie

Knöcherne Anteile (▶ Abb. 2.74)

- Lamina cribrosa mit Crista galli (beidseits Bulbus olfactorius)
- Lamina perpendicularis → Verbindung kranial zum Os frontale und Os nasale, posterior zu Os sphenoidale und Vomer
- Massa lateralis mit den Labyrinthi ethmoidales
  - Facies superior → Verbindung zur Lamina cribrosa → Os frontale
  - Facies anterior → Verbindung zum Os maxillare (Stirnfortsatz, Os lacrimale)
  - Facies lateralis → medialer Anteil Orbitawand → Kontakt zum Os frontale, Os palatinum, Os lacrimale, Os sphenoidale, Os maxillare und zur Concha nasalis inferior
  - Facies posterior → Siebbeinzellen zum Os sphenoidale (Keilbeinhöhle)
  - Facies medialis → laterale Nasenwand kaudal als Conchae nasalis media; Ansatz für Conchae nasalis superior und inferior (über Proc. uncinatus)
  - Infundibulum ethmoidale → Vertiefung am Os ethmoidale mit Einmündung von Sinus frontalis, Sinus maxillaris, Cellulae ethmoidales anteriores
- Conchae nasalis superior und media

Benachbarte Knochen und ihre Suturen

- Os nasale (anterior, Sutura ethmoidonasalis)
- Os lacrimale (anterior, Sutura lacrimoethmoidalis)
- Os frontale (anterior und lateral, Sutura frontoethmoidalis)
- Os sphenoidale (posterior, Sutura sphenoethmoidalis)
- Vomer (inferior, Sutura vomeroethmoidalis)
- Os maxillare (inferior, Sutura ethmoidomaxillaris)
- Os palatinum (inferior, Sutura palatoethmoidalis)
- Cartilago septi nasi (anterior-inferior)
- Conchae nasalis inferior

Foramina, Fissuren, Canales

- Siebbeinzellen (Lamina cribrosa → Fila olfactoria, Labyrinthus ethmoidalis)
- Foramen caecum (Übergang Crista galli mit Os frontale → V. emissaria nur im Kindesalter)
- Canalis ethmoidalis anterior mit Foramen ethmoidale anterius (Facies superior des Labyrinthus ethmoidalis) → N. nasociliaris (V_1)
- Canalis ethmoidalis posterior mit Foramen ethmoidale posterius (Facies superior des Labyrinthus ethmoidalis) → N. ethmoidalis posterior (V_1) innerviert die Schleimhaut, Siebbeinzellen, A. ethmoidalis posterior → aus A. ophthalmica

Intrakranielle Membranen: Falx cerebri, setzt an der Crista galli an

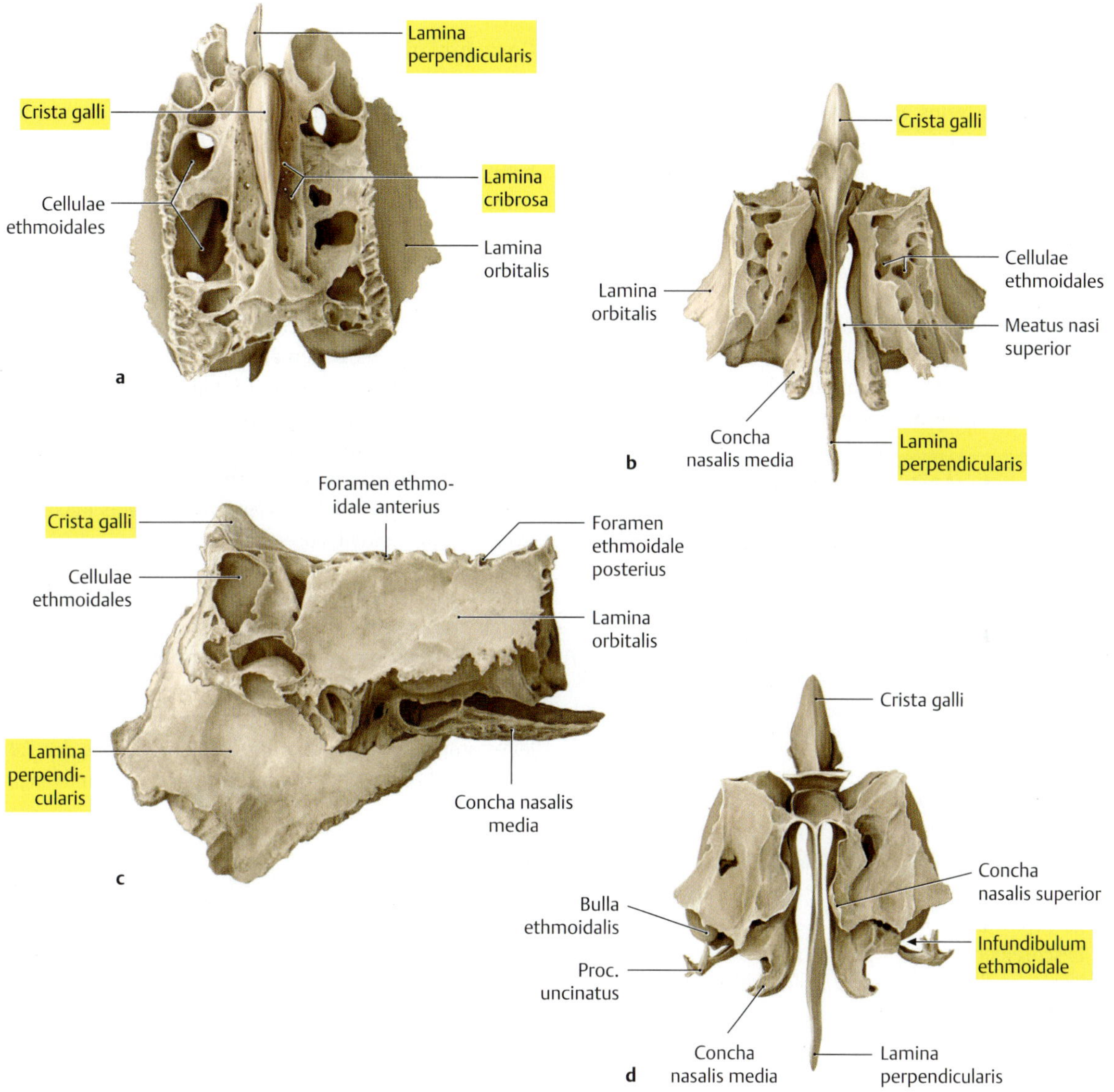

▸ **Abb. 2.74** Os ethmoidale.

a Ansicht von kranial. (Quelle: Schünke M, Schulte E, Schumacher U. Prometheus. LernAtlas der Anatomie. Kopf, Hals und Neuroanatomie. Illustrationen von M. Voll und K. Wesker. 6. Aufl. Stuttgart: Thieme; 2022)

b Ansicht von ventral. (Quelle: Schünke M, Schulte E, Schumacher U. Prometheus. LernAtlas der Anatomie. Kopf, Hals und Neuroanatomie. Illustrationen von M. Voll und K. Wesker. 6. Aufl. Stuttgart: Thieme; 2022)

c Ansicht von links-lateral. (Quelle: Schünke M, Schulte E, Schumacher U. Prometheus. LernAtlas der Anatomie. Kopf, Hals und Neuroanatomie. Illustrationen von M. Voll und K. Wesker. 6. Aufl. Stuttgart: Thieme; 2022)

d Ansicht von dorsal. (Quelle: Schünke M, Schulte E, Schumacher U. Prometheus. LernAtlas der Anatomie. Kopf, Hals und Neuroanatomie. Illustrationen von M. Voll und K. Wesker. 6. Aufl. Stuttgart: Thieme; 2022)

Systemische Vaskularisation

- Aa. ethmoidales anterior und posterior → Äste aus A. ophthalmica → A. carotis interna → Foramen ethmoidale posterius, anterius
- Vv. ethmoidales anterior und posterior → V. ophthalmica superior → Sinus cavernosus → V. jugularis interna
- V. emissaria (nur im Kindesalter)

Neurologisches Netzwerk

- N. olfactorius (I) mit Bulbus olfactorius → Lamina cribrosa
- Nn. ethmoidales anterior/posterior (V_1) → Foramen ethmoidale anterius/posterius

Myofasziale Wirkungsketten

Über die Anheftung der Falx cerebri an der Crista galli ist das Os ethmoidale in die Zentralsehne eingebunden.

Kraniosakraler Kontext

Während der kranialen Inspiration bewegt sich das Os ethmoidale in Flexion (▶ Abb. 2.72, ▶ Abb. 2.75), bei der Exspiration in Extension. Es gibt 2 Achsen des Os ethmoidale:

- Die ventrale Achse führt durch die Mitte des Os ethmoidale (Flexions- und Extensionsbewegung).
- Durch die sagittale Achse kaudal der Crista galli lässt sich bei der Flexions- und Extensionsbewegung eine geringe Außen- und Innenrotation der Massa lateralis beschreiben.

Normalbefund: Die Nasenwurzel (Mittelfinger) hebt sich bei der kranialen Inspiration nach anterior, Os frontale (Zeigefinger) nach posterior; es besteht kaum ein Höhenunterschied zwischen beiden Fingern.

In der kranialen Exspiration ist die Bewegung genau umgekehrt und es bildet sich eine minimale Stufe zwischen den beiden Fingern (Klaviertastenbewegung).

Die Bewegung ist symmetrisch, mit gleicher ausgewogener Amplitude und Kraft. Die Bewegung wirkt leicht und frei.

Zentrallinie: Das Os ethmoidale wird den Knochen der Zentrallinie zugeordnet.

Kraniometrischer Punkt (▶ Abb. 2.72): indirekt Bezug zu Nasion

Hinweis: Die Quellenangaben [15], [58], [59] beziehen sich auf den gesamten „Kraniosakralen Kontext".

Osteopathische Korrespondenzen

Geruchssinn

Mit dem Vomer bildet das Os ethmoidale die knöcherne Nasenscheidewand, mit der Lamina orbitalis die mediale Wand der Augenhöhle. Rechts und links der Crista galli befindet sich die Lamina cribrosa (Siebplatte). Sie bildet beidseitig eine Mulde für den Bulbus olfactorius (Riechkolben). Durch die kleinen Knochenkanäle der Siebplatte treten die Fila olfactoria von der Nasenhöhle zum Bulbus olfactorius in die Schädelhöhle. Die Perforation der Lamina cribrosa macht sie mechanisch instabil. Sie ist anfällig für Sturz- und Schlagtraumata.

Riechstörungen nach einem Schlag- oder Sturztrauma können Hinweis auf eine Verletzung der Fila olfactoria sein. Auch vaskuläre Störungen (Aa. ethmoidales anterior und posterior) können die Mikrozirkulation und die Versorgung der Schleimhäute (Nasenhöhle, Sinus maxillaris, frontalis, sphenoidalis) beeinträchtigen.

Membransystem

Durch den Ansatz der Falx cerebri an der Crista galli stehen das Membransystem und das Os ethmoidale in einer intensiven Wechselbeziehung. Dysfunktionale Spannungen können das System der intrakranialen venösen Blutleiter stören, insbesondere die Region, die mit der Falx cerebri in direkter Verbindung steht, also den Sinus sagittalis superior.

Merke

Tritt nach einem Trauma klare Flüssigkeit aus der Nasenhöhle aus, kann es sich um Liquor handeln, der aus der Nase tropft!

Geburt und SSB-Dysfunktionen

Dysfunktionen des Os ethmoidale können durch externe Krafteinwirkung von kranial bzw. kaudal bedingt sein (z. B. Zahnextraktion gerade auch im Bereich des Os maxillare). Insbesondere die Suturae palatoethmoidalis und ethmoidoseptalis können in Dysfunktion geraten. Die unvollständige Verknöcherung des Os ethmoidale zum Zeitpunkt der Geburt kann es besonders anfällig für unphysiologisch ausgeprägte Torsions- und Kompressionskräfte machen. Denkbar sind Störungen der SSB, Spannungen des myofaszialen Systems und des Membransystems sowie Dysfunktionen des Gesichtsschädels insbesondere im Nasen- und Augenhöhlenbereich. Umgekehrt können sich Dysfunktionen z. B. im Bereich von SSB, Os frontale, Os maxillare, Vomer, Membransystem, Atemrhythmus, Ventrikelsystem dysfunktional auf das Os ethmoidale auswirken.

Durch seine große Außenfläche ist das Os frontale für externe Krafteinflüsse besonders anfällig. Seitliche Stöße durch z. B. Sturz können insbesondere die fragile Sutur zwischen Os frontale und ethmoidale (Sutura frontoethmoidalis) beeinträchtigen. SSB-Dysfunktionen wie „Sidebending Rotation" oder „Lateral Strain" können durch einseitige Kompressionskräfte die Funktionalität des Os ethmoidale beeinträchtigen.

Systemische Vaskularisation

Das Foramen caecum, übersetzt das „blinde Loch", beinhaltet bis zum Ende des Kindesalters eine V. emissaria. Sie stellt eine Verbindung zwischen den Diploevenen (oberflächliche Schädelvenen) und dem venösen Sinus des Gehirns her. Darum ist im Säuglings- und Kindesalter bei Sinusitis oder Entzündungen (z. B. Furunkel) im oberflächlichen Venengebiet besondere Achtsamkeit geboten. Über diesen Weg können Entzündungsfaktoren in den Sinus geleitet werden und zu einer infektiösen Sinusvenenthrombose führen.

Belüftung der Nasenhöhle und Atemrhythmus

Als Mittellinienstruktur trennt die Lamina perpendicularis die beiden Nasenhöhlen voneinander. Durch die angelagerten Nasenmuscheln wird die Atemluft nach kranial in die Region der Riechzellen und in die Atemwege geleitet. Dysfunktionen können den Luftstrom behindern und zu Strömungsstörungen im Nasenbereich führen. Dysfunktionen von Suturen (Sutura ethmoidonasalis, ethmoidoconchalis) können das begünstigen. Aber auch die Art der Atmung (Bauchatmung, Thoraxatmung, flache hektische Atmung) kann sich durch den veränderten Rhythmus und die ggf. geringere Amplitude auf die Zirkulation im Liquorsystem, sowohl intrakranial als auch extrakranial, auswirken.

Sekretfluss und Sekretabflussstörungen

Kompression des Os ethmoidale zwischen Os sphenoidale, Os maxillare und Os frontale kann sich negativ auf die Drainage von Nasenhöhle und Nasennebenhöhlen (Sinus frontalis, maxillaris, sphenoidalis, Cellulae ethmoidales) auswirken. Das **Infundibulum ethmoidale** ist der direkte Einmündungsbereich des Sinus frontalis, maxillaris und der vorderen Siebbeinzellen (ostiomeatale Einheit, ▸ **Abb. 2.76**).

Die Sinus sphenoidales münden zwar über den Recessus sphenoethmoidalis an der oberen Nasenmuschel, gehen dann aber anschließend über die große Siebbeinzelle in das Infundibulum ethmoidale über. Bei Dysfunktionen des Os ethmoidale sind Stauungen im Sekretabfluss möglich. Damit ist auch ein Rückstau in die am weitesten dorsal gelegene Nasennebenhöhle (Sinus sphenoidalis) möglich.

Die Abgrenzung zu einer Sinusitis besteht darin, dass es bei einer entzündlichen Veränderung des respiratorischen Flimmerepithels in den Siebbeinzellen zum Anschwellen der Schleimhaut kommt und das Sekret aus den Nasenebenhöhlen nicht abfließen kann. Die Keime können sich dann in den übrigen Höhlen ausbreiten.

Merke

Komplikation einer Sinusitis sphenoidalis kann eine Sinus-cavernosus-Thrombose sein.

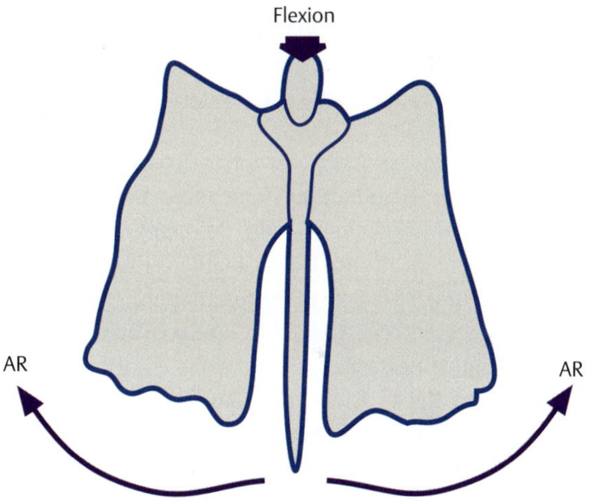

▸ **Abb. 2.75** Os ethmoidale in der Inspirationsphase (von ventral). (Quelle: Liem T. Kraniosakrale Osteopathie. 7. Aufl. Stuttgart: Thieme; 2018; Grafik: C. Dardamissis, Freigold Konzept & Design, Hamburg)

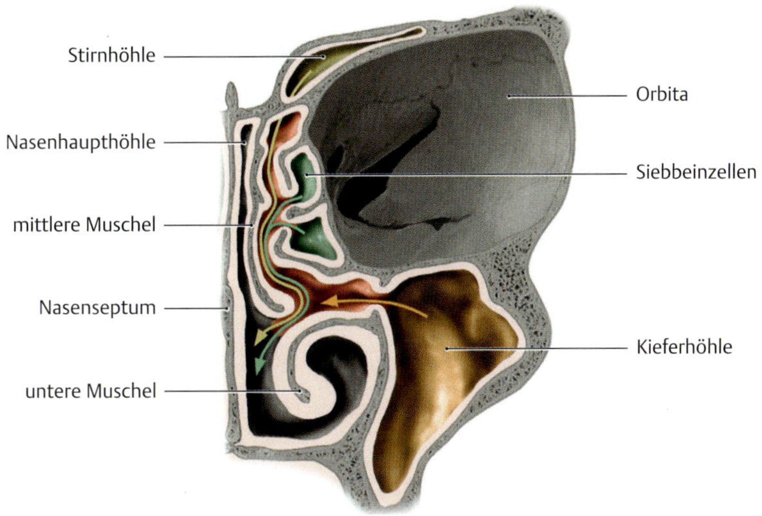

▸ **Abb. 2.76** Ostiomeatale Einheit, Ansicht von ventral (linke Nasenseite). (Quelle: Schünke M, Schulte E, Schumacher U. Prometheus. LernAtlas der Anatomie. Kopf, Hals und Neuroanatomie. Illustrationen von M. Voll und K. Wesker. 6. Aufl. Stuttgart: Thieme; 2022)

Korrespondierende Strukturen

Auswahl an korrespondierenden Strukturen, die unter systemischen Aspekten therapeutisch von Bedeutung sein können:

- reziproke Spannungsmembran
- A. ophthalmica, A. carotis interna
- venöse Blutleiter
- Sinus sphenoidalis
- N. ophthalmicus (V_1)
- Fila olfactoria
- Art. temporomandibularis
- SSB

Behandlungshinweise

- Indikationen für die Behandlung des Os ethmoidale sind u. a.:
  - Kopfschmerzen, insbesondere im Stirnhöhlenbereich und zwischen den Augen (z. B. durch Stauungen im Sinus sagittalis superior)
  - Riechstörungen
  - Sinusitis
  - Rhinitis
- Über die Dekompression der Schädelbasis mittels frontookzipitaler Handhaltung kann eine Beziehung zur Zentrallinie aufgebaut werden. Befreiung der Suturen, die mit dem Os ethmoidale verbunden sind, ist Voraussetzung für das Lösen von Dysfunktionen.
- Disengagement der Sutura frontomaxillaris kann die Belüftung verbessern.
- Bei einem Infekt wie einer Sinusitis sollten die Abwehrorgane in ihrer Funktion unterstützt werden. Lymphatische Stimulation über Fußpumpe und Diaphragmatechniken sind hilfreich. Wichtig ist auch das zervikothorakale Diaphragma mit seinen knöchernen Begrenzungen wie 1. Rippe, Schlüsselbein, Sternum. Ein Release der Okziput-Atlas-Region ist ebenfalls sinnvoll. Lokale Behandlungen wie Pumptechniken über Vomer und Os ethmoidale können ebenfalls sinnvoll ergänzend angewendet werden.
- CV4-Technik unterstützt die vegetative Harmonisierung und Mikrozirkulation.
- Harmonisierung der Sekretbildung kann mit einem Point of Balance auf das Os palatinum und den Proc. pterygoideus erreicht werden. Das kann sich ausgleichend auf das Ggl. pterygoplatinum auswirken und die Sekretproduktion beeinflussen.

2.4.4 Concha nasalis inferior

Die Concha nasalis inferior (untere Nasenmuschel) ist ein paariger Knochen, der die untere **Nasenmuschel** bildet. Sie wird dem **Viszerokranium** zugeordnet. In der Frontalansicht ähnelt der Knochen einer Knochenlamelle, deren unteres Ende mit lateraler Ausrichtung wie ein Angelhaken eingerollt ist (▶ **Abb. 2.77**).

An ihrer medialen Fläche verlaufen feine Blutgefäße in einer kleinen Furche. Die laterale Fläche bildet die mediale Begrenzung des unteren Nasengangs.

Die Concha nasalis inferior hat eine **chondrale Anlage** und verknöchert ca. im 6.–7. Monat i. u.

Anatomie

Knöcherne Anteile

- Facies medialis
- Facies lateralis
- Margo superior
- Proc. lacrimalis (Os lacrimale)
- Proc. ethmoidalis (Os ethmoidale)
- Proc. maxillaris (Os maxillare)
- Margo inferior (ohne Kontakt)

Benachbarte Knochen

- Os lacrimale
- Os ethmoidale
- Os maxillare
- Os palatinum

Foramen: Meatus nasi inferior

Ligamente, Muskeln, Faszien, Membranen: keine direkten Ansätze

Systemische Vaskularisation: keine spezifischen Gefäße

Neurologisches Netzwerk: kein spezifisches

Myofasziale Wirkungskette

Keine spezifische Verbindung.

Kraniosakraler Kontext

Eine spezialisierte Bewegung im kraniosakralen System wird nicht beschrieben.

Osteopathische Korrespondenzen

Drainagestörung

Im superioren Bereich bildet die Concha nasalis inferior mit dem Proc. lacrimalis einen Wandanteil des Canalis nasolacrimalis. Der Meatus nasi inferior liegt unterhalb der Concha nasalis. Hier mündet der Ductus nasolacrimalis. Dysfunktionen im Bereich der Conchae nasales inferiores können Abflussstörungen der Tränenflüssigkeit verursachen.

Belüftungsstörung

Das Os ethmoidale und die Conchae nasales inferiores korrespondieren jeweils über einen Fortsatz miteinander: Proc. uncinatus des Os ethmoidale und Proc. ethmoidalis der unteren Nasenmuschel. Dadurch wird der Durchgang zum Sinus maxillaris leicht eingeengt. Dysfunktionen des Os ethmoidale oder der Conchae nasales können zur weiteren Einengung des Durchgangs führen. Belüftungs- und Drainageprobleme sind denkbar.

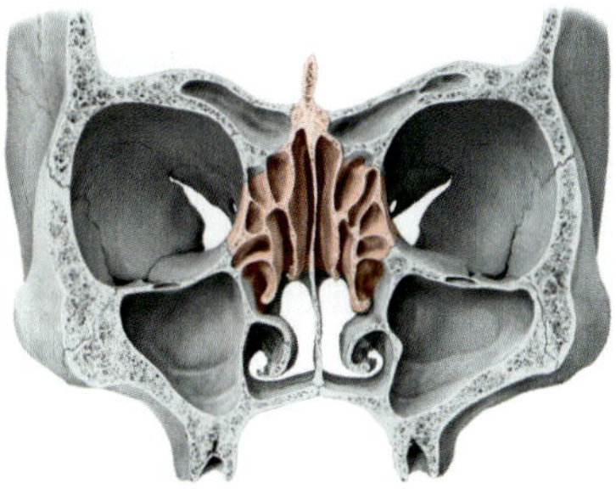

▶ **Abb. 2.77** Übersichtsbild Concha nasalis inferior, Ansicht von ventral. Einbau des Os ethmoidale in den Gesichtsschädel (von ventral). Das Os ethmoidale ist der zentrale Knochen der Nasenhöhle. (Quelle: Schünke M, Schulte E, Schumacher U. Prometheus. Lern-Atlas der Anatomie. Kopf, Hals und Neuroanatomie. Illustrationen von M. Voll und K. Wesker. 6. Aufl. Stuttgart: Thieme; 2022)

Behandlungshinweise

- Indikationen für die Behandlung der Conchae nasales inferiores sphenoidales sind u. a.:
  - Folgen von operativen Eingriffen an der Nase
  - Stürze, Schlagtrauma
- Über die korrespondierenden Knochen, insbesondere das Os maxillare, kann die Concha nasalis behandelt werden, z. B. mit Hebe- oder Spreiztechnik.

2.5

Augenhöhle

2.5.1 Augenhöhle und Bulbus oculi

Die Einbindung des Auges in die Augenhöhle ist sehr komplex. ▶ **Abb. 2.78** stellt die Augenhöhle in ihrer Gesamtheit dar. Anschließend werden wichtige Strukturen für die Bulbusbewegung und Versorgungen in den einzelnen Abbildungen aufgezeigt (▶ Abb. 2.79, ▶ Abb. 2.80, ▶ Abb. 2.81, ▶ Abb. 2.82, ▶ Abb. 2.83, ▶ Abb. 2.84).

In der Tiefe der Orbita, einer pyramidenförmigen Höhle, befinden sich die Fissurae orbitales superior und inferior. Die Orbita ist zwischen 4–5 cm tief und ist der knöcherne Schutz für das empfindlich fragile Sehorgan samt seinen versorgenden Gefäßen, Nerven und Muskeln. Das Auge ist schützend in der Orbita in einem orbitalen Fettkörper eingebettet und von der Vagina bulbi in verschieden Bereichen umschlossen.

Augenmuskeln und Augenmotorik

Die äußeren Augenmuskeln setzen sich aus 4 geraden und 2 schrägen Muskeln zusammen (Kap. 2.4.2):

- Mm. rectus superior und inferior
- Mm. rectus medialis und lateralis
- Mm. obliqui superior und inferior

Die **äußeren Augenmuskeln** sind für die Ausrichtung des Bulbus und damit für Blickrichtung und Blickrichtungsänderung verantwortlich. Die äußeren Augenmuskeln sind Skelettmuskeln, die der Willkürmotorik unterliegen. Sie werden durch die Hirnnerven **N. oculomotorius, N. abducens und N. trochlearis** angesteuert.

Zur **inneren Augenmuskulatur** zählen:

- **M. ciliaris**: Er entspringt an der Skleraschicht des Auges und setzt mit Zonulafasern an der Augenlinse an. Er ist für die Brechkraft der Augenlinse verantwortlich (Akkommodation).
- **M. sphincter pupillae**, **M. dilatator pupillae**: Umgeben die Pupille und sind für Eng- und Weitstellung der Pupille zuständig und damit für das Maß an Lichteinfall in das Auge verantwortlich (Pupillenmotorik).

Die inneren Augenmuskeln unterliegen dem **sympathischen** und **parasympathischen Nervensystem**.

Scharfes Sehen bedarf der feinkoordinierten Abstimmung der äußeren und inneren Augenmuskulatur. Die inneren Augenmuskeln gehören zur glatten Muskulatur und unterliegen der unwillkürlichen Steuerung des ZNS.

Dieses System muss 4 wesentliche **Aufgaben** erfüllen.

- **Orientierung**: Das geschieht über die eigentliche Augenbewegung (propriozeptiver-posturologischer Funktionskreis).
- **Fokussieren** und **Fixieren**: Erfolgt über die Vergenz, d. h. Winkelberechnung und Einstellung über die Feinkoordination der Augenmuskeln.
- **scharfes Sehen**: Das bedarf der Akkommodation.
- **Bilderkennung**: Sinnesreiz wird in Bilder umgesetzt und im ZNS abgeglichen.

Osteopathische Korrespondenzen

Räumliche Enge und Funktionalität

Vagina bulbi ist Teil der tiefen Gesichtsfaszie. Sie ist nach Stecco [113] die Faszie, die sich zwischen dem Polsterfett in der Orbita und dem Bulbus befindet. Stecco beschreibt, dass die Vagina bulbi den Bulbus oculi vom Ziliarrand der Kornea umgibt und nach dorsal bis zur Sehnervpapille verläuft. Drittelt man den Verlauf der Vagina bulbi, dann ist das mittlere Drittel besonders wichtig für die Sehnenverläufe der externen Augenmuskulatur. Anteile der Vagina bulbi umschließen die Muskeln mitsamt ihren Sehnen. Am Rand der Orbita inseriert sie auf Höhe der Rückseite des Oberlids am Periost. Das ventrale Drittel ist mit der Konjunktiva verbunden. Das dorsale Drittel liegt dem Fettkörper der Orbita an und verbindet sich mit der Sehnenscheide des N. opticus (Vagina nervi optici/Duralscheide).

Die Fascia bulbi ist das verbindende Element der äußeren Augenmuskeln, die den Bulbus bewegen. Stecco [113] führt aus, dass Vagina bulbi und die Augenmuskelansätze so eng miteinander verbunden sind, dass sie als eine Einheit verstanden werden können. In der Orbita sind die Platzverhältnisse sehr beengt. Die komplexe Aufhängung der Muskeln über Angulus tendineum (Zinn-Ring) und der uneingeschränkte Verlauf der jeweiligen Sehne von Augenmuskel zum Bulbus bedürfen der optimalen Beweglichkeit. Die Augenmuskeln reagieren blitzschnell und müssen untereinander koordiniert sein, um den Bulbus optimal auszurichten.

Am Äquator des Bulbus zeigen sich faserreiche Faszienanteile, die einer Bandstruktur ähneln. Diese verstärkten Faszienanteile werden auch als Sehne der Orbita bezeichnet. Über die funktionelle Einheit von Faszien und Augenmuskeln können diese Orbitabänder auch als zusätzliche Insertion der Augenmuskeln am Bulbus verstanden werden.

Die äußere Hülle des Bulbus ist die Sklera. Sie reicht vom Rand der Cornea bis zur Dura mater des N. opticus. Zwischen Sklera und Vagina bulbi befindet sich lockeres Bindegewebe, das für die lymphatische Drainage des Bulbus wichtig sein kann.

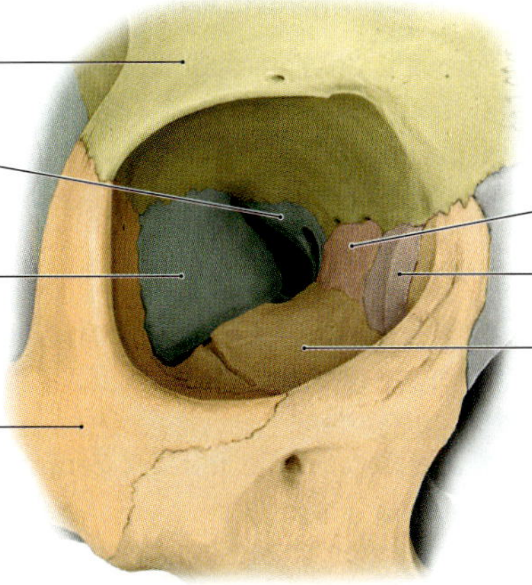

▶ **Abb. 2.78** Rechte Orbita und ihre einzelnen Knochenbestandteile. (Quelle: Schünke M, Schulte E, Schumacher U. Prometheus. LernAtlas der Anatomie. Kopf, Hals und Neuroanatomie. Illustrationen von M. Voll und K. Wesker. 6. Aufl. Stuttgart: Thieme; 2022)

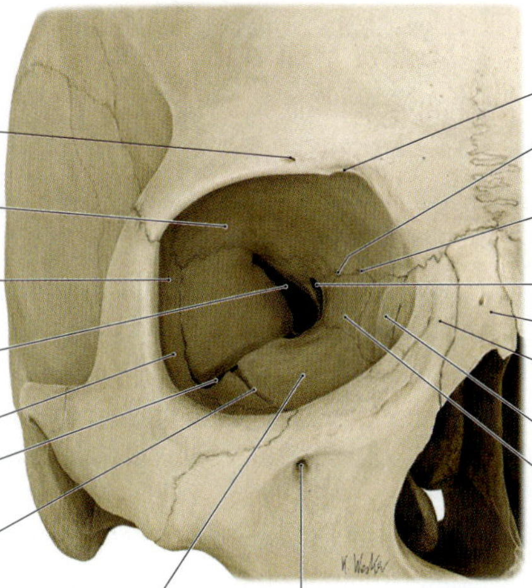

▶ **Abb. 2.79** Rechte Orbita mit ihren Suturen und Foramina. (Quelle: Schünke M, Schulte E, Schumacher U. Prometheus. LernAtlas der Anatomie. Kopf, Hals und Neuroanatomie. Illustrationen von M. Voll und K. Wesker. 6. Aufl. Stuttgart: Thieme; 2022)

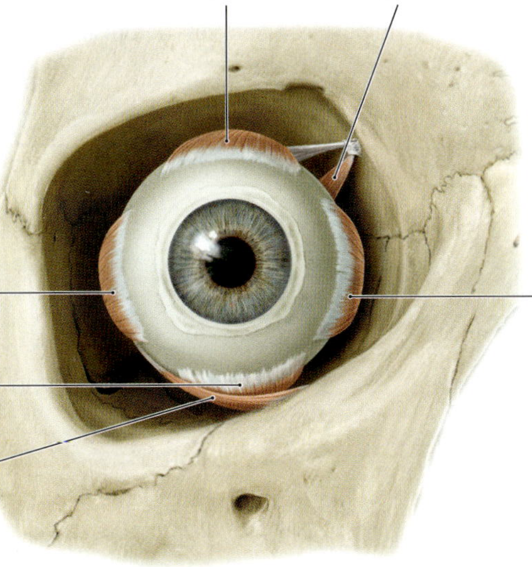

▶ **Abb. 2.80** Lage der äußeren Augenmuskeln (Mm. externi bulbi oculi). Augenhöhle und Einbindung des Bulbus über die Augenmuskeln. Rechte Augenhöhle und Insertionen der externen Augenmuskeln. Deutlich zu erkennen ist die Umlenkung des M. obliquus superior. (Quelle: Schünke M, Schulte E, Schumacher U. Prometheus. LernAtlas der Anatomie. Kopf, Hals und Neuroanatomie. Illustrationen von M. Voll und K. Wesker. 6. Aufl. Stuttgart: Thieme; 2022)

Dura mater und N. opticus

Die Dura mater umscheidet den N. opticus. Spannungen aus der Dura mater können sich auf den Verlauf wohl übertragen. Das bedeutet, Dysfunktionen des Tentorium cerebelli und Spannungen in der vorderen Schädelgrube können in die Augenhöhle weitergeleitet werden. Über das Kontinuum mit der Vagina bulbi sind dysfunktionale Spannungen im intraorbitalen Faszienkomplex möglich und eine Beeinträchtigung, z. B. in Form von Koordinationsstörungen der äußeren Augenmuskeln, denkbar.

Sklera und Bulbusform

Die Form des Bulbus resultiert aus Druckverhältnissen. Der Augeninnendruck und der von außen einwirkende Gegendruck der Sklera ist essenziell. Die Funktionalität der Sklera und die Bedeutung der Drainage über die bindegewebige Schicht zwischen Vagina bulbi und Sklera weisen auf einen hohen funktionellen Zusammenhang hin.

Vestibulookulärer Reflex

Es ist ein über das Innenohr gesteuerter Stellreflex. Er stabilisiert das Netzhautbild. Bei Kopfdrehung findet eine kompensatorische Gegenbewegung der Augen statt. Ist der Reflex auf einer Seite nicht auslösbar, dann weist das auf eine periphere Schädigung des Vestibularapparats hin.

Symptome sind bei peripherer Störung Schwindel, Gangstörungen, Übelkeit. Dysfunktionen im Bereich der subokzipitalen Muskulatur (Propriozeption), Dysfunktionen der Dura mater, Os temporale können das Vestibularorgan in seiner Funktion beeinträchtigen und ähnliche Symptome auslösen.

Korrespondierende Strukturen

Auswahl an korrespondierenden Strukturen, die unter systemischen Aspekten therapeutisch von Bedeutung sein können:

- alle knöchernen Anteile der Orbita
- SSB
- Sakrum
- OAA, HWS, BWS, LWS, Becken, untere/obere Extremität
- Zentralsehne
- alle Organe, die mit der Zentralsehne in Verbindung stehen
- subokzipitale Muskulatur
- myofasziale Wirkungsketten, Kräftepolygon mit Wirkung auf das Kranium
- alle Durchtrittsbereiche, die N. opticus und N. vestibulocochlearis tangieren
- VNS
- Propriozeption
- Körperstatik

Behandlungshinweise

- Entstauung und Verbessern des venösen Abflusses über Ausgleich der Diaphragmen, Release der OAA, Befreiung der Sutura occipitomastoidea, Sinustechniken.
- Dysfunktionale Orbitaknochen einzeln behandeln, anschließend Orbita mit allgemeiner Technik harmonisieren.
- Behandlungstechniken SSB mit Schädeldachhaltung und frontookzipitaler Handhaltung und Schmetterlingsgriff.
- Detonisierung der Dura mater (kranial) entsprechend den horizontalen und vertikalen Verläufen mit Frontal lift und Parietal lift und globaler Technik zur Entspannung des Tentorium cerebelli [46], Sakrum-Release
- Myofasziale Techniken für M. orbicularis occuli anwenden.
- Bulbustechniken zur Detonisierung der externen Augenmuskulatur.

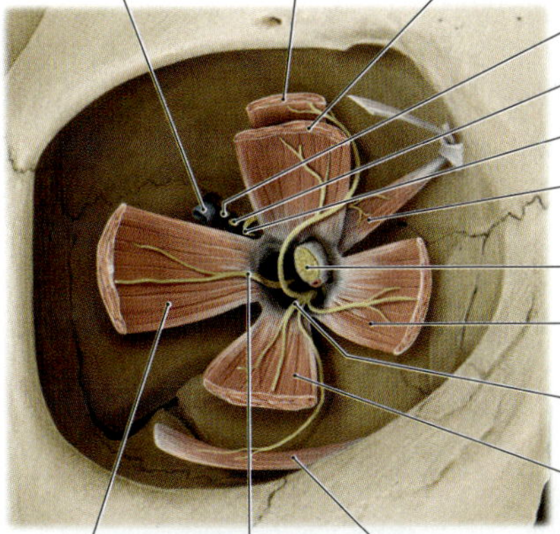

▶ **Abb. 2.81** Ansicht von ventral, Bulbus entfernt. Annulus tendineus (Zinn-Ring) liegt tief in der Pyramidenspitze der Orbita, umschließt den N. opticus und die A. ophthalmica, die von der Vagina nervi optici (Duralscheide) umgeben sind. N. opticus gelangt über Canalis opticus in die Augenhöhle. N. oculomotorius (R. superior/inferior), N. nasociliaris, N. abducens sind auch vom Zinn-Ring umschlossen, gelangen aber über die Fissura orbitalis superior in die Augenhöhle. Der Annulus tendineus ist Ursprung für die geraden, medialen und lateralen äußeren Augenmuskeln. **Beachte**: M. obliquus superior hat Ursprünge am Zinn-Ring und am Corpus Os sphenoidale. M. obliquus inferior hat seinen Ursprung am medialen Orbitaboden (Os maxillare, Facies orbitalis). (Quelle: Schünke M, Schulte E, Schumacher U. Prometheus. LernAtlas der Anatomie. Kopf, Hals und Neuroanatomie. Illustrationen von M. Voll und K. Wesker. 6. Aufl. Stuttgart: Thieme; 2022)

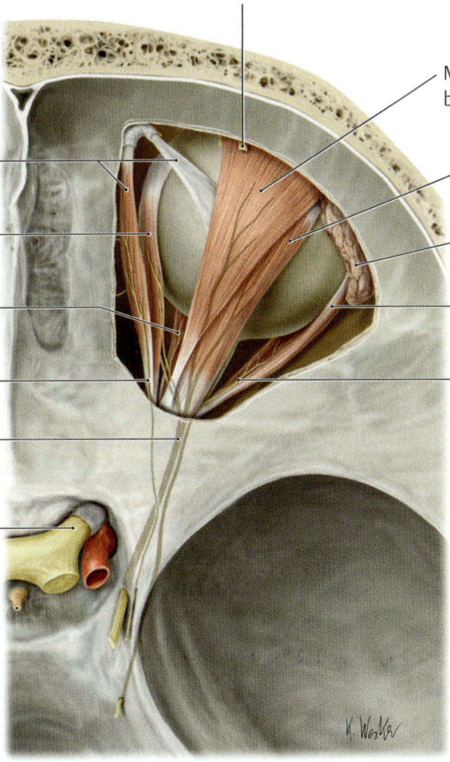

▶ **Abb. 2.82** Von kranial geöffnete rechte Orbita. Deutlich erkennbar die räumliche Enge zwischen Augennerven und Dura mater beim Durchtritt zur Orbita. (Quelle: Schünke M, Schulte E, Schumacher U. Prometheus. LernAtlas der Anatomie. Kopf, Hals und Neuroanatomie. Illustrationen von M. Voll und K. Wesker. 6. Aufl. Stuttgart: Thieme; 2022)

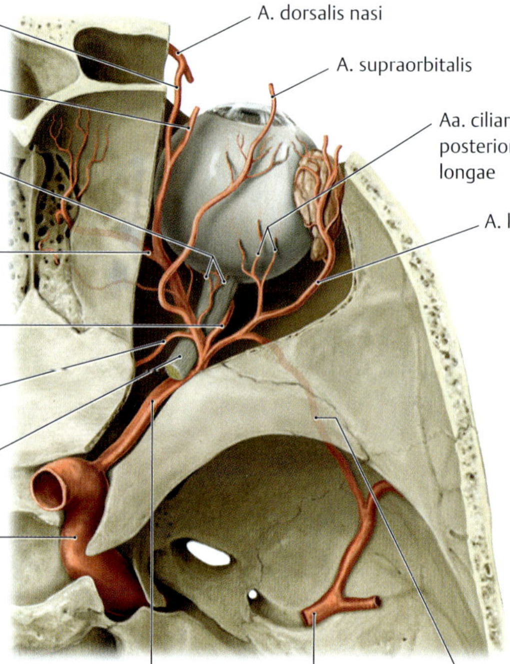

▸ **Abb. 2.83** Ansicht von kranial, Orbita rechts, Orbitadach entfernt. Umfangreiches Versorgungsgebiet der A. ophthalmica (direkter Gefäßast aus A. carotis interna), dazu gehören u. a. der gesamte Augapfel, Tränendrüse, Dura mater, Siebbeinzellen. Eine Ischämie führt zur Unterversorgung der Retina. Sehstörungen sind die ersten Anzeichen, es besteht die Gefahr der Erblindung. (Quelle: Schünke M, Schulte E, Schumacher U. Prometheus. LernAtlas der Anatomie. Kopf, Hals und Neuroanatomie. Illustrationen von M. Voll und K. Wesker. 6. Aufl. Stuttgart: Thieme; 2022)

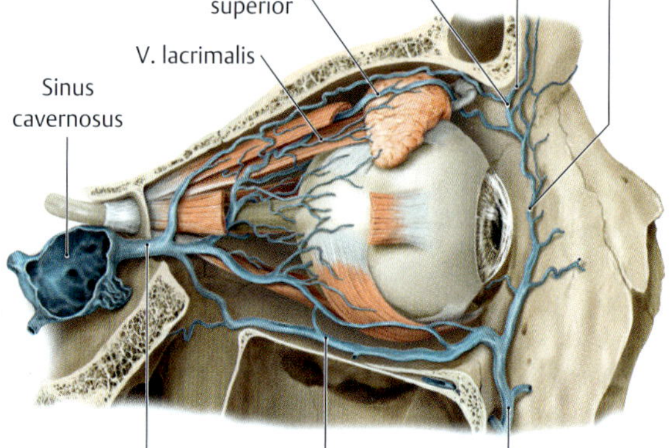

▸ **Abb. 2.84** Ansicht von lateral, Orbita rechts, Orbitadach entfernt. V. ophthalmica superior entsteht durch Konfluenz von V. angularis und V. supratochlearis. V. ophthalmica superior drainiert u. a. Bulbus oculi, Tränendrüse und Teile der Orbita (s. Versorgungsgebiet A. ophthalmica). V. ophthalmica inferior drainiert u. a. Unterlid, untere Augenmuskeln, Tränendrüse. Ein Ast der Vene mündet durch die Fissura orbitalis superior in die V. ophthalmica, die dann zum Sinus cavernosus zieht. Der andere Ast gelangt über die Fissura orbita inferior zum Plexus venosus pterygoideus. (Quelle: Schünke M, Schulte E, Schumacher U. Prometheus. LernAtlas der Anatomie. Kopf, Hals und Neuroanatomie. Illustrationen von M. Voll und K. Wesker. 6. Aufl. Stuttgart: Thieme; 2022)

2.6 Schnittbilder

▸ Abb. 2.85, ▸ Abb. 2.86, ▸ Abb. 2.87, ▸ Abb. 2.88, ▸ Abb. 2.89, ▸ Abb. 2.90

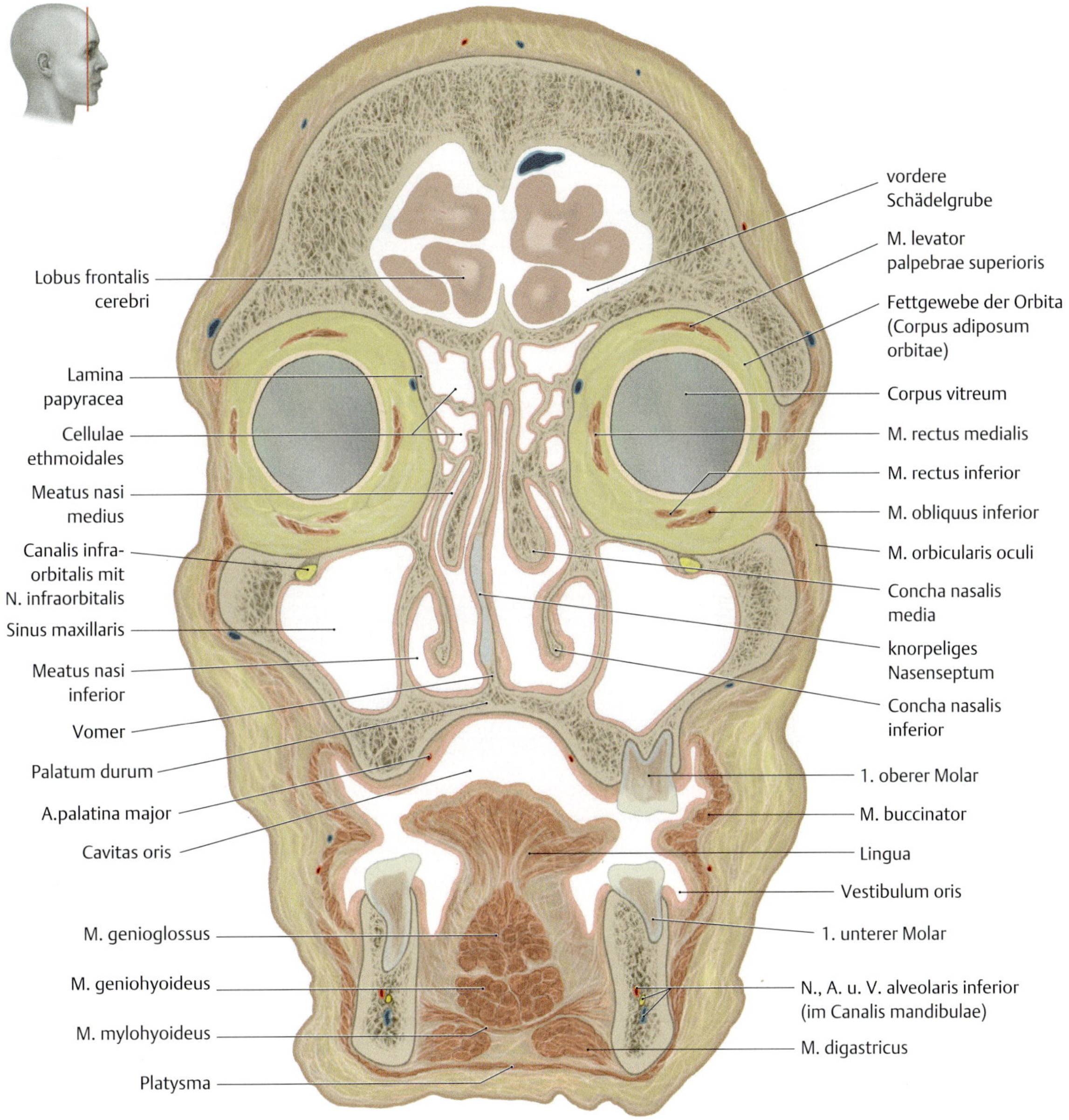

▸ **Abb. 2.85** Frontalschnitt in Höhe des Orbitavorderrandes (Kap. 2.3.1, Kap. 2.3.3, Kap. 2.3.5, Kap. 2.4.3). Die ausgeprägten Nasenhöhlen und Nasennebenhöhlen veranschaulichen die Leichtbauweise des Schädels. (Quelle: Schünke M, Schulte E, Schumacher U. Prometheus. LernAtlas der Anatomie. Kopf, Hals und Neuroanatomie. Illustrationen von M. Voll und K. Wesker. 6. Aufl. Stuttgart: Thieme; 2022)

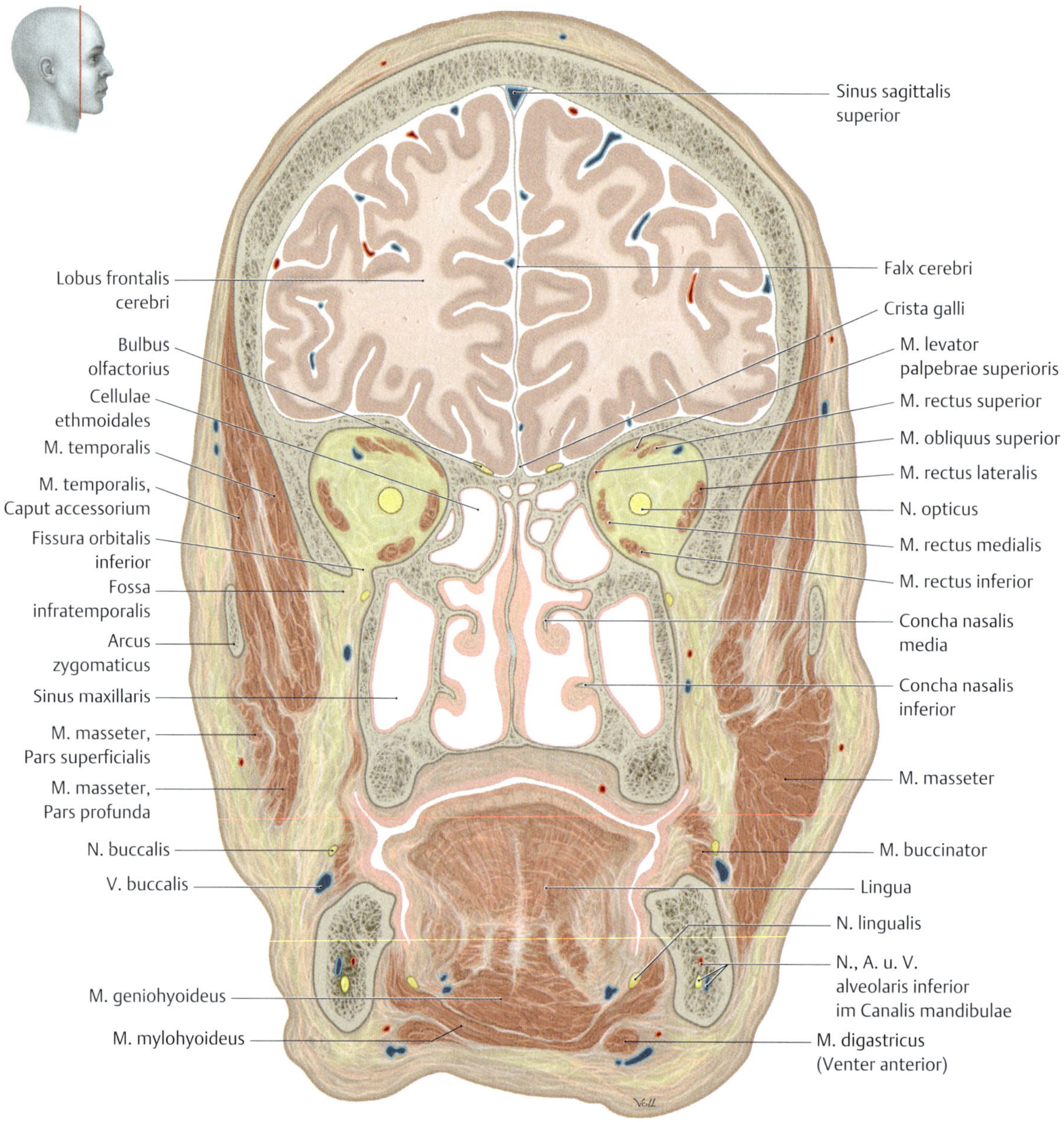

▸ **Abb. 2.86** Frontalschnitt in Höhe der hinteren Orbita (Kaumuskulatur: Kap. 2.3.1, Kap. 2.3.2, Kap. 3.3.1). Die Dimensionen von Kau- und Zungenmuskulatur sind gut erkennbar. (Quelle: Schünke M, Schulte E, Schumacher U. Prometheus. LernAtlas der Anatomie. Kopf, Hals und Neuroanatomie. Illustrationen von M. Voll und K. Wesker. 6. Aufl. Stuttgart: Thieme; 2022)

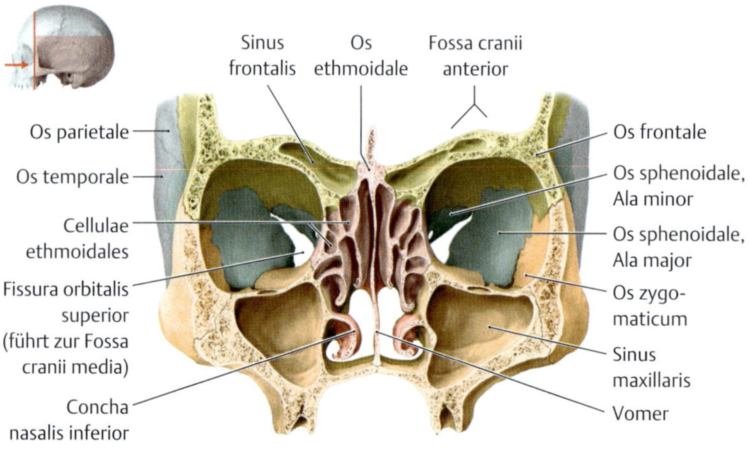

▸ **Abb. 2.87** Frontalschnitt; die nachbarschaftlichen Beziehungen zwischen Nasenhöhle, Nasennebenhöhlen und vorderer Schädelgrube sind bei diesem Anschnitt gut erkennbar. Das Os ethmoidale imponiert durch seine komplexe Einbindung in den Gesichtsschädel. (Quelle: Schünke M, Schulte E, Schumacher U. Prometheus. LernAtlas der Anatomie. Kopf, Hals und Neuroanatomie. Illustrationen von M. Voll und K. Wesker. 6. Aufl. Stuttgart: Thieme; 2022)

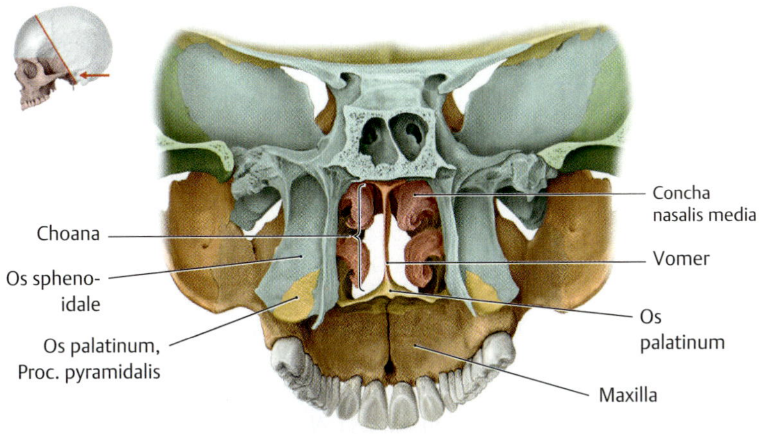

▸ **Abb. 2.88** Frontalschnitt, Ansicht von dorsal. Veranschaulicht die topografische Lage von Os sphenoidale und Os palatinum. (Quelle: Schünke M, Schulte E, Schumacher U. Prometheus. LernAtlas der Anatomie. Kopf, Hals und Neuroanatomie. Illustrationen von M. Voll und K. Wesker. 6. Aufl. Stuttgart: Thieme; 2022)

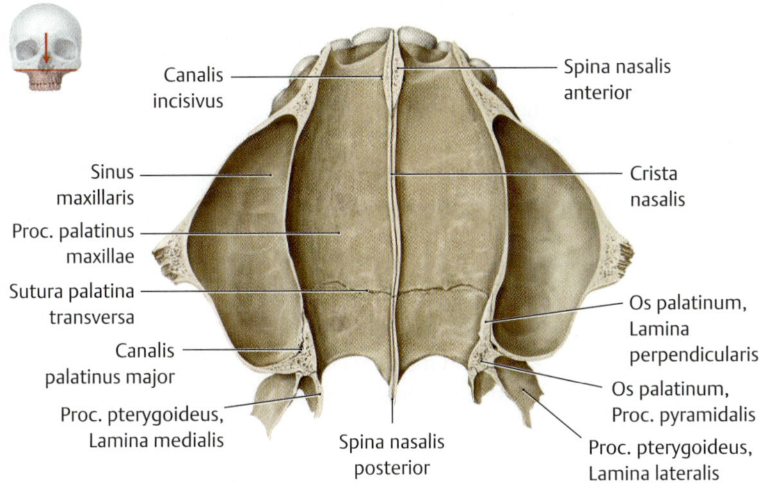

▸ **Abb. 2.89** Transversalschnitt, Ansicht von kranial auf das knöcherne Dach des harten Gaumens (Höhe Sinus maxillaris). Sutura palatina transversa ist gut erkennbar (Kap. 2.3.3., Kap. 2.4.1). (Quelle: Schünke M, Schulte E, Schumacher U. Prometheus. LernAtlas der Anatomie. Kopf, Hals und Neuroanatomie. Illustrationen von M. Voll und K. Wesker. 6. Aufl. Stuttgart: Thieme; 2022)

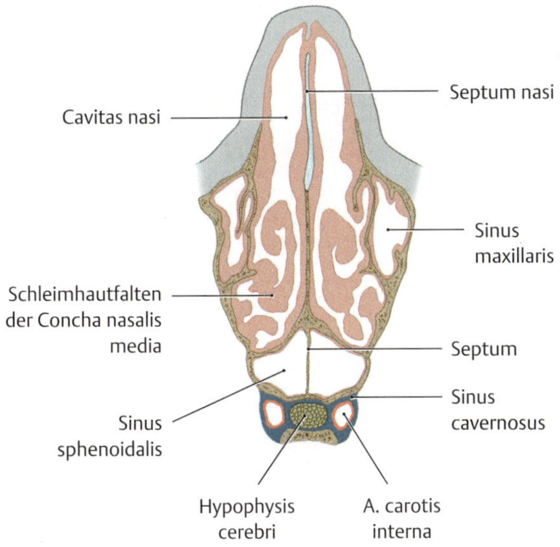

▸ **Abb. 2.90** Transversalschnitt, Ansicht von kaudal. Schleimhautdimension in den Nasenhöhlen des Os ethmoidale (Kap. 2.4.3). (Quelle: Schünke M, Schulte E, Schumacher U. Prometheus. LernAtlas der Anatomie. Kopf, Hals und Neuroanatomie. Illustrationen von M. Voll und K. Wesker. 6. Aufl. Stuttgart: Thieme; 2022)

3 Laterale Ansicht Viszerokranium und Kranium

3.1 Überblick

3.1.1 Laterales Viszerokranium und Kranium

Lateral zeigt sich das **Kopfprofil** differenziert in Viszerokranium und Kranium (▶ Abb. 3.1; ▶ Abb. 3.2). Auffällig ist der große Bereich des Kauapparats in Form von Kiefergelenk und ausgeprägter Kaumuskulatur. Das stellt sich beim Schädel eines Neugeborenen noch ganz anders dar (▶ Abb. 1.2). Die Ohrregion und das Neurokranium dominieren in der Seitenansicht. Die Verhältnismäßigkeit von Neurokranium und Viszerokranium spiegelt das Größenwachstum des Gehirns wider. Die breite, etwas eingesunkene Fläche über dem Jochbeinbogen ist die Fossa temporalis. An ihr sind Os frontale, sphenoidale, Os parietale und Os temporale beteiligt.

Inhalt der **Fossa temporalis** sind u. a. M. temporalis, Äste des N. mandibularis (V_3 [N. auriculotemporalis]), Äste des N. maxillaris (V_2 [N. zygomaticotemporalis]), Äste des N. facialis (Rr. temporales) sowie die Aa. temporales superficialis und profundus ▶ Abb. 3.2.

Kaudal der Fossa temporalis und kaudal des Jochbeinbogens liegt die **Fossa infratemporalis** (Trennungslinie an Crista infratemporale des Os sphenoidale). Hier befinden sich Mm. pterygoidei lateralis und medialis, Äste des N. mandibularis (V_3), der A. maxillaris (Pars pterygoidei) sowie der Plexus venosus pterygoideus und das Ggl. oticum.

Lateral finden sich wichtige **Versorgungsstraßen** für den gesamten Kopfbereich: in der oberflächlichen Ebene **V. jugularis externa**, in der tiefen Ebene **V. jugularis interna** und A. carotis externa (▶ Abb. 3.10, ▶ Abb. 3.13).

Im Bereich der Ohrspeicheldrüse differenziert sich der **N. facialis** und versorgt mit seinen Ästen die mimische Muskulatur (▶ Abb. 3.6). Die sensible Versorgung des Kopfes erfolgt über Äste des N. trigeminus. Der posteriore Anteil des Hinterhaupts wird von Ästen aus dem spinalen Nervensystem versorgt (**N. occipitales major und minor**).

3.1.2 Regionen

Für den lateralen Bereich des Kraniums werden topografisch betrachtet (▶ Abb. 3.3):

- Regio parietalis
- Regio temporalis
- Regio zygomatica
- Regio infratemporalis
- Regio auricularis
- Regio mastoidea
- Regio parotideomasseterica
- Regio sternocleidomastoidea
- Fossa retromandibularis
- Trigonum submandibulare

Diese Regionen entsprechen der lateralen Gesichtsfläche mit Übergang zum oberen lateralen Halsbereich.

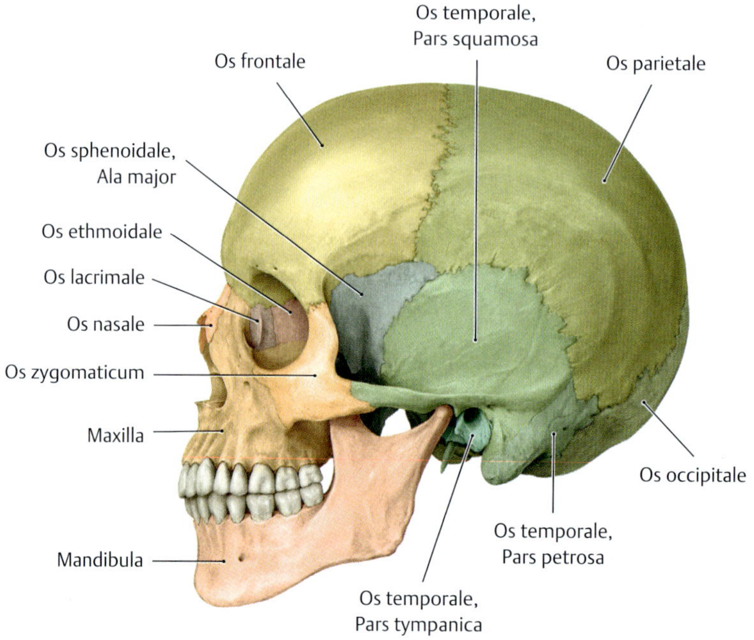

▶ **Abb. 3.1** Knöcherne Anteile (von lateral). (Quelle: Schünke M, Schulte E, Schumacher U, Voll M, Wesker K. 2.1 Schädel (Cranium) von lateral. In: Schünke M, Schulte E, Schumacher U, Voll M, Wesker K, Hrsg. Prometheus LernAtlas – Kopf, Hals und Neuroanatomie. 5. Auflage. Stuttgart: Thieme; 2018)

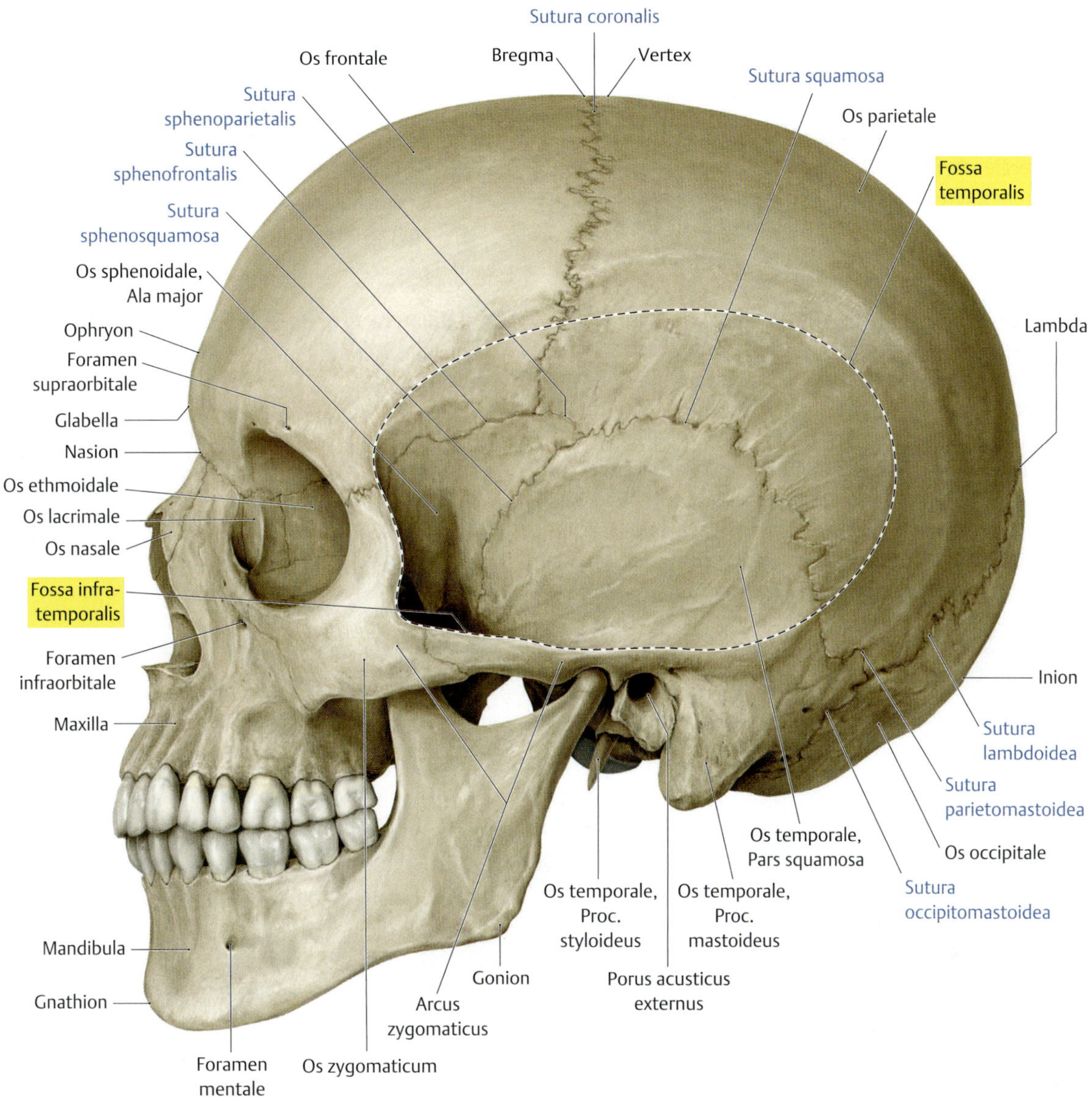

► **Abb. 3.2** Suturen in der Übersicht. (Quelle: Corts M, Hrsg. Diagnoseleitfaden Osteopathie. 3., unveränderte Auflage. Stuttgart: Thieme; 2020 nach Schünke M, Schulte E, Schumacher U. Prometheus. LernAtlas der Anatomie. Kopf, Hals und Neuroanatomie. Illustrationen von M. Voll und K. Wesker. 6. Aufl. Stuttgart: Thieme; 2022)

3.2 Oberflächliche und tiefere Schicht

3.2.1 Faszienhülle, mimische Muskeln

Laterale oberflächliche Faszie: Stecco [113] beschreibt die laterale oberflächliche Faszie des Kopfes als dünne, gut durchblutete Fascia temporoparietalis. Sie liegt auf lockerem Bindegewebe, das als Gleitschicht zur tiefen Faszie darunter dient. Die Faszie korrespondiert mit Anteilen des SMAS. Nach kranial geht sie über in die **Galea aponeurotica**, ventral geht sie über in M. occipitofrontalis, Venter frontalis, M. orbicularis oculi (▸ **Abb. 3.4**). Nach dorsal geht sie über in M. auricularis posterior und M. occipitalis.

Das Kontinuum: Das Kontinuum der oberflächlichen Faszie im Bereich des Halses schließt sich der oberflächlichen Faszie des Kopfes wie eine Halskrause an. Die Fascia cervicalis mit ihrer **Lamina superficialis** umscheidet nach kaudal **M. sternocleidomastoideus** und **M. trapezius**, passiert die Fossa supraclavicularis und setzt am Schultergürtel (Sternum, **Klavikula**, Akromion) an (▸ **Abb. 3.10**, ▸ **Abb. 3.11**). Als Kontinuum setzt sie sich dann fort in die oberflächliche Faszie von Brust und Schultermuskulatur (M. pectoralis major, M. deltoideus, M. latissimus).

Am Schädel angeheftet ist die tiefe Fascia epicranialis. Sie geht lateral in die Muskel bedeckende Fascia temporalis über. In der Orbita ist sie an der Vagina bulbi beteiligt (Kap. 2.5.1).

Zu den tiefen Gesichtsfaszien zählen:

- Vagina bulbi (Kap. 2.5.1)
- Fascia temporalis
- Fascia parotideomasseterica
- Fascia pterygoidea (Kap. 3.3.2)
- Fascia buccopharyngea (Kap. 2.3.2)
- Raphe pterygomandibularis
- Aponeurosis palatina (Kap. 2.4.1)
- Stylusdiaphragma („Rideau-Stylien“)

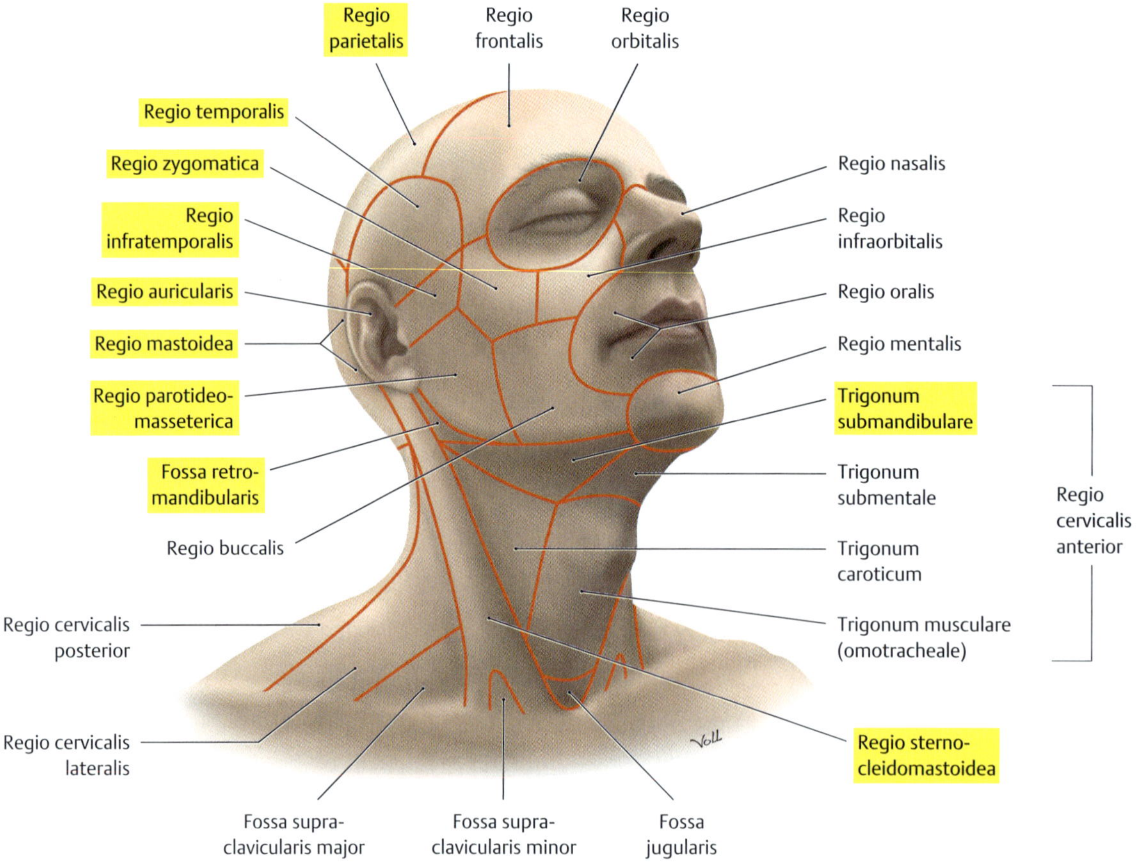

▸ **Abb. 3.3** Regionen. (Quelle: Schünke M, Schulte E, Schumacher U. Prometheus. LernAtlas der Anatomie. Kopf, Hals und Neuroanatomie. Illustrationen von M. Voll und K. Wesker. 6. Aufl. Stuttgart: Thieme; 2022)

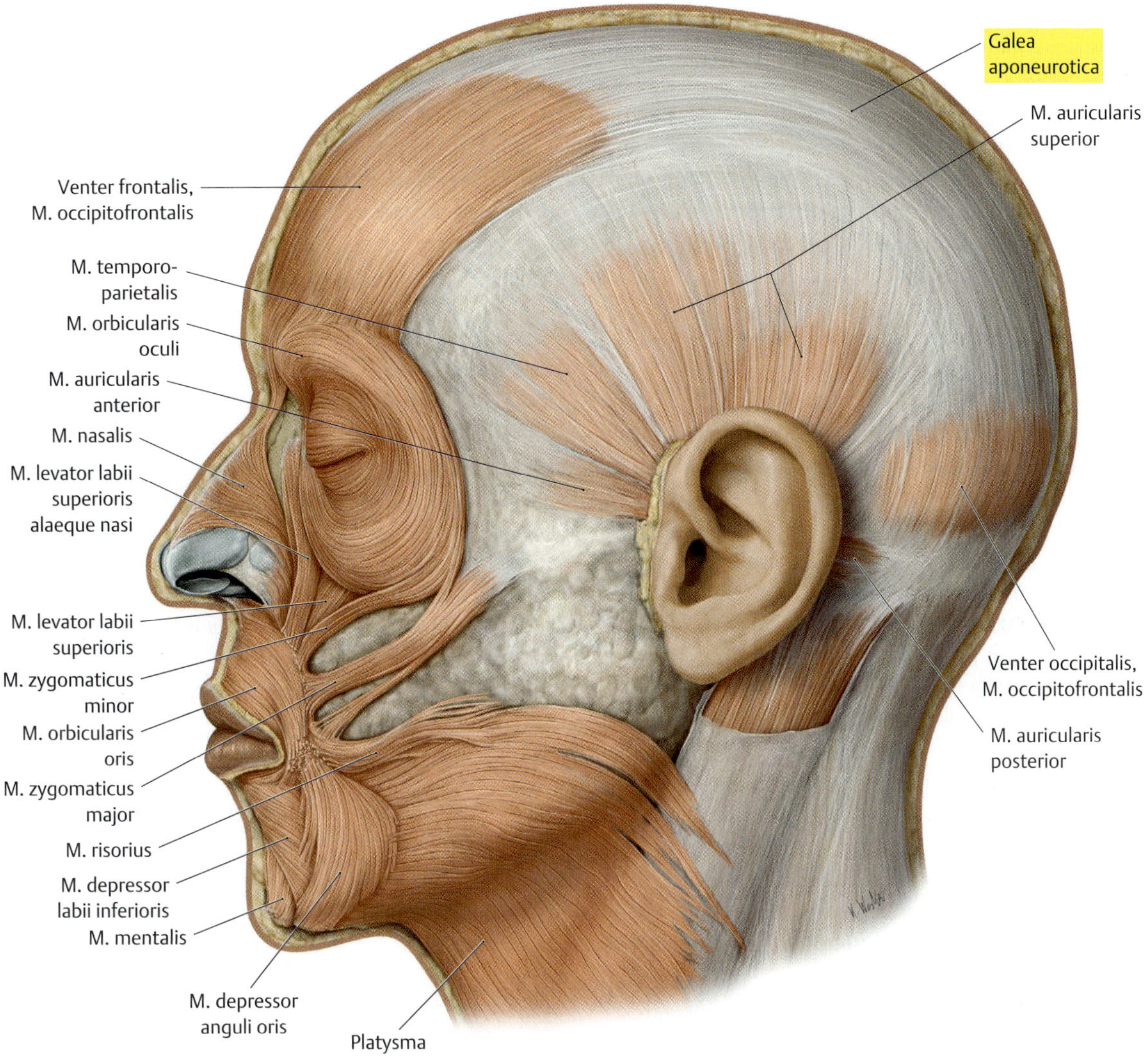

▸ **Abb. 3.4** Oberflächliche fasziale Schichten laterales Kranium, Galea aponeurotica. (Quelle: Schünke M, Schulte E, Schumacher U. Prometheus. LernAtlas der Anatomie. Kopf, Hals und Neuroanatomie. Illustrationen von M. Voll und K. Wesker. 6. Aufl. Stuttgart: Thieme; 2022)

Fascia temporalis: Sie liegt als verdichtetes faserreiches Gewebe auf dem M. temporalis. Er ist durch seine Insertionen in die Faszie eng mit ihr verbunden. Stellenweise angeheftet ist die Faszie an der Linea temporalis superior, um sich dann kranial in die Fascia epicranialis fortzusetzen. Den Jochbeinbogen umschließt sie mit ihrem superfiziellen und profunden Blatt. In dieser Region verlaufen auch 2 Gefäße (A. temporalis und A. zygomaticoorbitalis) und ein sensibler Hautast des N. zygomaticus (N. maxillaris [V_2]). Ein Fettpolster dient als polsternde Gleitzone für den Durchtrittsbereich der Strukturen (► **Abb. 3.5**, [113]).

Fascia parotideomasseterica: Sie ist die Fortsetzung der Laminae der Fascia temporalis und korrespondiert mit der tiefen Halsfaszie. Der M. temporalis zieht unter dem Jochbeinbogen durch. Ein Fettpolster, das sich direkt von superior nach inferior am Jochbeinbogen ausdehnt, ist für reibungsfreies Gleiten zuständig und liegt in der Fascia parotideomasseterica.

Die Faszie ist komplex eingebunden und korrespondiert mit der Haut (Perichondrium) im Bereich des Meatus acusticus externus. Verbindungen bestehen auch zu Proc. styloideus, Lig. stylomandibulare und Faszie des M. digastricus (Venter posterior). Nach kaudal schließt sie sich dann der Halsfaszie an, die A. carotis externa und V. facialis posterior umschließt (► **Abb. 3.13**). Sie bildet das Kompartment für die Ohrspeicheldrüse. Den M. masseter bedeckt sie im ventralen Anteil und ist im dorsalen Bereich des M. masseter am Mandibulaperiost angeheftet.

Weitere tiefere Faszien, die in der lateralen Ansicht zu sehen sind, sind Fascia pterygoidea (Kap. 3.3.2) und Fascia buccopharyngea (Kap. 2.3.2, [113]).

Stylusdiaphragma (Rideau-Stylien): Hierbei handelt es sich um eine fasziale aponeurotische Struktur, die sich in den lateropharyngealen Bereich im Übergang Gesicht und Hals erstreckt. Sie umschließt Ligamente und Muskeln. Das Stylusdiaphragma verläuft von posterior nach anterolateral, ausgehend von der Schädelbasis (Proc. mastoideus) und entlang am vorderen Rand des **M. sternocleidomastoideus, M. digastricus** (Venter posterior), Proc. styloideus in den seitlichen Zungengrund (M. styloglossus, **Lig. stylomandibulare**, Lig. stylohyoideum mit M. stylohyoideus), quert den vorderen Bereich des Canalis caroticus und verbindet sich mit der Fascia buccopharyngea. Es teilt damit die Region in einen prästylischen und retrostylischen Bereich. Den prästylischen Bereich präsentiert die Parotidenregion. Im retrostylischen Bereich verlaufen **A. carotis interna, V. jugularis interna** und die 4 letzten Hirnnerven ([113], ► **Abb. 3.13**, ► **Abb. 3.22**).

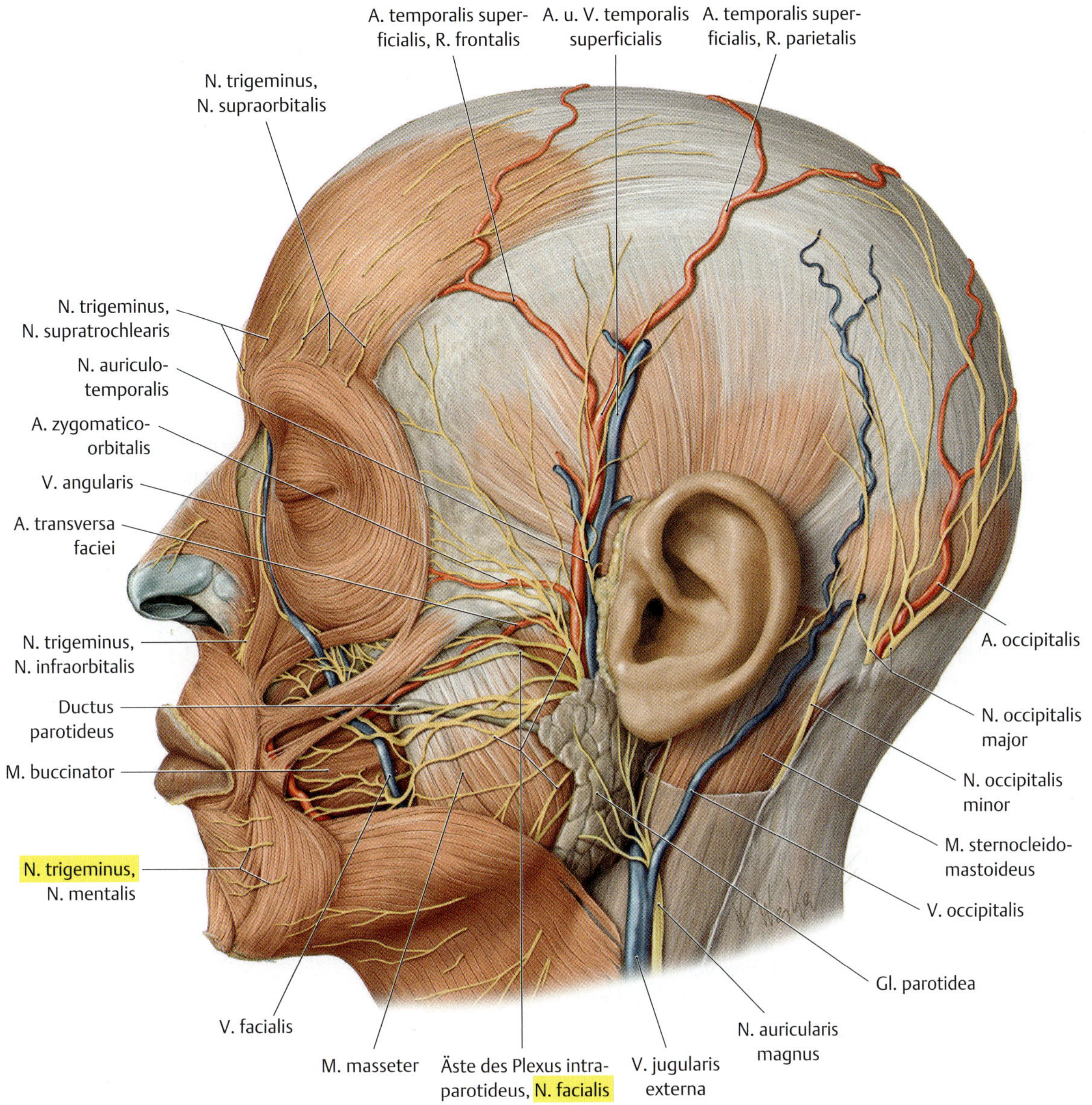

▸ **Abb. 3.5** Gefäße und Nerven in der oberflächlichen Schicht, Ansicht von lateral. (Quelle: Schünke M, Schulte E, Schumacher U. Prometheus. LernAtlas der Anatomie. Kopf, Hals und Neuroanatomie. Illustrationen von M. Voll und K. Wesker. 6. Aufl. Stuttgart: Thieme; 2022)

Myofasziale Wirkungsketten

Zahlreiche myofasziale Wirkungsketten setzen am lateralen Kranium an oder passieren in ihrem Verlauf das laterale Kranium. Die Ansätze der verschiedenen Muskeln am Kranium verdeutlichen, unter welchem Einfluss von myofaszialen Zügen das Kranium in Position gehalten oder bewegt wird bzw. welche Muskeln im Kiefergelenkbereich Kräfte im Kranium entwickeln können. Sie können als absteigende Muskelkette die Körperperipherie und damit auch Posturologie beeinflussen. Umgekehrt ist die Bedeutung der Propriozeption im Allgemeinen und insbesondere aus der Fußregion eine wichtige Information, die im Regelkreis Posturologie, Gleichgewicht, Koordination und Sehen ein sich gegenseitig bedingendes Wechselspiel darstellt (▶ **Abb. 3.6**).

Dysfunktionen können auf vielfältigste Weise aufsteigende oder absteigende Ursachen-Folge-Ketten auslösen und u. a. zu komplexen Symptomen wie z. B. Schwindel, Gleichgewichtsstörung, veränderte Akkommodation führen.

Folgende **myofasziale Ketten** setzen am lateralen Kranium an. Weitere Details s. [16]:

- Bogensehne (Fascia masseterica)
- tiefe Frontallinie (S. 88)
- Laterallinien (Kap. 3.3.1)

! Merke

Das Faszienmodell Bogensehne veranschaulicht die faszialen Korrespondenzen innerhalb des gesamten Körpers mit Betonung des ventralen Körperbereichs.

Bogensehne: Die Bogensehne ist eine ventrale fasziale Verbindungslinie (▶ **Abb. 3.7**). Zum einen kann sie die Extensionsbewegung des Rumpfes durch die Rückenmuskulatur abbremsen, zum anderen ist sie eine ventrale Verbindungslinie der Diaphragmen untereinander.

Fascia masseterica: Bedeckt den M. masseter. Sie zieht vom Arcus zygomaticus (Os temporale) zum Os zygomaticum, zum Proc. frontalis maxillae und setzt am Os mandibulare an. Lateral bildet sie eine kontinuierliche Fortsetzung in die Fascia parotidea. Kaudal geht sie in die Fascia colli (cervicalis) superficialis über.

Fasciae colli (cervicales) superficialis und media: Verläuft ventral vom Os mandibulare über das Os hyoideum zur Klavikula und zum Manubrium sterni. Sie verbindet sich dorsal mit der Fascia nuchae. Kaudal setzt sie sich in der Fascia pectoralis fort. Die Fascia colli (cervicalis) media hat die Form eines Dreiecks und verbindet Fascia cervicalis superficialis und profunda. Sie zieht vom Os hyoideum über den **M. omohyoideus** zur Klavikula (sternaler Teil) und zum Manubrium sterni (▶ **Abb. 3.12**). Die Fascia endothoracica ist die kaudale Fortsetzung.

Obere Thoraxapertur, Pleurakuppel: Das Diaphragma zervikothorakale befindet sich auf Höhe der oberen Thoraxapertur. Es wird aus der Verdichtung der Fascia endothoracica und der Pleura parietalis (Membrana suprapleuralis oder Sibson-Faszie) gebildet. Zusammen bilden sie die Pleurakuppel. Diese steht mit den Ligg. suspensoria pleuralia in Verbindung. Diese Ligamente sind Aufhängebänder der Pleurakuppel und setzen an der HWS (Wirbelkörper und Querfortsatz), der 1. Rippe und der Klavikula an. Die Fascia endothoracica verschmilzt nahtlos mit der mittleren und tiefen Halsfaszie.

Mediastinum, Perikard: Die Fascia endothoracica begrenzt ventral und dorsal einen Teil des Mediastinums. Kaudal setzt sie sich, durch das Diaphragma abdominale getrennt, in die Fascia abdominalis interna oder auch Fascia transversalis fort. Das Mediastinum wird lateral von Anteilen der Pleura parietalis gebildet. Es enthält das vom Perikard umgebene Herz. Das Perikard ist über Bänder mit der Wirbelsäule (Lig. vertebropericardium) und dem Sternum (Ligg. sternopericardia superius und inferius) verbunden. Der kaudale Anteil des Perikards ist mit seinem fibrösen Anteil fest am Centrum tendineum des Diaphragma abdominale verwachsen.

Lig. coronarium, Lig. falciforme hepatis: Verstärkte Faserzüge des Perikards enden am Diaphragma abdominale. Kaudal des Diaphragma abdominale setzen an dieser Stelle das Lig. coronarium und das Lig. falciforme hepatis an, welche die Leber fixieren. Damit korrespondieren ligamentäre Strukturen des Perikards über das Diaphragma abdominale mit den ligamentären Strukturen der Leber.

Lig. teres hepatis, Linea alba, Umbilicus: Das Lig. falciforme setzt sich in das Lig. teres hepatis fort und steht mit der Linea alba des Oberbauchs in Verbindung. Am Umbilicus vereinigen sich die Strukturen.

Umbilicus, Lig. umbilicale medianum, Delbet-Faszie: Die Bogensehne setzt sich über die Plica mediana (Lig. umbilicale medianum) fort. Das Ligament verläuft kaudal des Umbilicus und geht in die Fascia vesicoumbilicalis über, die sich kontinuierlich in die Faszie von Delbet (anteroposteriorer Verlauf der Fascia pelvis) fortsetzt.

Bogensehne

In der Literatur existieren Ausführungen zur Bogensehne, die Tractus iliotibialis und Membrana interossea cruris miteinbeziehen.

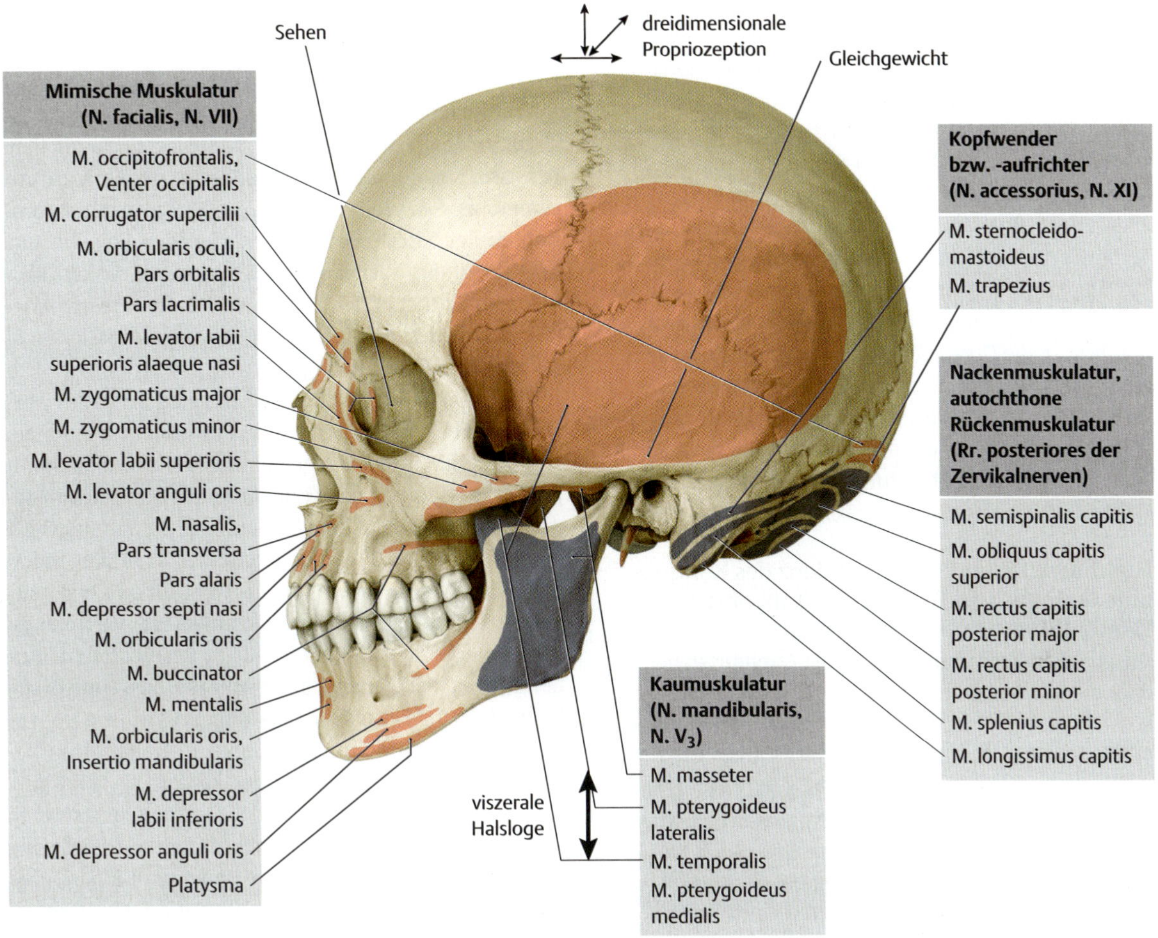

▸ **Abb. 3.6** Die Abbildung zeigt zunächst Muskelursprünge und -ansätze am lateralen Schädel (von links). Darüber hinaus sieht man, dass sich z. B. über die Bogensehne viszerale Dysfunktionen auf das fasziale Kontinuum im Kaumuskelbereich auswirken können. (Quelle: Schünke M, Schulte E, Schumacher U. Prometheus. LernAtlas der Anatomie. Kopf, Hals und Neuroanatomie. Illustrationen von M. Voll und K. Wesker. 6. Aufl. Stuttgart: Thieme; 2022)

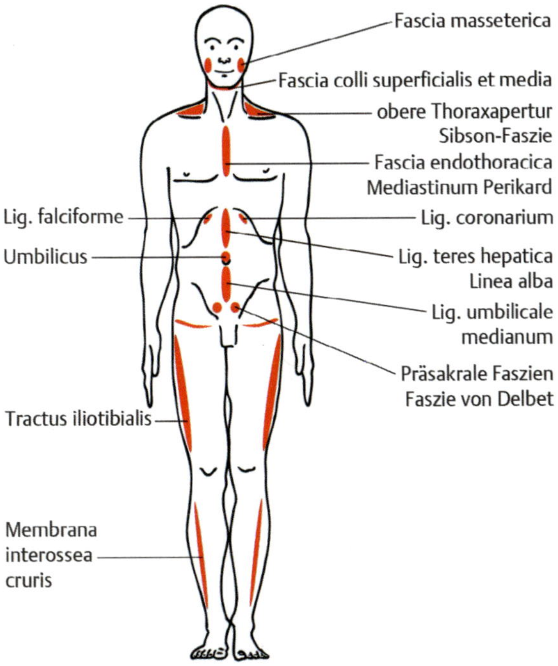

▸ **Abb. 3.7** Verlauf der Bogensehne. (Quelle: Strunk A. Fasziale Osteopathie. 3. Aufl. Stuttgart: Haug; 2021)

Bogensehne und Kontinuum

Das Kontinuum von der Fascia masseterica und der Fascia cervicalis über das zervikothorakale Diaphragma zum Mediastinum unterstreicht den funktionellen systemischen Zusammenhang der Faszienverläufe. Atembeschwerden können z. B. durch Rippendysfunktionen zur Kompression des vorderen Thoraxbereichs führen. Aber abgelaufene Bronchialinfekte können ebenfalls zu einer verminderten Entfaltung des vorderen Thorax führen. Das Mediastinum kann in seiner verbindenden faszialen Kompaktheit, das physiologisch ein großes Maß an Mobilität besitzt, die Organe Lunge, Herz, Ösophagus und Thymus sowie Nerven und zirkulatorische Strukturen in ihrer Funktion zu fördern, nicht mehr unterstützen. Aber auch Spannungen aus dem Bereich des Kiefergelenks und seinen umgebenden Strukturen können sich so über die Halsfaszien nach kaudal auswirken.

Funktionalität und Korrespondenz des Kontinuums Gesichts- und Halsfaszie mit myofaszialen Wirkungsketten obere Extremität

Die oberflächliche und tiefe frontale Armlinie stehen u. a. über die Klavikula, die Mm. pectorales major und minor und den M. latissimus mit der Gesichts- und Halsfaszie in Verbindung (▸ **Abb. 3.8**, ▸ **Abb. 3.9**, ▸ **Abb. 3.10**). Eine weitere, etwas tiefer liegende Faszienschicht (**Lamina praetrachealis** der Fascia cervicalis) fungiert als Muskelfaszie (▸ **Abb. 3.11**, ▸ **Abb. 3.12**). Sie umschließt Muskeln, die, bis auf einen Muskel (M. splenius cervicalis), das Schulterblatt in seiner Bewegung führen: M. levator scapulae, M. rhomboideus, Mm. serrati posteriores superior und inferior.

Anterior umscheidet sie Teile der infrahyoidalen Muskulatur (M. omohyoideus, M. sternohyoideus und M. sternothyroideus). Sie setzt weiter an der dorsalen Seite am Schlüsselbeinperiost an und umscheidet M. subclavius. Als Kontinuum setzt sich die Lamina praetrachealis in die Fascia thoracalis (Lamina media) nach ventral und dorsal fort. Lamina praetrachealis (Muskelfaszie) bildet als Kompartiment das Spatium viscerale, das die Fascia praetrachealis (tiefere viszerale Halsfaszie) umschließt. Lamina praetrachealis und Fascia praetrachealis fusionieren am Os hyoideum.

Nach kaudal umscheidet die Fascia praetrachealis als viszerale Faszie die Thyroidea und fusioniert mit dem Perikard. Nach dorsolateral umscheidet sie die A. carotis communis. Als weitere tiefe viszerale Faszie tritt das Kontinuum der Fascia buccopharyngea in den Hals ein und umschließt die Trachea und den Ösophagus. Weiter kaudal beim Eintritt in den Thorax wird sie zur Pleura parietalis und bildet die Aufhängung der Sibson-Faszie (Pleurakuppel mit Bandaufhängung).

Diese Gestaltung der Halsfaszien zeigt ein hohes Maß an Verschieblichkeit. Zum einen ermöglicht die Atembewegung als Motor, den Mechanismus als Druck-Sogpumpe auf den Hals und das Kranium zu übertragen. Zum anderen gibt diese Funktionalität auch die Gewähr, dass die Lumen der Halsgefäße trotz unterschiedlicher intrathorakaler Drücke und Einwirkung des atmosphärischen Luftdrucks geöffnet bleiben. Der prominenteste Vertreter ist hier sicherlich der M. omohyoideus, der über seine Anheftung an der Lamina praetrachealis das Lumen der V. jugularis interna offen hält (▸ **Abb. 3.13**).

Bei forcierter Atmung wird häufig die Atemhilfsmuskulatur durch Abstützen der Arme aktiviert. Es zeigt sich, dass u. a. durch den Armstütz das fasziale Kontinuum in der oberen Extremität als Stabilisator wirkt. Gleichzeitig wird durch Umkehrung von Punctum fixum und Punctum mobile der Atemhilfsmuskulatur mehr Atemvolumen geschaffen.

Bei einer freien Bewegung der oberen Extremität im Raum, z. B. gezieltes Greifen nach oben, setzt das Zusammenspiel von Muskeln und Faszien die neurophysiologische Koordination in fein abgestimmte Bewegung um. Aus diesem Funktionszusammenhang lässt sich auch erklären, dass ein zu fester Aufpressdruck beim Schreiben mit einem Schreibgerät (Bleistift o. Ä.), sich über die myofasziale Kette als Spannung bis ins Kranium über das Faszienkontinuum fortsetzen kann.

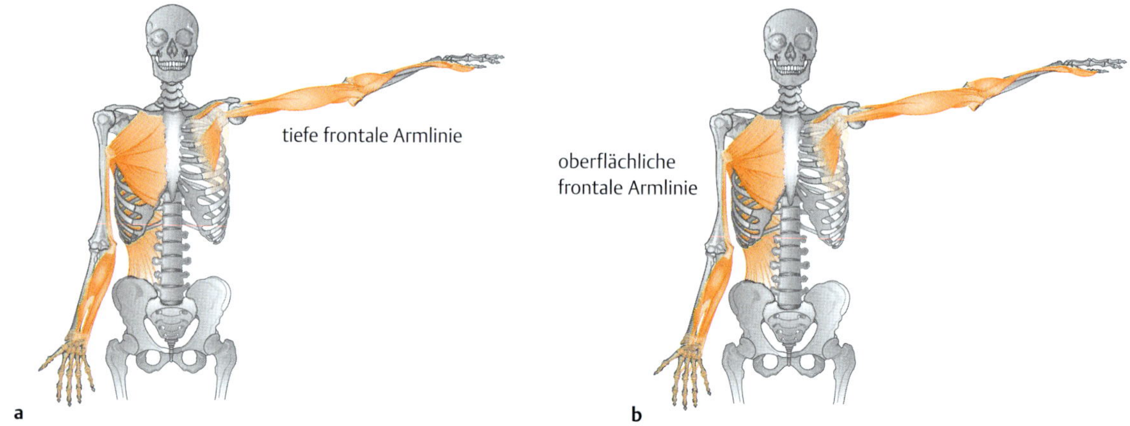

▸ **Abb. 3.8** Myofasziale Wirkungsketten. (Quelle: Corts M, ter Harmsel I. Sportosteopathie. Stuttgart: Haug; 2013)

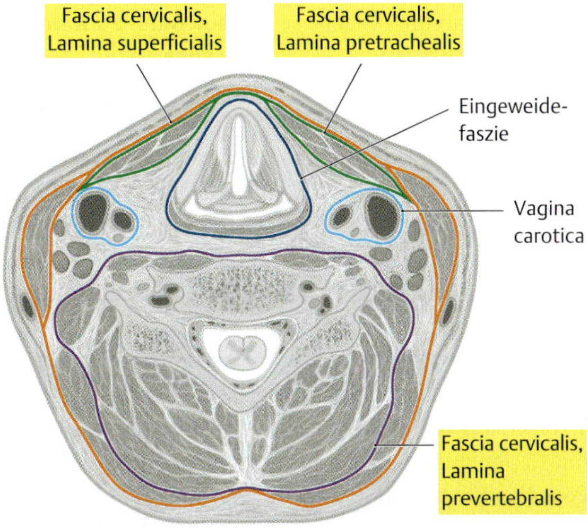

▶ **Abb. 3.9** Faszienverhältnisse am Hals. (Quelle: Schünke M, Schulte E, Schumacher U. Prometheus, LernAtlas der Anatomie. Kopf, Hals und Neuroanatomie. Illustrationen von M. Voll und K. Wesker. 6. Aufl. Stuttgart: Thieme; 2022)

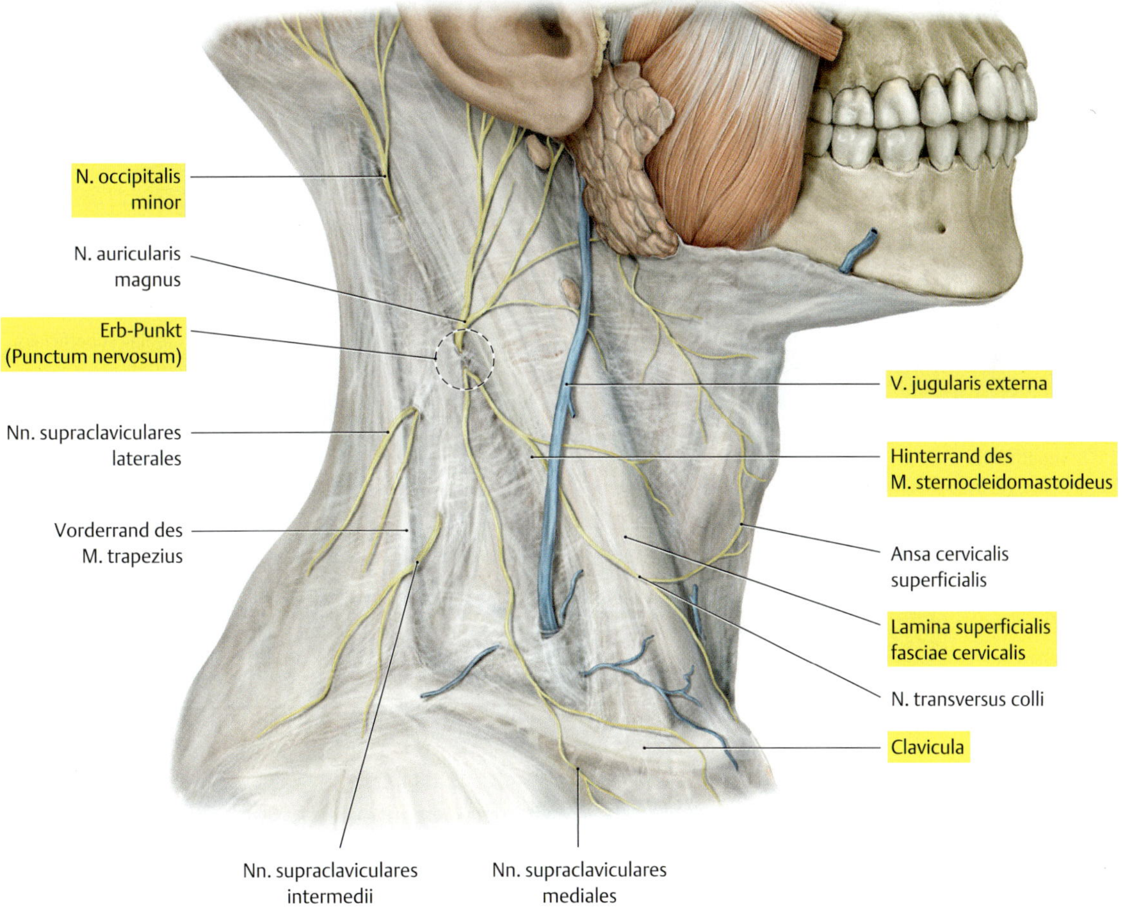

▶ **Abb. 3.10** Laterale Halsregion (von rechts). (Quelle: Corts M, Hrsg. Anatomie für Osteopathen. 2. Auflage. Stuttgart: Thieme; 2022 nach Schünke M, Schulte E, Schumacher U. Prometheus, LernAtlas der Anatomie. Kopf, Hals und Neuroanatomie. Illustrationen von M. Voll und K. Wesker. 6. Aufl. Stuttgart: Thieme; 2022)

Umgekehrt kann eine Dysfunktion im Kranium (Kiefergelenk, Hypertension der Fascia pharyngobasilaris, z. B. bedingt durch viszerale Dysfunktion des Perikards oder eines subdiaphragmalen Organs wie der Leber) durch das Zusammenspiel von Kopf- und Halsfaszie zu Störungen in den oberen Extremitäten führen.

Musculus-latissimus-Dysfunktionen bedingt durch Dysfunktion des Sakrums, Iliums oder der unteren Extremität können sich in der Schulter und/oder im Os hyoideum zeigen. Ein Impingement-Syndrom, Schluckstörungen sind als Symptom möglich. Dysfunktionen unterhalb der OAA in der HWS können sich auf die Mm. scaleni auswirken und zu Irritation des Plexus brachialis führen. Nicht selten entsteht eine Kopplung mit N. phrenicus (C3–C5), der dann dysfunktional z. B. auf das Diaphragma abdominale wirken kann.

Verlauf tiefe frontale Armlinie [16]: 3.–5. Rippe → Fascia clavipectoralis, M. pectoralis minor → Proc. coracoideus → M. biceps brachii → Tuberositas radii → Ventralseite Radius → Proc. styloideus radii → Lig. collaterale carpi radiale → Os scaphoideum, Os trapezium → Daumenballenmuskulatur, Os metacarpale I → Periost und Ligamente Außenseite Phalanx proximalis/distalis I

Verlauf oberflächliche frontale Armlinie: mediales Drittel Klavikula, Cartilago costalis → M. pectoralis major, M. latissimus dorsi → Crista tuberculi majoris → Septum intermusculare brachii mediale → Epicondylus medialis humeri → Fingerbeugemuskulatur (Mm. flexores digitorum superficialis und profundus, M. carpi ulnaris, M. carpi radialis) → Retinaculum musculorum flexorum, Karpaltunnel → Palmaraponeurose → palmare Seite der Finger

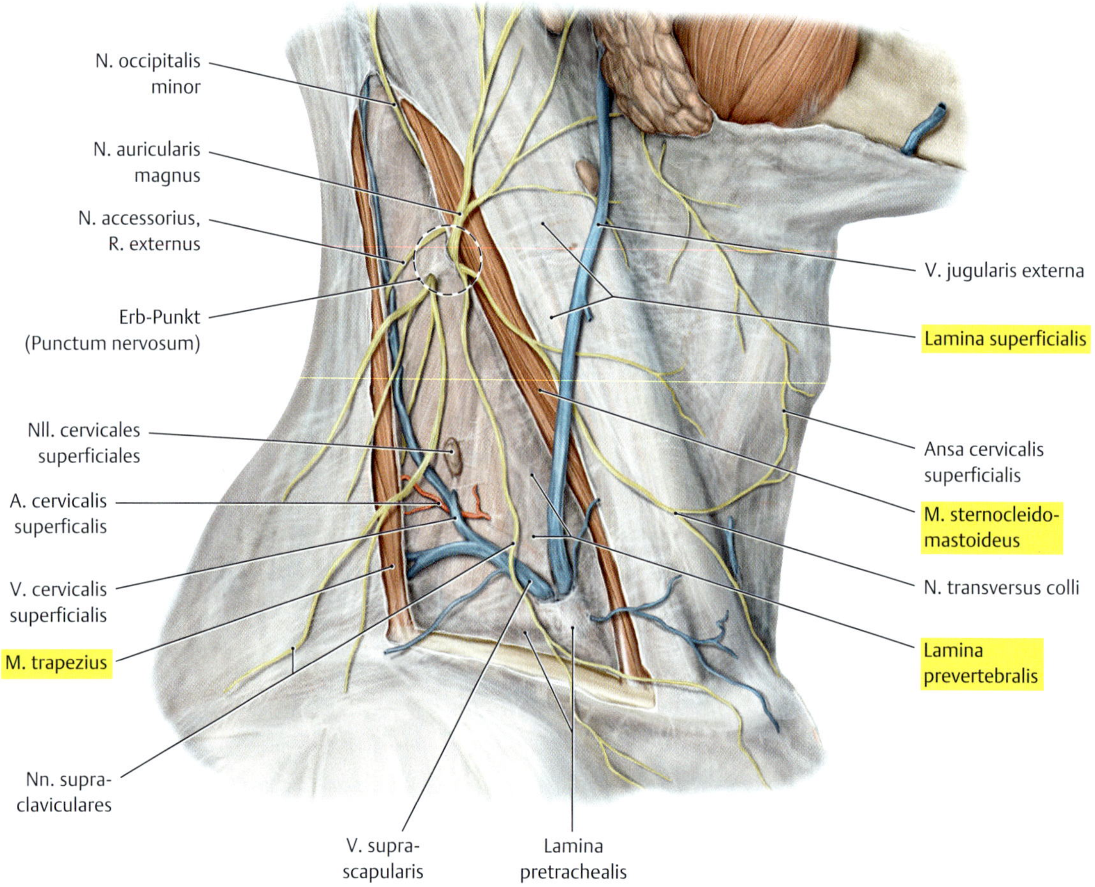

▸ **Abb. 3.11** Regio cervicalis lateralis (laterales Halsdreieck), oberflächliche subfasziale Schicht. (Quelle: Schünke M, Schulte E, Schumacher U. Prometheus. LernAtlas der Anatomie. Kopf, Hals und Neuroanatomie. Illustrationen von M. Voll und K. Wesker. 6. Aufl. Stuttgart: Thieme; 2022)

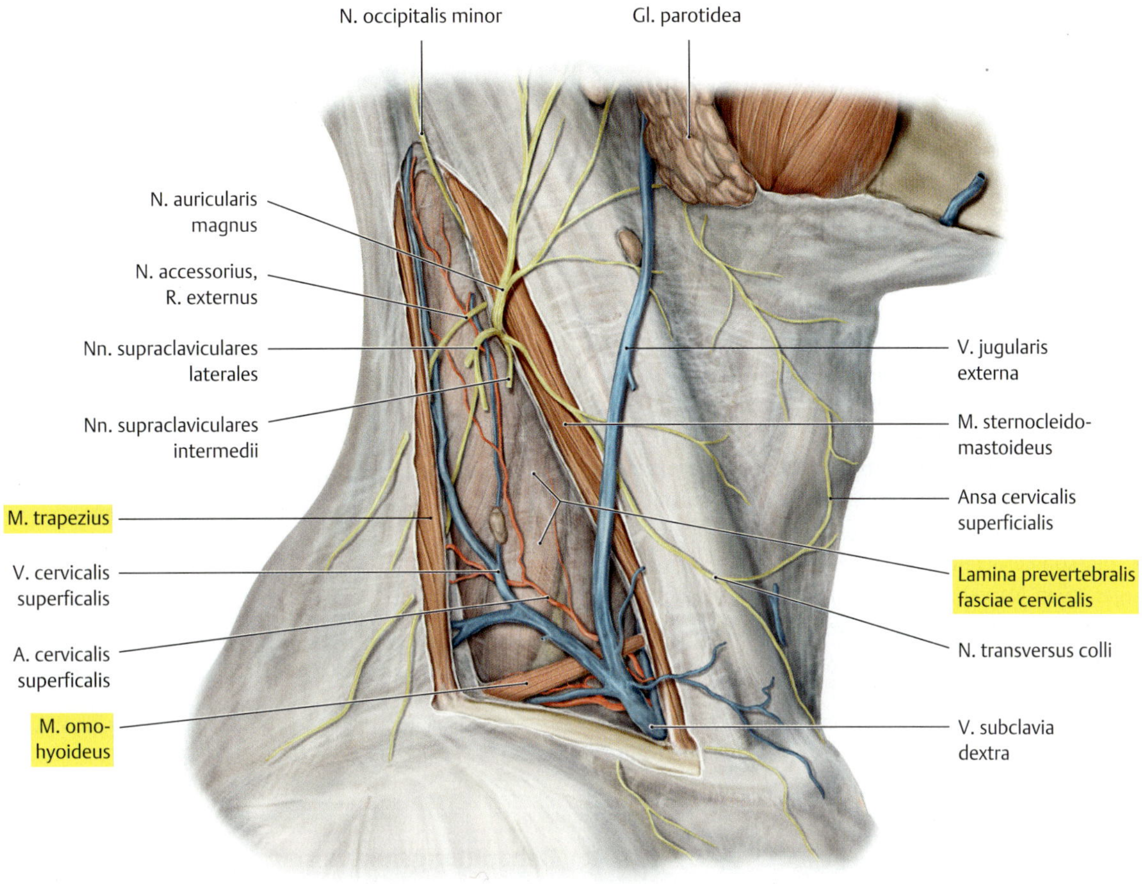

▶ **Abb. 3.12** Laterales Halsdreieck. (Quelle: Schünke M, Schulte E, Schumacher U. Prometheus, LernAtlas der Anatomie. Kopf, Hals und Neuroanatomie. Illustrationen von M. Voll und K. Wesker. 6. Aufl. Stuttgart: Thieme; 2022)

Osteopathische Korrespondenzen

Diese dreieckähnliche Region im vorderen lateralen Halsareal (Regio cervicalis lateralis) befindet sich unterhalb des Platysmas, kranial begrenzt vom M. digastricus, ventral vom M. omohyoideus und dorsal vom M. sternocleidomastoideus. Es teilt sich hier die A. carotis communis in die **A. carotis interna** und die **A. carotis externa**. Eine Fülle von weiteren Strukturen ist angesiedelt.

Der Sinus caroticus mit Presso- und Chemorezeptoren ist für die Messung des Sauerstoffgehalts des Blutes zuständig. In der Vagina carotica verlaufen gemeinsam mit der A. carotis interna die **V. jugularis interna**, der **N. vagus, N. accessorius, N. hypoglossus** und die **Ansa cervicalis profunda** (► Abb. 3.13).

Kompressionen der Karotisgabel können Druckrezeptoren (Pressorezeptoren) im Sinus caroticus stimulieren. Die pressorezeptiven Reize werden über den N. glossopharyngeus (IX) an das Kreislaufzentrum des vegetativen Nervensystems weitergeleitet (► Abb. 3.13). Von dort aus werden dann die Herzfrequenz und der Blutdruck gesenkt (Karotissinusreflex).

Je nach Spannungszustand der angrenzenden Struktur ist es möglich, dass ein Hypertonus von Halsmuskulatur und Halsfaszien eine Bradykardie und Asystolien durch starke Extensionsbewegungen der HWS auslösen kann. Schwindel kann ein weiteres Symptom sein (Karotissinussyndrom).

Praxistipp

Differenzialdiagnose

Eine Gefäßstenose kann auch auf tumoröse Veränderungen oder arteriosklerotische Gefäßveränderungen zurückzuführen sein.

Schmerzen in der Jochbeinregion

Schmerzen im Jochbeinbereich können, wenn andere Ursachen ausgeschlossen sind, durch myofasziale Adhäsionen im Durchtrittsbereich des N. zygomaticus entstehen. Dysfunktionen des Os zygomaticum können durch asymmetrische Kaukraftverteilung entstehen und zu lokalen Missempfindungen oder Druckschmerz führen.

Os temporale und Stylusdiaphragma

Dysfunktionen des Os temporale können das Spannungsgleichgewicht des Stylusdiaphragmas (S. 112) stören.

Die Funktion des faszialen Spannungsnetzes der Gesichts- und Rachenfaszien kann beim Schlucken oder Kauen beeinträchtigt sein. Unphysiologische Mundbodenspannungen können die Folge sein und sich als Spannungsschmerzen im Mundboden, beim Schlucken oder im oberen Halsbereich bemerkbar machen.

Praxistipp

Differenzialdiagnose

Bei einer eitrigen Pharyngitis oder ähnlichen Infektionen im Pharyngealraum kann es zu Eiteransammlungen kommen, die sich im Spatium parapharyngeum ansammeln. Ein schweres Krankheitsbild (Komplikation) ist das Absinken des Abszesses in das Mediastinum.

Behandlungshinweise

- Mobilisation der Bogensehne als Übung für den Patienten: Bogenspanner [17].
- Mobilisation der oberflächlichen und tiefen frontalen Armlinien als Übung für den Patienten: Dachstellung Vierfüßlerstand [17].

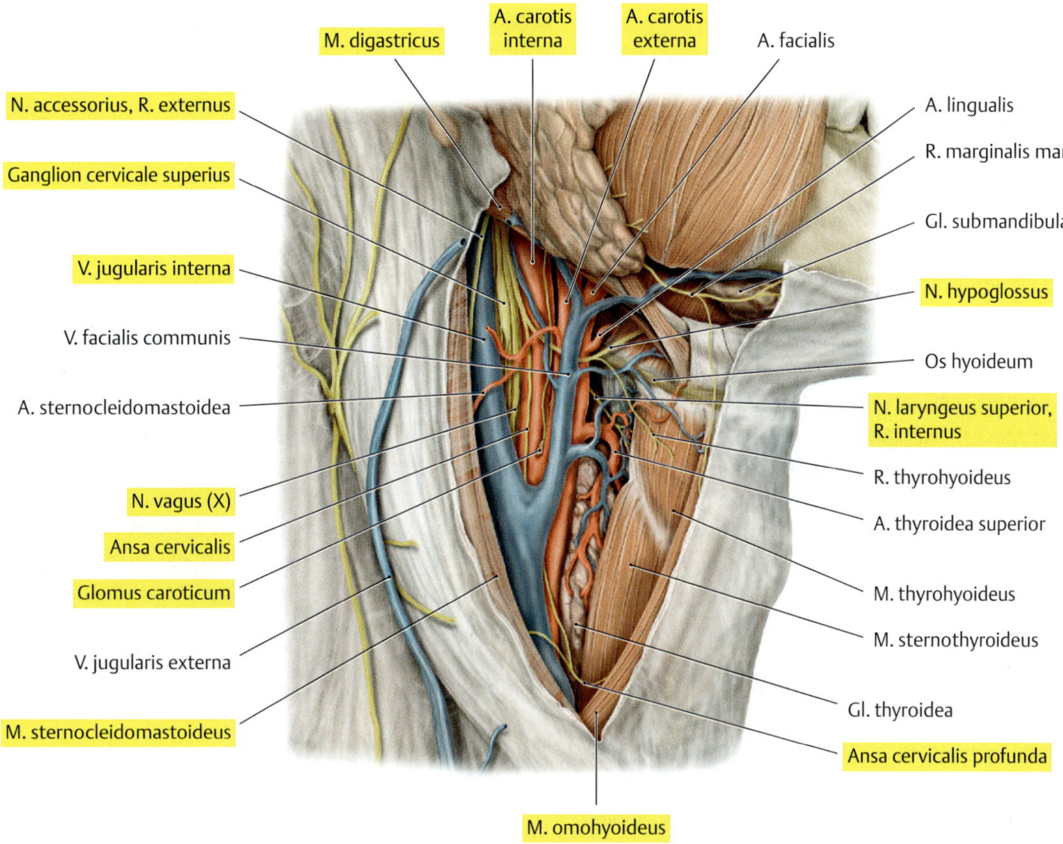

▸ **Abb. 3.13** Vagina carotica im Trigonum caroticum (von rechts). (Quelle: Corts M, Hrsg. Anatomie für Osteopathen. 1. Auflage. Stuttgart: Thieme; 2019 nach Schünke M, Schulte E, Schumacher U. Prometheus, LernAtlas der Anatomie. Kopf, Hals und Neuroanatomie. Illustrationen von M. Voll und K. Wesker. 6. Aufl. Stuttgart: Thieme; 2022)

Blickdiagnostik SSB-Dysfunktionen

Die SSB-Dysfunktionen zeigen sich u. a. in der Physiognomie des Gesichts. Auch wenn die SSB mit dem 17.–18. Lebensjahr verknöchert ist, können sich Dysfunktionen aus dem Kindesalter anscheinend so manifestieren, dass physiognomische Adaptionen im Erwachsenenalter im Kranium sichtbar sind (Kap. 6.3.3; Kap. 2.2.1).

Über die myofaszialen Verbindungen von der SSB und der Körperperipherie können zahlreiche Dysfunktionen Einfluss auf die SSB nehmen bzw. die beschriebene Dysfunktion kann sich auf korrespondierende Strukturen auswirken.

Die an der Schädelbasis und am Kranium ansetzenden Faszien und Muskelzüge können je nach Dysfunktion einen unterschiedlichen Spannungszustand und Muskeltonus zeigen. Auch kann durch die Positionierung des Os occipitale das Verhältnis von Okziput und Atlas beeinflusst werden. Folgende Dysfunktionen treten insbesondere nach traumatischen Geschehen auf und sind daher weniger ein Kompensationsmechanismus.

Vertical Strain mit Sphenoid in Flexion: Die Merkmale im Viszerokranium lassen sich in der ▶ **Abb. 3.14** gut erkennen. Referenzbereiche sind Kopfform, Stirn, Augen und Orbita, Ohren, Mund und Nasolabialfalten, Mandibulaform und Kinn. Typisch beim Vertical Strain mit Sphenoid in Flexion ist das Os occipitale in Extension. Das Hinterhaupt wirkt abgeflacht und im Bereich der posterioren Kalotte steilgestellt. Das Gaumendach ist breit abgeflacht. Das Sakrum steht in Extension.

Vertical Strain mit Sphenoid in Extension: Die Merkmale im Viszerokranium lassen sich aus der ▶ **Abb. 3.15** gut erkennen. Referenzbereiche sind Kopfform, Stirn, Augen und Orbita, Ohren, Mund und Nasolabialfalten, Mandibulaform und Kinn. Typisch beim Vertical Strain mit Sphenoid in Extension ist das Os occipitale in Flexion. Das Hinterhaupt wirkt gerundet und im Bereich der anterioren Kalotte steilgestellt. Das Gaumendach ist schmal und gotisch. Das Sakrum steht in Flexion.

Lateral Strain: Er kennzeichnet sich durch eine in der Frontalebene liegende Verschiebung in der Gelenkebene der SSB. Die ▶ **Abb. 3.16** zeigt das typische Parallelogramm mit Blick auf das Schädeldach. Das Sakrum folgt dem Lateral Strain.

Kompression der SSB (▶ Abb. 3.17, ▶ Abb. 3.18): Hier handelt es sich um eine Dysfunktion, die durch sehr starkes traumatisches Geschehen ausgelöst wird. Die Dynamik der SSB ist durch die Kompression nicht vorhanden. Häufig finden sich ausgeprägte durale Spannungen und Dysfunktionen in den Übergängen C 0/C 1 und L 5/S 1.

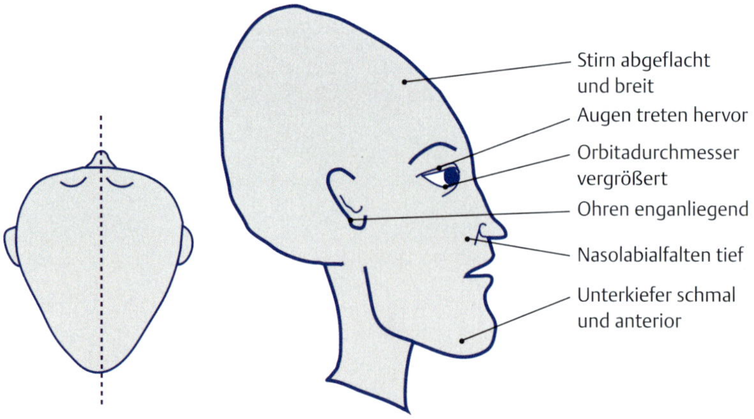

▶ **Abb. 3.14** Diagnostische Merkmale eines Superior Vertical Strain mit Sphenoid in Flexion. (Quelle: Liem T. Kraniosakrale Osteopathie. 7. Auflage. Stuttgart: Thieme; 2018; Grafik: C. Dardamissis, Freigold Konzept & Design, Hamburg)

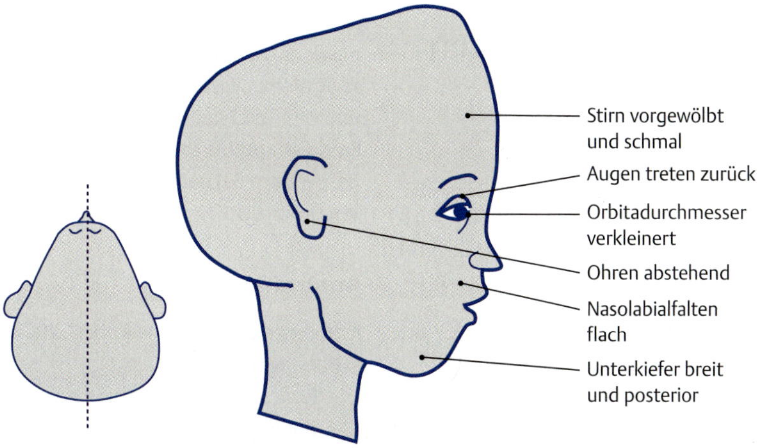

▸ **Abb. 3.15** Diagnostische Merkmale eines Inferior Vertical Strain mit Sphenoid in Extension. (Quelle: Liem T. Kraniosakrale Osteopathie. 7. Auflage. Stuttgart: Thieme; 2018; Grafik: C. Dardamissis, Freigold Konzept & Design, Hamburg)

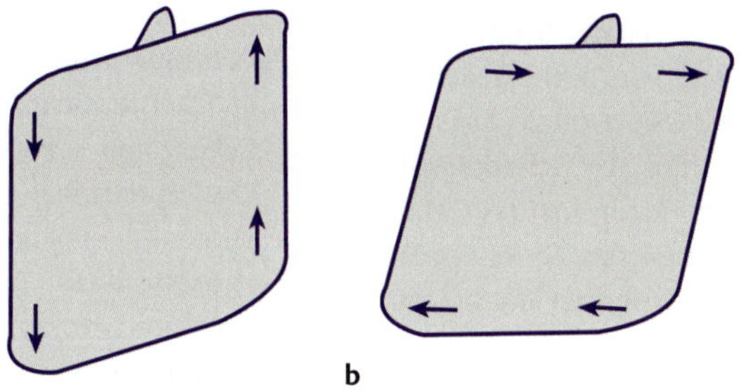

▸ **Abb. 3.16** Diagnostische Merkmale eines Lateral Strain rechts.

a Diese rhombusartige Organisation ist meist anzutreffen. Je nach Krafteinwirkung können die Alae majores auch geringfügig nach rechts verschoben sein. (Quelle: Liem T. Kraniosakrale Osteopathie. 7. Auflage. Stuttgart: Thieme; 2018; Grafik: C. Dardamissis, Freigold Konzept & Design, Hamburg)

b Bei sehr starken Krafteinwirkungen direkt seitlich auf die Alae majores entsteht eine Rhombusform, wobei die seitliche Verschiebung nach rechts in den Vordergrund tritt. (Quelle: Liem T. Kraniosakrale Osteopathie. 7. Auflage. Stuttgart: Thieme; 2018; Grafik: C. Dardamissis, Freigold Konzept & Design, Hamburg)

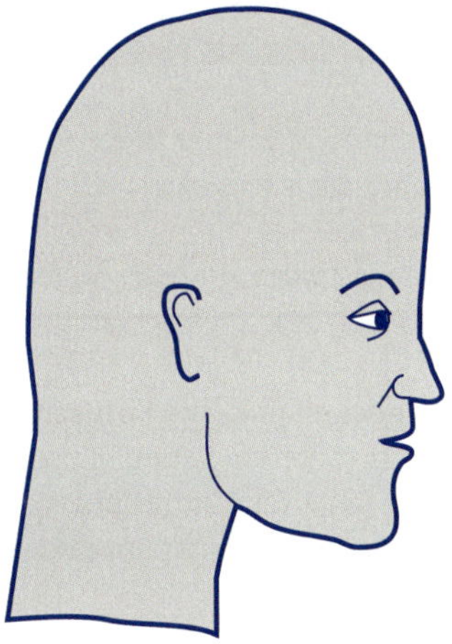

▸ **Abb. 3.17** Anteroposteriore Kompression der SSB. (Quelle: Liem T. Kraniosakrale Osteopathie. 7. Auflage. Stuttgart: Thieme; 2018; Grafik: C. Dardamissis, Freigold Konzept & Design, Hamburg)

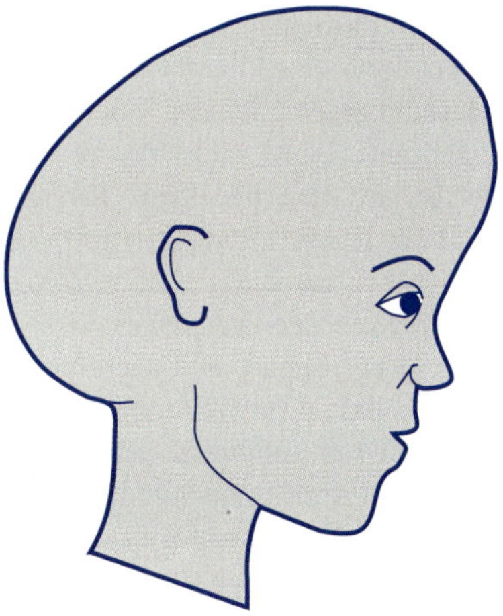

▸ **Abb. 3.18** Laterale Kompression der SSB. (Quelle: Liem T. Kraniosakrale Osteopathie. 7. Auflage. Stuttgart: Thieme; 2018; Grafik: C. Dardamissis, Freigold Konzept & Design, Hamburg)

3.3 Knöcherne Anteile Viszerokranium und Kranium

3.3.1 Os temporale

Das Os temporale (Schläfenbein) ist ein paariger Knochen, der dem **Neurokranium** zugeordnet wird (▶ Abb. 3.19). Charakteristisch für das Os temporale sind seine 3 Bestandteile:

- Schläfenbeinschuppe (Pars squamosa)
- Felsenbeinpyramide (Pars petrosa)
- Paukenteil (Pars tympanica)

Die **Gestalt** des Os temporale zeichnet sich durch einen vertikalen (**Pars squamosa**) und einen horizontalen Anteil (**Pars petrosa, Pars tympanica**) aus. Pars tympanica ist der kleinste der 3 knöchernen Anteile (▶ Abb. 3.20, ▶ Abb. 3.21).

Das Os temporale ist ein weiterer **Teil der Schädelbasis** und befindet sich mit einem Anteil (Pars petrosa) keilförmig zwischen Os sphenoidale und Os occipitale. Es ist sowohl an der mittleren als auch hinteren **Schädelgrube** beteiligt. Funktionell bildet es den Raum für das Gehör- und Gleichgewichtsorgan. Zudem ist das Os temporale Gelenkpartner des Os mandibulare und ist damit auch am Kiefergelenk beteiligt.

Zahlreiche Öffnungen, Kanäle und Fissuren prägen die Gestalt des Os temporale. Sie weisen darauf hin, dass **vielfältige Strukturen** (u.a. Gefäße, Nervenverläufe) den Schädelknochen durchdringen. Das macht den Knochen aus osteopathischer Sicht recht anfällig für unterschiedlichste Dysfunktionen.

Die **Entwicklung** der 3 Bestandteile des Os temporale verläuft unterschiedlich. Pars petrosa entwickelt sich aus einer **chondralen Anlage**, Pars squamosa und Pars tympanica aus einer **desmalen**. Die Pars petrosa ist I. u. gekennzeichnet durch eine **Vielzahl an Ossifikationszentren** und ist schon gegen Ende des 3. Schwangerschaftsmonats verknöchert. Damit bildet der chondrale Anteil den lateralen Bereich der Schädelbasis (Pars petrosa). Die seitliche Kalotte wird vom schuppenartigen (squamösen) Bereich gebildet (Pars squamosa). Pars petrosa ist ein sehr fester und stabiler knöcherner Anteil des Os temporale.

Zum Zeitpunkt der **Geburt** sind allerdings die 3 Teile des Os temporale noch nicht vollständig miteinander verschmolzen. Das folgt im Lauf des 1. Lebensjahres. Das Os temporale ist daher anfällig für Kompressionen sowohl während der Geburt als auch postnatal durch externe Krafteinwirkungen wie Traumata, z.B. Stürze, kieferorthopädische Eingriffe.

Einige **knöcherne Ausprägungen** am Os temporale entwickeln sich erst **postnatal** durch veränderte mechanische Kräfte wie Wachstum sowie muskuläre und fasziale Krafteinflüsse. Deutlich zu sehen ist dies an der postnatalen Ausformung von **Proc. mastoideus, Proc. styloideus**, verändertem Verlauf des **Canalis caroticus** und der Tuba auditiva sowie der späteren Vertiefung der **Fossa mandibularis** mit Ausprägung des **Proc. articularis**. Bis zum 6. Lebensjahr sind diese Prozesse abgeschlossen (▶ Abb. 3.21).

Anatomie

Knöcherne Anteile (▶ Abb. 3.20, ▶ Abb. 3.21)

- **Pars petrosa:**
  - Facies anterior → mittlere Schädelgrube
  - Facies posterior → hintere Schädelgrube
  - Facies inferior → Proc. styloideus, Canalis caroticus, Foramen jugulare
  - Meatus acusticus internus (Pars petrosa) → N. facialis, N. vestibulocochlearis, A./V. labyrinthi
  - Innenohr → Labyrinth
- **Pars tympanica:**
  - knöcherner Gehörgang (bis auf Decke des Gehörgangs → Pars squamosa!)
  - Meatus acusticus externus (Pars tympani)
  - Mittelohr → Cavum tympani
- **Pars mastoidea:**
  - endo- und exokranialer Anteil
  - Proc. mastoideus
  - Cellulae mastoideae
- **Pars squamosa:**
  - Facies temporalis (konvex) → außen → Sulcus arteriae temporalis mediae → Rinne dorsolateral (A. temporalis media externa)
  - Facies cerebralis (konkav) → innen → A. meningea media
  - Meatus acusticus externus (nur die Decke)
  - Fissura petrotympanica
  - Proc. articularis (begrenzt Fossa mandibularis rostral)
  - Fossa mandibularis (inferior Proc. zygomaticus, ventral Meatus acusticus externus)
  - Proc. zygomaticus
  - Crista supramastoidea → Ansatz M. temporalis und Fascia masseterica, temporalis

Benachbarte Knochen und ihre Suturen

- Os zygomaticum (anterior, Sutura temporozygomatica)
- Os sphenoidale (anterior, Sutura sphenosquamosa)
- Os parietale (superior, Sutura parietosquamosa, Sutura parietomastoidea)
- Os occipitale (posterior, Sutura occipitomastoidea, Sutura petrojugularis, Sutura petrobasilaris, Sutura petrosquamosa)
- Os mandibulare (inferior, Art. temporomandibularis)

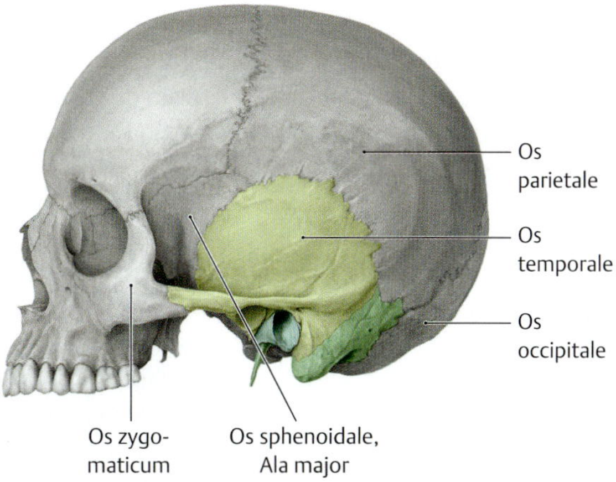

► **Abb. 3.19** Übersichtsbild Os temporale (von lateral). (Quelle: Schünke M, Schulte E, Schumacher U. Prometheus. LernAtlas der Anatomie. Kopf, Hals und Neuroanatomie. Illustrationen von M. Voll und K. Wesker. 6. Aufl. Stuttgart: Thieme; 2022)

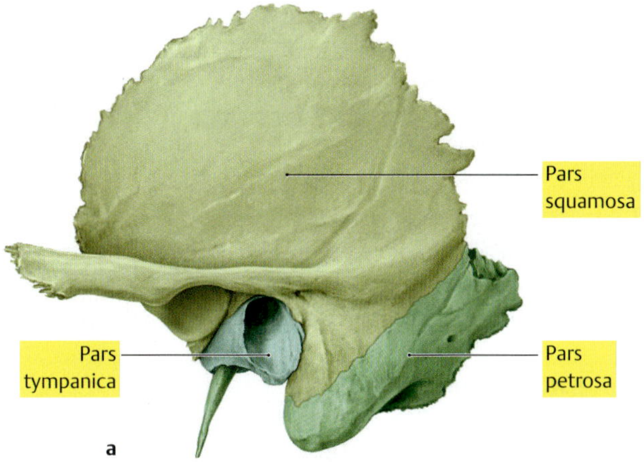

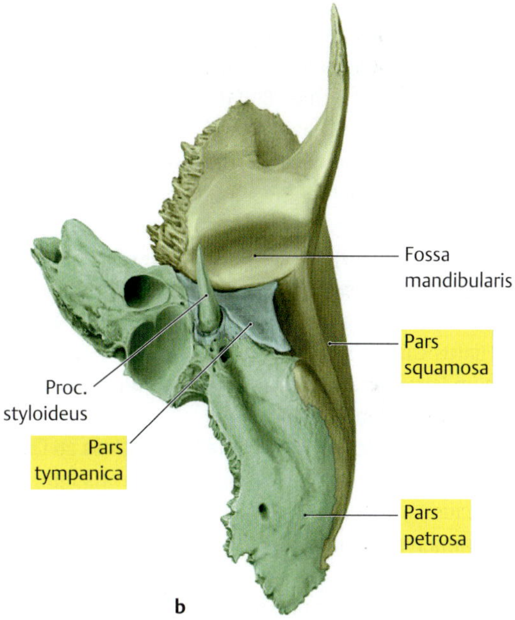

► **Abb. 3.20** Knochenanlagen eines linken Os temporale.

a Ansicht von links-lateral. (Quelle: Schünke M, Schulte E, Schumacher U. Prometheus. LernAtlas der Anatomie. Kopf, Hals und Neuroanatomie. Illustrationen von M. Voll und K. Wesker. 6. Aufl. Stuttgart: Thieme; 2022)

b Ansicht von kaudal. (Quelle: Schünke M, Schulte E, Schumacher U. Prometheus. LernAtlas der Anatomie. Kopf, Hals und Neuroanatomie. Illustrationen von M. Voll und K. Wesker. 6. Aufl. Stuttgart: Thieme; 2022)

Foramina, Fissuren, Canales (▸ Abb. 3.21)

- Foramen lacerum (in Verbindung mit Os sphenoidale, Os occipitale) → N. canalis pterygoidei (Nn. petrosi major et profundus), N. petrosus minor, A. canalis pterygoidea, A. pharyngea ascendens, Vv. emissariae, A. carotis interna liegt auf
- Foramen mastoideum → Verbindung von Außenfläche zum Sulcus sinus sigmoideus → V. emissaria mastoidea zum Sinus sigmoideus, R. der A. occipitalis
- Sulcus sinus sigmoidei
- Meatus acusticus externus (Pars tympani)
- Meatus (Porus) acusticus internus (Pars petrosa) → N. vestibulocochlearis (VIII), N. facialis (VII), Aa./Vv. labyrinthi, A. cerebelli anterior inferior (Gefäßschleife)
- Fissura petrotympanica → verbindet Paukenhöhle mit Fossa infratemporalis, teilt Fossa mandibularis in 2 Teile → Ansatz Kiefergelenkkapsel; durchtretende Strukturen → A. tympanica anterior, Corda tympani
- Fissura tympanomastoidea → verbindet Pars tympanica mit Proc mastoidea → R. auricularis, N. vagus
- Fossa jugularis → hier Bulbus superior, V. jugularis interna
- Caniculus mastoideus → Fossa jugularis zur Fissura tympanomastoidea → R. auricularis, N. vagus
- Canalis facialis → Foramen stylomastoideum → N. facialis (VII), A. stylomastoidea
- Hiatus canalis nervi petrosi majoris → Vorderseite Pars petrosa → Foramen lacerum → N. petrosus major (VII)
- Hiatus canalis nervi petrosi minoris → dito, zieht aber zum Foramen ovale → N. petrosus minor (N. IX) – Ggl. oticum → Gl. parotidea
- Canalis caroticus → Unterseite Pars petrosa zu Os sphenoidale (Lingula sphenoidalis) → A. carotis interna und Plexus caroticus (sympathisches Nervengeflecht)
- Foramen stylomastoideum → N. facialis, A. stylomastoidea
- Sulcus arteriae temporalis mediae

Ligamente (▸ Abb. 3.22)

- Lig. stylomandibulare (Proc. styloideus zum Angulus mandibulae)
- Lig. sphenopetrosum (Lig. Gruber), Apex partes petrosae ossis temporalis zu Proc. petrosus dorsum sellae des Os sphenoidale
- Lig. stylohyoideum (Proc styloideus zum Cornu minus ossis hyoidei)
- Lig. mallei anterius (vom Hamulus zum R. mandibulare, in Verbindung mit Lig. sphenomandibulare)
- **Lig. laterale (lateral an Kiefergelenkkapsel)**
- Pintus-Ligament (inkonstant, falls vorhanden vom Hamulus zum Caput mandibulae)

Muskeln

- **M. temporalis:**
  - **Ursprung:** Schläfenbeinschuppe (Facies temporalis)
  - **Ansatz:** Proc. coronoideus, Crista temporalis mandibulae
  - **Innervation:** N. mandibularis (V_3), Nn. temporalis profundi
  - **Funktion:** Mundschließer, Protrusions-, Retrusionsbewegung des Os mandibulare
- **M. masseter:**
  - **Ursprung:** Aponeurose Jochbeinbogen
  - **Ansatz:** Angulus mandibulae
  - **Innervation:** N. mandibularis (V_3)
  - **Funktion:** Mundschließer
- **M. sternocleidomastoideus:**
  - **Ursprung:**
    - zweiteilig
    - vom medialen Drittel der Klavikula und vom Manubrium sterni
  - **Ansatz:** Proc. mastoideus und Linea nuchae superior
  - **Innervation:** N. accessorius (C 1–C 2) und direkte Äste aus Plexus cervicalis (C 1/C 2)
  - **Funktion:**
    - Seitneigung des Kopfes zur gleichen Seite
    - Rotation des Kopfes zur Gegenseite
    - Beugen der HWS, um das Kinn auf die Brust auszurichten
    - Atemhilfsmuskel bei festgestelltem Kopf
- **M. longissimus capitis:**
  - **Ursprung:** Proc. transversi Th 3–5
  - **Ansatz:** Proc. mastoideus
  - **Innervation:** Rr. posteriores N. spinalis Th 3–5
  - **Funktion:** beidseitige Kontraktion: Dorsalextension, einseitige Kontraktion: Seitneigung ipsilateral des Kopfes
- **M. splenius capitis:**
  - **Ursprung:** Proc. spinosi (3.–7. Halswirbel, 1.–3. Brustwirbel), Lig. nuchae
  - **Ansatz:** Proc. mastoideus, laterale Anteile Linea nuchae superior
  - **Innervation:** Rr. posteriores N. spinalis C 3–Th 3
  - **Funktion:** Neigung des Kopfes, Streckung der HWS
- **M. digastricus:**
  - **Ursprung:**
    - zweiteilig
    - Venter anterior: Fossa digastrica (Os mandibulare)
    - Venter posterior: Incisura mastoidea (Os temporale)
  - **Ansatz:** angerundete Zwischensehne (M. stylohyoideus)
  - **Innervation:**
    - Venter anterior: N. mylohyoideus (V_3)
    - Venter posterior: R. digastricus → N. facialis (VII)
  - **Funktion:** hebt oder fixiert das Zungenbein → Schluckvorgang

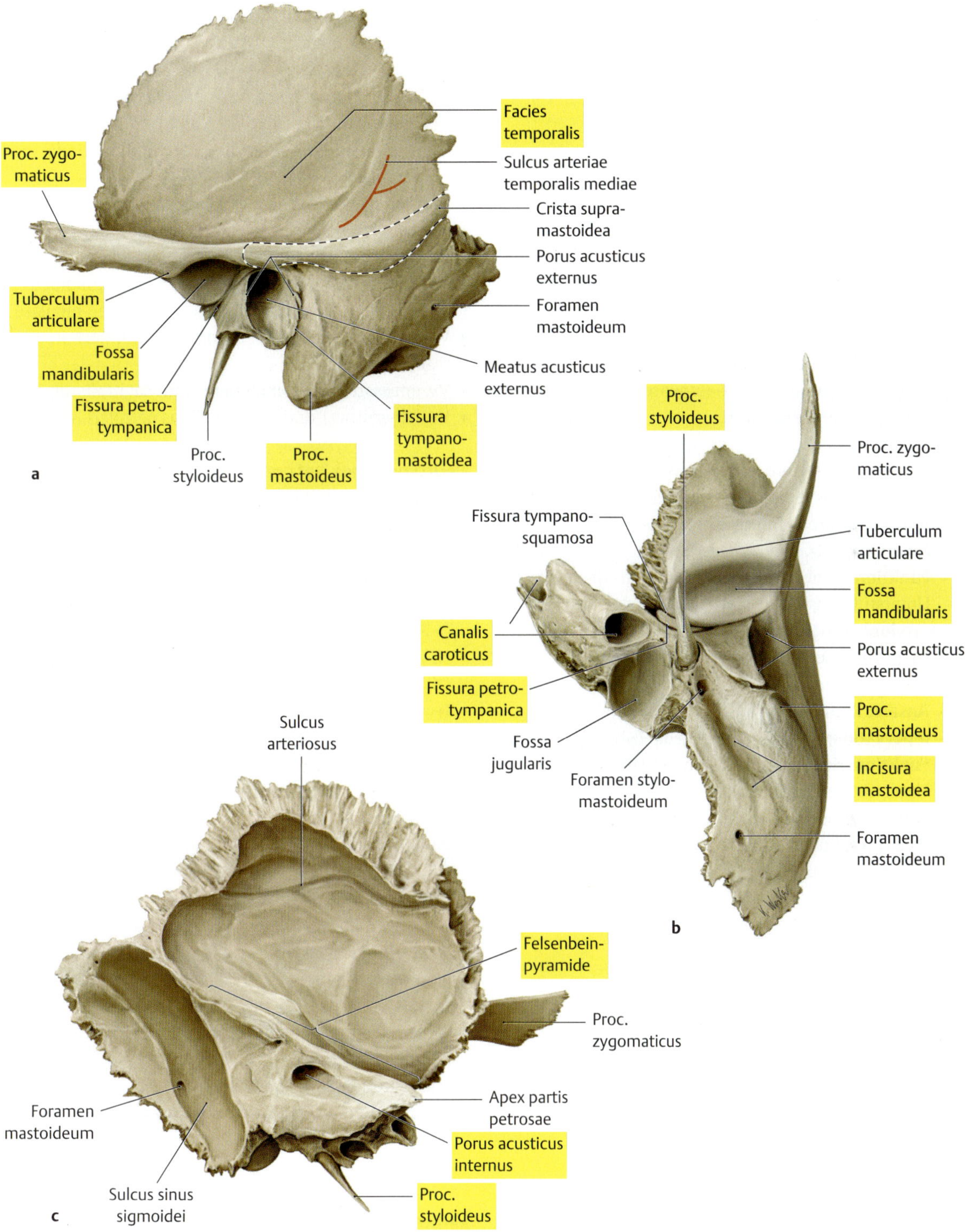

▸ **Abb. 3.21** Os temporale.

a Ansicht von links-lateral. (Quelle: Schünke M, Schulte E, Schumacher U. Prometheus. LernAtlas der Anatomie. Kopf, Hals und Neuroanatomie. Illustrationen von M. Voll und K. Wesker. 6. Aufl. Stuttgart: Thieme; 2022)

b Ansicht von kaudal. (Quelle: Schünke M, Schulte E, Schumacher U. Prometheus. LernAtlas der Anatomie. Kopf, Hals und Neuroanatomie. Illustrationen von M. Voll und K. Wesker. 6. Aufl. Stuttgart: Thieme; 2022)

c Ansicht von medial. (Quelle: Schünke M, Schulte E, Schumacher U. Prometheus. LernAtlas der Anatomie. Kopf, Hals und Neuroanatomie. Illustrationen von M. Voll und K. Wesker. 6. Aufl. Stuttgart: Thieme; 2022)

- **M. stylohyoideus:**
  - **Ursprung:** Proc. styloideus
  - **Ansatz:** mit gespaltener Sehne am Zungenbeinkörper
  - **Innervation:** N. facialis
  - **Funktion:** Heben des Zungenbeins, Unterstützung der Kieferöffnung
- **M. tensor veli palatini:**
  - **Ursprung:** Spina angularis, Fossa scaphoidea (Os sphenoidale), Tubenknorpel
  - **Ansatz:** Lamina medialis (Proc. pterygoideus, M. pterygoideus medialis)
  - **Innervation:** durch R. musculi tensoris veli palatini (N. mandibularis [V_3])
  - **Funktion:** Spannung des Gaumensegels, Unterstützung Schluckakt
- **M. styloglossus:**
  - **Ursprung:** anteriore und laterale Seite Proc. styloideus (Os temporale), Lig. stylomandibulare
  - **Ansatz:** A. carotis interna, A. carotis externa
  - **Innervation:** N. hypoglossus (XII)
  - **Funktion:** zieht die Zunge nach hinten-oben, Unterstützung Schluckakt
- **M. stylopharyngeus:**
  - **Ursprung:** mediale Seite Proc. styloideus (Os temporale)
  - **Ansatz:** Rachenschleimhaut
  - **Innervation:** N. glossopharyngeus (IX)
  - **Funktion:** Hebung und Erweiterung des Pharynx, Unterstützung Schluckakt
- **M. tensor tympani:**
  - **Ursprung:** Knorpel Tuba auditiva
  - **Ansatz:** Malleus
  - **Innervation:** N. tensoris tympani (N. mandibularis [V_3])
  - **Funktion:** Spannung des Trommelfells
- **M. stapedius:**
  - **Ursprung:** Eminentia pyramidalis (Cavitas tympanica)
  - **Ansatz:** Caput, Crus posterius (Stapes)
  - **Innervation:** N. stapedius (N. facialis [VII])
  - **Funktion:** spannt das Lig. anulare stapedis

Faszien

- Fascia temporalis
- Fascia cervicalis superficialis
- **Fascia praevertebralis cervicalis** (auch als Lamina bezeichnet)
- Rideau-Stylien
- interpterygoidale Aponeurose (Bezug zur Fissura petrotympanica)

Membranen: Tentorium cerebelli

Systemische Vaskularisation

- A. meningea media → Ast aus A. maxillaris → Facies cerebralis
- A. carotis interna → Ast aus A. carotis communis → Canalis caroticus
- A. cerebelli anterior inferior → Ast aus A. basilaris
- A. labyrinthi → Ast aus A. basilaris
- A. tympanica → Ast aus A. carotis externa
- A. occipitalis → Ast aus A. carotis externa → Incisura mastoidea
- Sinus petrosus superior, inferior, Sinus sigmoideus → drainieren in V. jugularis interna → Foramen jugulare
- V. diploica temporalis posterior → drainiert in Sinus transversus
- Vv. emissariae → drainieren in Sinus sagittalis superior
- Vv. labyrinthi → drainieren in Sinus petrosus inferior

Neurologisches Netzwerk

- R. auricularis nervi vagi → N. vagus (X) → Fissura tympanomastoidea
- N. auriculotemporalis → N. mandibularis (V_3)
- N. auricularis magnus → Plexus cervicalis C2, C3 → **Punctum nervosum, Fascia cervicalis superficialis** (▸ **Abb. 3.10**)
- N. glossopharyngeus (IX), N. vagus (X), N. accessorius (XI) → Foramen jugulare
- N. vestibulocochlearis (VIII) (Labyrinth), Porus acusticus internus
- N. facialis (VII) → Foramen stylomastoideum; Canalis facialis → N. intermedius (Porus acusticus internus), N. stapedius
- Pars petrosa, Margo superior, Apex → N. oculomotorius (III), N. trochlearis (IV), N. trigeminus → Ggl. trigeminale (in Duralsack), N. abducens (VI)
- Ggl. trigeminale (Apex der Pars petrosa)
- N. petrosus major → N. facialis (VII)
- **N. petrosus minor (IX)** → Fissura sphenopetrosa
- N. glossopharyngeus (IX) → **N. tympanicus**
- N. caroticotympanicus → **Plexus tympanicus** → Plexus caroticus internus → Canaliculi caroticotympanici (Canalis caroticus zur Paukenhöhle)
- Lobus temporalis (u. a. Verarbeitung akustischer Reize, affektgesteuertes Verhalten)
- Cerebelli → Pars petrosa, posteriorer Anteil

Myofasziale Wirkungsketten

- Über Fascia masseterica, **Fascia cervicalis superficialis** ist das Os temporale in die Bogensehne (Kap. 3.2.1) eingebunden ([16], ▸ **Abb. 3.9**, ▸ **Abb. 3.10**).
- M. sternocleidomastoideus (▸ **Abb. 3.10**, ▸ **Abb. 3.11**) beteiligt das Os temporale an der oberflächlichen Frontallinie (S. 129) und an den Laterallinien (S. 130).
- Über M. temporalis und M. masseter ist das Os temporale in die tiefe Frontallinie ([16], Kap. 2.4.2) eingebunden.

- Mit M. splenius capitis besteht ein Bezug zu den Spirallinien (Kap. 5.2.1) und der oberflächlichen Rückenlinie (Kap. 2.3.6, [16]).
- Zur oberen Extremität und der oberflächlichen rückwärtigen Armlinie ([16]) besteht die Einbindung des Os temporale über den M. trapezius (▶ **Abb. 3.12**).

Oberflächliche Frontallinie

Sie ist eine geradlinige Verbindung vom Fußrücken über die ventrale Seite des gesamten Körpers zum Mastoid und bis zur Galea aponeurotica des Hinterkopfs ([16], ▶ **Abb. 3.23**). Zur oberflächlichen Rückenlinie arbeitet sie antagonistisch.

Sie unterstützt die Flexion der Körpervorderseite und zieht Strukturen nach kranial, die vor der Lotlinie liegen (z. B. ventraler Anteil des Beckens, Abdomen, ventraler Thorax). Sie bewirkt die Dorsalflexion des Fußes, verursacht Knieextension und unterstützt Hüft- und Rumpfflexion sowie Flexion HWS.

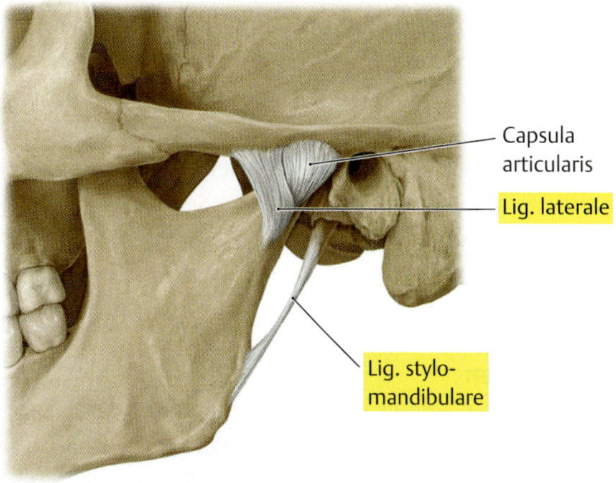

▶ **Abb. 3.22** Linkes Kiefergelenk mit Bandapparat. (Quelle: Schünke M, Schulte E, Schumacher U. Prometheus. LernAtlas der Anatomie. Kopf, Hals und Neuroanatomie. Illustrationen von M. Voll und K. Wesker. 6. Aufl. Stuttgart: Thieme; 2022)

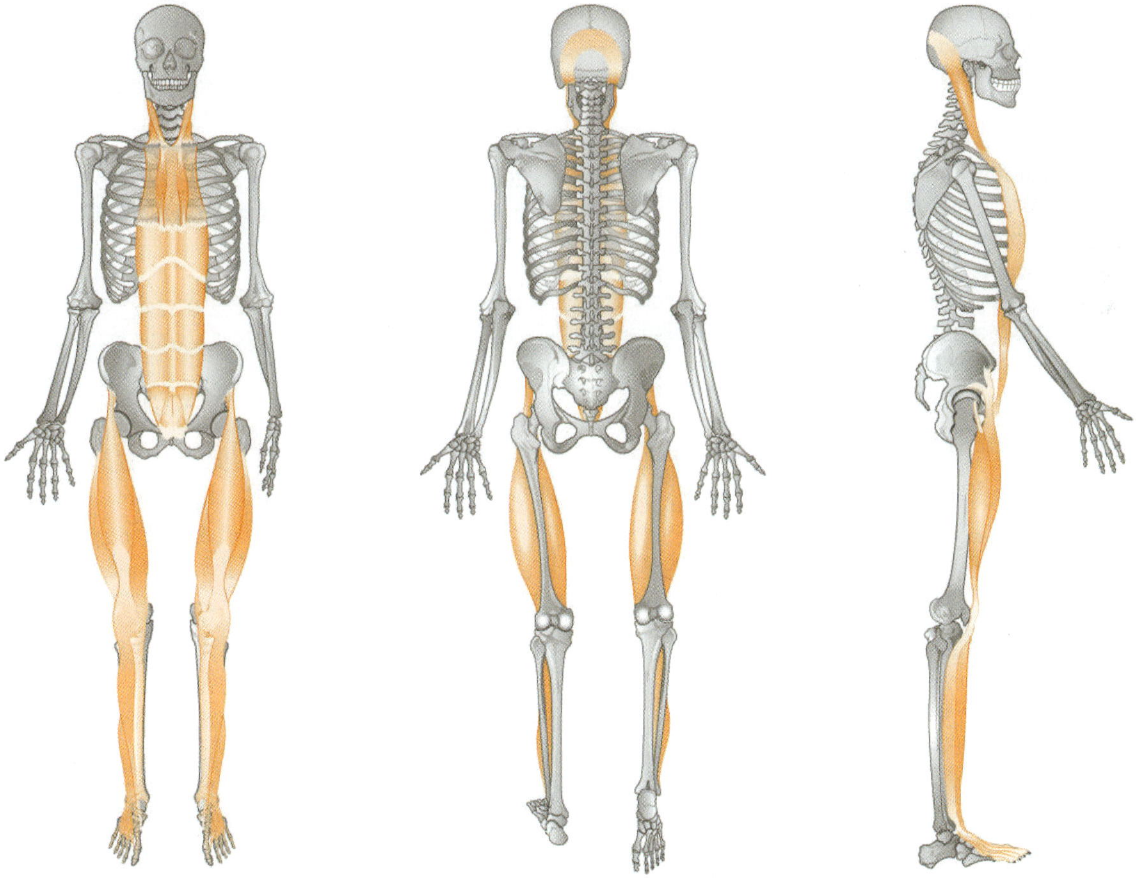

▶ **Abb. 3.23** Oberflächliche Frontallinie von ventral, dorsal, lateral. (Quelle: Corts M, ter Harmsel I. Sportosteopathie. Stuttgart: Haug; 2013)

Verlauf oberflächliche Frontallinie: dorsale Fläche der Zehen → M. extensor digitorum longus, M. extensor hallucis longus, M. extensor digitorum brevis, M. flexor hallucis brevis, M. tibialis anterior → Tuberositas tibiae → Lig. patellae → Patella → M. quadriceps femoris → SIAI → Tuberculum pubicum → M. rectus abdominis → 5. Rippe → Fascia sternochondralis → Manubrium sterni → M. sternocleidomastoideus → Proc. mastoideus → Galea aponeurotica

Laterallinien

Sie reichen auf beiden Körperseiten geradlinig von der lateralen Seite des Fußes bis zum lateralen Schädel und vereinigen sich am Os occipitale im Bereich der Galea aponeurotica ([16], ▸ **Abb. 3.24**). Sie bewirken Stabilisation in der Standbeinphase oder Seitneigung des Rumpfes. Gleichzeitig unterstützen sie die aufrechte Körperhaltung, balancieren Zugkräfte auf den lateralen Körperseiten und der dorsalen und ventralen Körperseite aus. Sie schaffen den Ausgleich bei unterschiedlichen Spannungen zwischen den Arm- und Spirallinien, stabilisieren Rumpf und Beine bei Armbewegungen, unterstützen die Rumpfseitneige, ermöglichen die Hüftabduktion und Fußeversion. Sie können die Rumpfbewegungen in Rotation oder Seitneigung durch Anspannung verlangsamen.

Verlauf Laterallinie: Basis ossis metatarsi I → M. peroneus longus/brevis, laterales Unterschenkelkompartiment → Caput fibulae → Condylus lateralis tibiae → Tractus iliotibialis → M. tensor fasciae latae → M. gluteus maximus/medius → Crista iliaca, SIPS, SIAS → M. obliquus externus/internus abdominis → unterer Rippenbogen → Mm. intercostales interni/externi → 1. und 2. Rippe → M. splenius capitis, M. sternocleidomastoideus → Proc. mastoideus, Galea aponeurotica

Kraniosakraler Kontext

Als Knochen der Peripherie bewegt sich das Os temporale während der Inspiration in Außenrotation (▸ **Abb. 3.25**) und während der Exspiration in Innenrotation. Zudem erfolgt über den Kontakt der großen Keilbeinflügel eine anteriore Rotation (in Inspiration) bzw. eine posteriore Rotation (in Exspiration). Die Felsenbeinregion (Pars petrosa) hebt und senkt sich bei In- bzw. Exspiration. Insgesamt wirkt die Bewegung wie ein eierndes Rad.

Die Achse für die Außen- und Innenrotation verläuft parallel zur Pars petrosa. Eine zweite Achse für die anteriore und posteriore Rotation verläuft durch den Porus acusticus externus.

Normalbefund bei Palpation: Die Pars mastoidea bewegt sich bei der Inspiration nach anterolateral, der Proc. mastoideus nach medial-posterior. Bei der Exspiration sind die Bewegungen der genannten Strukturen entgegengesetzt.

Die Bewegung ist symmetrisch, mit gleicher ausgewogener Amplitude und Kraft. Die Bewegung wirkt leicht und frei.

Kraniometrischer Punkt: Der Verbindungspunkt „Pterion“ liegt zwischen Os frontale, Os parietale, Os sphenoidale und Os temporale (entspricht der vorderen seitlichen Fontanelle des Säuglings).

Hinweis: Die Quellenangaben [15], [58], [59] beziehen sich auf den gesamten „Kraniosakralen Kontext“.

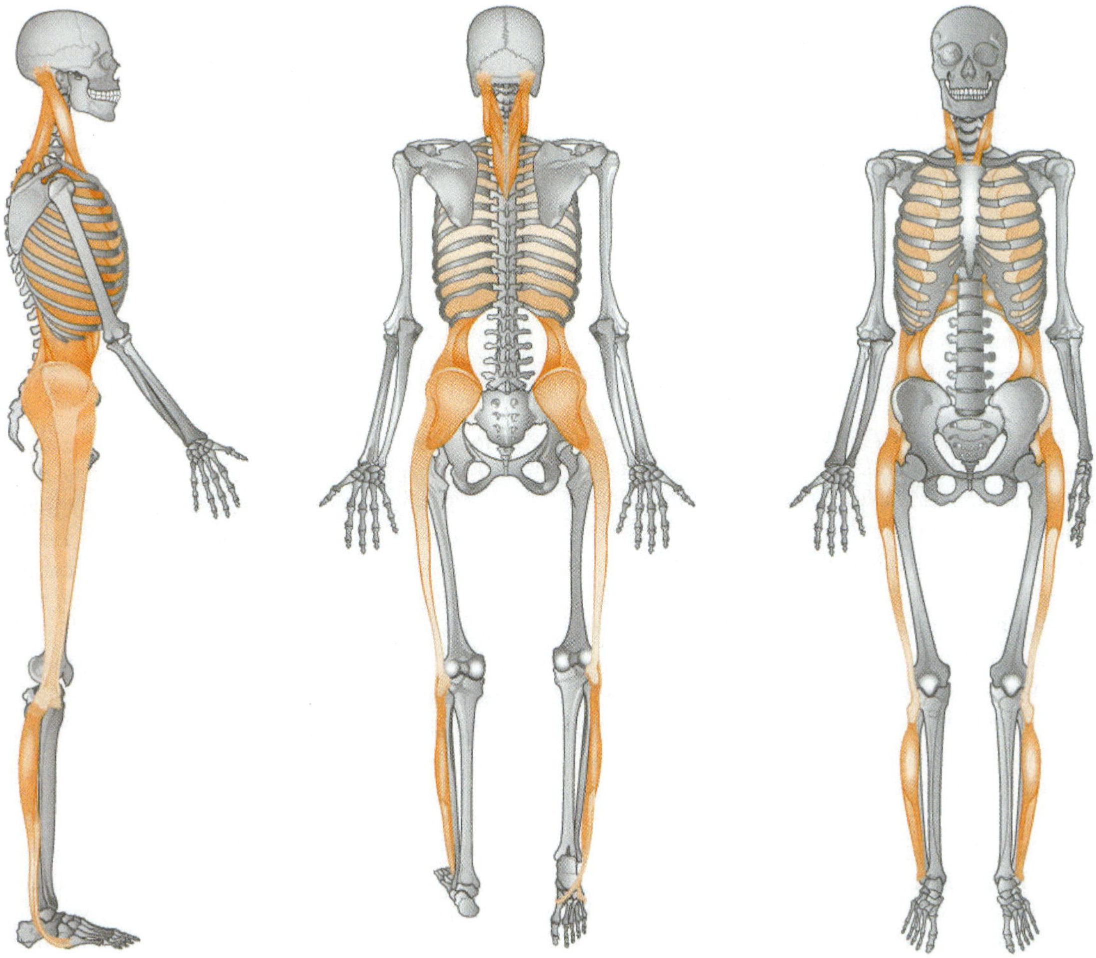

▶ **Abb. 3.24** Laterallinien von lateral, dorsal, ventral. (Quelle: Corts M, ter Harmsel I. Sportosteopathie. Stuttgart: Haug; 2013)

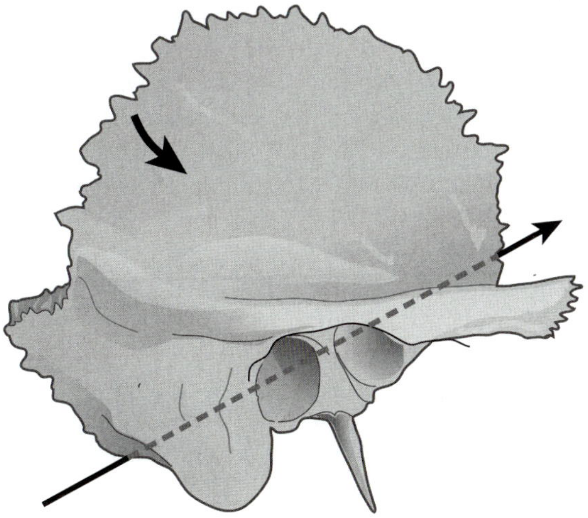

▶ **Abb. 3.25** Os temporale in der Inspirationsphase (von lateral). (Quelle: Corts M, Hrsg. Diagnoseleitfaden Osteopathie. 3., unveränderte Auflage. Stuttgart: Thieme; 2020 nach Liem T. Kraniosakrale Osteopathie. 7. Aufl. Stuttgart: Thieme; 2018)

Osteopathische Korrespondenzen

Knöcherne Anteile und Muskeln

Die komplexen muskulären Ansätze lassen sich den folgenden 4 Regionen des Os temporale zuordnen.

Proc. styloideus: Hier haben alle Muskeln Bezug zum Schluckakt, und zwar entweder als direkte Verbindung zum Os hyoideum, mit Bezug zur Zunge oder zum Pharynx.

Proc. mastoideus: Hier ist ein Großteil der Muskeln an der Kopfbewegung bzw. Stabilisierung der Kopfposition beteiligt. Lediglich M. digastricus mit seinem Venter posterior korrespondiert mit dem Os hyoideum.

Im Laufe der frühkindlichen Entwicklung und damit schon mit Heben des Kopfes verändern sich u. a. die auf das Mastoid einwirkenden Kräfte aus dem Gesamtorganismus. Struktur und Funktion bedingen sich auch hier gegenseitig. So ist u. a. die Ausprägung des Proc. mastoideus beeinflusst von veränderter Bewegung und Kräfteentwicklung des menschlichen Körpers im Raum (von horizontaler Bewegung, wie Robben, Kriechen, Krabbeln zur vertikalen Bewegung im Raum durch Stehen, Gehen, Laufen, Hüpfen, Springen). Aus osteopathischer Sicht korrespondiert das Os temporale mit dem Ilium.

Pars squamosa: Pars squamosa mit der lateralen Außenfläche und **Proc. zygomaticus**: Hier haben die kräftigen Mundschließermuskeln (M. temporalis, M. masseter) ihren Ausgangspunkt. Die Knochenschuppe, die einem Halbkreis ähnelt, bildet u. a. das Dach des knöchernen Gehörgangs und bildet die Kiefergelenkpfanne. Dysfunktionale Kräfte bei kraniomandibulären Dysfunktionen können hier Störungen im Bereich des Gehörorgans provozieren (▶ Abb. 3.21).

Proc. zygomaticus Der Proc. zygomaticus ist über den Kontakt zum Os zygomaticum an der Kräfteverteilung im Viszerokranium beteiligt. Gleichzeitig entstehen an ihm durch den Ursprung des M. masseter und den Ansatz der Fascia temporalis starke Kräfte durch den Kauapparat. Kieferchirurgische Eingriffe oder externe Krafteinwirkung von außen können das Os temporale in Dysfunktion bringen und die Kräfteverteilung dysfunktional machen. Dorsomedial der **Fossa mandibularis** liegt die **Fissura petrotympanica** (▶ Abb. 3.21, ▶ Abb. 3.34). Hier tritt die **Chorda tympani** (Ast des N. facialis [VII] mit sensorischen und präganglionären parasympathischen Fasern) durch und zieht weiter zur Fossa infratemporalis. Dort gelangt sie an die Schädelaußenseite. Mit dem N. lingualis (V_3) zieht sie zum Ggl. submandibulare. Über die Umschaltung der parasympathischen Fasern ziehen die Nervenfasern zu den Speicheldrüsen (Gl. submandibularis, sublingualis). Die sensorischen Anteile der Chorda tympani versorgen das mittlere und hintere Drittel der Zunge und tragen zur Geschmackswahrnehmung bei. Dysfunktionen der Fissura petrotympani können die Speichelbildung und/oder Geschmackswahrnehmung beeinflussen. Sekundäre Ursachen können CMD, intra- und interossäre Störungen durch Geburtstraumata sowie Suturenblockaden im Bereich des Os temporale sein (▶ Abb. 3.21, ▶ Abb. 3.26, ▶ Abb. 3.27).

> **Merke**
> **Die Chorda tympani verläuft nach der Abspaltung vom N. facialis (VII) durch die Paukenhöhle, überquert das Trommelfell und dringt dann zwischen Malleus und Incus zur Fissura petrotympanica vor.**

Ohrmuschel

Allgemein somatosensibel versorgt der R. auricularis nervi vagi Teile von Ohrmuschel, äußerem Gehörgang und Trommelfell. Intraossäre Dysfunktionen des Os temporale können bei Säuglingen durch ein Geburtstrauma ausgelöst werden. Das kann die Funktionalität der **Fissura tympanomastoidea** beeinträchtigen und den R. auricularis irritieren (▶ Abb. 3.21). Die unphysiologische Vagusreizung kann Übelkeit provozieren. Bei Ohrspülungen können ähnliche Symptome auftreten, Hustenreiz ist ebenfalls möglich.

N. auriculotemporalis (V_3)

Seine somatosensiblen Fasern versorgen zusammen mit dem R. auricularis nervi vagi einen Teil der Ohrmuschel sowie Hautareale, die vor der Ohrmuschel liegen, Schläfenregion, äußeren Gehörgang und Außenseite des Trommelfells. Aus dem Ggl. oticum nimmt N. auriculotemporalis postganglionäre Fasern auf und versorgt parasympathisch die Gl. parotis. Bei einer CMD kann es zum Hypertonus des M. masseter kommen, der einen Ansatzbereich am Proc. zygomaticus hat. Eine Irritation des N. auriculotemporalis kann zu neuralgischen Schmerzen im somatosensibel versorgten Bereich führen. Störungen der Gl. parotis können durch den Nervenverlauf nahe des Collum mandibulae entstehen. Auch hier kann eine CMD, gekoppelt mit einer unphysiologischen Spannung der Kau- und Mundbodenmuskulatur, den Nerv irritieren.

Proc. styloideus und Foramen stylomastoideum

Lig. stylomandibulare, das vom Proc. styloideus zum Angulus mandibulae zieht, kann bei CMD unphysiologische Spannung auf das Os temporale übertragen. Dabei können korrespondierende myofasziale Strukturen die Region am Proc. styloideus zusätzlich unter Spannung setzen und das in der Nähe des Proc. styloideus liegende Foramen stylomastoideum beeinflussen. Die hier durchziehenden Strukturen N. facialis, A. stylomastoidea können in ihrer Funktion beeinträchtigt werden. Kommt es zur Ödembildung im Durchtrittsbereich des Foramen stylomastoideum, kann eine einseitige Fazialislähmung (Bell-Lähmung) auftreten.

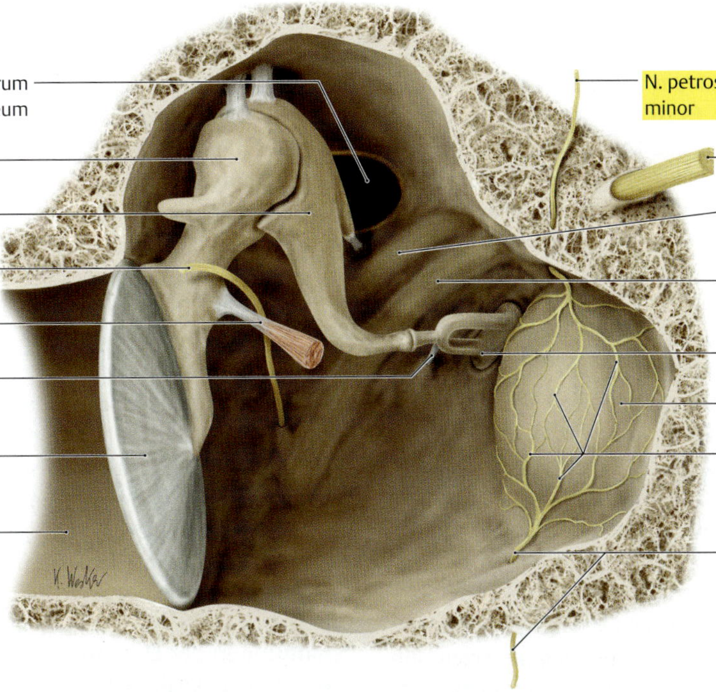

▸ **Abb. 3.26** Wände der Paukenhöhle (Cavitas tympanica). Gut erkennbar die netzartigen Äste des N. thympanicus und N. petrosus minor. (Quelle: Schünke M, Schulte E, Schumacher U. Prometheus. LernAtlas der Anatomie. Kopf, Hals und Neuroanatomie. Illustrationen von M. Voll und K. Wesker. 6. Aufl. Stuttgart: Thieme; 2022)

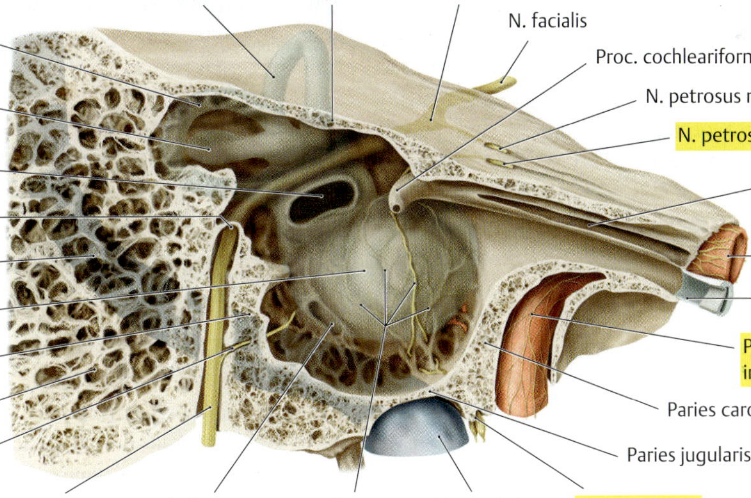

▸ **Abb. 3.27** Paukenhöhle: Klinisch wichtige Nachbarschaftsbeziehungen. (Quelle: Schünke M, Schulte E, Schumacher U. Prometheus. LernAtlas der Anatomie. Kopf, Hals und Neuroanatomie. Illustrationen von M. Voll und K. Wesker. 6. Aufl. Stuttgart: Thieme; 2022)

Über das Lig. stylohyoideum besteht eine Bandaufhängung, die das Zungenbein direkt mit dem Os temporale verbindet. Das Os hyoideum hat keinen direkten knöchernen Gelenkpartner. Es ist über die Halsfaszien bzw. die supra- und infrahyoidale Muskulatur elastisch aufgehängt (Kap. 2.3.2). Zudem bestehen Verbindungen zur Schilddrüse über die Membrana thyreoidea und das Lig. thyrohyoideum. Diese Aufhängekonstruktion lässt dem Zungenbein genügend Mobilität beim Schluckakt und begrenzt funktionell das kaudale Gleiten des Zungenbeins. Die komplexe fasziale, ligamentäre und muskuläre Einbindung des Zungenbeins zu Os temporale, Os mandibulare, Schulterblatt und Sternum kann durch dysfunktionale Spannung Beschwerden in der Körperperipherie auslösen. Über die oberflächliche Halsfaszie, Fascia praetrachealis, mit Ansatz am M. subclavius können Dysfunktionen der Klavikula entstehen, die sich z. B. in Schmerzen am Sternoklavikulargelenk zeigen können. Spannungsänderungen im zervikothorakalen Diaphragma sind möglich und können den venösen Rückfluss aus dem kranialen Bereich behindern. Kopfschmerzen aufgrund des verminderten venösen Abflusses sind möglich.

Sekundäre Einflüsse

Das Os temporale ist anfällig für Kompressionen sowohl während der Geburt als auch postnatal durch externe Krafteinwirkungen wie Traumata, z. B. Stürze, Schleudertrauma, kieferorthopädische Eingriffe. Insbesondere Kompression kann die intraossären Anteile zueinander in Dysfunktion bringen. Dies gilt auch für die Suturen, insbesondere für diejenigen, die für die Bewegung des Os temporale zwischen Os occipitale und Os sphenoidale wichtig sind (Sutura occipitomastoidea, Sutura petrojugularis, Sutura petrobasilaris, Sutura petrosquamosa, Sutura sphenosquamosa; ▸ **Abb. 3.28**, ▸ **Abb. 3.29**).

Migräneartiger Kopfschmerz kann bei Dysfunktion von Lig. sphenomandibulare und Sutura sphenosquamosa auftreten (Bezug zu A. meningea media).

Betrachtet man die komplexe Einbindung des Os temporale in die myofaszialen Ketten, können u. a. auch Dysfunktionen aus der Peripherie, insbesondere von Ilium, Sakrum, Beckenboden die Funktionalität des Os temporale beeinflussen. Die direkten muskulären Einflüsse (M. sternocleidomastoideus, M. trapezius, M. splenius capitis, M. longissimus capitis) und die Korrespondenz zur unmittelbaren Peripherie (zervikothorakales Diaphragma, Schultergürtel, oberer Thorax) sind dabei nicht unerheblich.

Unphysiologische Spannungen über das Tentorium cerebelli können ein weiterer Faktor für Dysfunktionen im Bereich des Os temporale sein. Dysfunktionen im Bereich des Lig. sphenopetrosum können den am Ligament und dem Apex der Pars petrosa vorbeilaufenden N. abducens (VI) irritieren und in seiner Funktion beeinträchtigen (denkbar sind gestörte Bulbusbewegung, Schielen bei Ermüdung). SSB-Dysfunktionen können hier primäre Ursache sein.

Das Hör- und Gleichgewichtsorgan befindet sich im Innern des Felsenbeins. Intraossäre Spannungen, dysfunktionale Spannung der Dura mater oder auch eine CMD können den hochsensiblen Hörbereich und die 3 Bogengänge des vestibulären Labyrinths in ihrer Funktion beeinträchtigen. Mikrozirkulatorische Störungen können den lokalen Metabolismus beeinflussen und die Viskosität der Endolymphe beeinträchtigen. Schwindel unklarer Genese kann in allen Fällen ein mögliches Symptom sein (▸ **Abb. 3.26**, ▸ **Abb. 3.27**).

Spannungen der Dura mater

Das Ggl. trigeminale liegt in einer Mulde an der Felsenbeinvorderfläche und befindet sich dort in einem Duralsack. Unphysiologische Spannungen können austretende Nervenäste beeinträchtigen. Gesichtsschmerz ist möglich. Störung der sensorischen Versorgung von Teilen des Meatus acusticus internus, von Ohrmuschel und Trommelfell sind denkbar. Störungen der SSB sowie Spannungen des myofaszialen Systems und Membransystems können sekundäre Dysfunktionen in Innen- und Außenrotation des Os temporale hervorrufen.

Dysgnathien, Schwindel und Kopfschmerz

Dysgnathien können das Os temporale beeinflussen und unphysiologische Kaukräfte auf die Fossa mandibularis bringen. Bruxismus kann ebenfalls zu Restriktionen im Bereich des Os temporale führen. Durch einen Hypertonus des M. temporalis kann die Sutura sphenosquamosa komprimiert werden und Spannungskopfschmerz auslösen. Beim nächtlichen Zähnepressen oder Bruxismus kann es zu einer erhöhten Anspannung der Kau- und subokzipitalen Muskulatur kommen. Eine verminderte Gleitfähigkeit der kranialen, subokzipitalen und zervikalen Halsfaszien kann den lokalen Hypertonus noch verstärken. Über die Gamma-Motoneuronen kann die nozizeptive Sensibilität erhöht werden und den Kopfschmerz chronifizieren.

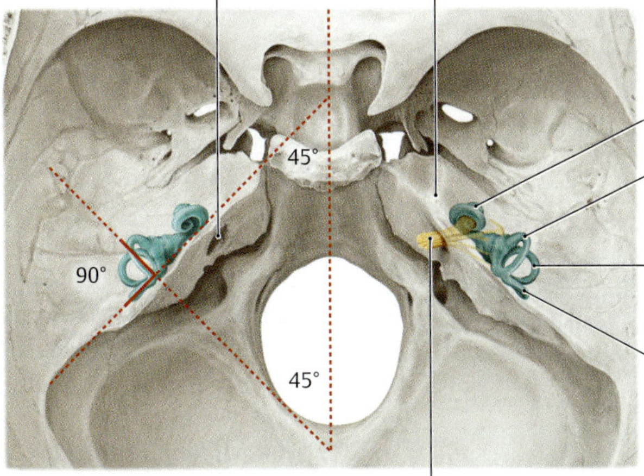

▸ **Abb. 3.28** Projektion des Innenohrs auf den knöchernen Schädel. Ansicht von kranial auf die Pars petrosa des Os temporale. (Quelle: Schünke M, Schulte E, Schumacher U. Prometheus. LernAtlas der Anatomie. Kopf, Hals und Neuroanatomie. Illustrationen von M. Voll und K. Wesker. 6. Aufl. Stuttgart: Thieme; 2022)

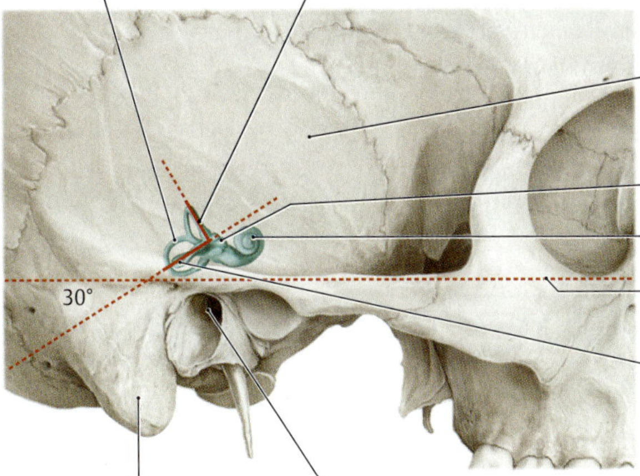

▸ **Abb. 3.29** Projektion des Innenohrs auf den knöchernen Schädel, Ansicht von rechts-lateral auf die Pars squamosa des Felsenbeins. (Quelle: Schünke M, Schulte E, Schumacher U. Prometheus. LernAtlas der Anatomie. Kopf, Hals und Neuroanatomie. Illustrationen von M. Voll und K. Wesker. 6. Aufl. Stuttgart: Thieme; 2022)

Hörgeräusche

Durch die Dysfunktion des Os temporale kann es zu Spannungen in der Tuba auditiva kommen. Die A. carotis interna ist nur durch eine Knochenlamelle vom Innenohr getrennt. Formveränderungen können Fließgeräusche provozieren. Spannungen im Ligament von Pintus können das Hörvermögen einschränken (▸ **Abb. 3.30**).

Sekretionsstörungen

Der N. recurrens meningeus vom N. mandibularis (V_3) zieht durch das Foramen spinosum und versorgt mit einem Ast die Schleimhaut der luftgefüllten Räume des Mastoids. Dysfunktionen des Os sphenoidale können den Nerv in seiner Funktion beeinträchtigen.

Störung des Lymphflusses

Durch durale Fehlspannungen kann der Abfluss der Endolymphe beeinträchtigt werden. Das Phänomen des Schwank- oder Drehschwindels ist ein mögliches Symptom.

Otitis media, Sekretabflussstörungen

Die Tuba auditiva verändert bedingt durch das Wachstum des Kraniums im Laufe der ersten Lebensjahre ihren Verlauf. Zum Zeitpunkt der Geburt ist sie eher horizontal ausgerichtet, später dann mehr schräg-kaudal. Über die Tuba auditiva stehen die Cellulae mastoideae mit dem Nasen-Rachen-Bereich in Verbindung (▸ **Abb. 3.31**).

Die Funktion der Tuba auditiva liegt neben dem Druckausgleich zwischen Mittelohr und Nasen-Rachen-Bereich auch in der Drainage des Mittelohres. Dysfunktionen des Os temporale können unphysiologische Spannungen gerade im knorpeligen Anteil der Tuba auditiva provozieren. Die Drainagefunktion kann dadurch gestört werden. Mögliche Folgen sind wiederholte Paukenhöhlenergüsse, Mittelohrentzündungen und ggf. eine Mastoiditis.

> **Cave**
> **Eine Mastoiditis kann zu einer Meningitis führen!**

Korrespondierende Strukturen

Auswahl an korrespondierenden Strukturen, die unter systemischen Aspekten therapeutisch von Bedeutung sein können:

- Hirnnerven VI, IV, III (anterior des Apex unter dem Lig. sphenopetrosum)
- N. canalis pterygoidei
- Plexus caroticus internus
- venöse Blutleiter
- Ggl. cervicale superior, oticum, geniculatum
- Fascia cervicalis profunda
- Zentralsehne und ihre einzelnen Bestandteile sowie alle Organe, die über die Zentralsehne wirken konnen
- Liquor cerebrospinalis
- Gl. parotidea
- reziproke Spannungsmembran
- Cochlea
- Aa. meningea media, carotis externa, maxillaris, basilaris

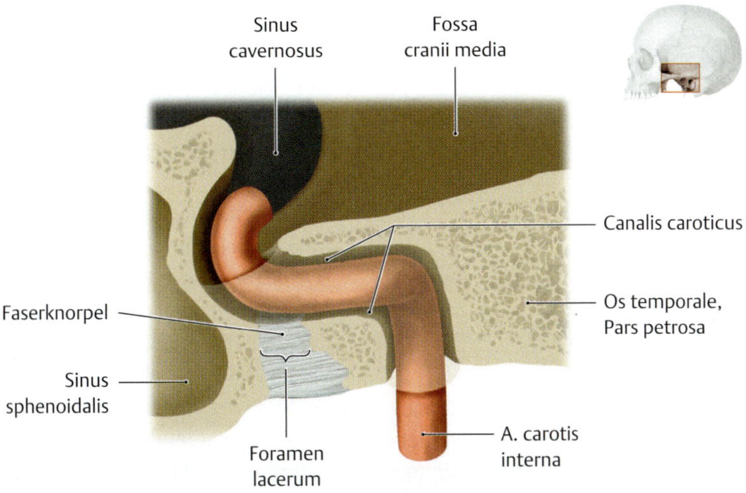

▸ **Abb. 3.30** Topografische Beziehung des Foramen lacerum zum Canalis caroticus und der A. carotis interna. (Quelle: Schünke M, Schulte E, Schumacher U. Prometheus. LernAtlas der Anatomie. Kopf, Hals und Neuroanatomie. Illustrationen von M. Voll und K. Wesker. 6. Aufl. Stuttgart: Thieme; 2022)

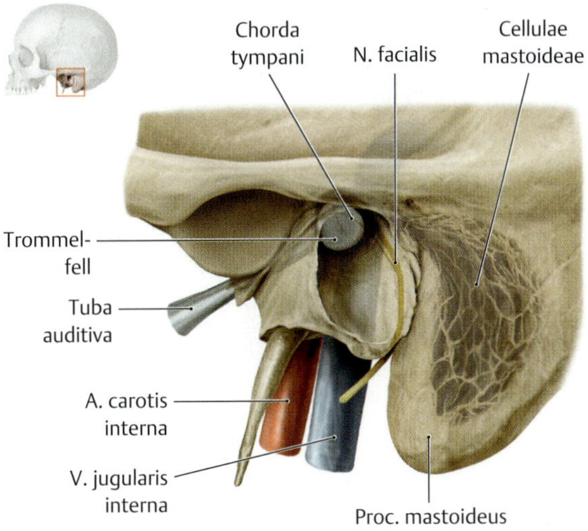

▸ **Abb. 3.31** Projektion klinisch wichtiger Strukturen auf das linke Os temporale. (Quelle: Schünke M, Schulte E, Schumacher U. Prometheus. LernAtlas der Anatomie. Kopf, Hals und Neuroanatomie. Illustrationen von M. Voll und K. Wesker. 6. Aufl. Stuttgart: Thieme; 2022)

Behandlungshinweise

- Indikationen für die Behandlung des Os temporale sind u. a.
  - Kopf-, Gesichtsschmerzen
  - Schwindel
  - Hörstörungen
  - Gleichgewichtsstörungen
  - kraniomandibuläre Störungen
  - OAA-Dysfunktionen
  - Tubenkatarrh
  - Otitis media
  - Übelkeit
- Zur Diagnostik des Os temporale stehen u. a. 2 Handhaltungen zur Verfügung: der Schalen- oder Schmetterlingsgriff. Beim Testen prüft der Behandler die Bewegung beider Ossa temporalia in der In- und Exspirationsphase des PRM.
- Spannungen im Tentorium cerebelli sind mit der Os-temporale-Hebetechnik behandelbar.
- Mit der Earpull-Technik können Fixationen der Temporalsuturen gelöst werden und sich positiv auf die Funktionalität der Tuba auditiva auswirken.
- Mit Befreiung der Iliosakralgelenke und anschließender Behandlung der Dura mater über Os-frontal-Spread, Os-parietal-Spread sowie Behandlung des Tentorium cerebelli kann ein Os temporale in seiner Bewegung harmonisiert werden.
- Dekompression der Sutura occipitomastoidea ist sehr hilfreich bei hypertoner subokzipitaler Muskulatur.
- Der Schmetterlingsgriff ist hilfreich bei Befreiung der Sutura sphenopetrosa und sphenosquamosa. Sutura sphenopetrosa hat einen engen Bezug zum Ggl. trigeminale.
- Die Behandlung der Triggerpunkte im Bereich des M. sternocleidomastoideus kann bei einer muskulären Dysbalance den Muskel detonisieren und den unphysiologischen myofaszialen Zug auf das Os temporale reduzieren (► **Abb. 3.32**).
- Myofasziale Schnelltests helfen bei der Frage, ob die Dysfunktion des Os temporale durch eine aufsteigende Kette (z. B. viszerale Dysfunktion, Dysfunktionen in der unteren Extremität, insbesondere Fuß) bedingt wird [15].
- Mobilisation der oberflächlichen Frontallinie als Übung für den Patienten: Bogenspanner, Thoraxschraube [17].
- Mobilisation der Laterallinien als Übung für den Patienten: Diagonalzug, umgekehrter Hürdensitz, Drehsitz [17].

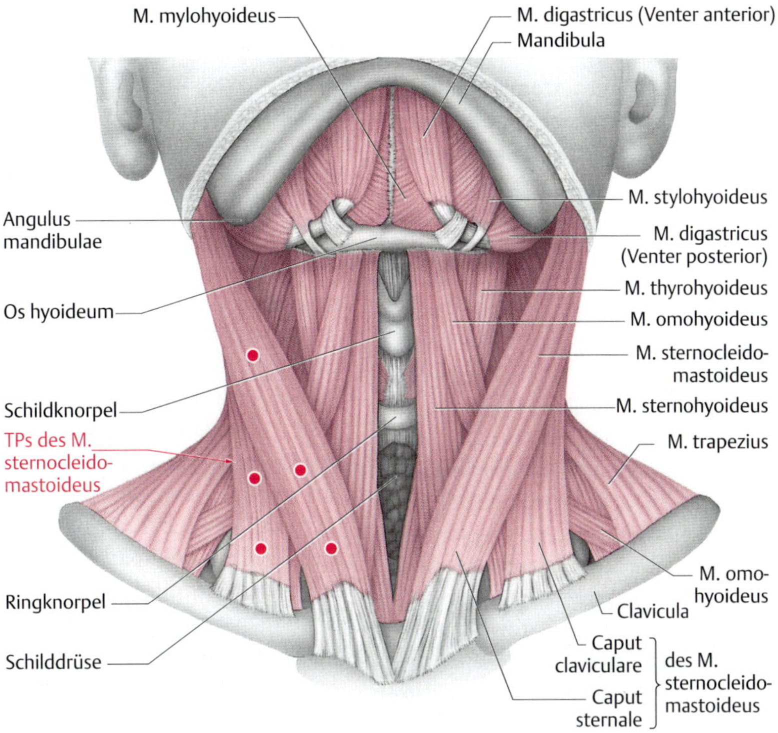

▸ **Abb. 3.32** Triggerpunkte. (Quelle: Richter P, Hebgen E. Triggerpunkte und Muskelfunktionsketten. 5. Auflage. Stuttgart: Thieme; 2021, nach Schünke M. Topografie und Funktion des Bewegungssystems. 3. Auflage. Stuttgart: Thieme; 2018)

3.3.2 Kiefergelenk (Art. temporomandibularis)

Das Kiefergelenk ist Bestandteil des **stomatognathen Systems**. Zu diesem System gehören neben der Kaumuskulatur und Zunge auch die Zähne und als übergeordnete Steuerungsinstanz das ZNS.

Gebildet wird das **Temporomandibulargelenk (TMG)** aus 2 knöchernen Gelenkpartnern. Kaudal ist es das **Caput mandibulae** (▶ Abb. 3.33), das tendenziell mehr eine walzen- als kugelförmige Gestalt hat. Kranial ist es die **Fossa mandibularis** des Os temporale, in der Pars squamosa (▶ Abb. 3.34). Die Fossa mandibularis wird noch ergänzt um die **Eminentia articularis (medial)** und das **Tuberculum articulare (ventral)**. Zwischen den beiden Gelenkpartnern Caput mandibulae und Fossa mandibularis liegt ein Diskus. Dieser **Discus articularis** teilt das Kiefergelenk wiederum in einen oberen und unteren Teil und ist mit der Gelenkkapsel des Kiefergelenks verwachsen. Die **Gelenkkapsel** besteht aus lockerem Gewebe, das einen hohen Anteil an elastischen Fasern aufweist. Lateral wird die Gelenkkapsel durch Bänder verstärkt.

Das Kiefergelenk ist in seiner **Bewegung und Funktionalität** dreidimensional aufgestellt. Denn über die „Knochenspange" Os mandibulare beeinflussen sich beide Kiefergelenke bei jeder Bewegung gegenseitig. Diese funktionelle Einheit von knöchernen Anteilen und einem hochspezialisierten Band-Kapsel-Muskel-Diskus-Komplex ist Grundlage für die vielfältigen Funktionen des Kiefergelenks.

Es sind dreidimensionale kombinierte **Bewegungsformen** möglich, Rotations-, Translations- und Mahlbewegung. Bezogen auf die Bewegung spricht man von Elevation (Mundschließen), Depression (Mundöffnen), Protrusionsbewegung (Vorschubbewegung, auch Protraktion genannt), Retrusionsbewegung (Rückwärtsbewegung, auch Retraktion genannt) und Seitwärtsbewegungen.

Die vielfältigen **Aufgaben** des stomatognathen Systems, wie Kauen, beginnender Verdauungstrakt, Beteiligung am Schluckakt, Sensorik, Atmung, Sprache, koordinierte Bewegungen, Körperstatik auch im Zusammenhang mit dem kraniozervikalen Bereich und emotionaler Ausdruck, zeigen die komplexe neurophysiologische und auch posturologische Einbindung in den menschlichen Körper.

Kraniomandibuläre Dysfunktion (CMD): Eine CMD beschreibt die Störung dieses komplexen Systems mit einer Vielzahl an möglichen Symptomen. Primäre Dysfunktionen können kongenital, traumatisch oder aber auch mit einer entzündlichen/degenerativen Grunderkrankung (z. B. Erkrankungen aus dem rheumatischen Formenkreis) auftreten. Dysfunktionen im Kiefergelenk können durch Wachstumsstörungen des Caput mandibulae entstehen. Dem kann ein adaptiertes verändertes Wachstum der übrigen Anteile des Os mandibulare folgen. Konsequenzen können u. a. Störung der Okklusion und dysfunktionale Spannungen im myofaszialen System des Kau- und Schluckapparats sein.

Weitere **sekundäre Ursachen** einer CMD sind zahlreich. Hier eine Auswahl:

- Im **kranialen Bereich**: z. B. Okklusionsstörungen, Hypertonus der subokzipitalen Muskulatur, Dysfunktionen im Atlantookzipitalgelenk, der oberen HWS, dysfunktionales Schluck- und Kauverhalten, Zahnherde, Dysfunktion des Os hyoideum, dysfunktionale Mund-Nasen-Atmung, Störungen des visuellen Systems (Akkommodationsstörungen, Sehschärfe etc.), Dysfunktionen im Bereich des knöchernen Kraniums, insbesondere Os occipitale und Os temporale, dysfunktionale Spannungen im Durasystem
- In der **Körperperipherie** über statische und myofasziale Verbindungen, die auf das Kranium wirken: z. B. Fehlhaltungen, Skoliosen, obere Extremität und Schultergürtel, Zwerchfelldysfunktionen, viszerale Dysfunktionen, Iliosakralgelenk-Dysfunktion, Dysfunktionen Os sacrum, Dysfunktion untere Extremität, Störfelder in Form von Narben.
- Die psycho-emotionale Ebene: z. B. Stress, emotionale Traumata

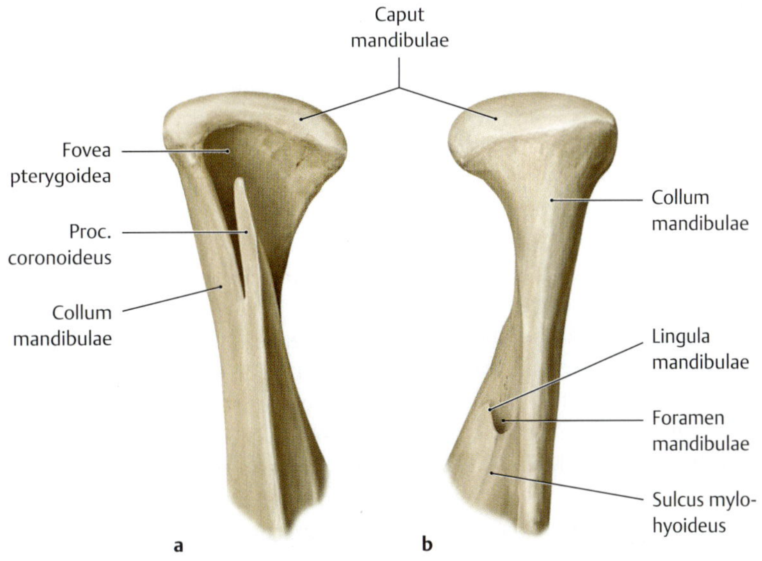

▸ **Abb. 3.33** Gelenkkopf (Caput mandibulae) des rechten Kiefergelenks. (Quelle: Schünke M, Schulte E, Schumacher U. Prometheus. LernAtlas der Anatomie. Kopf, Hals und Neuroanatomie. Illustrationen von M. Voll und K. Wesker. 6. Aufl. Stuttgart: Thieme; 2022)

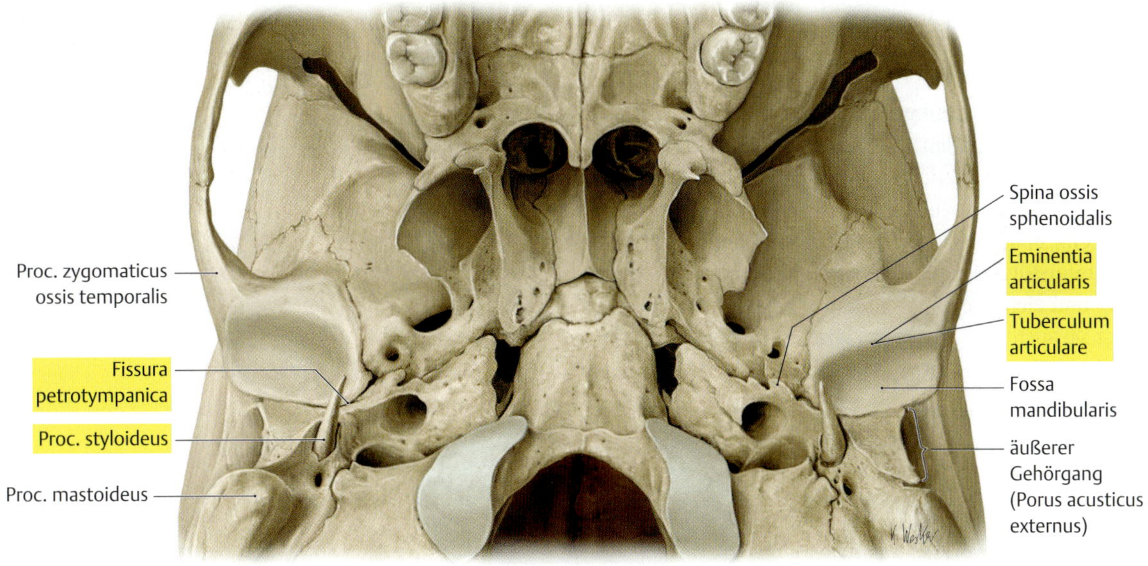

▸ **Abb. 3.34** Blick von kaudal auf die Kiefergelenkpfanne, Fossa mandibularis, die durch das Tuberculum articulare bzw. die Eminentia articularis nach medioventral begrenzt ist. (Quelle: Quelle: Schünke M, Schulte E, Schumacher U. Prometheus. LernAtlas der Anatomie. Kopf, Hals und Neuroanatomie. Illustrationen von M. Voll und K. Wesker. 6. Aufl. Stuttgart: Thieme; 2022)

Entwicklung Kiefergelenk: Schon in der späten embryonalen Entwicklungsphase können Kieferbewegungen festgestellt werden. **Schluck- und Saugbewegungen** zeigen sich schon im fetalen Alter (ca. 5. Fetalmonat). Folge: Es findet ein frühzeitiger Umbau der geflechtartigen Unterkieferknochenstruktur zum Lamellenknochen statt, im Sinn von: „Struktur und Funktion bedingen sich gegenseitig". Beim **Neugeborenen** zeigt sich das Caput mandibulae abgeflacht, auch die Fossa mandibularis ist noch nicht vertieft (▸ **Abb. 1.2**). Das Kiefergelenk und der umgebende Komplex von Muskeln, Gelenkkapsel und Diskus ist funktionell so ausgerichtet, dass die Saug- und damit auch Unterkieferbewegungen die Morphologie des kraniomandibulären Systems funktionell beeinflussen. Spätestens mit der 2. Zahnung und dem 1. Molar (ca. 6. Lebensjahr) entstehen starke Kräfte, die zu weiteren prägenden morphologischen Anpassungen am Caput mandibulae und an der Fossa mandibularis führen. Damit werden auch die Wachstumsbewegungen des Os mandibulare geprägt und führen zum weiteren Wachstum des Viszerokraniums. Wachstumsstörungen des Caput mandibulae beeinflussen auch die ossäre Ausprägung des gesamten Os mandibulare. Das Wachstum des Neurokraniums ist mit ca. 8 Jahren abgeschlossen, das des Viszerokraniums mit ca. 18 Jahren.

Subokzipitale Muskulatur: Durch die evolutionäre Aufrichtung des Menschen ist der subokzipitalen Muskulatur eine besondere Funktion zugekommen. Neben der Beteiligung an Kopfbewegungen hat sie, bezogen auf das Kiefergelenk, eine Balancefunktion. Beim Öffnen des Mundes z. B. unterstützt die subokzipitale Muskulatur die Bewegung und zieht das Kranium nach posterior. Gleichzeitig sorgt sie auch für das posturologische Gleichgewicht; siehe auch Okziput-Atlas-Axis (S. 212) und Kräftepolygon (▸ **Abb. 3.52**).

Anatomie

Knöcherne Anteile

- Caput mandibulae (Kap. 2.3.1)
- Fossa mandibularis (Kap. 3.3.1)

Benachbarte Knochen und ihre Suturen: Kap. 2.3.1, Kap. 3.3.1

Foramina, Suturen, Canales: Kap. 2.3.1, Kap. 3.3.1

Ligamente, Diskus, funktionelles Bindegewebe (▸ Abb. 3.35, ▸ Abb. 3.36, ▸ Abb. 3.37)

- Discus articularis (bikonkav, funktionelle Gelenkpfanne des TMG)
- Capsula articularis (Gelenkkapsel) mit Ligg. laterale und mediale
- bilaminäre Zone
- Ligamente vom Os temporale:
  - Lig. stylomandibulare (Proc. styloideus des Os temporale → Angulus mandibulare, hinterer Rand)
  - Lig. mallei anterius (Hammer des Mittelohres → Lig. sphenomandibulare → Ramus des Os mandibulare)
  - Pintus-Ligament (Hammer des Mittelohres → Caput des Os mandibulare)
- Ligamente vom Os sphenoidale:
  - Lig. sphenomandibulare (Spina angularis des Os sphenoidale → Innenseite Os mandibulare, Lingula mandibulae)

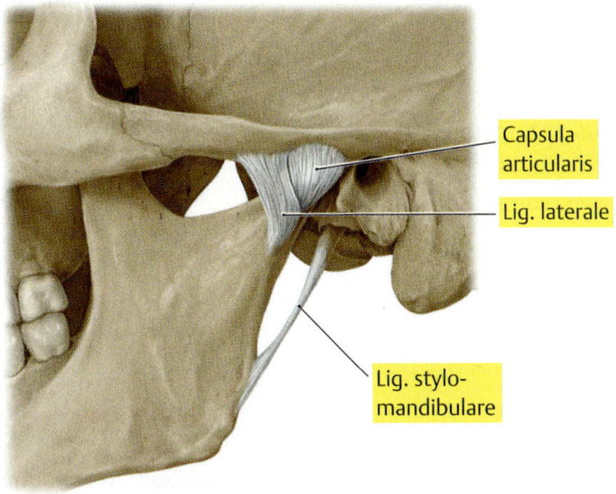

▶ **Abb. 3.35** Linkes Kiefergelenk mit Bandapparat. (Quelle: Schünke M, Schulte E, Schumacher U. Prometheus. LernAtlas der Anatomie. Kopf, Hals und Neuroanatomie. Illustrationen von M. Voll und K. Wesker. 6. Aufl. Stuttgart: Thieme; 2022)

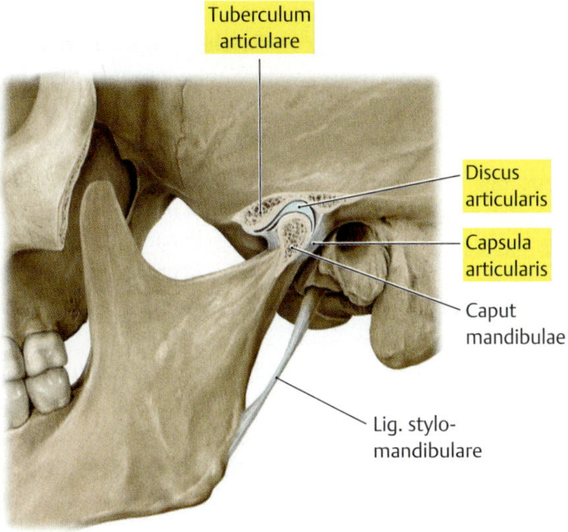

▶ **Abb. 3.36** Eröffnetes linkes Kiefergelenk. (Quelle: Schünke M, Schulte E, Schumacher U. Prometheus. LernAtlas der Anatomie. Kopf, Hals und Neuroanatomie. Illustrationen von M. Voll und K. Wesker. 6. Aufl. Stuttgart: Thieme; 2022)

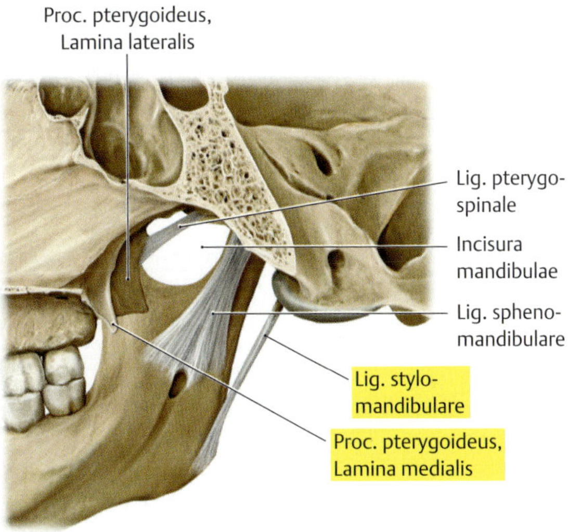

▶ **Abb. 3.37** Rechtes Kiefergelenk mit Bandapparat. (Quelle: Schünke M, Schulte E, Schumacher U. Prometheus. LernAtlas der Anatomie. Kopf, Hals und Neuroanatomie. Illustrationen von M. Voll und K. Wesker. 6. Aufl. Stuttgart: Thieme; 2022)

Muskeln (▶ Abb. 3.38, ▶ Abb. 3.39)

- **M. masseter:**
  - **Ursprung:**
    - Pars superficialis am Arcus zygomaticus (die ersten beiden Drittel)
    - Pars profunda am Arcus zygomaticus (die hinteren beiden Drittel)
  - **Ansatz:** Tuberositas masseterica am Angulus mandibulae
  - **Innervation:** N. massetericus (Ast vom N. mandibularis [V_3])
  - **Funktion:** Kieferschluss (Adduktion), Vorschieben des Unterkiefers (Protrusion)
- **M. temporalis:**
  - **Ursprung:** Schläfenbeinschuppe (Facies temporalis)
  - **Ansatz:** Proc. coronoideus mandibulae
  - **Innervation:** Nn. temporales profundi (Äste vom N. mandibularis [V_3])
  - **Funktion:** vertikale Fasern: Heben (Adduktion) des Unterkiefers, horizontale Fasern: Retrusion, bei einseitiger Kontraktion auf Balanceseite anteriore Verlagerung des Caput mandibulae
- **M. pterygoideus medialis:**
  - **Ursprung:** Proc. pterygoideus des Os sphenoidale (Fossa pterygoidea und Lamina lateralis)
  - **Ansatz:** Angulus mandibulae (medial an Tuberositas pterygoidea)
  - **Innervation:** N. pterygoideus medialis (Ast vom N. mandibularis [V_3])
  - **Funktion:** Heben (Adduktion) des Unterkiefers, Mundschließer, einseitige Kontraktion Protrusionbewegung Os mandibulare
- **M. pterygoideus lateralis:**
  - **Ursprung:**
    - zweiköpfig
    - Caput superius: Ala major ossis sphenoidalis
    - Caput inferius: Proc. pterygoideus ossis sphenoidalis, Lamina lateralis
  - **Ansatz:**
    - Caput superius: Gelenkkapsel und Discus articularis der Art. temporomandibularis
    - Caput inferius: Proc. condylaris des Os mandibulare, Fovea pterygoidea
  - **Innervation:** N. pterygoideus medialis (Ast vom N. mandibularis [V_3])
  - **Funktion:** Mundöffnung (Abduktion) einleiten durch anteriore Verlagerung des Diskus und Protrusion des Os mandibulare, einseitige Kontraktion verursacht bei Mahlbewegung Mandibulaverschiebung zur Gegenseite

Faszien (Kap. 2.2, Kap. 3.2)

- Raphe pterygomandibularis (vom Os sphenoidale → Hamulus pterygoideus → zur Innenseite des Os mandibulare → Linea mylohyoidea)
- Aponeurosis pterygotemporomandibularis
- Fascia temporalis
- Fascia parotideomasseterica
- Fascia pterygoidea
- Fascia masseterica

Systemische Vaskularisation (▶ Abb. 3.5, ▶ Abb. 7.19)

- A. temporalis superficialis, A. maxillaris und weitere Äste aus A. carotis externa
- Vv. maxillares in die V. jugularis interna

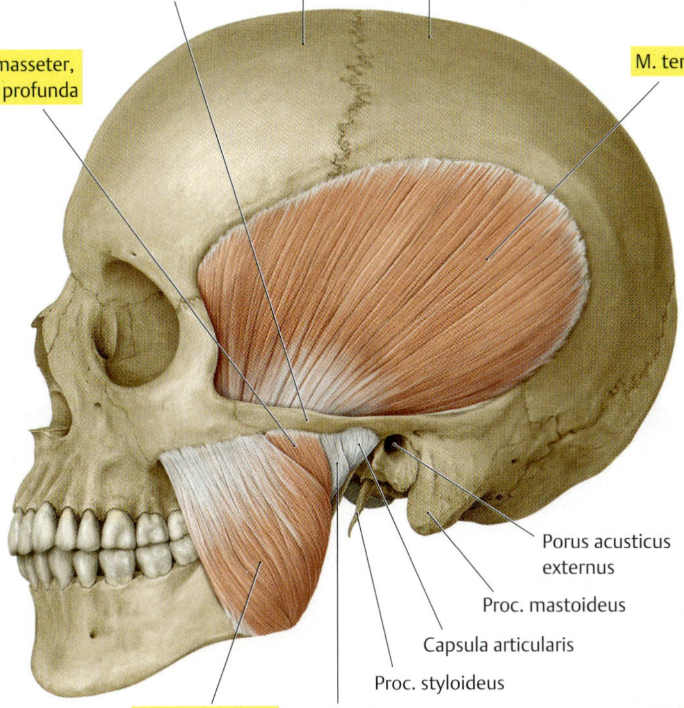

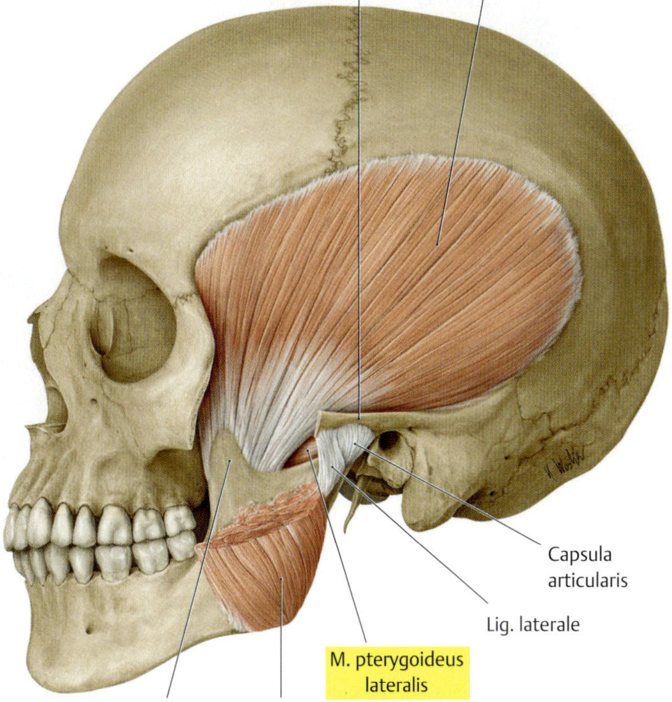

▶ **Abb. 3.38** M. temporalis und M. masseter.

a Oberflächliche Ebene. (Quelle: Schünke M, Schulte E, Schumacher U. Prometheus. LernAtlas der Anatomie. Kopf, Hals und Neuroanatomie. Illustrationen von M. Voll und K. Wesker. 6. Aufl. Stuttgart: Thieme; 2022)

b Nach Entfernung des M. masseter wird kaudaler Verlauf des M. temporalis sichtbar. (Quelle: Schünke M, Schulte E, Schumacher U. Prometheus. LernAtlas der Anatomie. Kopf, Hals und Neuroanatomie. Illustrationen von M. Voll und K. Wesker. 6. Aufl. Stuttgart: Thieme; 2022)

Neurologisches Netzwerk (▸ Abb. 3.40, ▸ Abb. 8.10)

- sensible Versorgung Gelenkkapsel:
  - N. auriculotemporalis (N. mandibularis [V_3])
  - N. massetericus (N. mandibularis [V_3])
  - Nn. temporales profundi (N. mandibularis [V_3])
- Kaumuskulatur: Äste des N. mandibularis (V_3)
- Rezeptoren, Gelenkkapsel
  - Ruffini-Körperchen: registrieren Scherkräfte, Dehnungen im Gewebe
  - Vater-Pacini-Körperchen: schnell adaptierend, nehmen Druckkontakt wahr
  - Golgi-Sehnenorgane: langsam adaptierende, nehmen Druck- und Zugintensität wahr
  - Mechanorezeptoren: registrieren Druck und Berührung
  - Nozizeptoren: gewebsschädigende Reiz werden registriert
  - Thermorezeptoren: Kälte und Wärme werden wahrgenommen

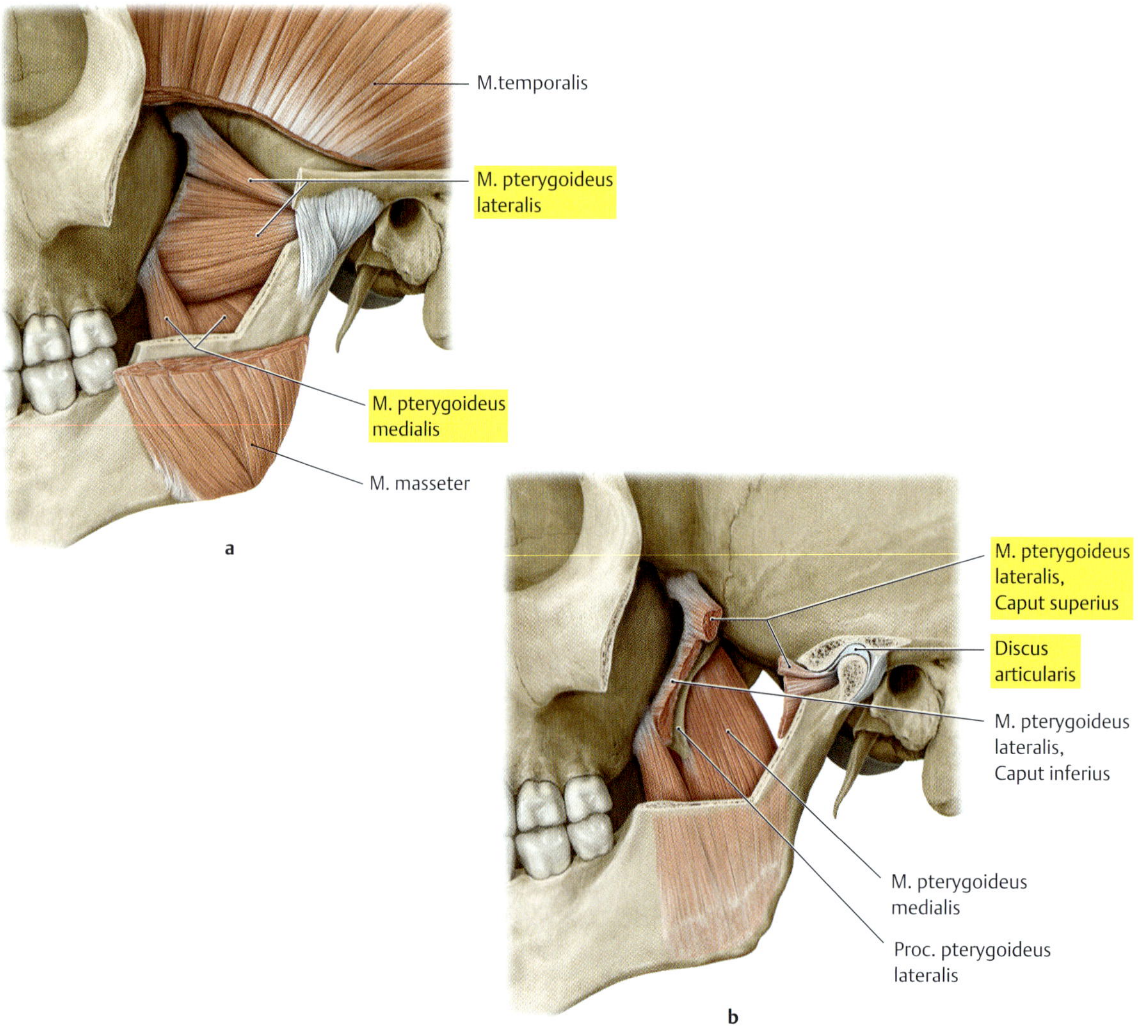

▸ **Abb. 3.39** Mm. pterygoidei lateralis und medialis (von links).

a Nach Entfernung kaudaler Anteile des M. temporalis wird die tiefliegende Muskelschicht der Mm. pterygoidei lateralis und medialis sichtbar. (Quelle: Schünke M, Schulte E, Schumacher U. Prometheus. LernAtlas der Anatomie. Kopf, Hals und Neuroanatomie. Illustrationen von M. Voll und K. Wesker. 6. Aufl. Stuttgart: Thieme; 2022)

b M. pterygoideus medialis wird erst in Gänze sichtbar, wenn M. pterygoideus lateralis entfernt ist. Sichtbar wird der Muskelfaserverlauf und der Ansatz innen am Angulus mandibulae. Hier geht der Muskel eine schlingenartige Verbindung mit dem M. masseter ein. (Quelle: Schünke M, Schulte E, Schumacher U. Prometheus. LernAtlas der Anatomie. Kopf, Hals und Neuroanatomie. Illustrationen von M. Voll und K. Wesker. 6. Aufl. Stuttgart: Thieme; 2022)

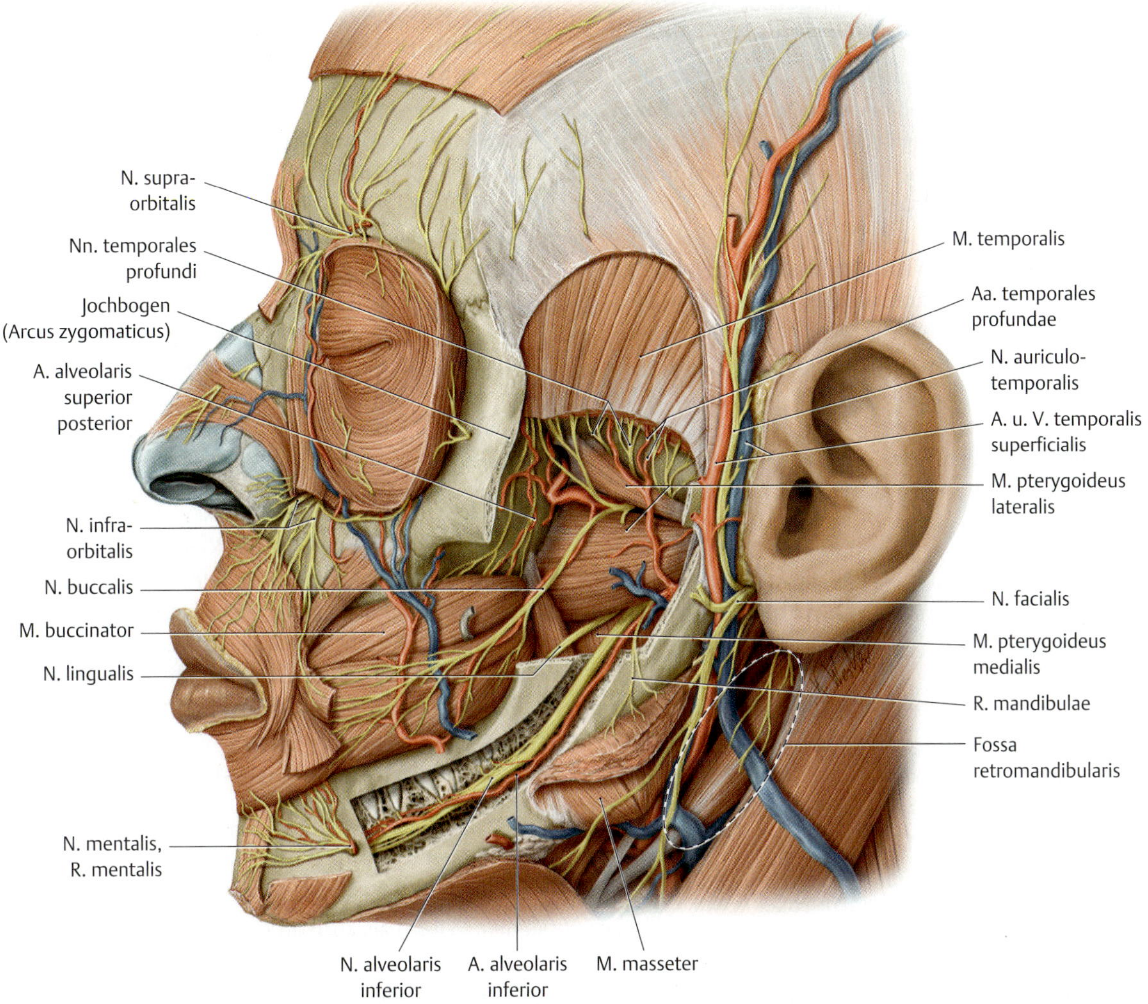

▸ **Abb. 3.40** Gefäße und Nerven der tiefen Schicht. (Quelle: Schünke M, Schulte E, Schumacher U. Prometheus. LernAtlas der Anatomie. Kopf, Hals und Neuroanatomie. Illustrationen von M. Voll und K. Wesker. 6. Aufl. Stuttgart: Thieme; 2022)

Dreidimensionale Bewegungen im Kiefergelenk und Funktion der beteiligten Muskeln

Knöcherne Gelenkgestaltung

- Durch das kugelwalzenförmige Caput mandibulae verläuft eine schräge Querachse (anterolateral – posteromedial). Verlängert man beide Achsen, so ist ihr Kreuzungspunkt am anterioren Rand des Foramen magnum.
- In der Fossa mandibularis zeigt sich die gleiche Ausrichtung der Bewegungsachse. Der Discus articularis unterteilt das Kiefergelenk in einen oberen und einen unteren Gelenkbereich.
- Bewegungen im oberen und unteren Gelenkanteil unterscheiden sich. Im oberen Gelenkbereich (discomaxillär) finden mehr translatorische Bewegungen statt. Bei diesen Bewegungen gleitet der Kondylus.
- Der untere Gelenkbereich (discomandibulär) macht Rotationsbewegungen möglich. Das entspricht einer klassischen Rollbewegung um eine vertikale Achse des Kondylus auf dem Diskus innerhalb der Gelenkfläche (▸ Abb. 3.41).

Einzel- und kombinierte Bewegungen (▸ Abb. 3.42)

- **Elevatoren/Adduktoren:** M. masseter, M. pterygoideus medialis, M. temporalis
- **Depression/Abduktoren:** M. pterygoideus lateralis, supra- und infrahyoidale Muskulatur
- **Kombinationsbewegung:** Rotationsbewegung (Öffnen und Schließen): Bewegungsachse quer durch das Caput mandibulae, reine Rotationsbewegung nur bis 15° Mundöffnung, danach kombinierte Bewegung mit Translationsbewegung in Form eines Drehgleitens
- **Protrusion:** Mm. pterygoidei lateralis und medialis, M. masseter (Pars superficialis)
- **Retrusion:** M. temporalis (Pars posterior), M. digastricus (Venter posterior)
- **Kombinationsbewegung:** Translationsbewegung = Schiebebewegung
- **Seitwärtsbewegung:** Kombination der Muskelaktivität von Retraktoren der ipsilateralen Seite (Laterotrusion = Arbeitsseite) und Protraktoren der Gegenseite (Mediotrusion = Ausgleichsseite), Ausmaß wird über Bennett-Winkel bewertet
- **Mahlbewegung:** Hier befindet sich auf der einen Seite der ruhende und auf der anderen Seite der schwingende Kondylus. Ist die Mahlbewegung auf der linken Seite, dann ist das die Arbeitsseite und der Kondylus ruht in seiner Position, dreht aber um eine senkrechte Achse (durch Caput mandibulae). Auf der rechten Seite muss die Mahlbewegung ausbalanciert werden, der schwingende Kondylus translatiert nach anteromedial.

M. pterygoideus lateralis und Bewegungsmechanik, Mundöffnung und Bewegung des Caput mandibulae (▸ Abb. 3.41)

- **Mund ist geschlossen, Zähne ruhen aufeinander:** Gelenkkopf zentral in der Gelenkpfanne
- **Mund ist 15° geöffnet:** Gelenkkopf rollt in der Gelenkpfanne
- **Mund ist weiter geöffnet als 15°:** Gelenkkopf verlagert sich nach anterior in Richtung Tuberculum articulare, je nach Öffnung bis auf das Tuberculum articulare. Entscheidender Muskelzug erfolgt über M. pterygoideus lateralis. Dabei zieht das Caput superius den Diskus nach anterior, das Caput inferius das Caput mandibulae nach anterior

Myofasziale Wirkungsketten

Über die knöchernen Anteile des Kiefergelenks (Os temporale, Os mandibulare), die Kiefergelenksmuskulatur (M. masseter, M. temporalis, Mm. pterygoidei medialis und lateralis) und über die funktionelle Hilfsmuskulatur (Zungenmuskulatur, infra- und suprahyoidale Muskulatur, mimische Muskeln Mund-Wangen-Region, kraniozervikale Muskulatur) ist die Beteiligung an den myofaszialen Wirkungsketten umfangreich [16].

Die eigentliche Kiefergelenksmuskulatur, infra- und suprahyoidale Muskulatur sind Bestandteil der tiefen Frontallinie (S. 88).

Die kraniozervikale Muskulatur ist sowohl an den Laterallinien (S. 130) als auch an den Spirallinien (S. 210) beteiligt.

Die Faszie des M. masseter ist eingebunden in die ventrale fasziale Verbindungslinie, die sogenannte Bogensehne (S. 114).

Kraniosakraler Kontext

Für das Kiefergelenk selbst werden keine spezifischen Bewegungen in Inspiration und Exspiration beschrieben, wohl aber für die beteiligten Knochen; siehe auch Os mandibulare (S. 38) und Os temporale (S. 130).

Kraniometrische Punkte: Im Kiefergelenk selbst wird kein kraniometrischer Punkt beschrieben. Der laterale Kinnwinkel des Os mandibulare in der Nähe des Kiefergelenks wird mit dem kraniometrischen Punkt „Gonion" bezeichnet (Kap. 2.3.1).

Hinweis: Die Quellenangaben [15], [58], [59] beziehen sich auf den gesamten „Kraniosakralen Kontext".

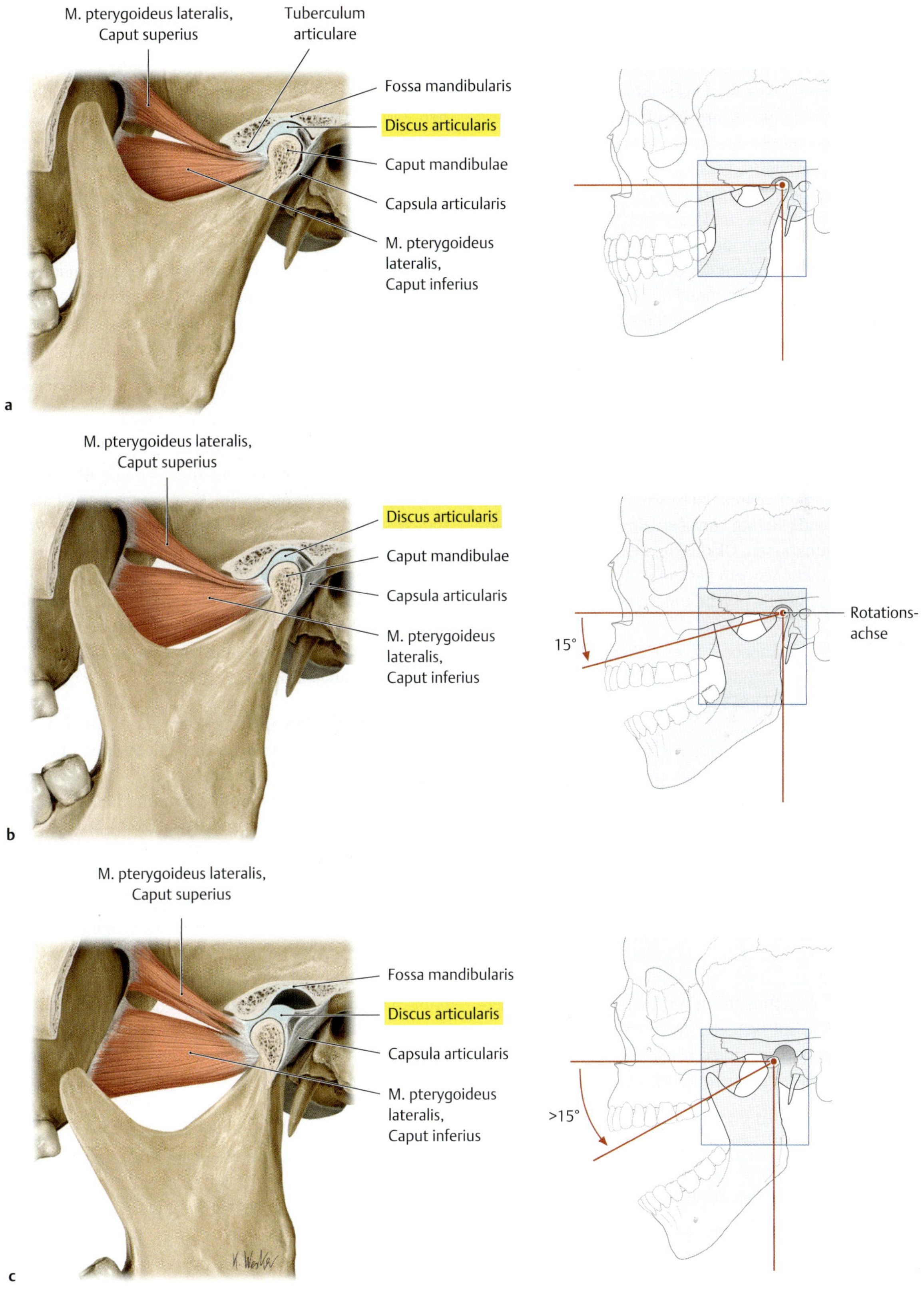

▶ **Abb. 3.41** Bewegungsmöglichkeiten im Kiefergelenk, Unterkiefer.

a Dynamik und Gleitverhalten des Discus articularis je nach Kieferöffnung. (Quelle: Schünke M, Schulte E, Schumacher U. Prometheus. LernAtlas der Anatomie. Kopf, Hals und Neuroanatomie. Illustrationen von M. Voll und K. Wesker. 6. Aufl. Stuttgart: Thieme; 2022)

b Dynamik und Gleitverhalten des Discus articularis je nach Kieferöffnung. (Quelle: Schünke M, Schulte E, Schumacher U. Prometheus. LernAtlas der Anatomie. Kopf, Hals und Neuroanatomie. Illustrationen von M. Voll und K. Wesker. 6. Aufl. Stuttgart: Thieme; 2022)

c Dynamik und Gleitverhalten des Discus articularis je nach Kieferöffnung. (Quelle: Schünke M, Schulte E, Schumacher U. Prometheus. LernAtlas der Anatomie. Kopf, Hals und Neuroanatomie. Illustrationen von M. Voll und K. Wesker. 6. Aufl. Stuttgart: Thieme; 2022)

Osteopathische Korrespondenzen

Symptome CMD

Da die CMD ein Geschehen ist, das sich aus der vielfältigen Verknüpfung verschiedenster Körperstrukturen und Steuerungsmechanismen ergeben kann, ist es schwierig, sich eindeutig auf nur ein Symptom festzulegen. Hinweis auf eine CMD können folgende Symptome geben:

- Knack- und/oder Reibegeräusche beim Kauen
- Schmerzen in Ruhe und/oder bei Bewegung in der Kaumuskulatur, besonders M. masseter, M. temporalis
- Druckschmerzhaftigkeit der Gelenkkapsel
- eingeschränkte Mundöffnung und/oder Abweichen des Unterkiefers beim Mundschließen

Parallel können sich bei einer CMD auch vermehrt Kopfschmerzen und Tinnitus zeigen. Dies sind mögliche Hinweise auf die Beteiligung der oberen HWS im Rahmen der CMD.

Aus osteopathischer Sicht ist für die Ursachenfindung hierbei der Gesamtkontext zu sehen: Körperhaltung, auf- und absteigende Ketten, myofasziale, viszerale, kraniosakrale Dysfunktionen, Okklusion, neuromuskuläre, skelettale Dysfunktionen, ein gestautes dysfunktionales zirkulatorisches System, psycho-emotionale Verfassung des Patienten.

Zur Differenzialdiagnose, ob es sich um eine auf- oder absteigende Kette handelt, bietet sich u. a. der Meersseman-Test, Viszeral lift, Vorlauftest im Stand/Sitz an.

Kaumuskulatur und systemische Verknüpfung

Die eigentliche Kaumuskulatur (M. masseter, M. temporalis, Mm. pterygoidei lateralis und medialis) wird durch Hilfsmuskeln in ihrer Funktion beim Kauen und Speisebreitransport unterstützt. Dazu gehören die mimischen Muskeln der Mundregion, die Wangenmuskulatur (insbesondere M. buccinator), die Zungenmuskeln in Verbindung mit den supra- und infrahyoidalen Muskeln (Kap. 2.2.1, Kap. 2.3.1, Kap. 2.3.2). Betrachtet man dieses komplexe dynamische Kraftzentrum (Kiefer, Mund, Schlund) im Zusammenhang mit den myofaszialen Ketten, zeigt sich, auf welchen Wegen absteigende Ketten auf die Peripherie einwirken können. Die Propriozeption spielt dabei eine wesentliche Rolle.

Die Zähne als Kraftverteiler und -umlenker sind über ihren Halteapparat im Kiefer propriozeptorisch versorgt und stehen damit eng mit dem ZNS in Verbindung, hier über die Nervenkerne des N. trigeminus. Diese nehmen den Zahnkontakt und die Intensität des Aufpressdrucks wahr. Zwei Arten von Rezeptoren liegen vor:

1. schnell adaptierende Vater-Pacini-Körperchen, die über die alpha-Motorik den eigentlichen Zahnkontakt melden (vorwiegend im Frontzahnbereich)
2. langsam adaptierende Golgi-Mazzoni-Körperchen, die über die alpha-Motorik die Druckintensität registrieren (vorwiegend im Bereich der Molaren)

Das erklärt das funktionelle Wechselspiel zwischen Zahnkontakt und Muskelspannung, das z. B. bei ausgeprägtem Bruxismus neben der möglichen Zahnbeschädigung auch zu nachhaltigen muskulären Dysfunktionen in Kaumuskulatur, Kauhilfsmuskulatur und auch der subokzipitalen Muskulatur führen kann. Die subokzipitale Muskulatur ist propriozeptiv komplex im Körpersystem verschaltet, sodass sich eine Vielzahl an Dysfunktionen in der Posturologie ergeben können (Kap. 2.3.1, Kap. 3.3.1, Kap. 5.2.1); siehe auch Okziput-Atlas-Axis (S. 212).

U.a. können Symptome wie Haltungsinsuffizienz, Kopfschmerzen, Schwindel, Gleichgewichtsstörungen, Druckempfindlichkeit (Triggerpunkte) im Bereich der OAA auftreten; siehe auch Kräftepolygon (S. 157).

Hypertonus und Propriozeption

Die kurze Faserlänge der Mundschließermuskulatur befähigt sie, ausdauernde mechanische kinetische Bewegung über einen längeren Zeitraum auszuführen. Das ist beim Kauen vorteilhaft, kann aber auch nachteilig beim Zähnepressen oder Zähneknirschen sein. Im Vergleich zu anderen quergestreiften Muskeln ist die Anzahl von Muskelspindeln im M. masseter hoch. Physiologisch bedeutet das, dass die Muskelspindeln, die in die Gamma-Spindelschleife (Gamma-Motoneuronen) eingebunden sind, in ihrer Sensibilität schneller reagieren können. Die Empfindlichkeit der Muskelspindeln erhöht sich also. Über die Gamma-Spindelschleife bestehen Verbindungen u. a. zum limbischen System. Das limbische System ist an komplexen Funktionen beteiligt. Neben dem emotionalen Erleben und Verhalten bindet es Emotionen in das endokrine und somatische System ein (Hypothalamus-Hypophysen-Achse). Auch das funktionelle System der Kognition und Motivation wird integriert. So kann eine Stressreaktion auch zu erhöhtem Kaumuskeltonus führen.

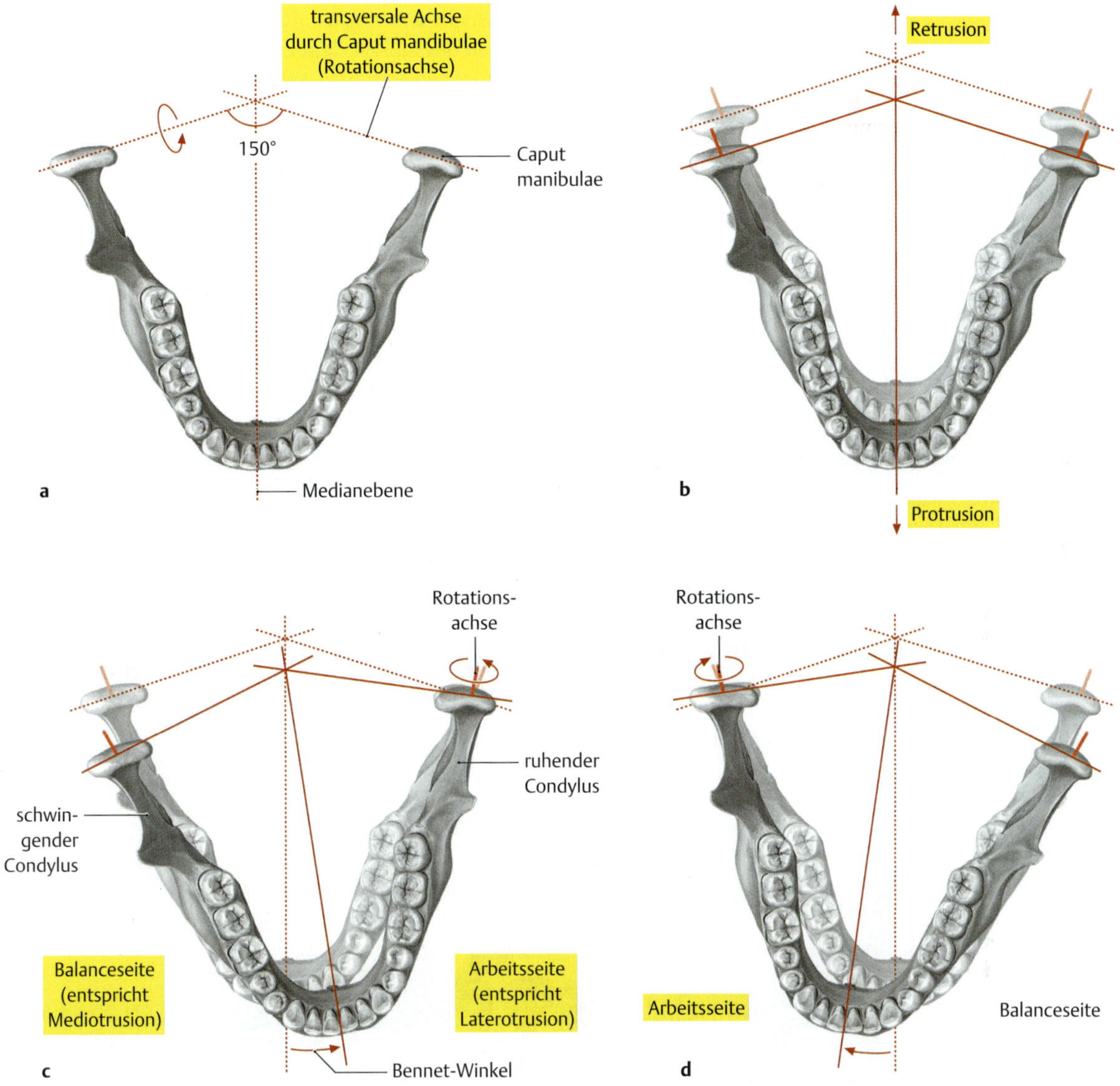

▶ **Abb. 3.42** Kiefergelenkbewegungen.

a Unterkiefer mit Bewegungsachsen und Art der Bewegung. (Quelle: Schünke M, Schulte E, Schumacher U. Prometheus. LernAtlas der Anatomie. Kopf, Hals und Neuroanatomie. Illustrationen von M. Voll und K. Wesker. 6. Aufl. Stuttgart: Thieme; 2022)

b Unterkiefer mit Bewegungsachsen und Art der Bewegung. (Quelle: Schünke M, Schulte E, Schumacher U. Prometheus. LernAtlas der Anatomie. Kopf, Hals und Neuroanatomie. Illustrationen von M. Voll und K. Wesker. 6. Aufl. Stuttgart: Thieme; 2022)

c Unterkiefer mit Bewegungsachsen und Art der Bewegung. (Quelle: Schünke M, Schulte E, Schumacher U. Prometheus. LernAtlas der Anatomie. Kopf, Hals und Neuroanatomie. Illustrationen von M. Voll und K. Wesker. 6. Aufl. Stuttgart: Thieme; 2022)

d Unterkiefer mit Bewegungsachsen und Art der Bewegung. (Quelle: Schünke M, Schulte E, Schumacher U. Prometheus. LernAtlas der Anatomie. Kopf, Hals und Neuroanatomie. Illustrationen von M. Voll und K. Wesker. 6. Aufl. Stuttgart: Thieme; 2022)

Hypertonus M. masseter und M. pterygoideus medialis

Beide Muskeln bilden zusammen eine kräftige Muskelschlinge und umschließen großflächig das Os mandibulare (▶ **Abb. 3.43**). Bruxismus, Kieferpressen können die muskuläre Balance dieser Muskeln durch die sensibilisierte Gamma-Schleife stören. Die kraniozervikale Muskulatur muss bei jeder Bewegung des Unterkiefers für das Kopfgleichgewicht im Sinne der ausgeglichenen Posturologie sorgen; siehe auch Okziput-Atlas-Axis (S. 212). Fehlhaltungen bis hin zu Dysfunktionen über die Füße können die kraniozervikale Muskulatur gleichfalls in Dysfunktion bringen. Die ausbalancierende Funktion der subokzipitalen Muskeln ist dann insuffizient und kann wiederum dysfunktional für die Kaumuskeln sein und damit auch für das Kiefergelenk. Umgekehrt kann sich ein Hypertonus in der Kaumuskulatur als absteigende Kette auf das myofasziale System des gesamten Körpers auswirken. Die ▶ **Abb. 3.44** zeigt die myofasziale Wechselwirkung zwischen TMG und muskulären Spannungen.

M. pterygoideus lateralis als Startermuskel

Die Funktionseinheit aus Muskel, Diskus, Gelenkkapsel und Gelenkkopf ist elementar für den Öffnungsprozess des Mundes. Die Fasern des M. pterygoideus lateralis strahlen in den Discus articularis hinein. Mit der Kontraktion des Muskels leitet er auch die Mundöffnung ein. Er ist der vielseitigste Muskel unter den Kaumuskeln. Denn durch seine verschiedenen Faserverläufe, über das Caput superius in Richtung Discus articularis, über Caput inferius in Richtung Proc. condylaris mandibulae, ist er an vielen Bewegungen beteiligt. Entscheidend ist seine Zugwirkung auf den Discus articularis. Er führt den Diskus bei Bewegungen im Kiefergelenk.

Muskuläre Dysbalancen der Kaumuskulatur, osteopathische Dysfunktionen des Os sphenoidale und auch posturologische Dysbalancen sind Beispiele dafür, wie das muskuläre Gleichgewicht der Kaumuskulatur negativ beeinflusst und die komplexe dreidimensionale Bewegung des Kiefergelenks gestört werden kann (▶ **Abb. 3.45**). Dysfunktionen in der tiefen Frontallinie können sich kranial im Bereich der Kau- und Mundbodenmuskulatur als Dysbalance zeigen. Eine Dysfunktion des Os hyoidale ist ebenfalls möglich. Der M. pterygoideus lateralis leitet die Mundöffnung nur ein, der M. digastricus und die anschließende supra- und infrahyoidale Muskulatur setzen die Bewegung fort. Mundsperren oder auch Mundklemmen sind bei Dysfunktion möglich.

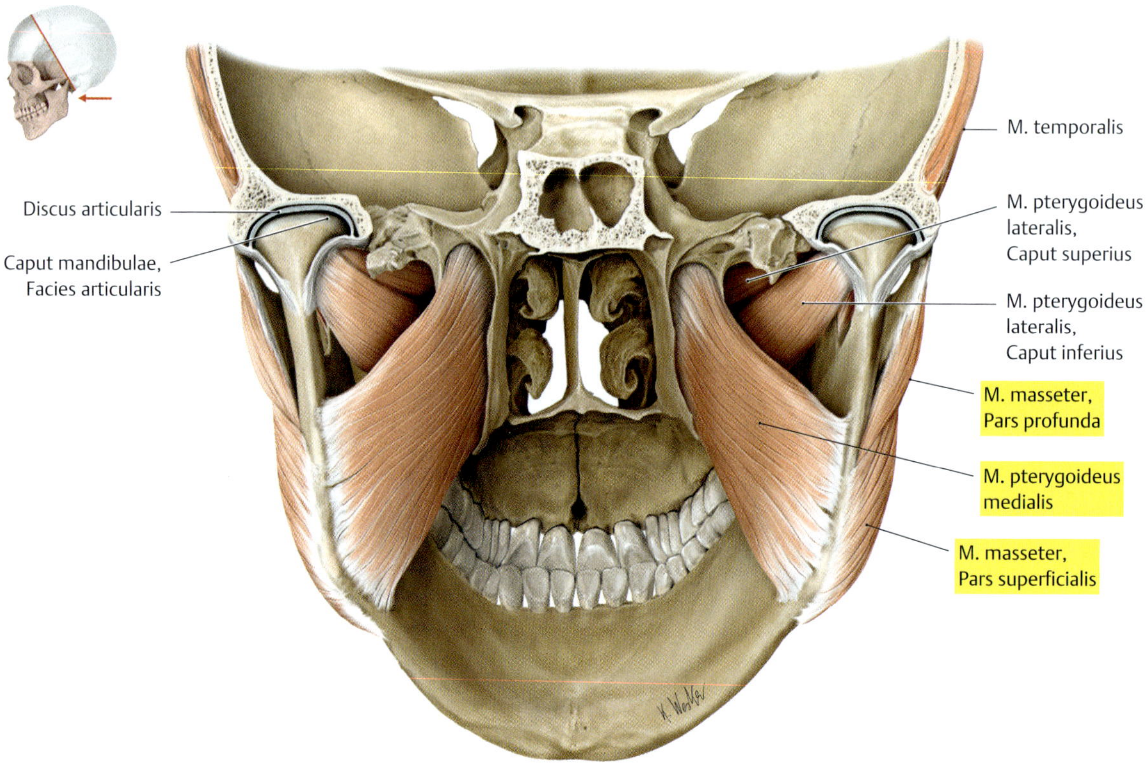

▶ **Abb. 3.43** Kaumuskelschlinge. (Quelle: Schünke M, Schulte E, Schumacher U. Prometheus. LernAtlas der Anatomie. Kopf, Hals und Neuroanatomie. Illustrationen von M. Voll und K. Wesker. 6. Aufl. Stuttgart: Thieme; 2022)

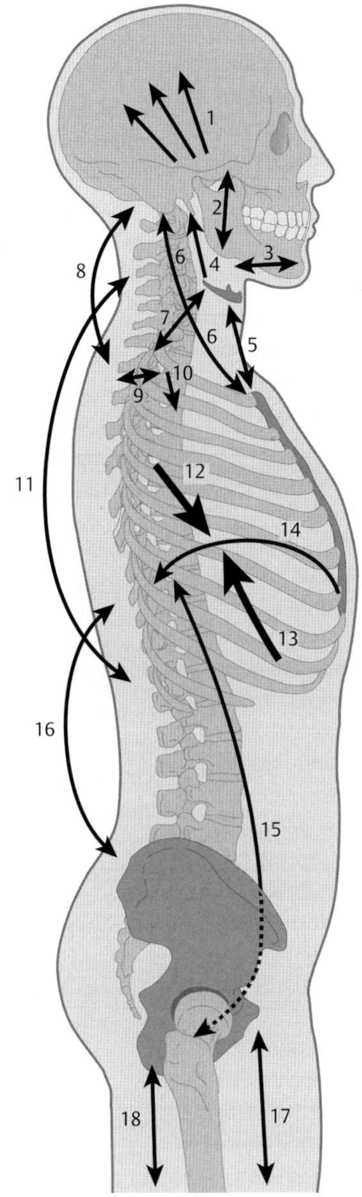

► **Abb. 3.44** Myofasziale Wechselwirkung zwischen TMG und Körper. **1** M. temporalis. **2** M. masseter. **3** Suprahyoidale Muskeln. **4** M. stylohyoideus, M. digastricus (Venter posterior). **5** Infrahyoidale Muskeln. **6** M. sternocleidomastoideus. **7** M. omohyoideus. **8** Zervikalmuskeln (hintere und vordere). **9** M. infraspinatus/supraspinatus. **10** M. biceps brachii. **11** Thorakale Rückenmuskeln. **12** M. serratus anterior. **13** M. obliquus externus. **14** Diaphragma. **15** M. iliopsoas. **16** Lumbale Rückenmuskeln. **17** Adduktoren. **18** M. biceps femoris. (Quelle: Liem T. Praxis der Kraniosakralen Osteopathie. 4. Auflage. Stuttgart: Thieme; 2019)

Gleiten, Kaudruck, Bedeutung Discus articularis, bilaminäre Zone und Metabolismus

Der bikonkave Discus articularis gleicht die Inkongruenz zwischen den Gelenkpartnern des Kiefergelenks aus, vergrößert die Gelenkfläche und wirkt als Druckverteiler der Kaukräfte. Denn er verschiebt sich mit der Bewegung des Caput mandibulae und teilt das Gelenk in ein oberes (diskotemporale Kammer) und unteres Gelenk (diskomandibuläre Kammer) auf. Das ermöglicht die Roll- und Gleitbewegung des Caput mandibulae.

Die Fossa mandibularis ist nur mit ihrem anterioren Anteil als Gelenkfläche beteiligt und mit Faserknorpel überzogen (Tuberculum anterior bis Fissura petrosquamosa). Der hintere Anteil ist nicht in die Gelenkkapsel eingeschlossen.

Der Diskus kann in 3 Abschnitte eingeteilt werden (vorne, mittig, hinten). Der vordere avaskuläre Abschnitt – eine Kombination aus Knorpelzellen und Bindegewebe – ist wie ein Anker mit der weichen Gelenkkapsel verbunden, wird aber über den anteriomedialen Ansatz des M. pterygoideus lateralis (Caput superius) wie über einen Zügel geführt. Der mittlere Anteil, auch als intermediäre Zone bezeichnet, zeigt straffe bindegewebige Strukturen. Der hintere Anteil gestaltet sich als bindegewebige bilaminäre Zone (Strata superius und inferius). Stratum superius ist kollagenreich und kennzeichnet sich durch elastische Fasern. Es setzt an der Fissura petrosquamosa an. Stratum inferius ist ein straffer Bindegewebszug und zieht zum Collum mandibulae. Zwischen diesen beiden Bindegewebszügen liegt das **retroartikuläre Polster**. Die mechanische Wirkung der bilaminären Zone hat neben der Diskusstabilisierung auch eine sensorische und stoffwechselstimulierende Funktion.

Der obere und untere Gelenkspalt kann nur durch Diffusion aus der Synovialflüssigkeit ernährt werden. Das gleiche gilt für den Discus articularis. Auch er wird über die umgebende Synovialflüssigkeit ernährt. Der Diskus selbst besitzt keine Rezeptoren. Das übernimmt die Gelenkkapsel und die bilaminäre Zone (Spannungs-, Druck- und Schmerzrezeptoren). Strukturelle Veränderungen des Diskus selbst lösen daher nicht unbedingt Schmerzen aus.

Bei der Mundöffnung folgt der Diskus dem Kondylus nach anterokaudal. Die Gleitbewegung stoppt, wenn der Kondylus auf das Tuberculum articulare/die Eminentia articularis trifft. Das nachfolgende Begleiten des Diskus verhindert, dass immer nur eine Stelle des Diskus unter Druck gerät.

Das Stratum superius ist der „Bremser“ und „Rückholer“ des Diskus. Es bremst bei der Vorwärtsbewegung des Kondylus den Diskus, damit er hinter dem Gelenkkopf bleibend folgen kann. Bei der rückwärtigen Bewegung des Kondylus erreicht das Stratum superius durch die elastischen Fasern eine schnelle Rückholung des Diskus.

Das Stratum inferius wird erst bei maximaler Mundöffnung gespannt und begrenzt damit die Mundöffnung. Das Stratum inferius wirkt aber auch wie ein Stoßdämpfer. Bei der beginnenden Mundöffnung wird es eher entspannt. Dadurch können sich Gewebsspalten mit Gewebsflüssigkeit füllen, die bei der Rückwärtsbewegung des Kondylus wieder entleert werden: Die Flüssigkeit muss in andere Bereiche verdrängt werden.

Neben dem Stratum inferius übernehmen auch die Gefäße im retroartikulären Polster eine Dämpfungsfunktion. Zudem ernähren sie durch die wechselnden Drücke ebenfalls den Diskus (▸ **Abb. 3.46**).

Die Nozizeptoren in der bilaminären Zone registrieren eine Überlastung der Gelenkkapsel sowie entzündliche Reaktionen. So wird über das ZNS die Schmerzempfindung bewusst wahrgenommen und neurophysiologisch die Muskulatur beeinflusst.

Sind die Mechanik des Gelenks und damit auch die Ernährungsfunktion und Dämpfungsfunktion gestört, kann es zu arthrotischen Veränderungen im Kiefergelenk kommen. Aus osteopathischer Sicht ist zu prüfen, ob dies Folge einer aufsteigenden Kette ist, die die komplexe Kiefergelenkbewegung stört. Denn Körperstatik und der Tonus der Kaumuskulatur bedingen sich wechselseitig. Es kann sich aber auch um eine primäre Dysfunktion handeln, die dann zu weiteren Symptomen außerhalb des Kiefergelenks führen kann. Für die Differenzialdiagnose bietet sich hier der Meersseman-Test an.

Kraftverteilung und Fissura petrotympanica

Die Fissura petrotympanica teilt die Fossa mandibularis in 2 Teile. Die Gelenkkapsel des Kiefergelenks hat an der Fissura ihren posterioren Ansatzbereich. Die Fissura tympanica ist der Übergang von der Paukenhöhle zur Fossa infratemporalis. Die Cavitas tympanica ist der Mittelohrraum, der sich dem Trommelfell direkt anschließt. Das Trommelfell ist in einem Knochenring aufgehängt. Superior-anterior dieses Knochenrings beginnt die Fissura petrotympanica. Durch diese zieht u. a. die Chorda tympani. Als gemischter Ast des N. facialis versorgt die Chorda tympani u. a. speziell viszerosensibel die vorderen zwei Drittel der Zunge. Sie ist damit u. a. für die geschmackliche Wahrnehmung in diesem Bereich zuständig.

Bei einer CMD kann es zu Schmerzen und Spannungen/Kompressionen im Bereich der Fissura petrotympanica kommen. Dies gilt insbesondere dann, wenn das retroartikuläre Polster seine Puffer- und Polsterfunktion gegenüber der Chorda tympani eingebüßt hat und sich arthrotische Veränderungen im Kiefergelenk zeigen. Geschmacksdefizite sind möglich. Ein totaler Geschmacksverlust tritt nicht auf, weil die Versorgung des posterioren Zungendrittels über den N. glossopharyngeus erfolgt.

Die Druckverteilung der Kaukräfte zeigt die ▸ **Abb. 3.47**. Man sieht die knöchernen Ausprägungen des Kraniums und damit auch die sogenannten ossären Kraftpfeiler. Deutlich werden auch die Kraftdimensionen

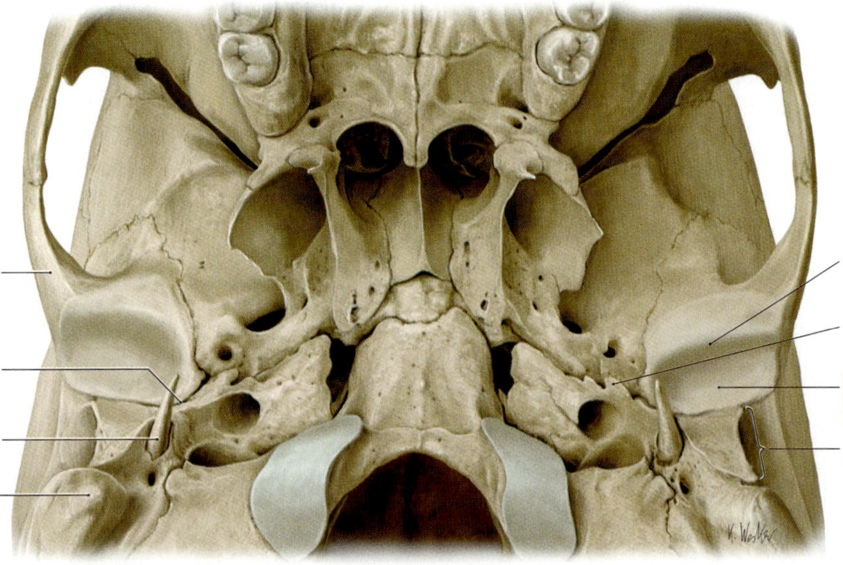

▶ **Abb. 3.45** Gelenkpfanne (Fossa mandibularis) des Kiefergelenks an der äußeren Schädelbasis. (Quelle: Schünke M, Schulte E, Schumacher U. Prometheus. LernAtlas der Anatomie. Kopf, Hals und Neuroanatomie. Illustrationen von M. Voll und K. Wesker. 6. Aufl. Stuttgart: Thieme; 2022)

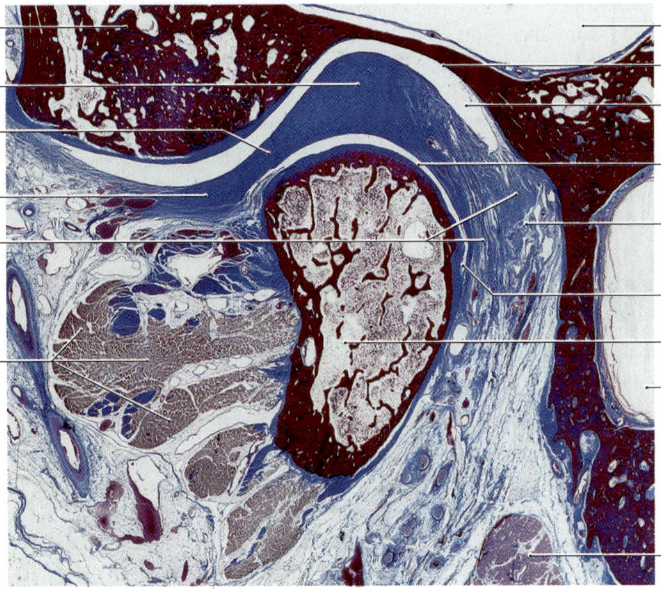

▶ **Abb. 3.46** Histologischer Schnitt in der Sagittalebene durch das Kiefergelenk. (Quelle: Schünke M, Schulte E, Schumacher U. Prometheus. LernAtlas der Anatomie. Kopf, Hals und Neuroanatomie. Illustrationen von M. Voll und K. Wesker. 6. Aufl. Stuttgart: Thieme; 2022)

im Bereich des Kiefergelenks. Diese Kraftverteilung gibt auch einen Hinweis darauf, wo durch eine CMD neben den Weichteilen insbesondere in den Suturen Dysfunktionen auftreten können:

- bei den vertikalen Kräften, z. B. Os maxillare, Os nasale, Os frontale
- bei den horizontalen Kräften, z. B. im Bereich von Os maxillare, Os zygomaticum, Os temporale, Os sphenoidale, Os frontale, Os parietale

Die Kaufkräfte treffen nämlich vorwiegend auf die vordere und mittlere Schädelgrube. Damit ist insbesondere das Os temporale anfällig bei Dysfunktionen im kraniomandibulären Bereich. Die architektonische Ausgestaltung des Kraniums (ossäre Kraftverteilungspfeiler, funktionelle Leichtbauweise, Durasystem als Zuggurtung, Knochenelastizität) ist Ausdruck der funktionellen Kräftekompensation.

Gelenkfunktion und Rachenfaszie

Die tiefe Gesichtsfaszie, Fascia pterygoidea, entspringt am Proc. pterygoideus (Lamina lateralis) und breitet sich über die Spina angularis und die Fissura tympani bis zum Os mandibulare aus. Sie umschließt die Mm. pterygoidei medialis und lateralis. Sie hat über den Ansatz des M. pterygoideus medialis Kontakt mit der Kapsel des Kiefergelenks und mit dem Discus articularis. Damit haben auch die faszialen Züge aus der tiefen Gesichtsfaszie eine direkte Korrespondenz zum Kiefergelenk und zur Fissura tympani. Das Os sphenoidale ist mit dem Proc. pterygoideus eine Schlüsselstelle für die Funktionalität des Kau- und Schluckakts. Denn hier vereint sich die Fascia pterygoidea mit dem von hier aus abgehenden Lig. pterygomandibulare und der Fascia buccopharyngea (Kap. 2.3.3, Kap. 2.3.4).

Netzwerkspannung beim Kauen und Schlucken

Nicht nur im großen Körpersystem ist das Fasziennetzwerk in seiner Gesamtheit elementar für die Funktionalität. Das Fasziennetzwerk Mund-Kiefer-Rachenbereich zeigt, wie es die Muskeln, die am Kauen und Schlucken beteiligt sind, zu einer funktionellen Einheit verschaltet. M. temporalis und M. masseter sind über das Faszienkontinuum aus den Fasciae temporalis und parotideomasseterica direkt miteinander verbunden. Fascia pterygoidea ist als Kontinuum mit der Gelenkkapsel der Art. temporomandibularis verbunden und korrespondiert mit der Fascia buccopharyngea. Diese verbindet M. buccinator mit M. constrictor pharyngis superior. Der M. buccinator ist der Vermittler zwischen Rachen und Mund, denn er zieht mit seiner Faszie bis zum Mundwinkel. Das Spannungsgleichgewicht in diesem Netzwerk ist die Grundlage für das Gelingen von Kauen und Schlucken. Spezifische Faszienspannung wird bei geschlossenem Mund aufgebaut, der Schluckvorgang mit allen beteiligten Strukturen ist möglich. Ist der Mund geöffnet, funktioniert der gesamte Schluckakt nicht, weil im Netzwerk keine Spannung aufgebaut werden kann.

Mit dem 4. Lebensjahr sollte der Wechsel vom infantilen Schlucken zum somatischen Schlucken erfolgt sein. Beim infantilen Schlucken liegt die Zungenspitze vorn zwischen den zahnlosen Kieferknochen. Stabilisierung des Unterkiefers erfolgt über Zungenspitze-Lippenkontakt mit Unterstützung der Mundmuskulatur. Entwickelt sich das Milchgebiss, erfolgt die Stabilität über den Zahnkontakt. Die Zunge ist nach dorsal abgerundet und liegt mit der Zungenspitze hinter der Zahnreihe.

Bleibt die Zungenspitze vorne, dann drückt die Zunge permanent beim Schlucken gegen die vordere Zahnreihe und es kann zum offenen Biss kommen. Durch die unphysiologische Spannung, die sich dann in Mundmuskulatur und Lippen (M. orbicularis) aufbaut, kann ein Fehlbiss entstehen, z. B. Rücklage des Unterkiefers, Kreuzbiss.

Beim Kreuzbiss kann sich eine SSB-Dysfunktion in Form von Sidebending-Rotation zeigen. Bei der Rückverlagerung des Os mandibulare ist eine Dysfunktion des Os temporale in Außenrotation möglich.

Kieferform, Okklusionsstörungen und/oder Zahnstellung können wegweisend sein für Dysfunktionen im Bereich der OAA, CTÜ, TLÜ, LSÜ, Iliosakralgelenke, untere Extremität, insbesondere der Füße.

Beim offenen Biss kann eine dysfunktionale Atmung durch Mund und Nase entstehen. Die ständige Mundöffnung entwöhnt die Wangenmuskulatur und die Lippen, Spannung aufzubauen und zu halten. Der myofasziale Zug fehlt der Mundhöhlenentwicklung. Gotische Gaumenbögen und schmale Unterkiefer können entstehen. Das myofasziale Ungleichgewicht kann sich auf die Kopfhaltung und Atemmechanik auswirken und die Körperstatik beeinflussen (Kap. 2.3.1).

Der Plexus venosus pterygoideus ist von den Kaumuskeln umschlossen (Mm. pterygoidei lateralis, medialis und M. temporalis). Die Muskelaktivität hilft bei der Drainage des Plexus. Ein Hypertonus der beteiligten Kaumuskeln kann womöglich Stauungen im Entsorgungsgebiet des Plexus verursachen. Der Plexus steht mit dem Sinus cavernosus in Verbindung und erhält zahlreich Zuflüsse aus dem gesamten Kranium. Die Vv. meningea mediae beispielsweise drainieren teilweise die Dura mater. V. canalis pterygoidei sorgt u. a. für den venösen Abfluss aus der Tuba auditiva, die Vv. tympanicae für den aus der Paukenhöhle. Das Kiefergelenk selbst wird über die Vv. articulares drainiert. Die mit Schleimhaut ausgekleideten luftgefüllten Knochenzellen des Proc. mastoideus (Os temporale) erhalten ihre venöse Entsorgung u. a. von der V. stylomastoidea.

Kiefergelenk Kräftepolygon und Posturologie

Die Kopfhaltung wirkt sich auf die gesamte Posturologie des Körpers aus. Bei einer Dysfunktion des Kiefergelenks kann es zu einer anterioren Translation des Kopfes kommen. Die Kondylen des Os mandibulare sind dann rückverlagert.

Ein Modell zur Erklärung der dann wirkenden Kraftketten und zum mechanischen Verhalten der Wirbelsäule ist das Kräftepolygon von Littlejohn [89]. Es sind 6 Kraftlinien, die unter Einfluss der Schwerkraft das modellhafte Vieleck bilden und das mechanische Verhalten der Wirbelsäule erklären. Diese Kraftlinienverläufe bilden das Kräftepolygon oder auch Vieleck der Kräfte. Die 6 Ketten im Einzelnen:

- absteigende zentrale Kraftlinie (eigentlich 2 Linien: eine linke und eine rechte)
- anteriore Körperlinie
- anteroposteriore Kraftlinie
- 2 posteroanteriore Kraftlinien

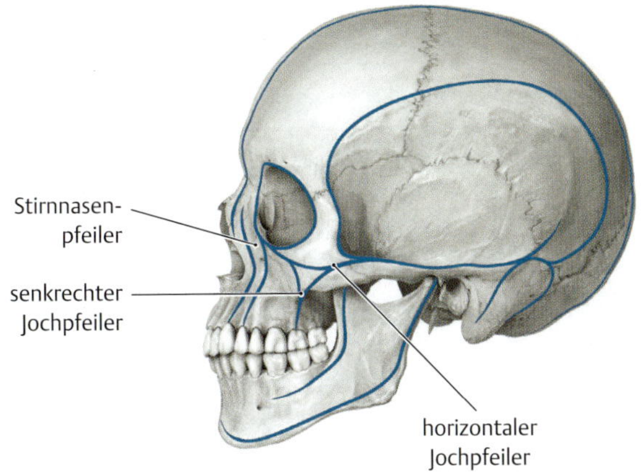

▶ **Abb. 3.47** Hauptkraftlinien (blau) im Bereich des Gesichtsschädels (von lateral). (Quelle: Schünke M, Schulte E, Schumacher U. Prometheus. LernAtlas der Anatomie. Kopf, Hals und Neuroanatomie. Illustrationen von M. Voll und K. Wesker. 6. Aufl. Stuttgart: Thieme; 2022)

Absteigende zentrale Kraftlinie

Verlauf (▸ Abb. 3.48): Vertex → posterior der Procc. clinoidei (ca. ± 1 cm) zum hinteren Drittel des Foramen magnum → anterior (ca. ± 1 cm) der Atlasgelenkflächen → durch Querfortsätze von C 3–C 6 → anterior von Th 3/Th 4 zum unteren Rand der 3. Rippe → durch den Korpus von L 3 → auf Höhe von L 3 geht je eine Linie über die mediale Seite der Knie bis zum Mittelfuß.

Osteopathische Korrespondenzen: Der zentrale Punkt, auf den die Schwerkraft einwirkt, ist L 3. Littlejohn [89] bezeichnete die absteigenden zentralen Schwerkraftlinien als mobile Linien, die ihren Verlauf durch die Veränderung der Haltung ändern können. Sie reagieren auf veränderte Druck- und Zugverhältnisse aus der Körpermitte und der Peripherie, die über die anderen Kraftlinien übertragen werden. Die zentrale Kraftlinie entspricht der Gravitätskraft, die auf den Körper einwirkt.

Anteriore Körperlinie

Verlauf (▸ Abb. 3.49): Parallel ventral zur absteigenden zentralen Schwerkraftlinie, verbindet die Symphysis pubica mit der Symphysis mentis.

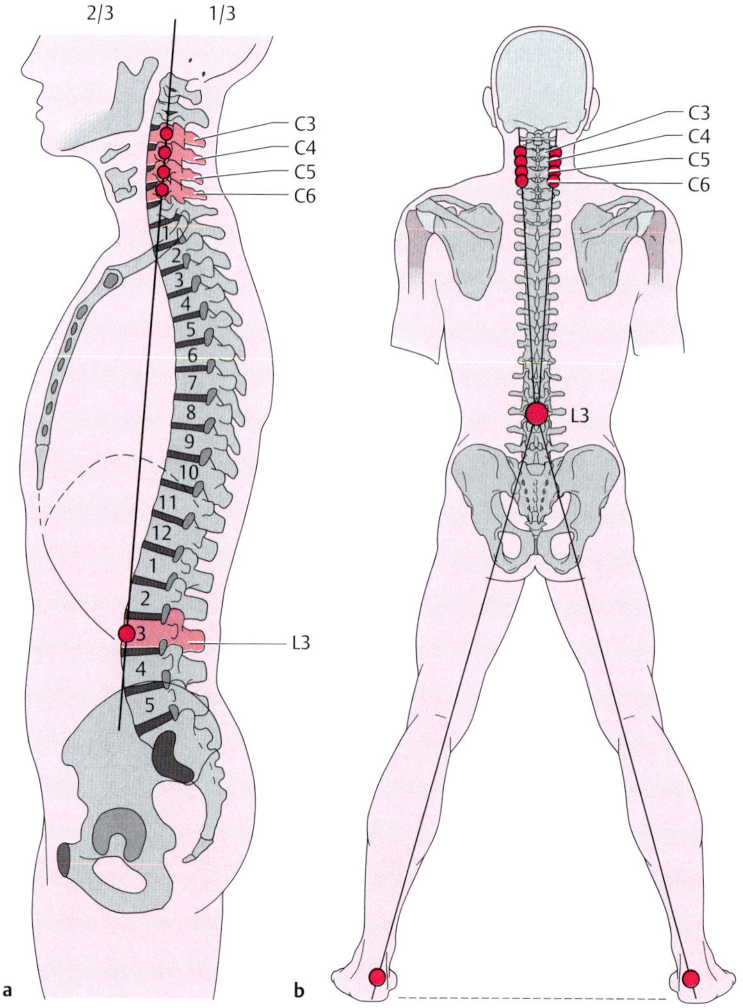

▸ **Abb. 3.48** Verlauf der absteigenden zentralen Kraftlinien.
a Seitenansicht. (Quelle: Richter P, Hebgen E. Triggerpunkte und Muskelfunktionsketten. 5. Aufl. Stuttgart: Thieme; 2021)
b Ansicht von dorsal. (Quelle: Richter P, Hebgen E. Triggerpunkte und Muskelfunktionsketten. 5. Aufl. Stuttgart: Thieme; 2021)

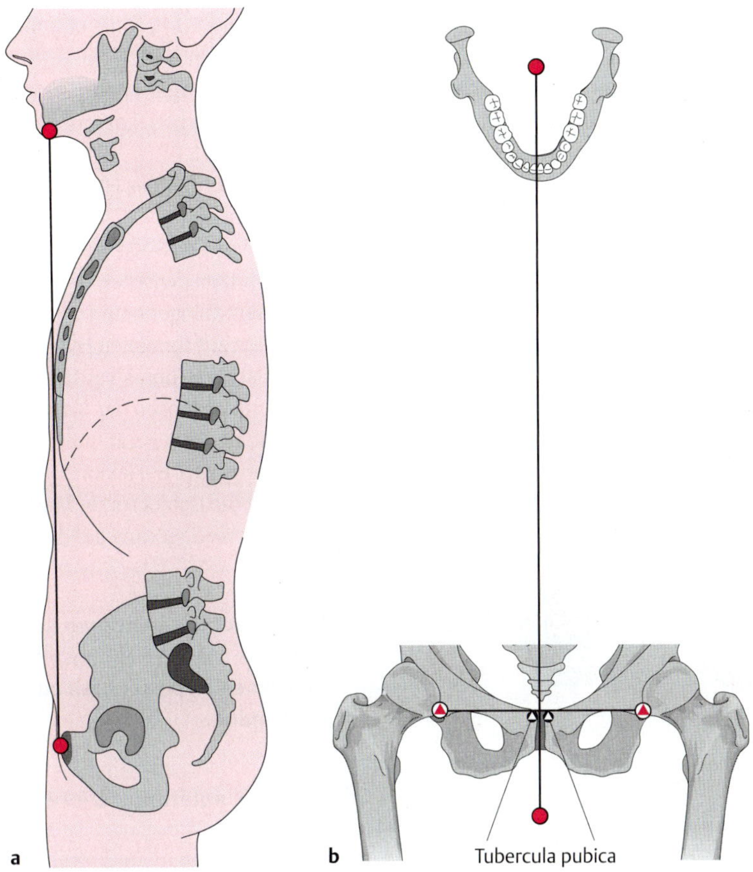

► **Abb. 3.49** Verlauf der anterioren Körperlinie.

a Seitenansicht. (Quelle: Richter P, Hebgen E. Triggerpunkte und Muskelfunktionsketten. 5. Aufl. Stuttgart: Thieme; 2021)

b Ansicht von ventral. (Quelle: Richter P, Hebgen E. Triggerpunkte und Muskelfunktionsketten. 5. Aufl. Stuttgart: Thieme; 2021)

Osteopathische Korrespondenzen (▶ Abb. 3.50): Der Verlauf dieser Schwerkraftlinie ist insbesondere abhängig von der Funktionalität der Diaphragmen, den Druckverhältnissen im Abdomen und Thorax und damit auch von der adaptierten Körperstatik. Ein erhöhter Druck im Abdomen kann unterschiedlich kompensiert werden:

- Die anteriore Körperlinie fällt vor die Symphysis pubica, die Folgen sind:
  - erhöhter Druck auf die Bauchwand
  - größere Spannung auf das Leistenband → erhöhte Gefahr von Leistenhernien
  - stärkere Ausprägung der HWS-Lordose
  - Kinnverlagerung nach anteriokranial
  - Spannungszunahme in den Übergängen zervikothorakal, thorakolumbal und lumbosakral
  - Knie in Rekurvation

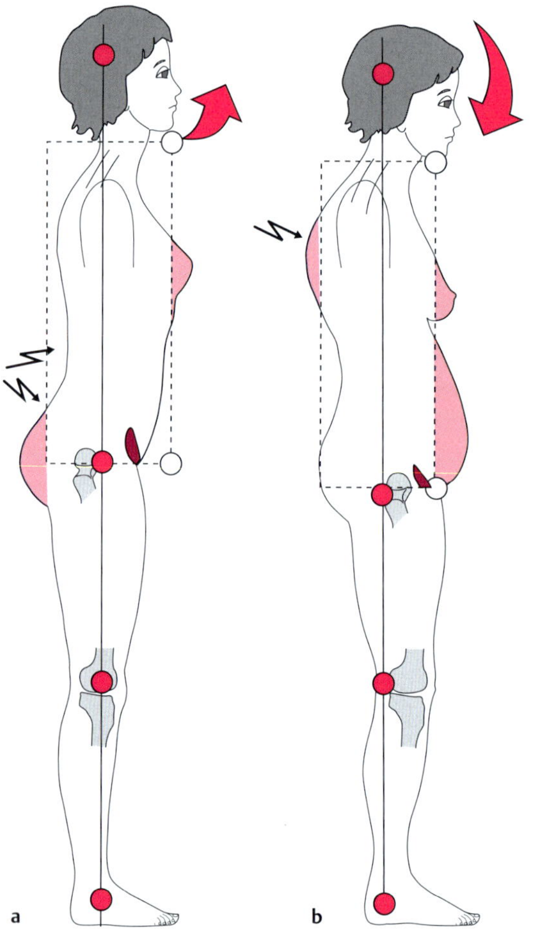

▶ **Abb. 3.50** Haltungsänderung der Wirbelsäule.
a Bei Verlagerung der anterioren Körperlinie vor die Symphysis pubica. (Quelle: Richter P, Hebgen E. Triggerpunkte und Muskelfunktionsketten. 5. Aufl. Stuttgart: Thieme; 2021)
b Bei Verlagerung der anterioren Körperlinie hinter die Symphysis pubica. (Quelle: Richter P, Hebgen E. Triggerpunkte und Muskelfunktionsketten. 5. Aufl. Stuttgart: Thieme; 2021)

- Die anteriore Körperlinie fällt hinter die Symphysis pubica, die Folgen sind:
  - Verlagerung des abdominalen Drucks nach hinten auf die Unterbauchorgane, Aorta und iliakalen Gefäße
  - Delordosierung der HWS und Kinn nach posterokaudal orientiert
  - verstärkte BWS-Kyphose und erhöhte muskuläre Spannungen zwischen den Schulterblättern
  - Schultern hängend und vermehrt in Innenrotation
  - Tendenz zur lumbalen Hyperlordose
  - abgeflachter Thorax ventral
  - Tendenz zu Ptosen der Bauch- bzw. Beckenorgane
  - Iliosakralgelenk gerät unter vermehrte Spannung
  - Knie vermehrt in Flexion
  - Zug auf die ischiocrurale Muskulatur
  - Gewichtsverlagerung auf die Fersenregion

Merke

Der Verlauf der anterioren Körperlinie gibt wichtige Hinweise auf das Haltungsschema, nämlich ob es sich um einen posterioren oder anterioren Haltungstyp handelt.

Absteigende anteroposteriore Kraftlinie (AP-Kraftlinie)

Verlauf: Opisthion → anteriorer Rand des Foramen magnum (Tuberculum anterior) → vor Th 4 vorbei → durch den Korpus von Th 11 und 12 → durch die Gelenkverbindung von L 4/L 5 → durch S 1 → zur Spitze des Os coccygis

Osteopathische Korrespondenzen: Diese Linie zeigt die funktionelle Einheit der Wirbelsäule. Th 11 und Th 12 sind die „Schlüsselwirbel" bei der Torsion des Rumpfs, sind aber auch für das Gleichgewicht nach anterior bzw. posterior verantwortlich. Sie sind u. a. auch Ansatzstellen der Zwerchfellschenkel. Hier liegen in nächster Nähe auch vaskuläre Strukturen, z. B. Aorta, V. cava inferior, und neurovegetative Strukturen, z. B. N. splanchnicus minor. Th 11 und Th 12 werden besonders beansprucht bei unphysiologischen Belastungen aus den Extremitäten, asymmetrischen Zug- bzw. Druckkräften bei Rumpftorsion und/oder Rumpfflexion sowie Rumpfextension. Aber auch Spannungen, die über die Weichteile während der Ein- und Ausatmung entstehen, wirken hier ein. Aufgrund der Komplexität der verschiedenen anatomischen Strukturen in diesem Bereich (skelettal, muskulär, vaskulär, nerval) können Dysfunktionen im thorakolumbalen Übergang weitreichende Symptome provozieren.

Aufsteigende posteroanteriore Kraftlinien (PA-Kraftlinie)

Verlauf (▸ Abb. 3.51): Beide Schwerkraftlinien beginnen beidseitig im Hüftgelenk → ziehen in Anlehnung an den Verlauf des M. psoas major ventral zum Wirbelkörper L3 → weiter nach kranial durch die 2. Rippen → enden am posterioren Rand des Foramen magnum.

Osteopathische Korrespondenzen: Diese Linien haben die entscheidende Aufgabe, die Spannungsverhältnisse zwischen Hals, Rumpf und Beinen physiologisch zu optimieren, denn sie lenken die Schwerkraft vom Atlantookzipitalgelenk zum 2. Brustwirbel und zur 2. Rippe. Sie beeinflussen die Spannungsverhältnisse im zervikothorakalen Übergang und nehmen Einfluss auf die Druckverhältnisse von Thorax und Abdomen.

Die Kraft wird im Stand auf die Hüftgelenke weitergeleitet, im Sitzen auf die Sitzbeinhöcker. In der Hüftgelenkspfanne befindet sich bei aufrechter Körperhaltung der maximale Druckpunkt des Femurkopfs. Die gleichmäßige Verteilung der Kräfte führt zu physiologischen Spannungsverhältnissen in HWS, Thorax, Abdomen und Beinen.

! Merke

Die anteroposterioren und posteroanterioren Linien sind Grundlage des Kräftepolygons. Beeinflusst werden diese Linien von der Form der Wirbelsäule (Krümmungen, Wirbelform), der Gestaltung der Wirbelsäulenübergänge, den Zug- und Widerstandskräften der Faszien, Muskeln, Band- und Gelenkkapselstrukturen und den Druck- und Zugkräften im Abdomen und Thorax.

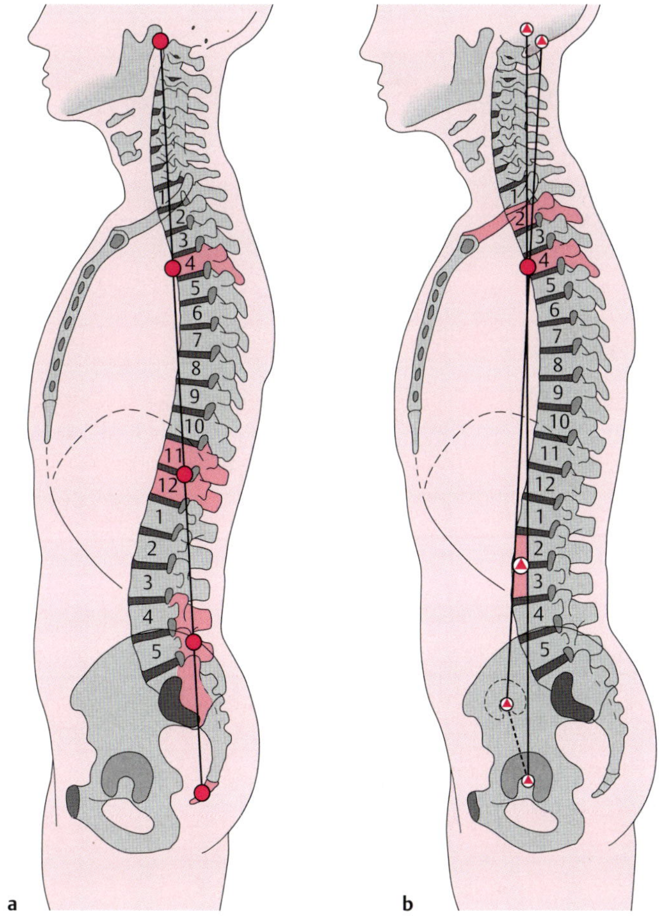

▸ **Abb. 3.51** Anteroposteriore und posteroanteriore Kraftlinie.

a Verlauf der absteigenden anteroposterioren Kraftlinie. (Quelle: Richter P, Hebgen E. Triggerpunkte und Muskelfunktionsketten. 5. Aufl. Stuttgart: Thieme; 2021)

b Verlauf der aufsteigenden posteroanterioren Kraftlinien. (Quelle: Richter P, Hebgen E. Triggerpunkte und Muskelfunktionsketten. 5. Aufl. Stuttgart: Thieme; 2021)

Das Kräftepolygon (Vieleck der Kräfte; kombinierte Darstellung der 6 Kraftlinien)

Verlauf: Die Kraftlinien (anteroposterior und posteroanterior) kreuzen sich vor Th 4, dadurch ergibt sich eine geometrische Figur, die 2 Pyramiden mit dreieckigem Boden zeigt. Diese Pyramiden stehen mit ihren Spitzen aufeinander. Treffpunkt der Spitzen liegt auf Th 4, sodass dort der Kreuzungspunkt der Kraftlinien ist. Der Kräfteverlauf aus den genannten Linien ergibt die zentrale Kraftlinie (▸ **Abb. 3.52**).

Osteopathische Korrespondenzen: Am Treffpunkt der Spitzen müssen sich die Kräfte ausbalancieren. Dies ist für die Körperstatik von großer Bedeutung.

Die obere Pyramide enthält die gelenkigen Verbindungen der atlantookzipitalen Region. Rotationsbewegungen des Kopfes reichen bis zu Th 4. So können z. B. muskuläre Dysbalancen bzw. Dysfunktionen von HWS, Zungenbein und Kiefer sowie myofasziale Adhäsionen diese Region negativ beeinflussen.

Die untere Pyramide umfasst die Hüftgelenke und das Steißbein. Sie ist u. a. für die Funktion des Abdomens zuständig. Die physiologische Beckenstatik ist auch für die Bauchdeckenspannung verantwortlich.

Die Druckverhältnisse in Thorax, Abdomen und Becken haben einen deutlichen Einfluss auf dieses Vieleck der Kräfte und damit auch auf die Wirbelsäule. Die Atembewegung verändert nicht nur dynamisch die Druckverhältnisse in Thorax und Abdomen, sondern führt auch zur Formveränderung der Wirbelsäule. Bei der Einatmung im Stand bewegt sich die Wirbelsäule in Extension, bei der Ausatmung bewegt sie sich mehr in Flexion. Myofasziale Verbindungen sind hier entscheidende Verbindungen.

Dysfunktionen im Becken können z. B. eine Wirkung auf die obere BWS und OAA-Region und somit auch auf das Kiefergelenk haben. Das Polygon der Kräfte gerät dann in Dysbalance und kann zu unphysiologischen Belastungen in verschiedensten Körperregionen führen.

Korrespondierende Strukturen

Auswahl an Strukturen, die in Wechselwirkung das Kiefergelenk und umgekehrt beeinflussen können:

- Zentralsehne, tiefe Frontallinie, Bogensehne und die damit verbundenen vielfältigen faszialen Zugwirkungen aus Thorax, Abdomen, Becken und der Peripherie
- Kaumuskulatur
- subokzipitale Muskulatur
- OAA-Komplex
- visuelles System
- infra- und suprahyoidale Muskulatur
- Gebissform, -beschaffenheit
- gestörte Propriozeption
- vegetatives Nervensystem

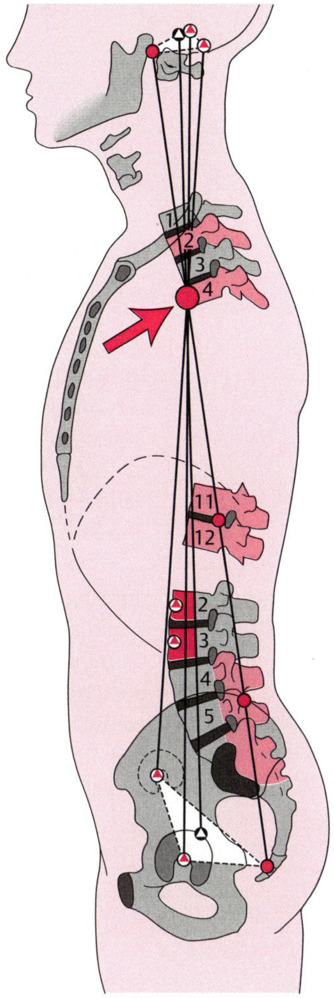

▶ **Abb. 3.52** Kräftepolygon (Vieleck der Kräfte) nach Littlejohn. (Quelle: Richter P, Hebgen E. Triggerpunkte und Muskelfunktionsketten. 5. Aufl. Stuttgart: Thieme; 2021)

Behandlungshinweise

- Indikationen für die Behandlung des Kiefergelenks sind u. a.:
  - Knack- und/oder Reibegeräusche beim Kauen
  - Schmerzen in Ruhe und/oder bei Bewegung in der Kaumuskulatur
  - Druckschmerzhaftigkeit der Gelenkkapsel
  - eingeschränkte Mundöffnung und/oder ein Abweichen des Unterkiefers beim Mundschließen
  - Kopfschmerzen
  - Schwindel
  - Schluckstörungen
  - Sprechstörungen
  - Gesichtsschmerzen
  - vegetative Dystonie
- Im Rahmen des Behandlungskonzepts einer CMD sind bei einer Diskusverlagerung Behandlungstechniken der Kondylen hilfreich. Eine Harmonisierung des Os temporale und der OAA sollte sich anschließen.
- Myofasziale Schmerzen in der Kaumuskulatur können über Triggerpunktbehandlungen reduziert werden (▶ **Abb. 3.53**, ▶ **Abb. 3.54**).
- Körperstatik von Kopf bis Fuß und die Propriozeption sind wichtige Aspekte im holistischen Behandlungskonzept.
- Zum Ausschluss, ob die CMD durch eine aufsteigende Kette verursacht ist, Meersseman-Test durchführen [15].
- Siehe auch Behandlung Os mandibulare (Kap. 2.3.1) und Os temporale (Kap. 3.3.1).

3.3.3 Os parietale

Das Os parietale (Scheitelbein) erinnert in seiner Form an eine viereckige Schale (▶ **Abb. 3.55**). Setzt man beide Ossa parietalia aneinander, bilden sie eine runddachähnliche Form. Beim menschlichen Schädel wird die **Kalotte** zum größten Teil von den beiden Ossa parietalia gebildet. Auch die lateralen Anteile des **Neurokraniums** werden von einem großen Teil des Os parietale gebildet.

Das Os parietale hat einen **desmalen Ursprung** und ist zum Geburtszeitpunkt noch sehr stark verformbar. Bezeichnend sind die zahlreichen Beteiligungen an den frühkindlichen **Fontanellen**.

Fonticulus anterior, die rautenförmig zentral-kranial liegt, verbindet die beiden Ossa parietalia und Ossa frontalia. Die Hinterhauptsfontanelle (**Fonticulus posterior**) befindet sich mehr im Hinterkopfbereich und verbindet die Ossa parietalia und das Os occipitale.

Die vorderen seitlichen Fontanellen (**Fonticulus sphenoidalis**) befinden sich rechts und links des Schädels und sind die Verbindung von Os frontale, Os sphenoidale und Os parietale. Die hinteren Seitenfontanellen (**Fonticulus posterior**) befinden sich beidseits im späteren Zusammenschluss von Os temporale, Os parietale und Os occipitale. Das **Ossifikationszentrum** des Os parietale liegt im Bereich des Tuber parietale.

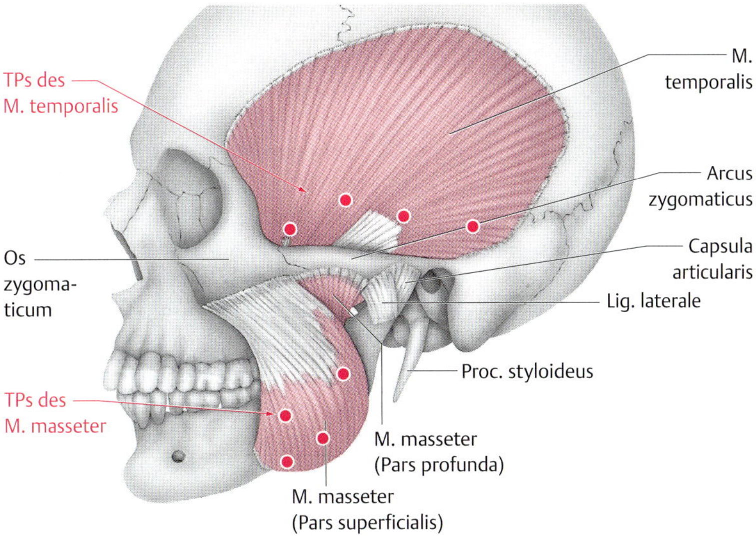

▶ **Abb. 3.53** Triggerpunkte. (Quelle: Richter P, Hebgen E. Triggerpunkte und Muskelfunktionsketten. 5. Aufl. Stuttgart: Thieme; 2021)

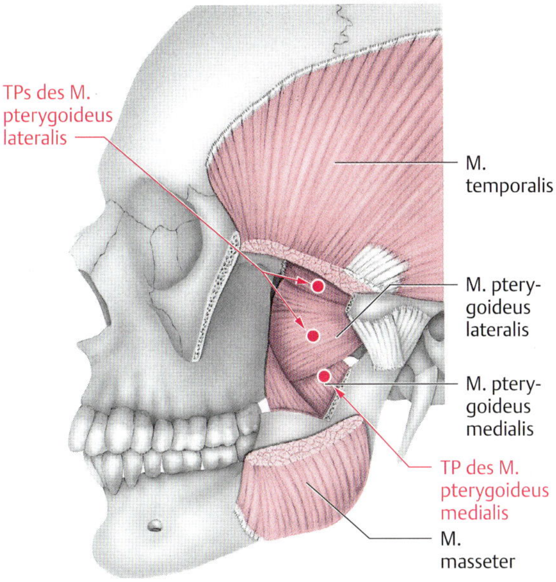

▶ **Abb. 3.54** Triggerpunkte. (Quelle: Richter P, Hebgen E. Triggerpunkte und Muskelfunktionsketten. 5. Aufl. Stuttgart: Thieme; 2021)

Anatomie

Knöcherne Anteile (▸ Abb. 3.55, ▸ Abb. 3.56)

- Angulus und Margo frontalis
- Angulus und Margo occipitalis
- Angulus mastoideus
- Angulus sphenoidalis
- Margo squamosus: Rand zum Os temporale
- Margo sagittalis: Rand zum gegenüberliegenden Os parietale
- Facies externa mit den Lineae temporales superior und inferior
- Facies interna mit Sulci arteriosi für Äste der A. meningea media, Sulcus sinus sigmoideus

Benachbarte Knochen und ihre Suturen

- Os frontale (anterior, Sutura coronalis)
- Os sphenoidale (lateral, Sutura sphenoparietalis)
- Os temporale (lateral, inferior, Sutura parietomastoidea und parietosquamosa)
- Os occipitale (posterior, Sutura lambdoidea)
- Ossa parietalia (kranial, Sutura sagittalis)

Foramina, Fissuren, Canales

- Foramen parietale → V. emissaria, Ramus der A. occipitalis
- Einkerbungen für Vv. emissariae
- Foveolae granulares → Aussackungen der Arachnoidea mater (entlang Sulcus sinus sagittalis superior)

Muskeln

- M. epicranius: Überbegriff für M. occipitofrontalis und M. temporoparietalis, die an Galea aponeurotica ansetzen; siehe auch Faszienhülle, mimische Muskeln (S. 26).
- M. temporalis (Kap. 2.3.1)

Faszien

- Galea aponeurotica
- Fascia temporalis

Intrakranielle Membranen

- Falx cerebri
- Tentorium cerebelli

Systemische Vaskularisation

- R. parietalis → Ast aus A. temporalis superficialis → A. carotis externa
- V. emissaria → drainiert in Ramus der V. occipitalis → Foramen parietale
- A. meningea media → Ast der A. maxillaris (Verlauf an Facies interna)
- V. meningea media → drainiert in Plexus venosus pterygoideus
- Teile der intrakranialen venösen Blutleiter → Sinus sigmoideus und sagittalis superior

Neurologisches Netzwerk

- R. tentorius (VI) → Wand Sinus cavernosus
- N. occipitalis major → Foramen intervertebrale C2, Musculus-trapezius-Durchbohrung
- Lobus parietalis
- Diencephalon

Myofasziale Wirkungsketten

Über den M. temporalis ist das Os parietale in der tiefen Frontallinie (Kap. 2.4.2) eingebunden, über die Falx cerebri mit der Zentralsehne (Kap. 7.1.1). Über den M. erector spinae mit dem Übergang zur Galea aponeurotica ist das Os parietale ebenfalls Bestandteil der oberflächlichen Rückenlinie ([16], Kap. 2.3.6).

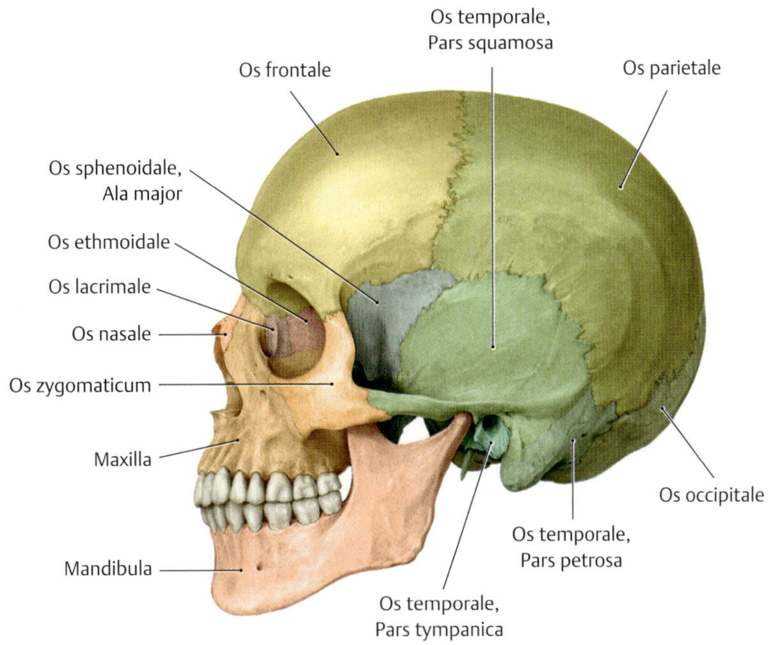

▸ **Abb. 3.55** Übersichtsbild Os parietale. (Quelle: Schünke M, Schulte E, Schumacher U. Prometheus. LernAtlas der Anatomie. Kopf, Hals und Neuroanatomie. Illustrationen von M. Voll und K. Wesker. 6. Aufl. Stuttgart: Thieme; 2022)

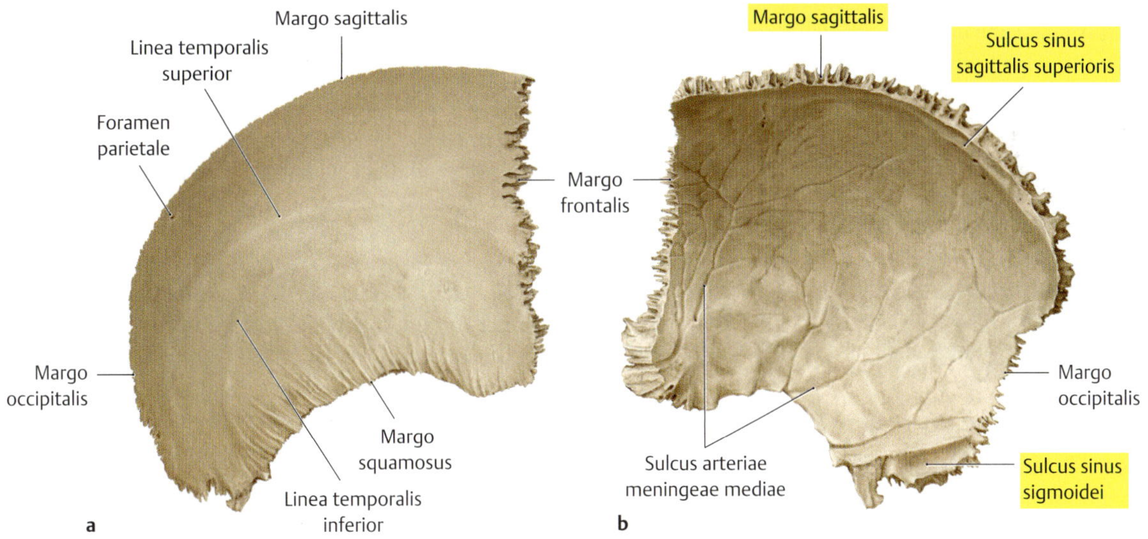

▸ **Abb. 3.56** Os parietale.

a Ansicht von lateral (rechts). (Quelle: Schünke M, Schulte E, Schumacher U. Prometheus. LernAtlas der Anatomie. Kopf, Hals und Neuroanatomie. Illustrationen von M. Voll und K. Wesker. 6. Aufl. Stuttgart: Thieme; 2022)

b Ansicht von medial (rechts). (Quelle: Schünke M, Schulte E, Schumacher U. Prometheus. LernAtlas der Anatomie. Kopf, Hals und Neuroanatomie. Illustrationen von M. Voll und K. Wesker. 6. Aufl. Stuttgart: Thieme; 2022)

Kraniosakraler Kontext

Als Knochen der Peripherie bewegen sich die Ossa parietalia während der Inspiration in Außenrotation. Sie gleiten nach posterior und verkürzen sich. Bei der Exspiration beschreiben sie eine Innenrotation, gleiten nach anterior und verlängern sich. Beeinflusst wird die Bewegung besonders durch das Os sphenoidale und Os occipitale. Die Achse für die Außen- und Innenrotation verläuft durch das Tuber parietale und frontale.

Normalbefund bei Palpation: Während der Inspiration bewegt sich das Os parietale in Außenrotation (superiore Anteile nach kaudal, inferiore Anteile nach lateral-kranial), dabei ist die posteriore Verlagerung spürbar (▸ Abb. 3.57, ▸ Abb. 3.58). In der Exspirationsphase sind die Bewegungen der benannten Strukturen entgegengesetzt.

Die Bewegung ist symmetrisch, mit gleicher ausgewogener Amplitude und Kraft. Die Bewegung wirkt leicht und frei.

Kraniometrische Punkte

- **Pterion**: Dieser Verbindungspunkt liegt zwischen Os frontale, Os parietale, Os sphenoidale und Os temporale (entspricht der vorderen seitlichen Fontanelle des Säuglings).
- **Bregma**: Das ist ein Verbindungspunkt zwischen dem Os frontale und den Ossa parietalia (entspricht der großen Fontanelle des Säuglings).
- **Asterion**: Entspricht der hinteren seitlichen Fontanelle des Säuglings → Überlappungszone von Os occipitale, parietale (paarig) und temporale (paarig).
- **Lambda**: Entspricht der kleinen Fontanelle des Säuglings → Überlappungszone von Os parietale (paarig) und Os occipitale.

Hinweis: Die Quellenangaben [15], [58], [59] beziehen sich auf den gesamten „Kraniosakralen Kontext“.

Osteopathische Korrespondenzen

Dysfunktionsmechanismen

Verursacht durch Strain-Dysfunktionen können intraossäre Spannungen in den Ossa parietalia auftreten. Diese können sich auf die Falx cerebri und die Sinus sagittales superior und inferior auswirken.

Durch externe Krafteinwirkungen (z. B. Stürze, Schläge) auf das Os parietale können massive Restriktionen im Bereich der Suturen ausgelöst werden **(Sutura sagittalis/ Margo sagittalis)**. Intra- und interossäre Dysfunktionen können durch Geburtstraumata hervorgerufen werden. Störungen der SSB sowie Spannungen des myofaszialen Systems und des Membransystems können Dysfunktionen in Innen- und Außenrotation des Os parietale hervorrufen.

Kopfschmerz

Dysfunktionen des Os parietale mit Spannungen im Bereich des Foramen spinosum können die Funktionalität der A. meningea media beeinflussen. Mögliche Symptome sind Kopfschmerzen im Bereich des Schädeldachs. Strangförmiger Kopfschmerz im Bereich der Sutura sagittalis kann Hinweis auf eine Dysfunktion der Sutura sagittalis sein.

Dysfunktionen bei C 2 können den N. occipitalis major beinträchtigen. Der Nerv entstammt dem zweiten Spinalnerven, zieht am M. obliquus capitis inferior vorbei, durchdringt den M. trapezius und zieht zum Hinterhaupt. Sensibel versorgt er die Kopfhaut im Bereich des Hinterhaupts und der dorsalen Anteile des Os parietale. Mit seinem R. meningealis versorgt er im Bereich der hinteren Schädelgrube sensibel die Meningen.

Ein Hypertonus des M. trapezius kann ebenfalls den N. occipitalis major irritieren. Ursachen für Dysfunktionen sind vielfältig, so auch beim Hypertonus des M. trapezius. Wie bei jedem Beschwerdebild, jeder osteopathischen Dysfunktion, muss in der Anamnese, Inspektion und Untersuchung über die globale Untersuchung (u. a. Bewegungsbild, Körperstatik, Diaphragmen und ihre Übergänge, Viszera, myofasziale Ketten, Untersuchung des Schädels und seiner Organe) auch die Lebenssituation des Patienten erfasst werden.

Kieferpressen und Hypertonus M. temporalis

Durch starkes dauerhaftes Aufeinanderpressen der Zähne kann u. a. ein einseitiger oder beidseitiger Hypertonus des M. temporalis entstehen. Durch den muskulären Ursprungsbereich im Bereich der Ossa parietalia kann eine Dysfunktion in den beteiligten Suturen (Sutura coronalis, Sutura squamosa, Sutura parietomastoidea, Sutura sphenoparietalia) und somit auch eine dysfunktionale Situation im Os parietale entstehen.

Geburt mit Saugglocke (Vakuumextraktion)

Massive Krafteinwirkung auf das Kranium und kraniale Verformungen können Folgen für das gesamte Kranium haben. Insbesondere die Beweglichkeit von SSB, Os parietale, Os frontale und ihrer beteiligten Strukturen können unter massive Kompression kommen. Als Fernwirkung kann dies dysfunktional Einfluss haben auf

- die Kondylen des Os occipitale und zum Atlas (→ Verbindung Ossa parietalia → Sutura lambdoidea → Os occipitale),
- das Os temporale (Sutura squamosa, Sutura parietomastoidea) mit Wirkung auf Tentorium cerebelli,
- die myofaszialen Züge (Fascia superficialis, Fascia temporalis, intrakranial über die Falx cerebri, indirekt über die SSB die Raphe pharyngobasilaris),
- Os sacrum (Membransystem).

Vaskuläre Störungen können über venöse Blutleiter, insbesondere Sinus sagittalis superior, **Sinus sigmoideus** und Vv. meningeae mediae entstehen. Durch Störung der Arachnoidalzotten im Bereich der Sutura sagittalis ist eine Zirkulationsstörung im LCS möglich. Dysfunktionaler vaskulärer Druck im Kranium kann seine Ursache in einer Störung der A. meningea media haben.

Korrespondierende Strukturen

Auswahl an korrespondierenden Strukturen, die unter systemischen Aspekten therapeutisch von Bedeutung sein können:

- A. meningea media
- venöse Blutleiter, insbesondere Sinus sagittalis superior und Sinus sigmoideus
- Falx cerebelli, Tentorium cerebelli
- Zentralsehne und ihre einzelnen Bestandteile sowie alle Organe, die über die Zentralsehne wirken können
- Liquor cerebrospinalis
- Fascia cervicalis superficialis

Behandlungshinweise

- Indikationen für die Behandlung des Os parietale sind u. a.:
  - Kopfschmerzen, insbesondere „Scheitelkopfschmerz"
  - Schlafstörungen
- Bei Kopfschmerzen, Dysfunktion der Zirkulation (venöse Blutleiter LCS) und suturalen Dysfunktionen des Os parietale kann eine Kombination aus Spread- und Hebetechnik des Os parietale indiziert sein.
- Durch starke seitliche Krafteinwirkung von außen kann eine dysfunktionale Sutura sphenoparietalis mit der Cant-hook-Technik gelöst werden. Bei intraossären Dysfunktionen bieten sich Molding-Techniken an.
- Parietal lift kann dysfunktionale Spannung in der Falx cerebri harmonisieren
- Interossäres Molding bei Dysfunktion Os parietale bietet sich besonders bei Säuglingen nach Geburtstrauma an.
- Bei Os parietale in Dysfunktion Außenrotation und bei der Behandlung des Sinus sagittalis superior ist ein Parietal Spread hilfreich.

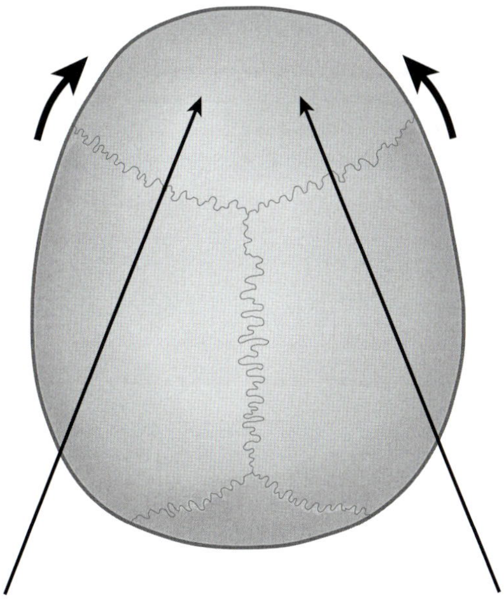

▸ **Abb. 3.57** Os parietale in der Inspirationsphase (von kranial). (Quelle: Liem T. Kraniosakrale Osteopathie. 7. Aufl. Stuttgart: Thieme; 2018)

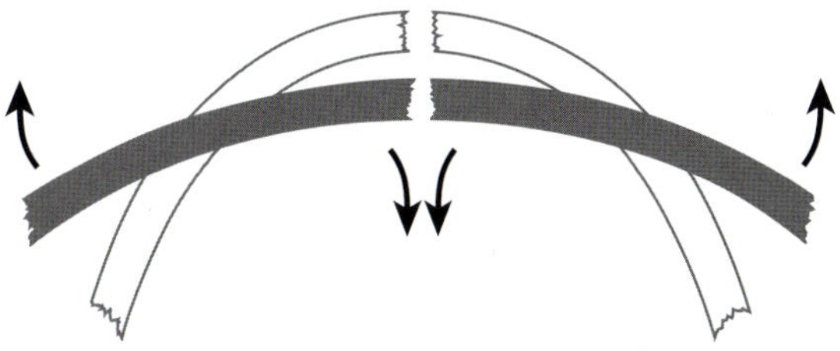

▸ **Abb. 3.58** Os parietale in der Inspirationsphase (von dorsal). (Quelle: Liem T. Kraniosakrale Osteopathie. 7. Aufl. Stuttgart: Thieme; 2018)

3.3.4 Os lacrimale

Das paarige Os lacrimale (Tränenbein) gehört zu den peripheren Schädelknochen und wird dem **Viszerokranium** zugeordnet (▸ Abb. 3.59). Es ist filigran und Bestandteil der **medialen Augenhöhlenwand**. Es ähnelt einem kleinen viereckigen Plättchen, das auf einer Seite etwas eingewölbt ist.

Man unterscheidet die Flächen als **Facies lateralis** (orbitale Fläche) und **Facies medialis** (nasale Fläche). Die 4 Ränder Margo anterior, Margo posterior, Margo superior und Margo inferior stehen mit 4 Knochen in direkter Verbindung. Als Bestandteil der Augenhöhle hat es Kontakt mit dem Os maxillare, Os ethmoidale, Os frontale und mit der Concha nasalis inferior.

Das Os lacrimale ist zweifach bzgl. des Tränenapparats eingebunden. Zum einen hat es eine Mulde, in der die eigentliche Tränendrüse anliegt. Zum anderen bildet es zusammen mit dem Os maxillare den Tränenkanal.

Die Anlage des Os lacrimale ist **desmal**. Etwa in der 8.–9. Woche i. u. bildet sich **pro Fläche ein Ossifikationszentrum** und die Ossifikation wird noch vor der Geburt abgeschlossen.

Anatomie

Knöcherne Anteile (▸ Abb. 3.60)

- orbitale und nasale Fläche
- Sulcus lacrimalis (Bestandteil des Tränenkanals)
- Fossa sacci lacrimalis
- Hamulus lacrimalis
- Crista lacrimalis posterior
- Cellulae lacrimales

Benachbarte Knochen und ihre Suturen

- Os maxillare (anterior-inferior, Sutura lacrimomaxillaris)
- Os ethmoidale (posterior, Sutura ethmoidolacrimalis)
- Os frontale (superior, Sutura frontolacrimalis)
- Concha nasalis inferior (inferior)

Foramina, Fissuren, Canales

- Sulcus lacrimalis (Teil des Tränen-Nasen-Kanals)
- Canalis nasolacrimalis

Ligamente: Lig. palpebrale mediale (umfasst den Tränensack)

Muskeln: M. orbicularis oculi (Kap. 2.2.1)

Faszien: Fascia orbitalis profunda

Systemische Vaskularisation

- A. angularis → Ast der A. facialis → Carotis externa
- V. angularis → drainiert in V. facialis

Neurologisches Netzwerk: Ast des N. nasociliaris (V_1)

Myofasziale Wirkungsketten

Es bestehen keine direkten Verbindungen.

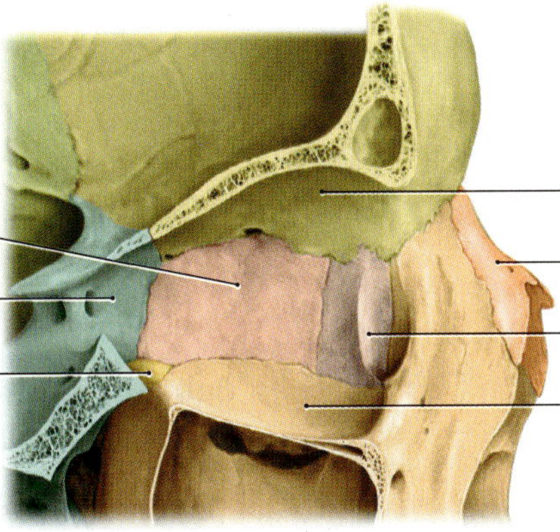

▸ **Abb. 3.59** Knochen der rechten Augenhöhle (Orbita). (Quelle: Schünke M, Schulte E, Schumacher U. Prometheus. LernAtlas der Anatomie. Kopf, Hals und Neuroanatomie. Illustrationen von M. Voll und K. Wesker. 6. Aufl. Stuttgart: Thieme; 2022)

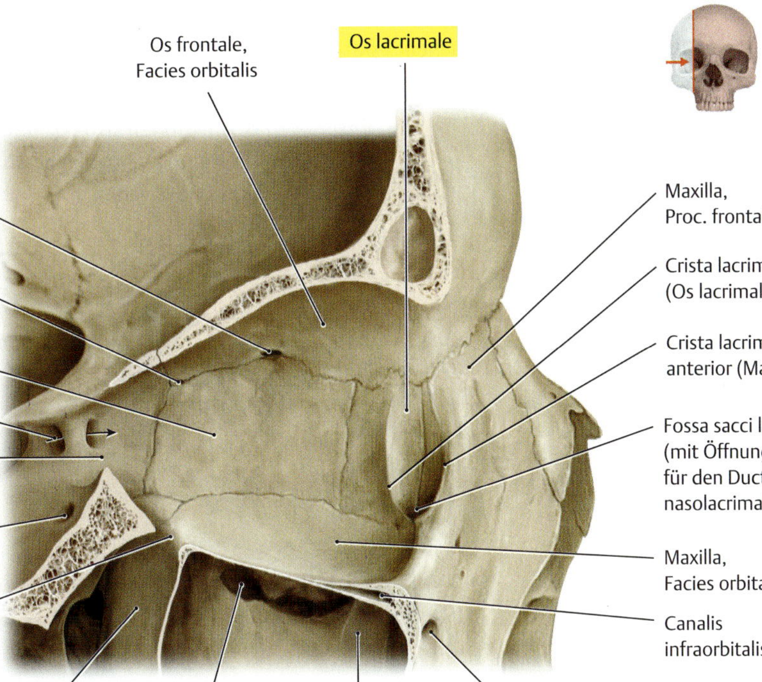

▸ **Abb. 3.60** Os lacrimale. (Quelle: Schünke M, Schulte E, Schumacher U, Voll M, Wesker K. 2.13 Augenhöhle (Orbita): Knochen und Öffnungen für Leitungsbahnen. In: Schünke M, Schulte E, Schumacher U, Voll M, Wesker K, Hrsg. Prometheus LernAtlas – Kopf, Hals und Neuroanatomie. 5. Auflage. Stuttgart: Thieme; 2018)

Kraniosakraler Kontext

Bei der kranialen Inspiration bewegt sich das Os lacrimale in Außenrotation, während der kranialen Exspiration in Innenrotation. Die vertikale Bewegungsachse verläuft mittig durch das Os lacrimale (▶ **Abb. 3.61**).

Normalbefund bei Palpation: In der Außenrotation bewegen sich die lateralen Ränder des Os lacrimale nach anterolateral. In der Innenrotation ist die Bewegung entgegengesetzt.

Die Bewegung ist symmetrisch, mit gleicher ausgewogener Amplitude und Kraft. Die Bewegung wirkt leicht und frei.

Hinweis: Die Quellenangaben [15], [58], [59] beziehen sich auf den gesamten „Kraniosakralen Kontext".

Osteopathische Korrespondenzen

Das Os lacrimale ist als fragiler Knochen zwischen 3 starken Knochen eingebunden. Das Os frontale und Os maxillare übertragen als Kräfteverteiler der Kraft, die beim Kauen auftritt, mechanisch starke vertikale Kräfte auf das Os lacrimale. Der Sulcus lacrimalis korrespondiert mit dem Proc. frontalis des Os maxillare und beide bilden die Fossa lacrimalis. Der Tränensack liegt hier an und der Tränenkanal beginnt weiter kaudal. Ein verminderter Abfluss von Tränenflüssigkeit kann ein Hinweis auf eine Kompressionsdysfunktion sein.

Ein Anteil der nasalen Fläche korrespondiert mit dem Os ethmoidale und ist damit an der Bildung der vorderen Siebbeinzellen beteiligt. Dysfunktionen des Os ethmoidale können das Os lacrimale in seiner Funktionalität beeinträchtigen und ggf. die Drainage der Tränenflüssigkeit stören.

Korrespondierende Strukturen

Auswahl an korrespondierende Strukturen, die indirekt mit dem Os lacrimale in Verbindung stehen und von therapeutischer Bedeutung sein können:

- Tränenkanal
- Sinus ethmoidalis → Verbindung Cellulae lacrimales
- N. trigeminus

Behandlungshinweise

- Indikation für die Behandlung des Os lacrimale ist u. a. ein verminderter oder erhöhter Tränenfluss.
- Beim Disengagement der Sutura frontolacrimale kann man sich die adaptierten Bewegungsgrenzen des Os frontale in Außenrotation und Flexion zunutze machen.

Cave

V. angularis besitzt Anastomosen zur V. ophthalmica. Infektionen im Gesichtsbereich (Furunkel, Hagelkorn, entzündliche Hautareale o. Ä.) können sich bis in den Sinus cavernosus ausbreiten. Symptome: Kopfschmerzen, Somnolenz, Stauungszeichen am Auge, Augenmuskellähmungen.

3.4
Tiefere laterale Ebene

3.4.1 Vomer

Der Vomer (Pflugscharbein) ist ein unpaariger Knochen des **Viszerokraniums** und liegt vertikal median in der **Nasenhöhle** (▶ Abb. 3.62). Er liegt u. a. an der Unterseite der Ossa ethmoidale und sphenoidale.

In der Ansicht von lateral hat dieser dünne flache Knochen eine fast trapezförmige Gestalt. In der ventralen Ansicht wirkt der Vomer wie ein dünnes zartes „Y". Zwei Flächen und 4 Ränder kennzeichnen seine Knochengestalt. Er trennt die Nasenhöhle in 2 Hälften. Sichtbar ist das bis zur hinteren Nasenöffnung. Dort teilt der Vomer die Öffnung ebenfalls in 2 Hälften (Choanae).

Zusammen mit dem Os ethmoidale, Os palatinum, Os maxillare und Os sphenoidale bildet der Vomer eine komplexe Funktionseinheit. Er ist der mittlere Pfeiler eines ausgeklügelten **Belüftungssystems** der Nase (Kap. 2.4.3). Das Fundament für das **Nasenseptum** bildet die Verbindung Os ethmoidale (Lamina perpendicularis) mit dem Vomer.

Über eine kleine Vertiefung am oberen Rand des Vomers steht er mit dem Os sphenoidale in Verbindung (Rostrum). Beidseits des oberen Randes ist eine kleine flügelartige Platte, die mit dem Proc. vaginalis des Os sphenoidale korrespondiert. Dadurch entsteht eine Vertiefung (Sulcus vomerovaginalis), die den Raum für die darin verlaufende Arterie (A. sphenopalatina) gibt. In der senkrechten Wand des Vomers ist Platz für einen Nervenverlauf (N. nasopalatinus im Sulcus vomeris).

Der Vomer hat eine **desmale Anlage** und entwickelt sich ursprünglich aus 2 Knochenblättern. Das erklärt auch die spätere Y-förmige Gestalt. Etwa in der 8. Woche i. u. bildet sich **pro Knochenblatt ein Ossifikationszentrum**. Nach dem 3. Monat i. u. beginnt die Fusion. Letztendlicher Wachstumsschluss erfolgt zwischen dem 15.–20. Lebensjahr.

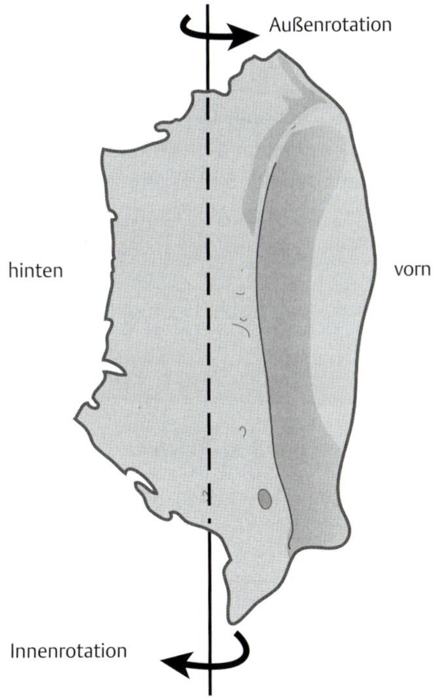

▶ **Abb. 3.61** PRM-Inspirationsphase/biomechanisch. (Quelle: Liem T. Praxis der Kraniosakralen Osteopathie. 4. Auflage. Stuttgart: Thieme; 2019)

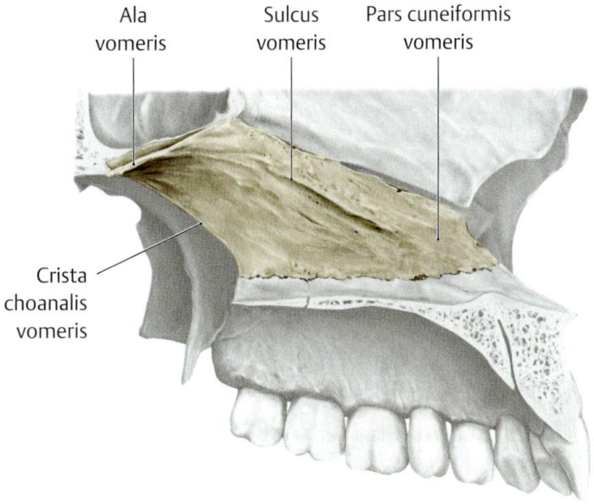

▶ **Abb. 3.62** Vomer. (Quelle: Schünke M, Schulte E, Schumacher U. Prometheus. LernAtlas der Anatomie. Kopf, Hals und Neuroanatomie. Illustrationen von M. Voll und K. Wesker. 6. Aufl. Stuttgart: Thieme; 2022)

Anatomie

Knöcherne Anteile (▶ Abb. 3.63)

- 2 Facies
- Margo anterior → Os ethmoidale, Cartilago septi nasi
- Margo posterior → kein Kontakt, trennt die Choanen
- Margo inferior → Os maxillare, Palatinum
- Lamina perpendicularis (verticalis)
- Lamina horizontalis
- Alae vomeris → Rostrum des Os sphenoidale

Benachbarte Knochen und ihre Suturen

- Os sphenoidale (posterior, Sutura sphenovomeriana)
- Os ethmoidale (anterior-superior, Sutura vomeroethmoidalis)
- Os maxillare (posterior-inferior, Sutura vomeromaxillaris)
- Os palatinum (posterior-inferior, Sutura vomeropalatina)
- Cartilago septi nasi

Foramina, Fissuren, Canales

- Sulcus nasopalatinus
- Sulcus vomerovaginalis

Ligamente, Muskeln, Faszien, intrakranielle Membranen: Es bestehen keine direkten faszialen Verbindungen.

Systemische Vaskularisation: A. sphenopalatina → Ast aus A. maxillaris → Foramen sphenopalatinum → Sulcus vomerovaginalis

Neurologisches Netzwerk: N. nasopalatinus (V_2) → Foramen sphenopalatinum

Myofasziale Wirkungsketten

Es bestehen keine direkten Verbindungen zu einer Muskelkette. Über den Bezug Mundhöhle und Pharynx kann der Vomer allerdings indirekt mit der tiefen Frontallinie korrespondieren [16].

Kraniosakraler Kontext

Bei der kranialen Inspiration (Flexionsbewegung des Os sphenoidale) bewegt sich der posteriore Anteil des Vomers nach kaudal, der anteriore Anteil nach kranial; parallel findet ein minimales Gleiten nach posterior statt (▶ Abb. 3.64, ▶ Abb. 2.72). Dadurch kommt es in der Flexionsphase zu einer Abflachung des Gaumens. In der Exspirationsphase sind die Bewegungen der benannten Strukturen entgegengesetzt. Die transversale Bewegungsachse verläuft mittig (zentral) durch den Vomer (Lamina perpendicularis).

Normalbefund: Bei der Flexionsbewegung senkt sich der hintere Anteil des Gaumens mehr ab als der vordere; bei der induzierten Extensionsbewegung des Os sphenoidale hebt sich der hintere Gaumenbereich im Vergleich zum vorderen Anteil des Gaumens.

Die Bewegung ist harmonisch, mit gleicher ausgewogener Amplitude und Kraft. Die Bewegung wirkt ausgewogen, leicht und frei.

Zentrallinie: Der Vomer wird den Knochen der Zentrallinie zugeordnet und bewegt sich wie das Os sphenoidale.

Hinweis: Die Quellenangaben [15], [58], [59] beziehen sich auf den gesamten „Kraniosakralen Kontext".

Osteopathische Korrespondenzen

- Der Vomer stellt sich als zarter membranöser Knochen dar. Dieser neigt bei Kompression und Dysfunktionen umliegender Schädelknochen dazu, sich leicht zu verformen (Kompensation). Indizien für das Ausmaß der Formveränderung können Nasenkrümmung und Form/Größe der Nasenlöcher sein.
- Durch externe Krafteinwirkung von ventral, kranial bzw. kaudal sind Dysfunktionen des Vomer möglich (▶ Abb. 3.65).
- Der Vomer ist das verbindende Knochenelement zwischen dem Os sphenoidale und demMundraum. Es korrespondiert damit neben dem Os ethmoidale mit dem Viszerokranium und der SSB. Spannungen des myofaszialen Systems und des Membransystems sowie des Gesichtsschädels können sekundäre Dysfunktionen auslösen.
- Die begleitete kraniosakrale Bewegung des Vomers intraoral über den Gaumen kann die Drainage des Sinus sphenoidalis ermöglichen (Vomer-Pumpe).

Korrespondierende Strukturen

Auswahl an korrespondierenden Strukturen, die unter systemischen Aspekten therapeutisch von Bedeutung sein können:

- reziproke Spannungsmembranen
- Zentralsehne und ihre einzelnen Bestandteile sowie alle Organe, die über die Zentralsehne wirken können
- N. trigeminus
- SSB

Behandlungshinweise

- Indikationen für die Behandlung des Vomers sind u. a.:
  - chronisch verstopfte Nase (einseitig)
  - Missempfindungen an der Nasenscheidewand
  - Rhinitis
  - Sinusitis
  - eingeschränkte Drainage der Stirn- und Nasenhöhlen

- Zur Unterstützung der Drainage kann die Vomer-Pumptechnik sowohl mit den als auch gegen die physiologischen Bewegungen durchgeführt werden.
- Induzierte Bewegungen müssen abgestimmt sein auf die Elastizität des Gewebes, d. h., die Bewegung wird sanft und nachgiebig eingeleitet.
- Die Palpation des Vomers ist nur indirekt über den harten Gaumen auf Höhe der Sutura palatina mediana möglich.
- Indirekte Behandlung des Vomer ist über die Befreiung des Os maxillare möglich.

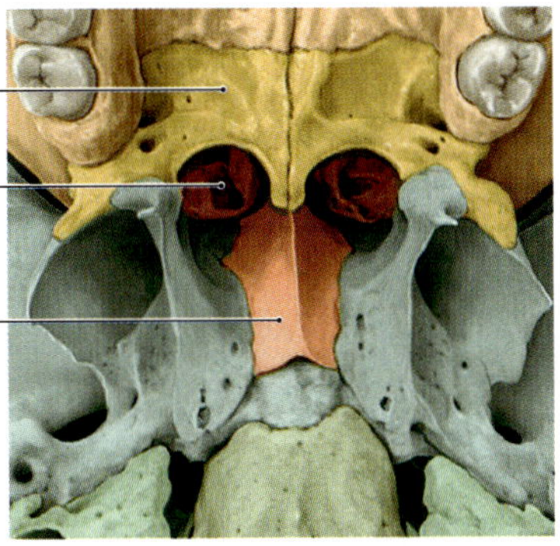

▸ **Abb. 3.63** Vomer (von kaudal). (Quelle: Schünke M, Schulte E, Schumacher U, Voll M, Wesker K. 2.5 Schädelbasis von außen (Basis cranii externa). In: Schünke M, Schulte E, Schumacher U, Voll M, Wesker K, Hrsg. Prometheus LernAtlas - Kopf, Hals und Neuroanatomie. 6. Auflage. Stuttgart: Thieme; 2022)

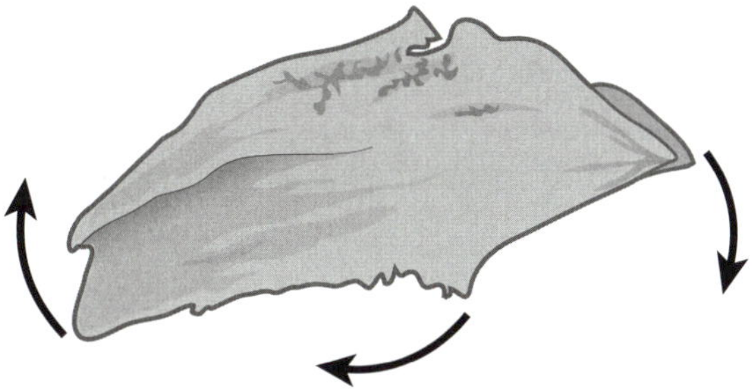

▸ **Abb. 3.64** Vomer in der Inspirationsphase. (Quelle: Liem T. Kraniosakrale Osteopathie. 7. Aufl. Stuttgart: Thieme; 2018)

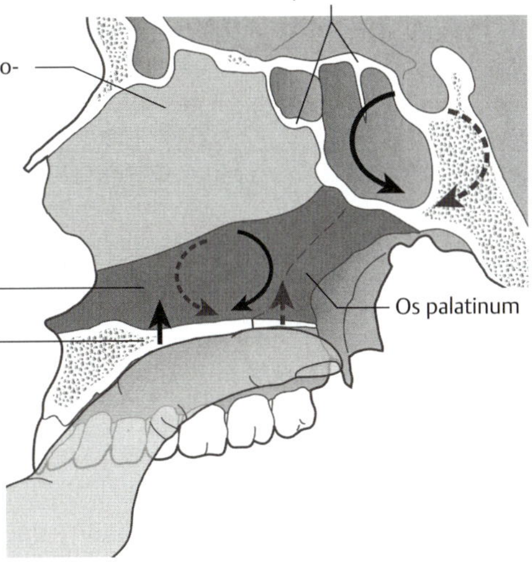

▸ **Abb. 3.65** Flexionsdysfunktion des Vomer. (Quelle: Liem T. Praxis der Kraniosakralen Osteopathie. 4. Auflage. Stuttgart: Thieme; 2019)

3.5 Ohrenhöhle

3.5.1 Ohr

Das Ohr beinhaltet neben dem Hörorgan auch den Vestibularapparat (▸ Abb. 3.66). **Regional** kann das Ohr in ein Außen-, Mittel- und Innenohr unterteilt werden. Das **äußere Ohr** besteht aus Ohrmuschel, äußerem Gehörgang (Meatus acusticus) und dem Trommelfell (Membrana tympani). Das **Mittelohr** besteht aus der luftgefüllten Cavitas tympani (Paukenhöhle) und beherbergt **Malleus**, Incus und **Stapes** (Gehörknöchelchen Hammer, Amboss, Steigbügel). Sie übertragen die Schallimpulse, die von außen auf das Trommelfell treffen, zum Innenohr.

Es existieren **2 Mittelohrmuskeln**. Sie modulieren die Schallübertragung: **M. tensor tympani** (Trommelfellspanner = Schallreizdämpfung) und M. stapedius (Schwingungsminderung durch Stellungsänderung Stapes). N. stapedius (VII) innerviert **M. stapedius**. M. tensor tympani wird motorisch durch den N. tensoris tympani (V_3) versorgt (▸ Abb. 3.26).

Die **Paukenhöhle** geht über in die Tuba auditiva und mündet im Nasopharynx.

Das **Innenohr** liegt in der Felsenbeinpyramide und beherbergt das Labyrinth (▸ Abb. 3.67). Es ist das knöcherne Gehäuse für Gleichgewichts- und Hörorgan. Neben der Cochlea (Gehörschnecke), die über das Corti-Organ akustische Reize verarbeitet, liegt hier auch der Vestibularapparat. Über die Makulaorgane (Sacculus, Uriculus) werden Kopfdrehbewegungen und lineare Beschleunigung im Raum wahrgenommen (Ablenkung Endolymphe).

Die **sensorische Versorgung** des Hör- und Gleichgewichtsorgans erfolgt über den N. vestibulocochlearis (VIII; ▸ Abb. 3.67). Er zieht vom Hirnstamm über den Kleinhirnbrückenwinkel durch den Meatus acusticus internus zum Innenohr.

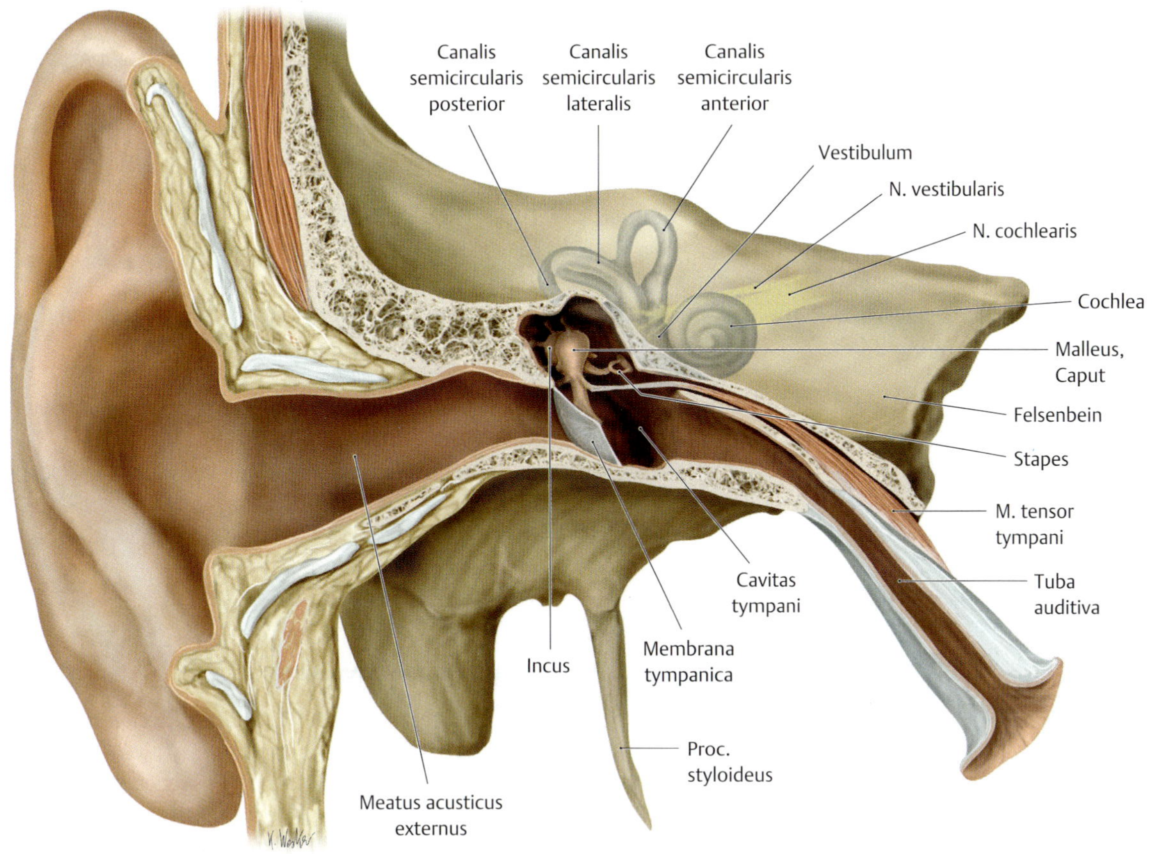

▶ **Abb. 3.66** Ohr rechts, Frontalschnitt (obwohl es eine ventrale Ansicht ist, ist die Abbildung hier aufgeführt zum besseren inhaltlichen Verständnis). Gut erkennbar die Dreiteilung des Ohres und der langgezogene Verlauf des Trommelfellspanners, M. tensor tympani. Proportion und Topografie von Mittelohr und Innenohr sind gut ersichtlich. Die Abbildung verdeutlicht, wie durch eine Ear-pull-Technik mechanischer Zug auf alle 3 Ohrbereiche übertragen werden kann. (Quelle: Schünke M, Schulte E, Schumacher U. Prometheus. LernAtlas der Anatomie. Kopf, Hals und Neuroanatomie. Illustrationen von M. Voll und K. Wesker. 6. Aufl. Stuttgart: Thieme; 2022)

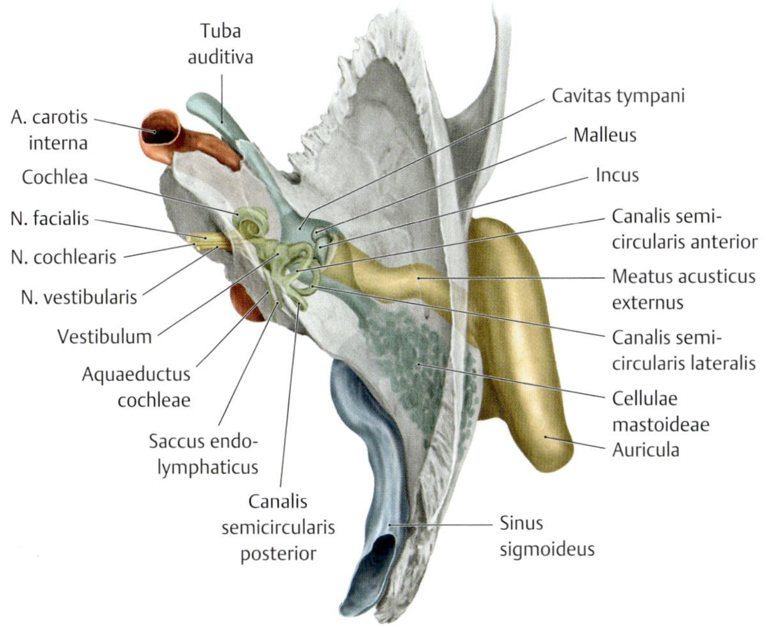

▶ **Abb. 3.67** Ansicht von kranial auf rechtes Ohr (obwohl es eine kraniale Ansicht ist, ist die Abb. hier aufgeführt zum besseren inhaltlichen Verständnis). Gut erkennbar die räumliche Nähe von Cellulae mastoideae und Cavitas tympani (Infektionsgefahr bei Mittelohrentzündungen). A. carotis interna und Sinus sigmoideus sind geschwungen im Os temporale integriert. Verändertes Strömungsverhalten in den Gefäßen kann eine Erklärung für pulsierende rauschende Ohrgeräusche sein. (Quelle: Schünke M, Schulte E, Schumacher U. Prometheus. LernAtlas der Anatomie. Kopf, Hals und Neuroanatomie. Illustrationen von M. Voll und K. Wesker. 6. Aufl. Stuttgart: Thieme; 2022)

Osteopathische Korrespondenzen

Tuba auditiva ist für den Druckausgleich zwischen Mittelohr und Pharynx wichtig. Sie besteht aus einem knöchernen und membranösen Anteil, der im Nasen-Rachen-Raum mündet (Ostium pharyngeum tubae auditivae). Die Tuba auditiva ist physiologisch zum Nasen-Rachen-Raum geschlossen. Öffnung erfolgt durch Schlucken und Gähnen. Die Gaumensegelmuskeln (M. tensor veli palatini, M. levator veli palatini) und einer der Schlundhebermuskeln (M. salpingopharyngeus) machen es möglich (▸ **Abb. 3.68**).

Dysfunktionen

- Belüftungsprobleme des Mittelohres können durch dysfunktionale myofasziale Spannungen im superioren Pharynxbereich entstehen. Dysfunktionale Korrespondenz über die Zentralsehne und die tiefe Frontallinie sind denkbar.
- Dysfunktionen des Os temporale können die umgebenden Suturen komprimieren und die Funktionalität von Gehörknöchelchen und Trommelfell beeinträchtigen.
- Die Gefahr der Hyperakusis besteht bei Dysfunktionen des N. stapedius (z. B. Fazialisparese).
- Störungen der Mikrozirkulation (A. labyrinthi → A. carotis interna, V. labyrinthi → Sinus petrosus → Sinus transversus) im Innenohr können womöglich Ohrengeräusche provozieren (▸ **Abb. 3.68**).
- Vegetative Dystonien, dysfunktionale Spannungen im Bereich der Durasepten oder des Tentorium cerebelli könnten Ursache für Tinnitus, Schwindel oder Gleichgewichtsstörungen sein.
- Metabolische oder auch mikrozirkulatorische Beeinträchtigungen im Bereich der Felsenbeinpyramide können die Fließeigenschaften der Endolymphe beeinflussen.

Korrespondierende Strukturen

Auswahl an Strukturen, die unter systemischen Aspekten therapeutisch von Bedeutung sein können:

- SSB
- Os temporale
- Sakrum
- OAA, HWS, BWS, LWS, Becken, untere/obere Extremität
- Zentralsehne
- alle Organe, die mit der Zentralsehne in Verbindung stehen
- subokzipitale Muskulatur
- myofasziale Wirkungsketten, Kräftepolygon mit Wirkung auf das Kranium
- alle Durchtrittsbereiche, die den N. vestibulocochlearis tangieren
- VNS
- Propriozeption
- Körperstatik

Behandlungshinweise

- Viszerale zirkulatorische Techniken können die intrakranielle Mikrozirkulation verbessern.
- Entstauung und Verbessern des venösen Abflusses über Ausgleich der Diaphragmen, Release der OAA, Befreiung der Sutura occipitomastoidea, Sutura sphenopetrosa, Sutura sphenosquamosa
- Sinustechniken können die venöse Drainage des Innenohrs verbessern.

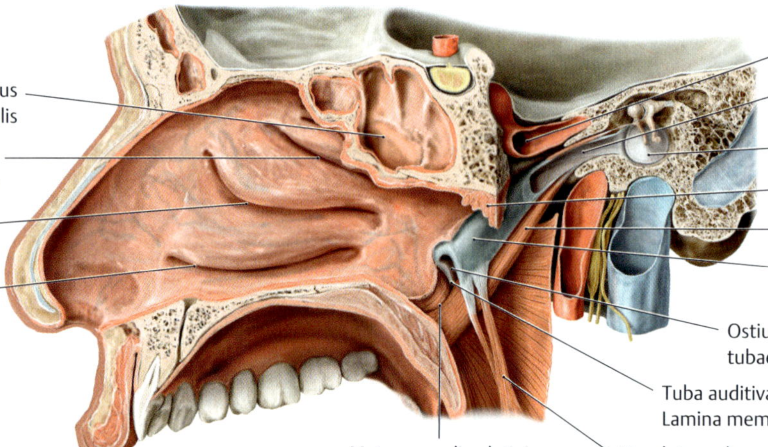

▸ **Abb. 3.68** Sagittalschnitt mit Ansicht von medial. Gefäßkomplexität rund um Felsenbeinpyramide und muskuläre Verbindung der Tuba auditiva mit Schlundmuskel. (Quelle: Schünke M, Schulte E, Schumacher U. Prometheus. LernAtlas der Anatomie. Kopf, Hals und Neuroanatomie. Illustrationen von M. Voll und K. Wesker. 6. Aufl. Stuttgart: Thieme; 2022)

3.6 Schnittbilder

▸ Abb. 3.69, ▸ Abb. 3.70, ▸ Abb. 3.71

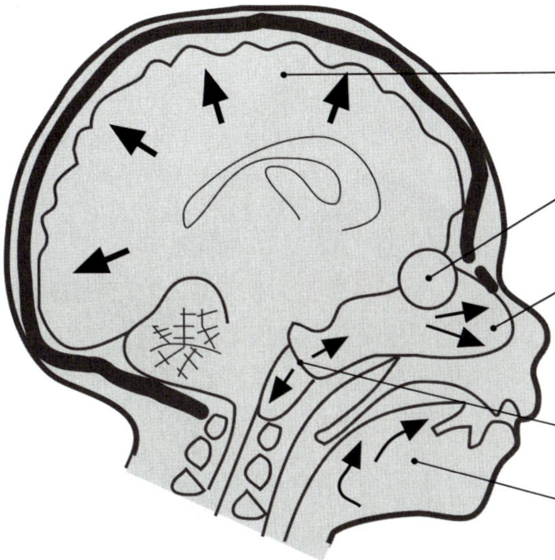

▸ **Abb. 3.69** Wachstumsrichtungen im Schädelbereich und Ausgestaltung von Mund- und Nasenraum. (Quelle: Liem T. Praxis der Kraniosakralen Osteopathie. 4. Auflage. Stuttgart: Thieme; 2019; Grafik: C. Dardamissis, Freigold Konzept & Design, Hamburg)

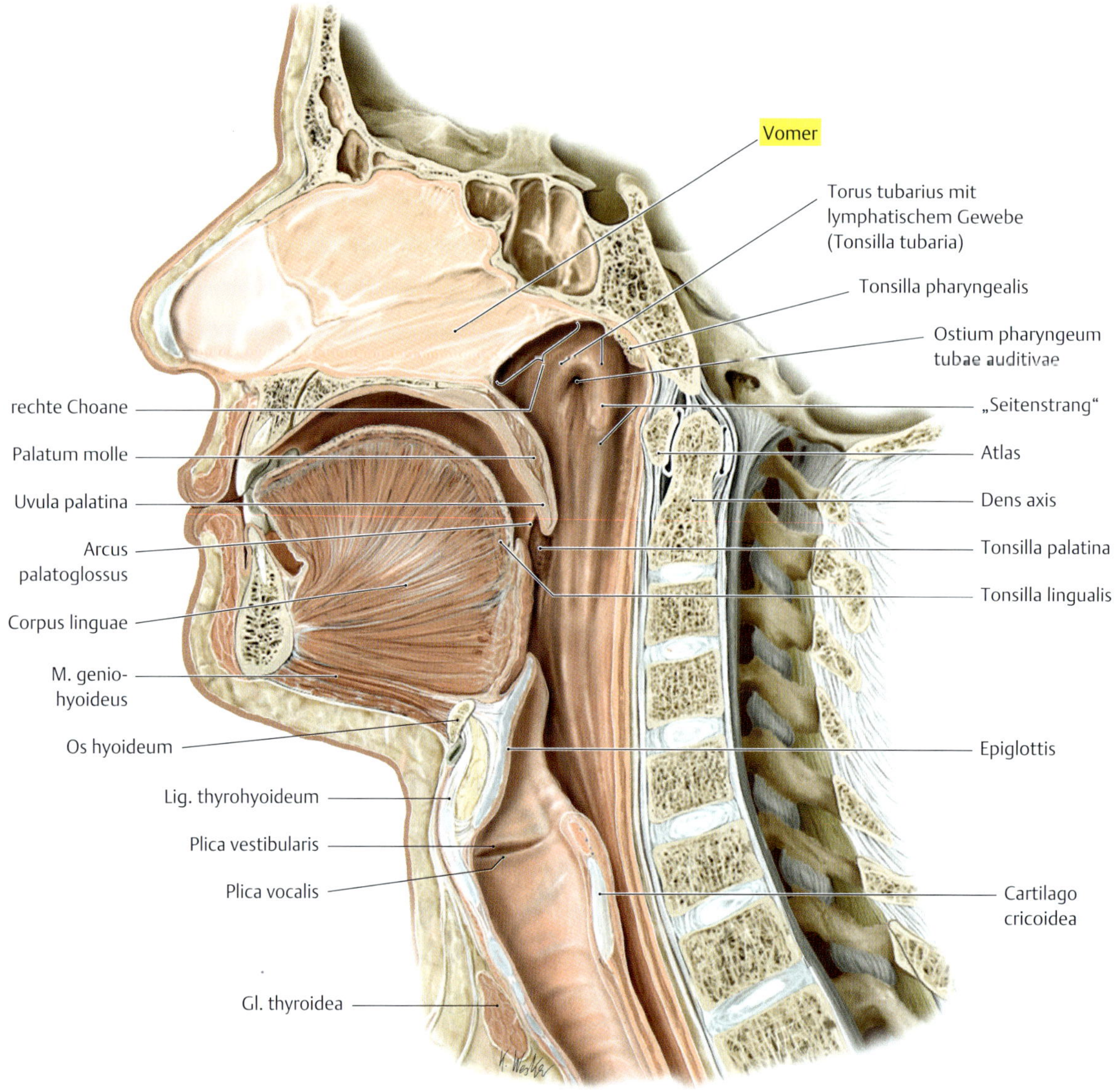

▸ **Abb. 3.70** Morphologie der Zunge und Ausgestaltung des Gaumens. (Quelle: Schünke M, Schulte E, Schumacher U. Prometheus. Lern-Atlas der Anatomie. Kopf, Hals und Neuroanatomie. Illustrationen von M. Voll und K. Wesker. 6. Aufl. Stuttgart: Thieme; 2022)

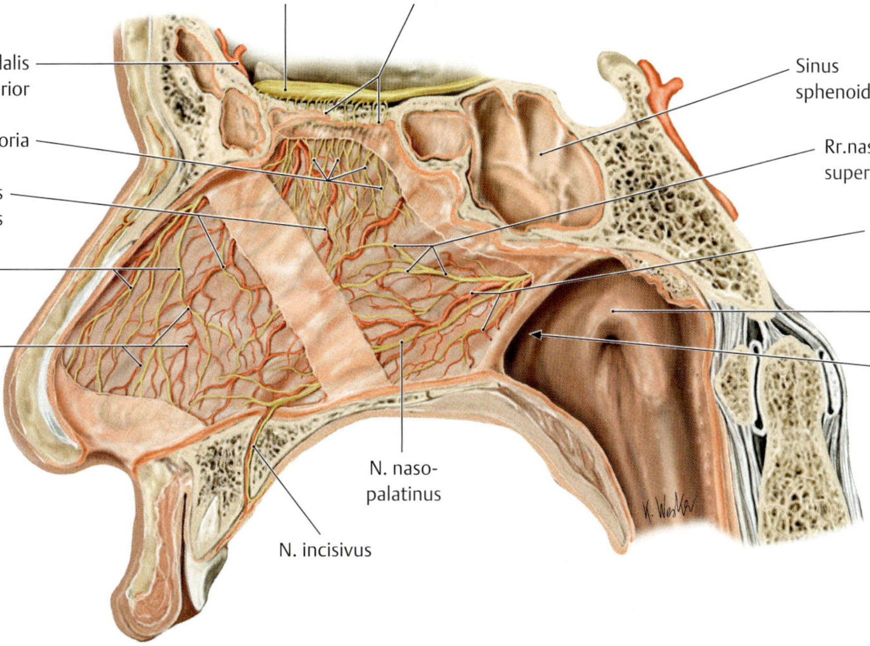

▸ **Abb. 3.71** Gefäße und Nerven des Nasenseptums, Lage Bulbus olfactorius, Durchdringung der Lamina cribrosa durch Fila olfactoria. (Quelle: Schünke M, Schulte E, Schumacher U. Prometheus. LernAtlas der Anatomie. Kopf, Hals und Neuroanatomie. Illustrationen von M. Voll und K. Wesker. 6. Aufl. Stuttgart: Thieme; 2022)

4 Dorsale Ansicht Kranium

4.1 Überblick

4.1.1 Hinteres Kranium

Den **Hinterkopf** dominiert das Os occipitale. Die auffällige Lambdanaht ist die suturale Verbindung zwischen Os occipitale und den beiden Ossa parietalia (▸ **Abb. 4.1**, ▸ **Abb. 4.2**).

Schädelformen können durch unterschiedliche Kindslagen im Mutterleib geprägt sein (▸ **Abb. 4.3**). Die Geburt hat einen maßgeblichen Einfluss auf die Kopfform. Unter der Enge des Geburtskanals kommt es zu physiologischen Verformungen des Säuglingsschädels.

Typisch ist in dieser Ansicht die **Lambdanaht**, die das Os occipitale mit den paarigen Ossa parietalia verbindet. Ausgeprägte knöcherne Linien (Lineae nuchales inferior, superior und suprema) weisen auf zahlreiche Muskelansätze hin. Der äußere Referenzpunkt ist die Protuberantia occipitalis externa.

4.1.2 Regionen

▸ **Abb. 4.4**

- Regio occipitalis
- Regio cervicalis posterior

Hals und Hinterkopf und Teile des hinteren lateralen Kraniums werden von den segmentalen zervikalen Nerven sensibel versorgt (▸ **Abb. 4.5**). Im Vergleich: Die sensible Innervation des Gesichts zeigt ein ganz anderes Muster. Der Gesichtsbereich wird sensibel vom N. trigeminus (V_1–V_3) versorgt (Kap. 2.1.2, ▸ **Abb. 2.6**, ▸ **Abb. 2.7**).

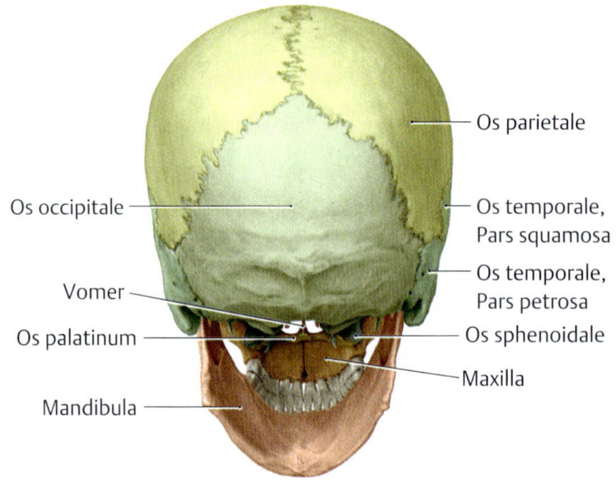

▸ **Abb. 4.1** Übersichtsbild Kranium (von dorsal), Bezeichnung der Schädelknochen. (Quelle: Schünke M, Schulte E, Schumacher U. Prometheus. LernAtlas der Anatomie. Kopf, Hals und Neuroanatomie. Illustrationen von M. Voll und K. Wesker. 6. Aufl. Stuttgart: Thieme; 2022)

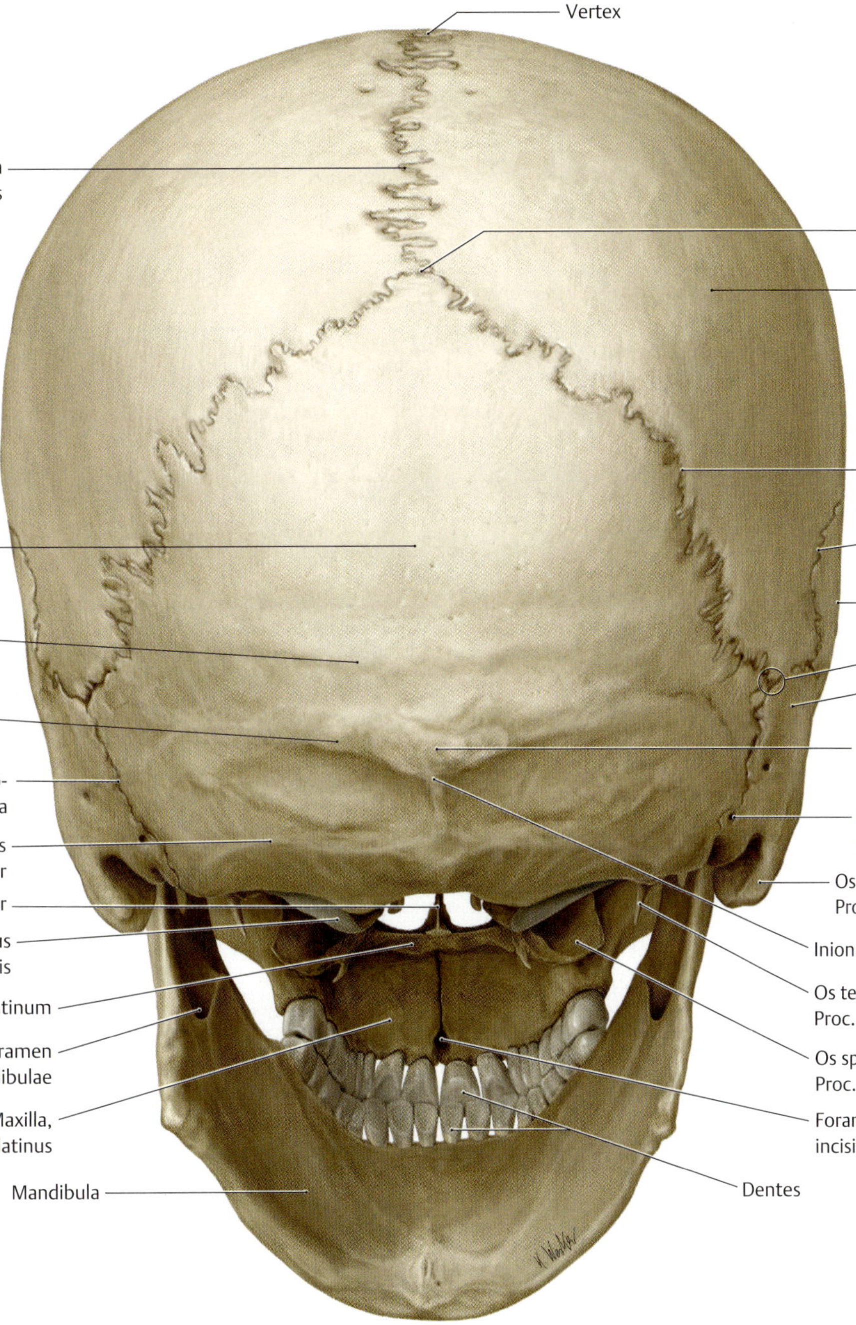

▸ **Abb. 4.2** Übersichtsbild Kranium (von dorsal), Bezeichnung der Suturen und kraniometrischen Punkte am Schädelknochen. (Quelle: Schünke M, Schulte E, Schumacher U. Prometheus. LernAtlas der Anatomie. Kopf, Hals und Neuroanatomie. Illustrationen von M. Voll und K. Wesker. 6. Aufl. Stuttgart: Thieme; 2022)

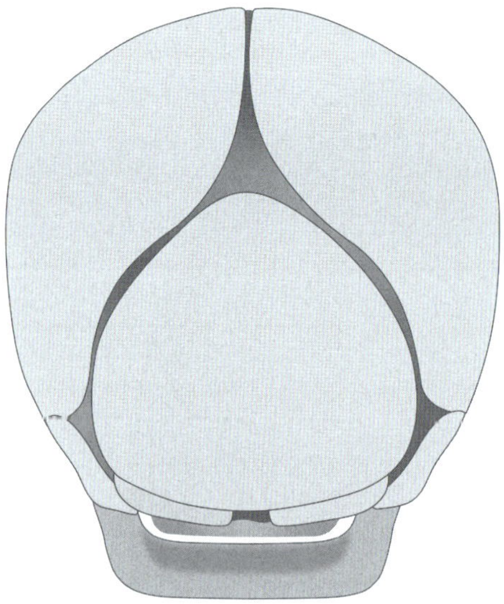

▶ **Abb. 4.3** Embryonenschädel (von dorsal).

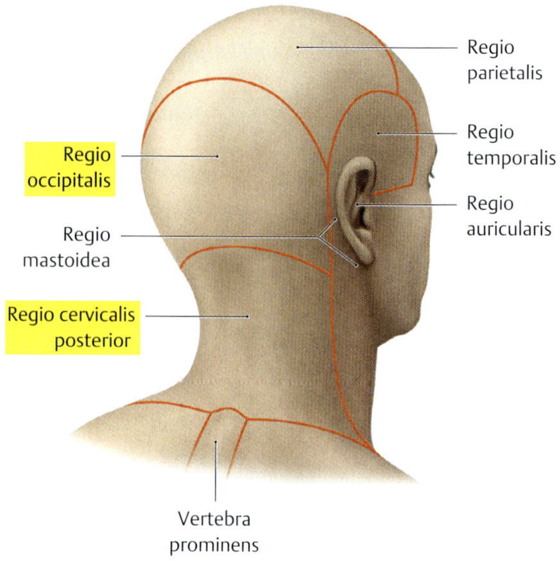

▶ **Abb. 4.4** Regionen von Kopf und Hals (von dorsal-rechts). (Quelle: Schünke M, Schulte E, Schumacher U. Prometheus. LernAtlas der Anatomie. Kopf, Hals und Neuroanatomie. Illustrationen von M. Voll und K. Wesker. 6. Aufl. Stuttgart: Thieme; 2022)

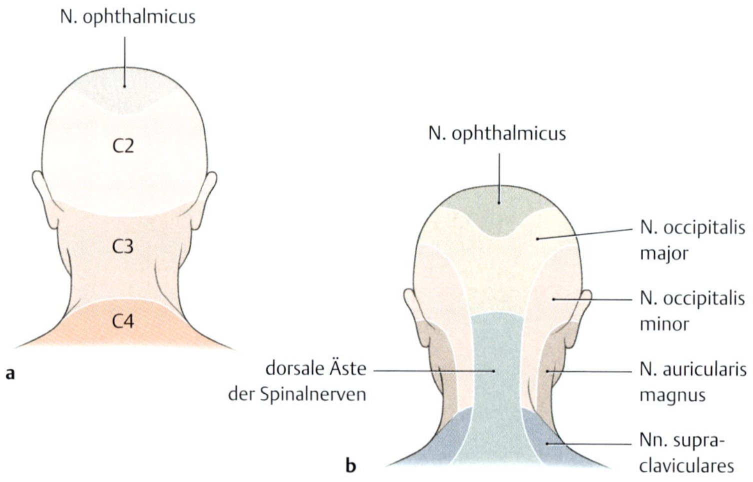

▶ **Abb. 4.5** Hautinnervation am Hals und Hinterhaupt durch segmentale zervikale Nerven. (Quelle: Schünke M, Schulte E, Schumacher U. Prometheus. LernAtlas der Anatomie. Kopf, Hals und Neuroanatomie. Illustrationen von M. Voll und K. Wesker. 6. Aufl. Stuttgart: Thieme; 2022)

4.2
Oberflächliche und tiefere Schicht

4.2.1 Faszienhülle, Muskeln

Lamina superficialis fasciae cervicalis: Sie ist das oberflächliche Blatt der Halsfaszie, das sich ventral über Thorax, Schultergürtel und Arme fortsetzt, wird im Nackenbereich auch als **Fascia nuchae** bezeichnet. Sie liegt dem **M. trapezius** an und geht dorsal bis zur Spina scapulae, in der Mitte in das **Lig. nuchae** über und setzt sich kaudal als oberflächliches Blatt der Fascia thoracolumbalis fort (Kap. 2.2.1).

Lamina praevertebralis fasciae cervicalis: Sie liegt unterhalb des M. trapezius. Sie umschließt die autochthone kurze Nackenmuskulatur (u. a. M. erector spinae) von dorsal. In ihrer Mitte kommt es zu einer Verdichtung des in der Sagittalebene ausgeprägten Lig. nuchae. Dorsal zum Schulterblatt verbindet sie sich u. a. über die Faszie des M. levator scapulae mit der Lamina superficialis (Kap. 3.2.1, ▸ **Abb. 3.11**, ▸ **Abb. 3.12**).

Osteopathische Korrespondenzen

Aus dem Schultergürtelbereich können so myofasziale und parietale Dysfunktionen auch die fasziale Spannung der oberflächlichen und tiefliegenden Halsfaszien beeinflussen. Über ihre Verbindung zum Kranium und Mediastinum sind Dysfunktionen in den angrenzenden Bereichen möglich; siehe auch Funktionalität und Korrespondenz des Kontinuums Gesichts- und Halsfaszie (S. 116).

Beispiele für Dysfunktionen in der oberen Extremität sind parietale Dysfunktionen im Daumensattelgelenk, myofasziale Adhäsionen in der Palmaraponeurose, in den Ansätzen der langen Finger- und Handstreckermuskulatur, Dysfunktionen im Bereich der drei Teilgelenke von Ellenbogen, Schultergelenk und Gelenken des Schultergürtels. Das skapulathorakale Gleitlager hat in diesem Funktionszusammenhang einen sehr weitreichenden Einfluss. Muskuläre Verkürzungen des M. levator scapulae und M. trapezius stören die fein abgestimmte Bewegungskoordination der Schultergürteleinzelgelenke (Sternoklavikular-, Akromioklavikulargelenk, skapulathorakales Gleitlager).

Adhäsionen innerhalb des Gleitlagers können Armbewegungen in Abduktion im Schultergelenk über 90° einschränken und sogar Schmerzen provozieren (reaktive Bursitis, Tendinosis calcarea der Supraspinatussehne). Sie können damit Auslöser für ein Impingement-Syndrom sein. Durch Schonhaltung kommt es häufig zu einer Verkürzung des M. pectoralis major und minor. M. pectoralis major provoziert dann vermehrt die Innenrotation in der Art. humeri. Dies kann zu einer vermehrt kyphotischen Haltung in der BWS führen. Im Sinne der Posturologie wird horizontal und vertikal der Sehapparat adaptiert ausgerichtet. Reaktiv kommt es zur Hyperlordosierung in der HWS und vermehrter Reklination in C0/C1. Folge sind ein Hypertonus u. a. in der subokzipitalen Muskulatur, **M. sternocleidomastoideus** und myofasziale Adhäsionen.

Unter dem M. pectoralis minor verlaufen wesentliche Versorgungsstränge für die obere Extremität (u. a. Plexus brachialis, A./V. subclavia). Kompressionen dieser Strukturen durch einen verkürzen M. pectoralis minor sind möglich. Die Folge sind z. B. Parästhesien den Finger, zirkulatorische Störungen und lymphatische Stauungen, die das bis zum Kranium reichende Faszienkontinuum in seiner Funktionalität beeinträchtigen. Die gestörte Mikrozirkulation und der damit verbundene defizitäre Metabolismus schränken u. a. die Gleiteigenschaften des Faszienkontinuums zusätzlich ein.

Die dorsale Region der Halsfaszien wird u. a. durchdrungen von den Nn. occipitales major und minor. Myofasziale Hypertension (M. trapezius) oder auch fasziale Adhäsionen können die Nerven durch Kompression oder verminderte Gleiteigenschaften irritieren. Helmartige Kopfschmerzen, Verspannungen der Halsmuskulatur und Missempfindungen im Bereich der dorsolateralen zervikalen Haut sind mögliche Symptome (▸ **Abb. 4.6**). N. occipitalis major versorgt sensibel die Kopfhaut in der Regio occipitalis und motorisch Anteile der autochthonen Rückenmuskulatur (**Mm. splenii**, M. longissimus, **M. semispinalis**). N. occipitalis minor ist der sensible Hautnerv für die proximale dorsolaterale Hals-Kopf-Region (▸ **Abb. 4.7**).

Behandlungshinweise

Über die oberflächliche rückwärtige Linie können sich Dysfunktionen aus der unteren Extremität bis zum Kranium übertragen. Zum Beispiel können Dysfunktionen im Fußbereich, Iliosakralgelenk-Dysfunktionen oder ein Hypertonus der Fascia thoracolumbalis die gesamte Körperstatik stören. Viszerale Dysfunktionen können sich über die transversalen Anteile der Fascia thoracolumbalis ebenfalls bis zum Kranium fortsetzen.

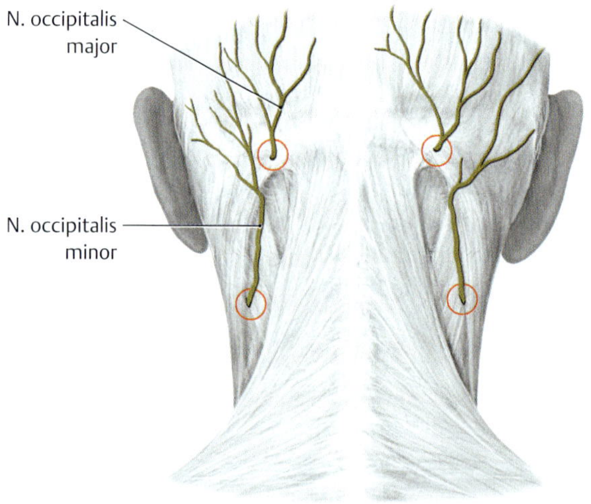

▸ **Abb. 4.6** Nervenaustrittspunkte. N. occipitalis major als Ramus dorsalis des Spinalnervs C 2 (Plexus cervicalis C 1–C 4) am Hinterhaupt. N. occipitalis minor als Ramus ventralis des Spinalnervs C 2. (Quelle: Schünke M, Schulte E, Schumacher U. Prometheus. LernAtlas der Anatomie. Kopf, Hals und Neuroanatomie. Illustrationen von M. Voll und K. Wesker. 6. Aufl. Stuttgart: Thieme; 2022)

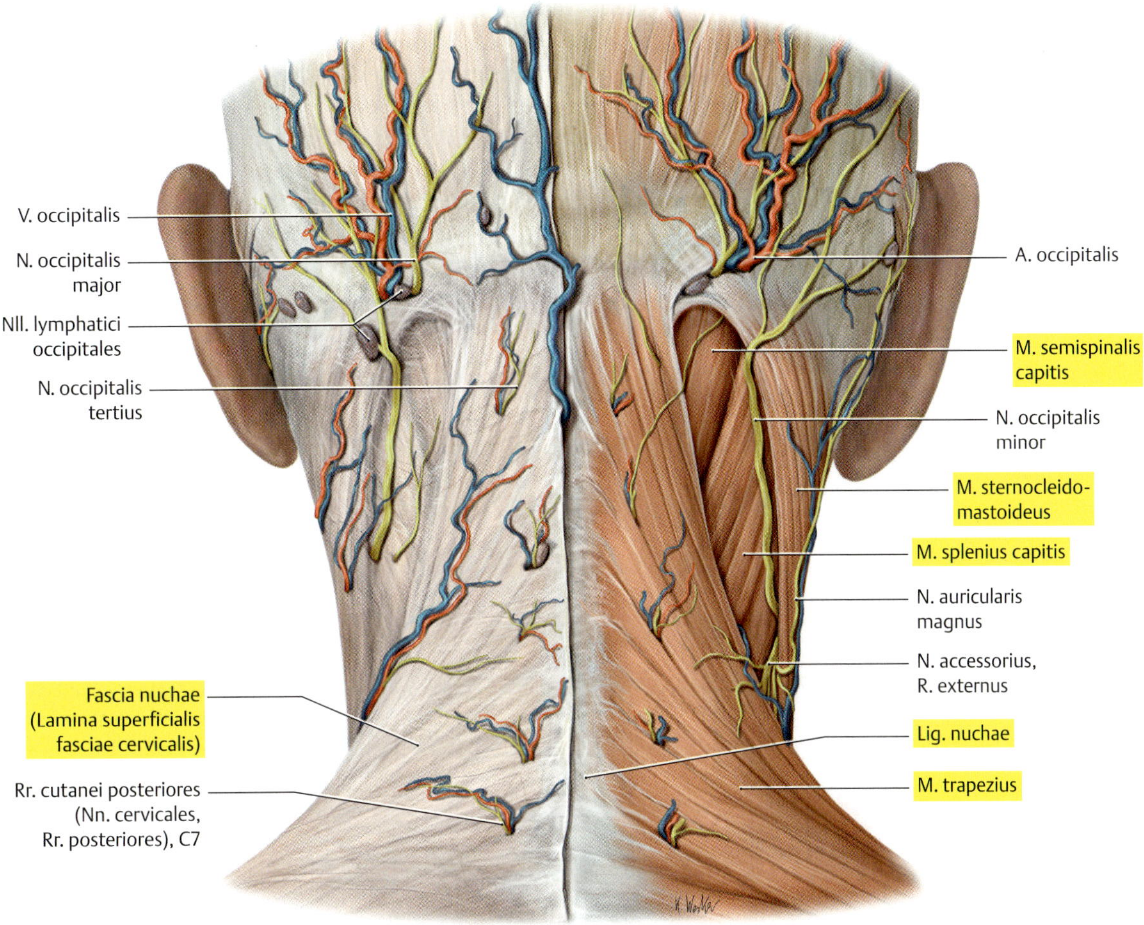

▸ **Abb. 4.7** Oberflächliche Halsregion (von dorsal). (Quelle: Corts M, Hrsg. Anatomie für Osteopathen. 2. Auflage. Stuttgart: Thieme; 2022 nach Schünke M, Schulte E, Schumacher U. Prometheus, LernAtlas der Anatomie. Kopf, Hals und Neuroanatomie. Illustrationen von M. Voll und K. Wesker. 6. Aufl. Stuttgart: Thieme; 2022)

4.2.2 Fascia thoracolumbalis (FTL)

Die FTL umscheidet die **autochthone Rückenmuskulatur** und reicht mit ihrem tiefen Blatt bis zum **M. transversus abdominalis**. Sie verbindet das Kranium mit dem Kreuzbein und ist in ihren Faserzügen differenziert gestaltet (▶ Abb. 4.8, ▶ Abb. 4.9).

Sie kann **Zugkräfte** und **Lasten** vom Rumpf auf die untere Extremität übertragen, aber auch von kaudal nach kranial weiterleiten. Sie beeinflusst die **Wirbelsäulenkrümmungen**. Andererseits beeinflussen die Bewegungen in der Wirbelsäule durch die „Konstruktion der Ummantelung" die Spannung der FTL.

Die Kontraktion des **M. erector spinae** erhöht seinen Muskelquerschnitt, der dann zusätzlich zum mechanischen Zug an der FTL die Spannung in der Faszie erhöht. Folge: Die Kontraktion des Muskels wird effizienter (größere Stabilität durch erhöhten Druck innerhalb der Faszie und erhöhte Zugkraft).

Im lumbalen Bereich wird diese Funktionalität noch durch die Beteiligung der **Bauchmuskeln** (M. obliquus internus, M. transversus abdominis) unterstützt. Die wiederum geben mehr Körperstabilität und wirken sich auf die gesamte Körperhaltung aus. Über den **M. latissimus dorsi** besteht eine direkte Verbindung zur oberen Extremität.

Dysfunktionen aus dem Beckenbereich oder der unteren Extremität können so Schultergelenk und Schultergürtel beeinflussen und sich über das Faszienkontinuum zum Kranium fortsetzen.

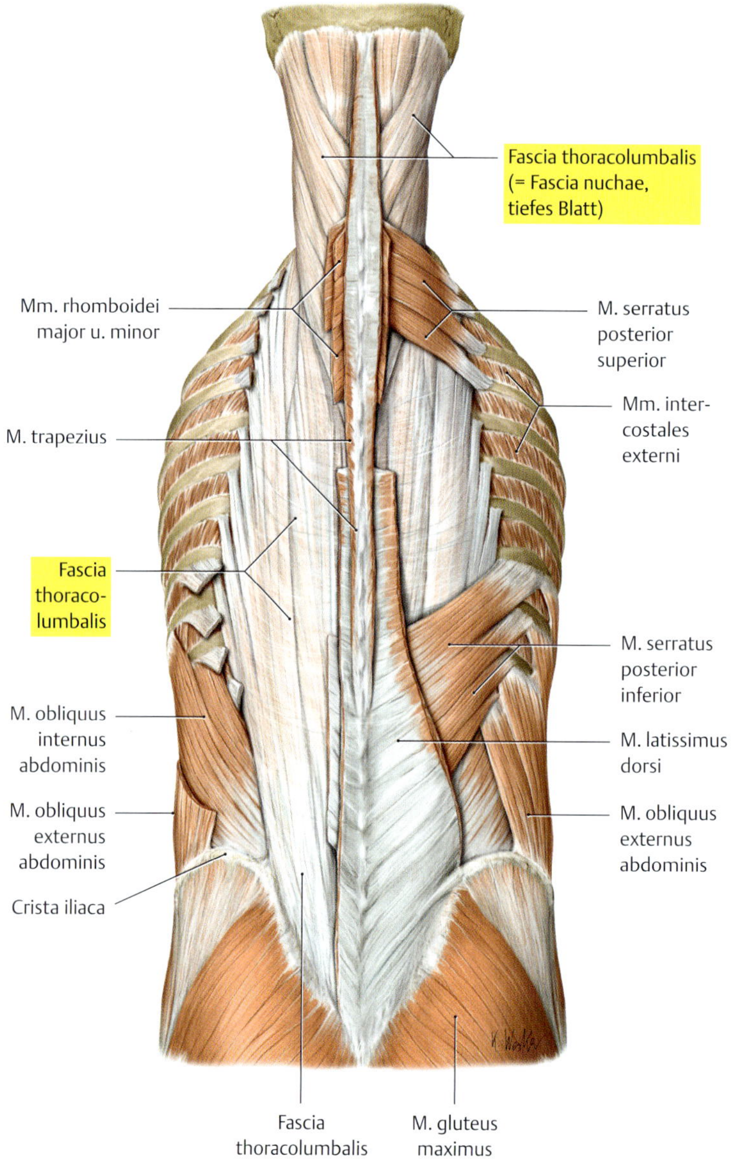

▶ **Abb. 4.8** Verlauf der Fascia thoracolumbalis (von dorsal). (Quelle: Corts M, Hrsg. Anatomie für Osteopathen. 2. Auflage. Stuttgart: Thieme; 2022 nach Schünke M, Schulte E, Schumacher U. Prometheus, LernAtlas der Anatomie. Allgemeine Anatomie und Bewegungssystem. Illustrationen von M. Voll und K. Wesker. 6. Aufl. Stuttgart: Thieme; 2022)

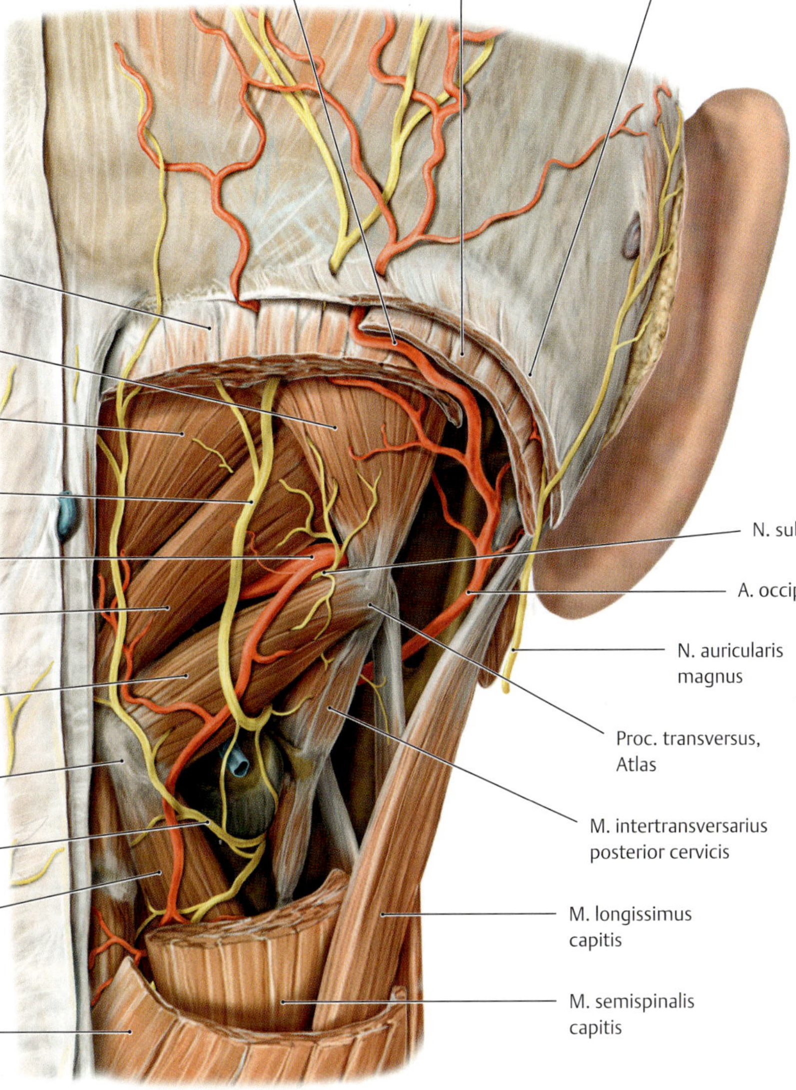

▸ **Abb. 4.9** Rechtes Trigonum arteriae vertebralis mit subokzipitaler Muskulatur und detaillierten Gefäß- und Nervenverläufen. Ein dysfunktionaler Hypertonus der subokzipitalen Muskulatur kann die Funktionalität der A. vertebralis beeinträchtigen (Kap. 7.1.3). (Quelle: Schünke M, Schulte E, Schumacher U. Prometheus. LernAtlas der Anatomie. Kopf, Hals und Neuroanatomie. Illustrationen von M. Voll und K. Wesker. 6. Aufl. Stuttgart: Thieme; 2022)

Osteopathische Korrespondenzen

Es befinden sich zahlreiche Propriozeptoren im Bereich der Kopfgelenke und kurzen Nackenmuskeln. Dadurch besteht eine direkte nervale Verbindung zur Formatio reticularis, zu den Nervenkernen des N. trigeminus und des Vestibularapparats sowie zu den Augenmuskelkernen. Folglich können sich Dysfunktionen in den Kopfgelenken, in der subokzipitalen Muskulatur wie M. obliquus capitis superior und inferior, M. rectus capitis posterior major und minor auf Gleichgewichtsinn, Raumorientierung, aber womöglich auch auf Halte- und Stellreflexe auswirken.

Beziehungen zu den myofaszialen Wirkungsketten

Die Laterallinien (S. 130) setzen mit dem M. splenius capitis und M. splenius cervicis am Os occipitale (S. 209) an. Sie sind verantwortlich für die aufrechte Körperhaltung. Sie balancieren Zug- und Spannungskräfte aus der ventralen, dorsalen und lateralen Körperseite aus. Innerhalb dieser Wirkungsketten können Dysfunktionen aus der unteren Extremität Störungen im subokzipitalen System provozieren. Torsionskräfte werden ebenfalls über diese Muskeln übertragen und fortgeleitet, denn sie sind auch Bestandteil der Spirallinien.

Den gesamten Körper in Extensionsbewegung zu bringen, das erfolgt über die oberflächliche Rückenlinie. Die subokzipitale Muskulatur ist Bestandteil von ihr.

Posturologie und dekompensierte Dysfunktionen

Über die Zentralsehne und die tiefe Frontallinie können sich viszerale Dysfunktionen bis auf das Kranium auswirken. Nach den Zink-Pattern besteht eine wechselseitige fasziale Organisation des Körpers (▶ **Abb. 4.10**). Ist eine Dysfunktion so ausgeprägt, dass sie nicht kompensiert werden kann, ändert sich die fasziale Organisation (▶ **Abb. 4.11**). Das führt zu einem unausgeglichenen Haltungsbild und dysfunktionalen Spannungen in den jeweiligen Übergängen, auch im Bereich der OAA.

Korrespondierende Strukturen

Auswahl an korrespondierenden Strukturen, die unter systemischen Aspekten therapeutisch von Bedeutung sein können:

- Os sacrum
- Plexus caroticus internus
- parasympathisches NS
- venöse Blutleiter
- Lamina cervicalis praevertebralis
- Zentralsehne, tiefe frontale Linie und ihre einzelnen Bestandteile und alle Organe, die über die Zentralsehne wirken können
- Liquor cerebrospinalis
- reziproke Spannungsmembran
- Atembewegung Zwerchfell und Thorax

Behandlungshinweise

Bei der direkten Behandlung zur Detonisierung großflächiger Faszien (z. B. FTL) kann die ganze Handfläche eingesetzt werden. Man modelliert sich dem Gewebe an, arbeitet mit mäßigem Druck sehr langsam ausstreichend (Wirkung auf Ruffini-Rezeptoren). Triggerpunktbehandlungen können die Behandlung ergänzen (▶ **Abb. 4.12**).

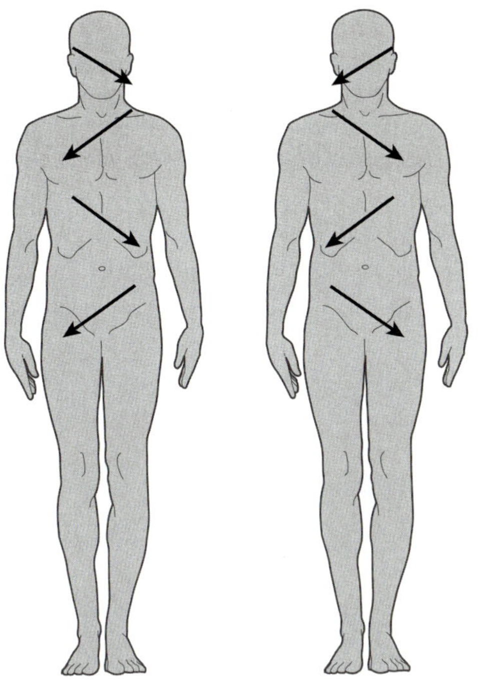

▸ **Abb. 4.10** Kompensierte fasziale Organisation. (Quelle: Liem T. Praxis der Kraniosakralen Osteopathie. 4. Auflage. Stuttgart: Thieme; 2019)

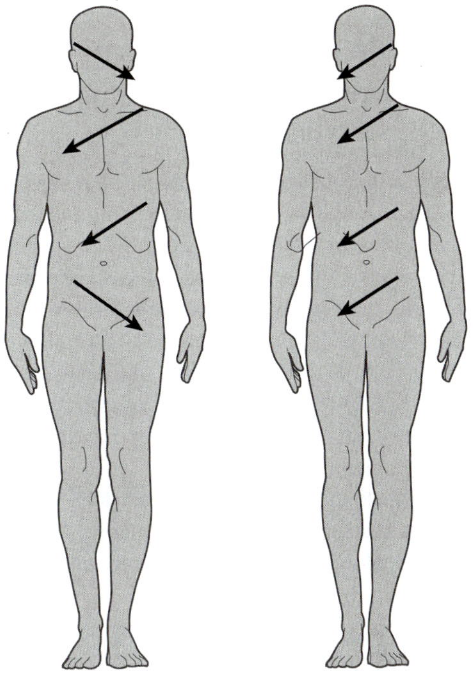

▸ **Abb. 4.11** Dekompensierte fasziale Organisation. (Quelle: Liem T. Praxis der Kraniosakralen Osteopathie. 4. Auflage. Stuttgart: Thieme; 2019)

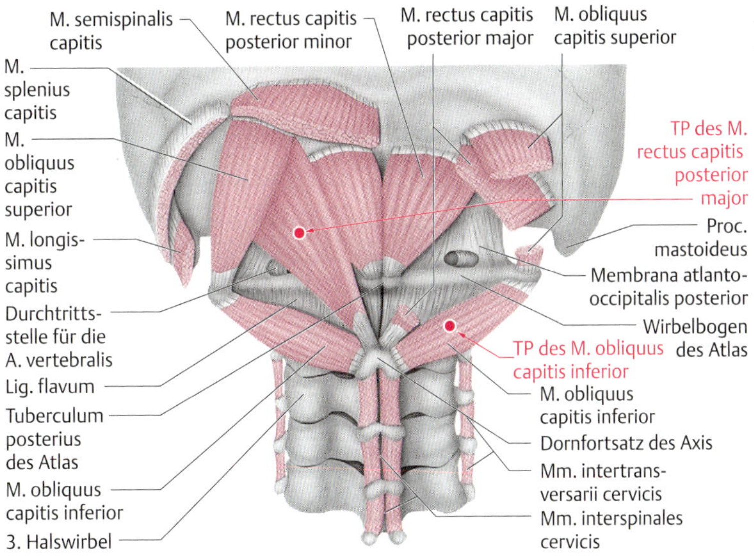

▸ **Abb. 4.12** Triggerpunkte M. rectus capitis posterior major und M. obliquus capitis inferior. (Quelle: Richter P, Hebgen E. Triggerpunkte und Muskelfunktionsketten. 5. Aufl. Stuttgart: Thieme; 2021, nach Schünke M. Funktionelle Anatomie: Topographie und Funktion des Bewegungssystems. 1. Aufl. Stuttgart: Thieme; 2000)

4.3
Knöcherne Anteile Kranium

4.3.1 Hinterhauptregion und Übergang Os occipitale und Atlas

Der **Atlas** besitzt weder einen Wirbelkörper noch einen Dornfortsatz (► **Abb. 4.13a**). Er besteht aus einem vorderen und hinteren Wirbelbogen (**Arcus posterior** und **Arcus anterior atlantis** mit **Tuberculum posterius** bzw. **Tuberculum anterius**) und **2 Massae laterales**. Über die kranialen Gelenkflächen ist er mit den Okziputkondylen verbunden (**Art. atlantooccipitalis**). Mit den 2 kaudalen Gelenkflächen (**Art. atlantoaxialis lateralis**) und der Fovea dentis (**Art. atlantoaxialis mediana**) geht er eine gelenkige Verbindung mit dem Axis ein. Der Sulcus A. vertebralis ist die Rinne für die A. vertebralis Kap. 7.1.3.

Der **Axis** besteht aus einem Wirbelkörper mit **Dens axis** und **Dornfortsatz** (► **Abb. 4.13**). Zwischen Atlas und Axis befindet sich keine Bandscheibe.

Myofasziale Wirkungsketten

Über den Ursprung des M. levator scapulae ist der Atlas direkt in die tiefe frontale Armlinie eingebunden [16]. Die tiefe Frontallinie wirkt auf den Atlas über die praevertebrale Halsmuskulatur ein (Kap. 2.4.2, ► **Abb. 2.69**).

Kraniosakraler Kontext

Eine typische Bewegung des Atlas wird im biomechanischen Modell nach Sutherland nicht beschrieben.

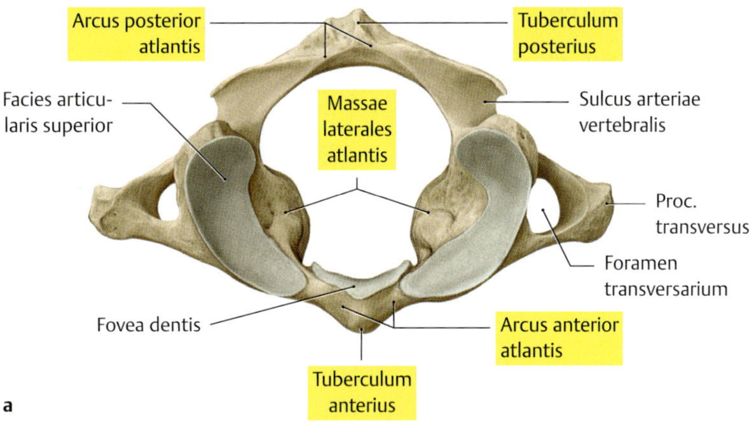

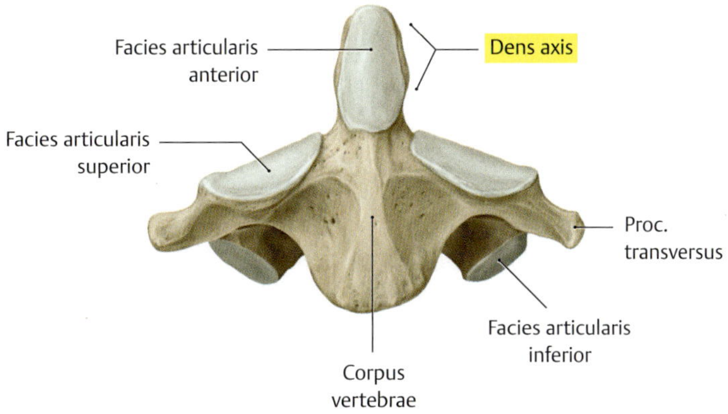

▸ **Abb. 4.13** Atlas und Axis.

a 1. Halswirbel (Atlas von kranial). (Quelle: Corts M, Hrsg. Anatomie für Osteopathen. 2. Auflage. Stuttgart: Thieme; 2022 nach Schünke M, Schulte E, Schumacher U. Prometheus, LernAtlas der Anatomie. Allgemeine Anatomie und Bewegungssystem. Illustrationen von M. Voll und K. Wesker. 6. Aufl. Stuttgart: Thieme; 2022)

b 2. Halswirbel (Axis von ventral). (Quelle: Corts M, Hrsg. Anatomie für Osteopathen. 2. Auflage. Stuttgart: Thieme; 2022 nach Schünke M, Schulte E, Schumacher U. Prometheus, LernAtlas der Anatomie. Allgemeine Anatomie und Bewegungssystem. Illustrationen von M. Voll und K. Wesker. 6. Aufl. Stuttgart: Thieme; 2022)

Osteopathische Korrespondenzen

Durch das Foramen transversarium verläuft ab dem 6. Halswirbel die A. vertebralis. Einengungen der Foramina können die Durchflussrate des Blutes negativ beeinflussen und die arterielle Zirkulation beeinträchtigen.

Dysfunktionen von C0–C1 können den N. vagus, der mit den viszeralen Organen in Verbindung steht, beeinflussen. Auch der Ramus meningeus, als sensorischer Ast des N. vagus zur sensiblen Versorgung der hinteren Schädelgrube, kann in seiner Funktionalität beeinflusst werden; siehe auch Os occipitale (S. 210).

Die OAA-Region ist die letzte Instanz, die bei einer dysfunktionalen Haltung die horizontale Ausrichtung der Augen ermöglichen kann (Kap. 2.5.1).

Durch die komplexe ligamentäre und muskuläre Verbindung agieren Okziput, Atlas und Axis als Einheit (▶ Abb. 4.14). Die **Ligg. alaria** sind für die heterolaterale Koppelung von Lateralflexions- und Rotationsbewegungen im OAA-Bereich verantwortlich. Daraus ergeben sich die unterschiedlichen Gelenkanteile, wie **Art. atlantoaxialis mediana, lateralis** und die ausgefeilte Struktur des **Lig. atalantoccipitalis laterale** und der **Membranae tectoria und atlantooccipitalis posterior** (▶ Abb. 4.14, ▶ Abb. 4.15, ▶ Abb. 5.6, ▶ Abb. 5.7). Das bedeutet, bei einer Lateralflexion im OAA-Bereich nach rechts kommt es durch die Spannung der Ligg. alaria zur gekoppelten Rotation nach links. Eine Rotationsbewegung primär im OAA-Komplex nach rechts ist an eine Lateralflexion nach links gekoppelt (und umgekehrt).

Eine dysfunktionale Atmung, z. B. durch Blockaden im Thoraxbereich und Dysfunktion des Diaphragma abdominale, kann zu schmerzhaftem Hartspann der subokzipitalen Muskulatur führen und eine bilaterale Kompressionsdysfunktion von C0/C1 hervorrufen. Reflektorisch kann es zur Dysfunktion des zervikothorakalen Diaphragmas kommen. Die Folge kann eine verminderte zirkulatorische und venolymphatische Ver- und Entsorgung des Kraniums sein.

Die Dura mater spinalis ist die Fortsetzung der Dura mater cranialis in den Wirbelkanal und wird so nach dem Durchtritt durch das Foramen magnum bezeichnet. Die Dura mater spinalis umhüllt das Rückenmark und zieht bis zum Sakralkanal. Dort ist sie als Filum terminale am S2 angeheftet. Als Lig. coccygeum reicht sie bis zum 1. Coccygealwirbel. Dysfunktionen des Sakrums können sich auf das Kranium übertragen (Kap. 7.1.1).

Differenzierung der oberen zervikalen Wurzeln von C2–C4:

- N. occipitalis major (C2): hintere Kopfregion; Kopfschmerz, Ausstrahlungsschmerz durch Druck auf die Mitte der Linea nuchae.
- N. occipitalis minor (C2): Berührungsschmerz in der Region hinter dem Ohr
- Region an der oberen HWS und am Angulus mandibulae (C3/C4): Schmerz durch Druck

Die gesamte Posturologie des Körpers wird durch die Kopfhaltung beeinflusst. Die vielfältigen Wechselwirkungen zeigen sich in dem Modell des Kräftepolygons (S. 157).

Korrespondierende Strukturen

Auswahl an korrespondierenden Strukturen, die unter systemischen Aspekten therapeutisch von Bedeutung sein können:

- Fascia cervicalis superficialis, Fascia cervicalis profunda
- Faszien des Pharynx
- reziproke Spannungsmembranen
- Zentralsehne, TFL, Bogensehne und alle Organe, die mit der Zentralsehne in Verbindung stehen
- Os hyoideum
- Körperstatik
- VNS
- Liquor cerebrospinalis
- Os sacrum
- visuelles System, vestibulocochleares System
- Propriozeption, Körperstatik, Kiefergelenk

Behandlungshinweise

Durch die komplexe systemische Einbindung des Atlas bieten sich vielfältige direkte Behandlungstechniken an, das reicht von HVLA-Techniken über myofaszialen Release bis MET, um nur eine Auswahl zu nennen. Fasziale Techniken finden ebenso ihre Anwendung wie Techniken, die über die Duralmembran wirken in Form des Einstellens eines PBMT bzw. einer Dynamic Balanced Tension.

Selbstverständlich muss, wie bei allen therapeutischen Interventionen, ein Fokus auf Safetytests und mögliche Kontraindikationen gerichtet werden.

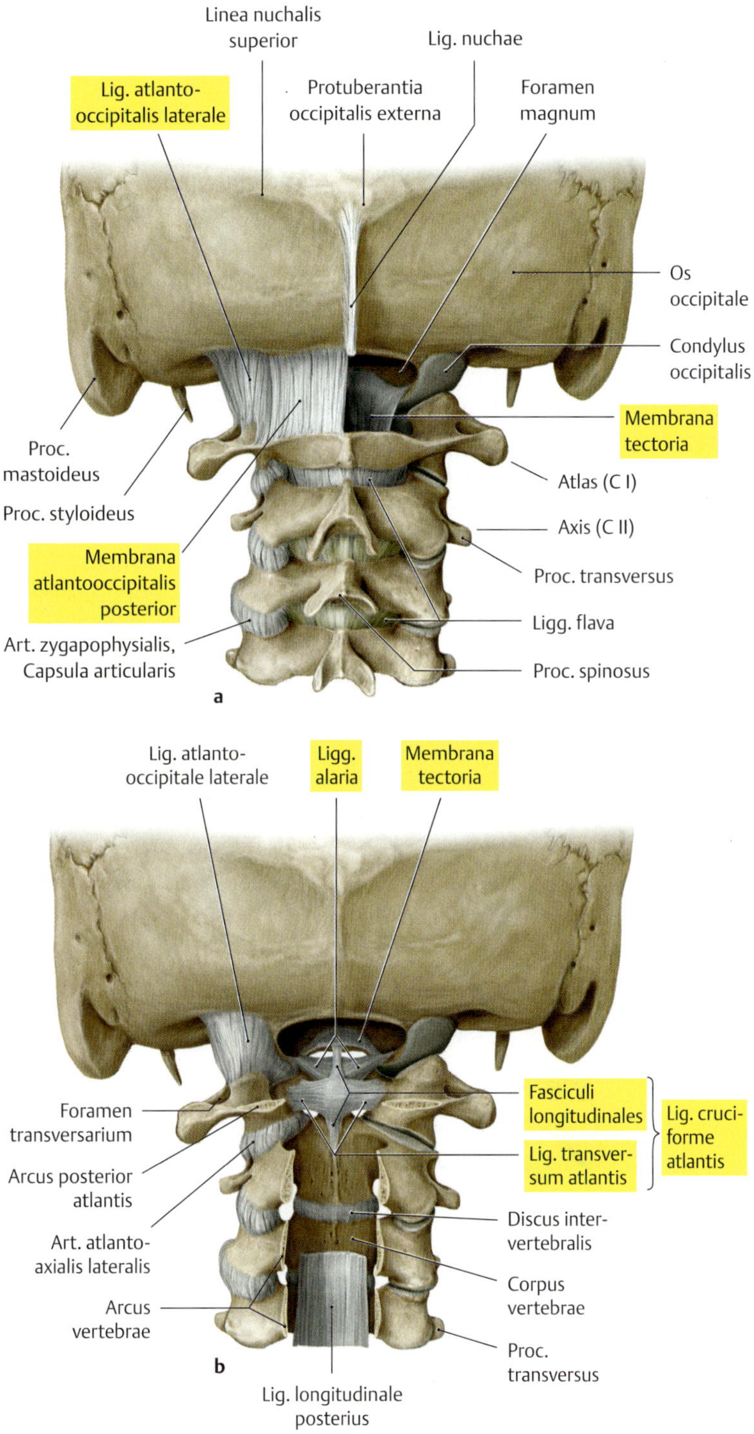

▸ **Abb. 4.14** Bandapparat der Kopfgelenke (von dorsal).

a Bandapparat der Kopfgelenke (von dorsal). Das Lig. atlantooccipitale laterale zeigt sich als verdichtete Struktur der Gelenkkapsel von C 0/ C 1. Es stabilisiert bei Seitneigung rechts die kontralaterale Seite und umgekehrt. Die **Membrana atlantooccipitalis posterior** ist eine weitere Verstärkung der Gelenkkapsel. (Quelle: Corts M, Hrsg. Anatomie für Osteopathen. 2. Auflage. Stuttgart: Thieme; 2022 nach Schünke M, Schulte E, Schumacher U. Prometheus, LernAtlas der Anatomie. Allgemeine Anatomie und Bewegungssystem. Illustrationen von M. Voll und K. Wesker. 6. Aufl. Stuttgart: Thieme; 2022)

b Bandapparat der Kopfgelenke (von dorsal). Ligg. alaria verbinden flügelartig die dorsolateralen Anteile des Dens axis mit der medialen Oberfläche der Okzipitalkondylen. Das **Lig. cruciforme atlantis** verbindet über **Fasciculi longitudinales** den Margo anterior des Foramen magnum mit dem Korpus von C 2. Das **Lig. transversum atlantis** ist die dorsale Sicherung des Dens axis. Es reicht von der Massa lateralis links bis zur Massa laterales rechts des Atlas. Es überspannt den Dens axis und sichert seine zentrierte Position. (Quelle: Corts M, Hrsg. Anatomie für Osteopathen. 2. Auflage. Stuttgart: Thieme; 2022 nach Schünke M, Schulte E, Schumacher U. Prometheus, LernAtlas der Anatomie. Allgemeine Anatomie und Bewegungssystem. Illustrationen von M. Voll und K. Wesker. 6. Aufl. Stuttgart: Thieme; 2022)

4.3.2 Os sacrum/Os coccygis

Das Os sacrum nimmt eine zentrale Stellung innerhalb des Beckenrings ein. Gelenkig ist es verbunden mit den beiden Darmbeinschaufeln und dem Os coccygis. Ein straffer fester Bandapparat sichert das Os sacrum und lässt Bewegungen mit kleiner Amplitude zu. Das Os sacrum ist wie ein Schlussstein im Beckenring positioniert. Zusammen mit der Lendenwirbelsäule und den Hüftgelenken bildet es eine scherenförmige funktionelle Einheit. Zum einen dient die Einheit der Kraftumlenkung. Die Schwerkraft wird von kranial nach kaudal auf die untere Extremität übertragen. Die aufsteigenden Kraftverläufe durch Sitzen, Stehen, Laufen, Springen werden von kaudal nach kranial weitergeleitet. Zum anderen ist das Becken in seiner Gesamtheit mit seinen Muskeln und myofaszialen Anteilen die kaudale Sicherung der Viszera des kleinen Beckens und des Abdomens. Es bietet auch den funktionellen Widerstand bei den durch die Atmung bedingten wechselnden Druckverhältnissen zwischen Thorax und Abdomen. Pränatal besteht das Os sacrum aus 5, das Os coccygis aus 3–4 einzelnen Wirbeln. Die Verknöcherung der einzelnen Anteile ist in der Regel mit dem 18. Lebensjahr abgeschlossen.

Anatomie

Knöcherne Anteile Os sacrum (▸ Abb. 4.16)

- **kraniale Anteile**:
  - **Basis ossis sacri:** gelenkig über eine Zwischenwirbelscheibe mit dem 5. Lendenwirbel verbunden
  - **Promontorium:** ventraler Punkt an der Sakrumbasis, der am weitesten in den Bauchraum hineinragt
  - **Canalis sacralis (dreieckiger Kreuzbeinkanal):** untere Fortsetzung des Wirbelkanals mit Dura mater spinalis (bis zum 2. Sakralwirbel), Filum terminale (Ende des Rückenmarks, zur Rückfläche des Os coccygis), Cauda equina (Spinalnervenwurzeln)
- **kaudale Anteile:**
  - **Apex ossis sacri:** gelenkige Verbindung mit dem Steißbein
  - **Hiatus sacralis:** Öffnung des Wirbelbogens in Höhe des 4. oder 5. Sakralwirbels (nicht vollständig geschlossen, Zwischenraum wird durch das Lig. sacrococcygeum posterius superficiale abgedeckt)
  - **Cornua sacralia:** Fortsätze des Kreuzbeins zur Artikulation mit dem Steißbein
- **ventrale Seite (Facies pelvina):**

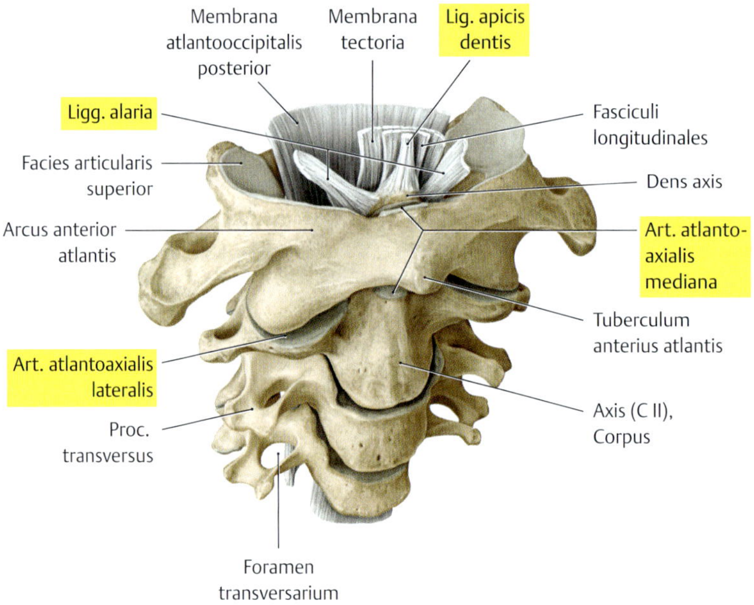

▸ **Abb. 4.15 Art. atlantoaxialis** (von ventrokranial). Die Membrana tectoria ist die Fortsetzung des Lig. longitudinale posterius. Im kranialen Verlauf, nach der Anheftungsstelle an der dorsalen Fläche des Dens axis, zieht sie zum Foramen magnum und verflechtet sich mit Fasern der Dura mater cranialis. Das **Lig. apicis dentis** ist die ligamentäre Verbindung zwischen der proximalen Region des Dens mit dem anterioren Rand des Foramen magnum (Margo anterior). Es unterstützt die Zentrierung des Dens. (Quelle: Corts M, Hrsg. Anatomie für Osteopathen. 2. Auflage. Stuttgart: Thieme; 2022 nach Schünke M, Schulte E, Schumacher U. Prometheus, LernAtlas der Anatomie. Allgemeine Anatomie und Bewegungssystem. Illustrationen von M. Voll und K. Wesker. 6. Aufl. Stuttgart: Thieme; 2022)

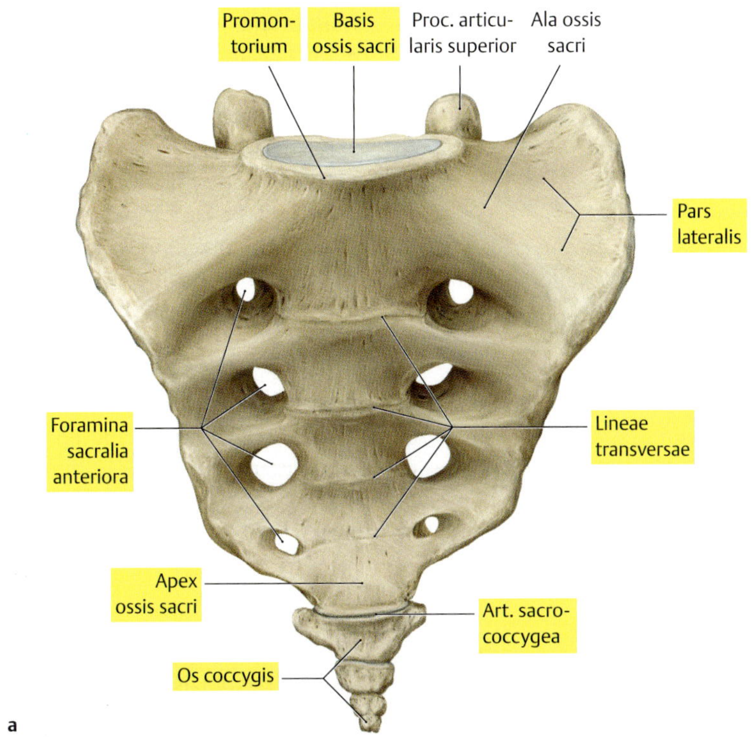

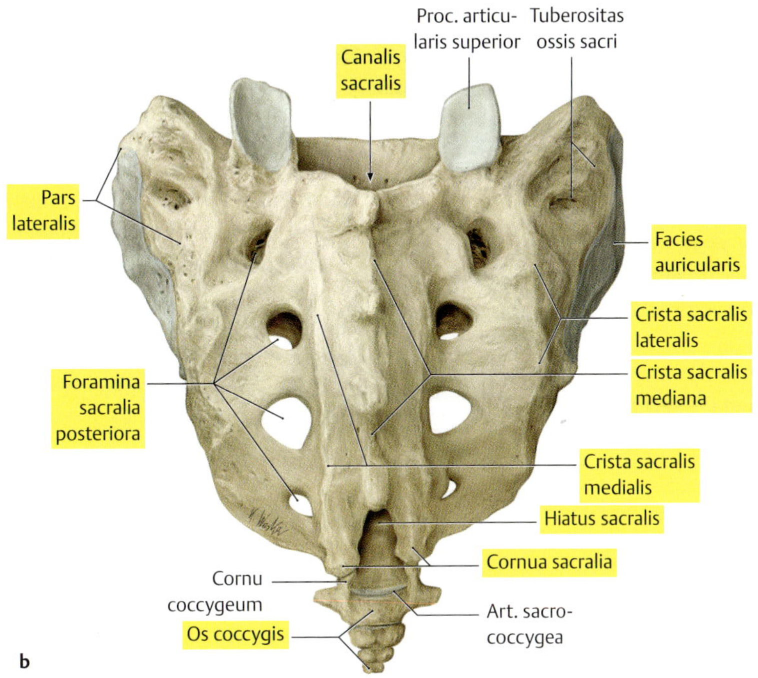

▸ **Abb. 4.16** Os sacrum und Os coccygis.

a Ansicht von ventral. (Quelle: Corts M, Hrsg. Anatomie für Osteopathen. 2. Auflage. Stuttgart: Thieme; 2022 nach Schünke M, Schulte E, Schumacher U. Prometheus, LernAtlas der Anatomie. Allgemeine Anatomie und Bewegungssystem. Illustrationen von M. Voll und K. Wesker. 6. Aufl. Stuttgart: Thieme; 2022)

b Ansicht von dorsal. (Quelle: Corts M, Hrsg. Anatomie für Osteopathen. 2. Auflage. Stuttgart: Thieme; 2022 nach Schünke M, Schulte E, Schumacher U. Prometheus, LernAtlas der Anatomie. Allgemeine Anatomie und Bewegungssystem. Illustrationen von M. Voll und K. Wesker. 6. Aufl. Stuttgart: Thieme; 2022)

- **konkave Fläche mit Lineae transversae:** Verschmelzungslinien der Sakralwirbelkörper
- **Foramina sacralia anteriora:** 4 paarige Austrittsöffnungen, die nach unten und innen gerichtet sind und an denen die Nn. sacrales I–IV mit ihren Rr. ventrales das Kreuzbein verlassen

- **dorsale Seite (Facies dorsalis):**
  - konvexe Fläche
  - **Crista sacralis mediana:** mediale Dornfortsatzrudimente
  - **Crista sacralis medialis:** Rudimente der Gelenkfortsätze
  - **Crista sacralis lateralis:** Rudimente der Querfortsätze
  - **Foramina sacralia posteriora:** 4 paarige Austrittsöffnungen, die nach unten und innen gerichtet, kleiner als die vorderen Foramina sind und an denen die Nn. sacrales I–IV mit ihren Rr. dorsales das Kreuzbein verlassen
- **laterale Anteile (Pars lateralis):**
  - ursprünglich aus Querfortsätzen, Rippenrudimenten und verknöcherten Bändern entstandene seitliche Fläche des Kreuzbeins
  - **Facies auricularis:** eine ohrmuschelartige L-förmige Gelenkfläche zur Artikulation mit dem Darmbein auf Höhe der ersten 2–3 Kreuzbeinwirbel; besitzt einen kurzen Arm, der von posterior-superior schräg nach anterior-inferior verläuft, und einen langen Arm, der von anterior-superior schräg nach posterior-inferior verläuft, beide Arme treffen sich auf Höhe des 2. Sakralwirbels
  - **Tuberositas ossis sacri:** raue Fläche beidseitig hinter der Facies auricularis; Ansatzfläche der intraossalen Bänder zwischen Kreuz- und Darmbein (Ligg. sacroiliaca interossea)

Benachbarte Knochen Os sacrum

- superior: 5. Lendenwirbel
- lateral: Os coxae
- inferior: Os coccygis

Anteile Os coccygis

- Das Os coccygis besteht aus 3–4 rudimentären Wirbeln.
- Der Gelenkfortsatz (Cornu coccygeum) artikuliert über das Lig. sacrococcygeum articulare mit dem Os sacrum.
- Die obere Fläche des 1. Steißbeinwirbelkörpers verbindet sich mit dem Os sacrum.
- Das Filum terminale ist an der Rückseite des Os coccygis befestigt.
- N. coccygeus tritt zwischen dem Steiß- und Kreuzbein aus, nervale Verbindungen bestehen zum Plexus coccygeus und zu den Nn. anococcygei.

Membranen/extrakranielle Membran, Ligamente

- Dura mater spinalis (bis zum 2. Sakralwirbel), Filum terminale (Ende des Rückenmarks, zur Rückfläche des Os coccygis)
- Fascia praesacralis
- Lamina pubovesicogenitorectosakralis (Delbet-Faszie)
- intrinsische Ligamente, die die Iliosakralgelenke überziehen (dorsal, interossär, ventral)
- extrinsische Ligamente, die ihre Ansätze weiter vom ISG entfernt haben (Lig. sacrotuberale, Lig. sacrospinale, Lig. iliolumbale
- Ligamente des Os coccygis sind die Fortsetzung von Lig. longitudinale anterius und posterius (Lig. sacrococcygeum ventrale und dorsale), seitlich (Lig. sacrococcygeum laterale)
- Lig. sacrodurale anterius (Lig. von Trolard), Verbindung zwischen Dura mater und Lig. longitudinale posterius [31]

Myofasziale Wirkungsketten

Das Os sacrum ist eingebunden in das Kräftepolygon (S. 157), in die Laterallinien (S. 130), in die tiefe Frontallinie (S. 88) und Zentralsehne (S. 238), [16].

Kraniosakraler Kontext

In der kranialen Inspirationsphase bewegt sich das Os sacrum in eine kraniale Flexion – es richtet sich vertikal auf; dies entspricht aus biomechanischer Sicht einer Kontranutation. Während der kranialen Exspirationsphase bewegt sich das Os sacrum in eine kraniale Extension – es senkt sich horizontal ab; dies entspricht einer Nutation. In der Exspirationsphase sind die Bewegungen der benannten Strukturen entgegengesetzt. Die transversale Bewegungsachse verläuft durch den 2. Sakralwirbel.

Die Bewegung ist symmetrisch, mit gleicher ausgewogener Amplitude und Kraft. Die Bewegung wirkt leicht und frei Kap. 7.1.1.

Osteopathische Korrespondenzen

Die sakralen Ligamente strahlen in Lig. sacrotuberale und sacrospinale ein, die eng mit dem Diaphragma pelvis und Diaphragma urogenitale verbunden sind. Osteopathische Dysfunktionen der Organe im kleinen Becken können die Bewegung von Os sacrum, Os coccygis beeinträchtigen und zu Dysfunktionen im kranialen Bereich führen (z. B. Membransystem, Os occipitale, SSB; Kap. 5.2, Kap. 7.1.1). Besonders Dysfunktionen innerhalb der Delbet-Faszie (Bestandteil der Zentralsehne) können weitreichende Dysfunktionen in der Peripherie auslösen.

Die FTL ist u. a. in die oberflächliche Rückenlinie und den Spirallinien eingebunden [16]. Sie korrespondiert zwischen Os occipitale und Os sacrum. Über die transversalen Anteile der FTL können sich viszerale Dysfunktionen auf das Os sacrum übertragen. Die longitudinalen, diagonalen und transversalen Faserverläufe der FTL im LSÜ und sprechen für eine vielfältige Kraftübertragung auf Becken und untere Extremität [119].

Im Kräftepolygon von Littlejohn bilden Os coccygis und die beiden Hüftgelenkpfannen das große Beckendreieck. Veränderungen der Beckenstellung wirken sich auf die Wirbelsäulenform aus und verändern Kraft- und Spannungslinien bis zur OAA. Die Beinachse und Fußstatik (Fußgewölbestabilität, dynamisches Abrollverhalten) können u. a. einen Einfluss auf die Beckenstellung haben. Dysfunktionale Spannungen innerhalb der Membrana interossea cruris können begleitend auftreten und die Beinachse beeinflussen, häufig ist die Fibula in Dysfunktion.

Ptosen der Viszera können von kranial die Beckenstellung beeinflussen, z. B. ein einseitiges Ilium anterior, das eine Sakrumtorsion als Folge haben kann.

Durch die Foramina sacralia anterior und posterior dringen die Nn. sacrales (S 1–S 5) durch. Sie (Rr. ventrales) bilden den Plexus sacralis. Fasziale Mobilisation kann sich auch positiv auf den Plexus sacralis auswirken.

Korrespondierende Strukturen

Auswahl an korrespondierenden Strukturen, die unter systemischen Aspekten therapeutisch von Bedeutung sein können:

- SSB
- reziproke Spannungsmembran
- Zentralsehne und alle Organe, die über die Zentralsehne wirken können
- Plexus sacralis
- Plexus hypogastricus inferior
- Grenzstrang, Ggl. impar
- A./V. iliaca interna, pudenda interna
- Kolon, Rektum
- Symphysis pubica
- ISG
- Beckenstellung (Upshift, Downshift, Iliumdysfunktionen)
- LSÜ
- Art. coxae
- untere Extremität
- Fußstatik

Behandlungshinweise

- Über ein Sakrum-Release kann die durale Spannung zwischen Kranium und Os sacrum harmonisiert werden. Die Technik eignet sich u. a. ebenfalls für den vegetativen Ausgleich und die Befreiung des Diaphragma pelvis.
- Die Einstellung eines State of Bind macht die direkte Befreiung der faszialen Ansätze im Sakrum möglich, ein Recoil kann anschließend noch gesetzt werden.
- Die Delbet-Faszie kann durch Positional-Release in Bauchlage über Sakrumkontakt und Bauchdeckendruck (Faust) indirekt befreit werden. Behandlungsintensivierung kann mittels Stacking erfolgen [114].
- Mit einem Dynamic-Release kann eine indirekte Befreiung der Membrana interossea erfolgen. Bei einer hartnäckigen Dysfunktion des proximalen Fibulaköpfchen ist eine HVLA-Technik angebracht.
- Die Duraschaukel kann die Bewegung von Os sacrum und Os occipitale harmonisieren.
- Intraossäre Dysfunktionen des Os sacrum können nach Geburtstraumen auftreten, die sich später als sakrale oder lumbosakrale Kompression zeigen. Intraossäre Dysfunktionen des Os sphenoidale können damit einhergehen. Molding und Release-Techniken können hier hilfreich eingesetzt werden.

5 Kaudale Ansicht Kranium

5.1 Überblick

5.1.1 Kaudales Kranium

Wie ein Knochenmosaik gestaltet sich die kaudale Ansicht des Kraniums (▶ Abb. 5.1). Deutlich zu erkennen sind die knöcherne Ausprägung je nach Struktur und Funktion. Die Muskelansätze sind zahlreich und unterstreichen die komplexen Krafteinflüsse der Muskeln aus Bereichen des Kauapparats, der Schlundmuskeln, der stabilisierenden Muskelsysteme (prävertebrale und autochthone Rückenmuskulatur) und der dynamischen Kopfwende- und Kopfaufrichtermuskulatur (▶ Abb. 5.2).

5.1.2 Leitungsbahnen und Durchtrittsöffnungen

Foramen, Fissuren, Canales (▶ Abb. 5.3)

- Foramen rotundum, kreisförmige Öffnung (Os sphenoidale)
- Foramen ovale, ovale Öffnung (Os sphenoidale)
- Foramen spinosum, kreisförmige Öffnung (Os sphenoidale)
- Fissura sphenopetrosa, lateraler Ausläufer Foramen lacerum → zwischen Pars petrosa des Os temporale und Alae majores des Os sphenoidale
- Foramen lacerum, unregelmäßig geformt → zwischen Pars petrosa des Os temporale und Alae majores des Os sphenoidale
- Canalis caroticus (Os temporale, Pars petrosa)
- Canalis nervi hypoglossi (Os occipitale)
- Foramen magnum (Os occipitale)
- Canalis condylaris (Os occipitale)
- Foramen jugulare → zwischen Os temporale (Pars petrosa) und Os occipitale (Pars lateralis)
- Foramen mastoideum (Os temporale)
- Foramen incisivum (Os maxillare)
- Foramen palatinum majus (Os palatinum)
- Foramina palatina minora (Os palatinum)
- Canalis pterygoideus → Verbindung Os sphenoidale (zwischen Flügelgaumengrube und Foramen lacerum)
- Fissura petrotympanica, Schlitz in der Fossa mandibularis (Os temporale)
- Canaliculus tympanicus → von Fossula petrosa zur Paukenhöhle (Os temporale)
- Foramen stylomastoideum (Os temporale)

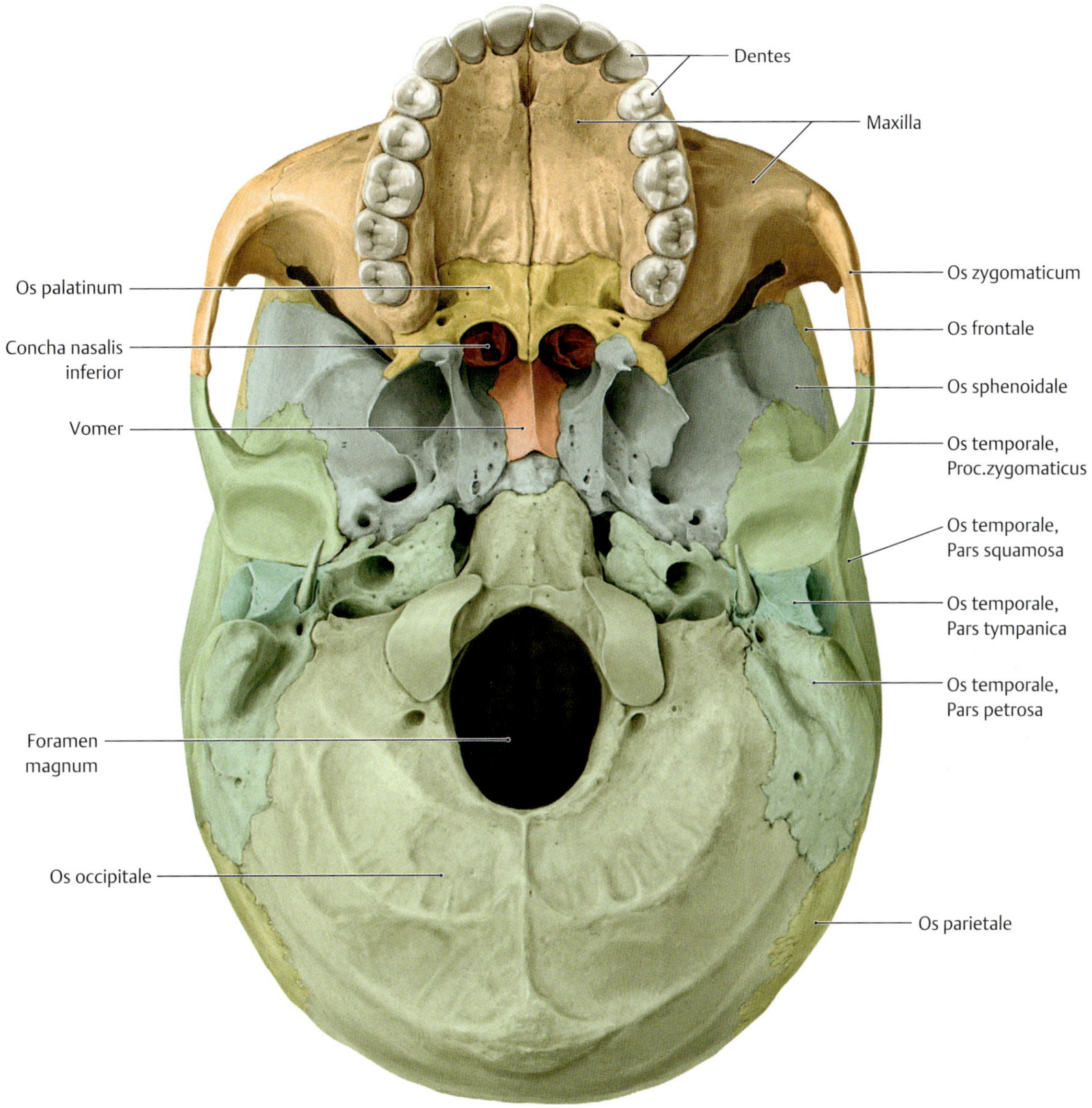

▸ **Abb. 5.1** Knochen an der Schädelbasis von außen mit Bezug zu myofaszialen Wirkungsketten. (Quelle: Schünke M, Schulte E, Schumacher U. Prometheus. LernAtlas der Anatomie. Kopf, Hals und Neuroanatomie. Illustrationen von M. Voll und K. Wesker. 6. Aufl. Stuttgart: Thieme; 2022)

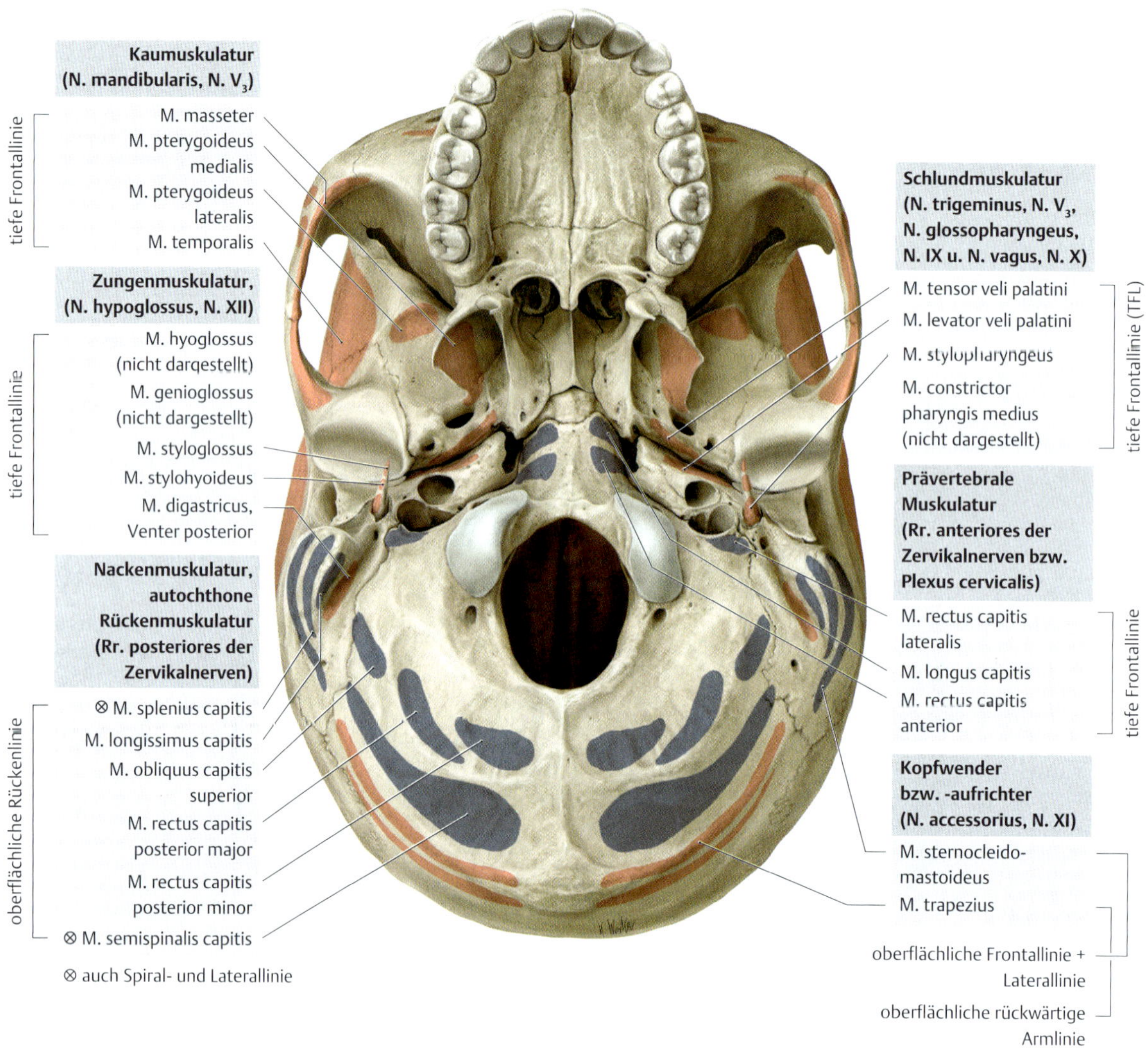

▸ **Abb. 5.2** Muskelursprünge und -ansätze am Schädel. (Quelle: Schünke M, Schulte E, Schumacher U. Prometheus. LernAtlas der Anatomie. Kopf, Hals und Neuroanatomie. Illustrationen von M. Voll und K. Wesker. 6. Aufl. Stuttgart: Thieme; 2022)

Öffnungen zwischen Basis cranii externa und interna:

Foramen rotundum

(hier nicht sichtbar, da in Fossa pterygopalatina gelegen)

- N. maxillaris (V_2)

Foramen ovale

- N. mandibularis (V_3)
- A. pterygomeningea
- Plexus venosus foraminis ovalis

Foramen spinosum

- A. meningea media
- R. meningeus n. mandibularis (V_3)

Fissura sphenopetrosa

- N. petrosus minor (parasymp., aus IX)
- Chorda tympani (parasymp. u. Geschmack, aus VII)

Foramen lacerum

- N. petrosus profundus (symp.)
- N. petrosus major (parasymp., aus VII)

Canalis caroticus

- A. carotis interna
- Plexus caroticus internus (symp.)
- Plexus venosus caroticus internus

Canalis nervi hypoglossi

- N. hypoglossus (XII)
- Plexus venosus canalis n. hypoglossi

Foramen magnum

① A. spinalis anterior
② Aa. vertebrales
③ Medulla spinalis
④ Radix spinalis n. accessorii (XI)
⑤ Aa. spinales posteriores
⑥ V. spinalis

Canalis condylaris

- V. emissaria condylaris (inkonstant)

Foramen jugulare

① N. glossopharyngeus (IX)
② N. vagus (X)
③ Sinus petrosus inferior
④ A. meningea posterior
⑤ N. accessorius (XI)
⑥ V. jugularis interna

Foramen mastoideum

- V. emissaria mastoidea
- R. mastoideus der A. occipitalis

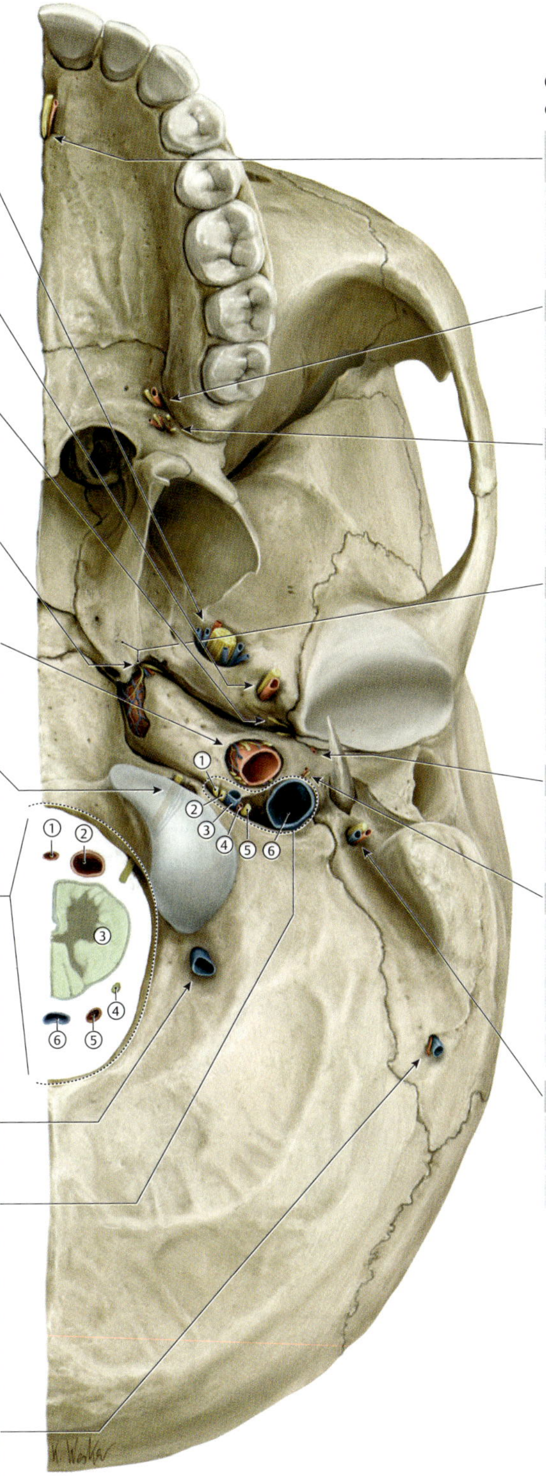

Öffnungen zwischen Basis cranii externa und anderen Räumen:

Fossa incisiva mit Foramina incisiva

- N.nasopalatinus (aus V_2)
- A.nasopalatina

→ *Cavitas nasi*

Foramen palatinum majus

- N.palatinus major
- A.palatina major

→ *Fossa pterygopalatina*

Foramina palatina minora

- Nn. palatini minores
- Aa. palatinae minores

→ *Fossa pterygopalatina*

Canalis pterygoideus

- N. petrosus major (parasymp., aus VII)
- N. petrosus profundus (symp.)
- A. u. V. canalis pterygoidei

→ *Fossa pterygopalatina*

Fissura petrotympanica

- A. tympanica anterior

→ *Cavitas tympani*

Canaliculus tympanicus

- N. tympanicus (parasympathisch u. sensibel, aus IX)
- A. tympanica inferior

→ *Cavitas tympani*

Foramen stylomastoideum

- N. facialis (VII)
- A. u. V. stylomastoidea

→ *Canalis nervi facialis*

▶ **Abb. 5.3** Durchtrittsstellen von Nerven und Gefäßen durch die Schädelbasis. (Quelle: Schünke M, Schulte E, Schumacher U. Prometheus. LernAtlas der Anatomie. Kopf, Hals und Neuroanatomie. Illustrationen von M. Voll und K. Wesker. 6. Aufl. Stuttgart: Thieme; 2022)

5.2 Oberflächliche und tiefere Schicht

5.2.1 Os occipitale

Das Os occipitale (Hinterhauptbein) ist ein runder schalenförmiger Knochen (▸ Abb. 5.4) mit einem auffallend großen Foramen (**Foramen magnum**) und einem ausgeprägten keilförmigen Fortsatz (**Pars basilaris**). Das Os occipitale wird dem **Neurokranium** zugeordnet und bildet mit dem Os temporale die hintere **Schädelgrube**. Mit der Pars basilaris bildet es den zweiten wesentlichen Bestandteil der **SSB**.

Das Os occipitale ist vielfältig eingebunden:

- 4 suturale Verbindungen
- der Atlas als Gelenkpartner (Art. atlantooccipitalis)
- extrakraniale Muskelansätze (von der oberflächlichen Kopfwendemuskulatur über Anteile des M. erector spinae bis hin zu den kurzen Nackenmuskeln)
- ligamentäre und membranöse Verbindungen (intrakraniale und extrakraniale Membranen)
- oberflächliche und tiefe fasziale Verbindungen zu Hals, Thorax, Abdomen, Becken und den Viszera
- direkte Verbindung zum Os sacrum über die Dura mater
- Anheftung der Raphe pharyngobasilaris und damit Einbindung u. a. in den Schluckakt
- besitzt und ist beteiligt an wichtigen Foramina (Foramen magnum, **Foramen jugulare**)
- enge Verbindung zu vaskulären, nervalen Strukturen und ZNS
- Korrespondenzen zu den Liquorräumen

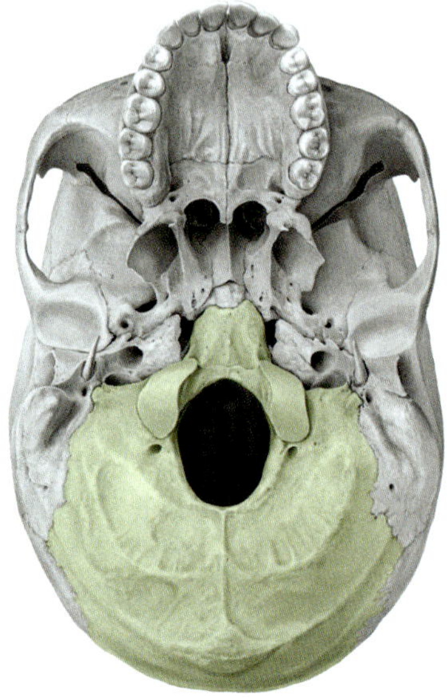

▸ **Abb. 5.4** Os occipitale. (Quelle: Schünke M, Schulte E, Schumacher U. Prometheus. LernAtlas der Anatomie. Kopf, Hals und Neuroanatomie. Illustrationen von M. Voll und K. Wesker. 6. Aufl. Stuttgart: Thieme; 2022)

- maßgebliche Beteilung an der Funktionalität von Körperstatik und Haltung, u. a. durch eine differenzierte propriozeptive Einbindung u. a. über subokzipitale Muskulatur

Das Os occipitale entwickelt sich aus **chondralem** und **desmalem Gewebe**. Es zeichnet sich durch **zahlreiche Ossifikationszentren** aus, die zwischen der 8. und 12. Woche i. u. erstmalig auftreten. Der an der Schädelbasis beteiligte Bereich des Os occipitale entwickelt sich chondral, die übrigen Anteile dagegen desmal.

Bei der **Geburt** besteht das Okziput aus 4 Anteilen: Pars basilaris (rostral Foramen magnum), 2 Partes laterales (mit den Kondylen lateral Foramen magnum), Squama occipitalis (dorsal Foramen magnum). Diese sind chondral miteinander verbunden.

Der **Verknöcherungsprozess** des Os occipitale dauert etwa bis zum 8. Lebensjahr. Zwischen dem 2.–4. Lebensjahr verknöchert die Synchondrosis intraoccipitalis posterior. Das Foramen magnum kann sich bis ca. zum 6. Lebensjahr adaptieren und vergrößern. Zwischen 5. und 8. Lebensjahr wird der Prozess der Kalksalzeinlagerung in der Synchondrosis intraoccipitalis anterior abgeschlossen.

Der differenzierte und kleinteilige Aufbau des Os occipitale macht es in der postnatalen Phase besonders anfällig für unphysiologische Krafteinwirkungen. **Intraossäre Dysfunktionen** können sich vielfältig im gesamten Organismus durch die komplexe Einbindung des Os occipitale zeigen.

Anatomie

Knöcherne Anteile (▸ Abb. 5.5)

- **Pars basilaris:**
  - **rostrale Fläche:** viereckige Fläche als Bestandteil der SSB
  - **dorsaler Rand:** begrenzt vorderen Rand des Foramen magnum (Ansatz Lig. apicis dentis, Membrana atlantooccipitalis anterior, Lig. alaria, Membrana tectoria, Lig. longitudinale posterius)
  - **Innenfläche:**
    - Sulcus petrosus (in Verbindung mit Pars petrosa des Os temporale)
    - laterale Ränder entsprechen Sutura petrobasilaris
    - Vertiefung (Medulla oblongata)
  - **Außenfläche: Tuberculum pharyngeum** (Ansatz Raphe pharyngis → M. constrictor pharyngis superior, **Lig. longitudinale anterius**)
  - einzelne Flächenanteile (Ansätze für M. rectus capitis anterior, M. longus capitis, M. constrictor pharyngis superior, Membrana atlantooccipitalis anterior)
- **Partes laterales bzw. Partes condylares:**
  - **medialer Rand:** laterale Begrenzung Foramen magnum

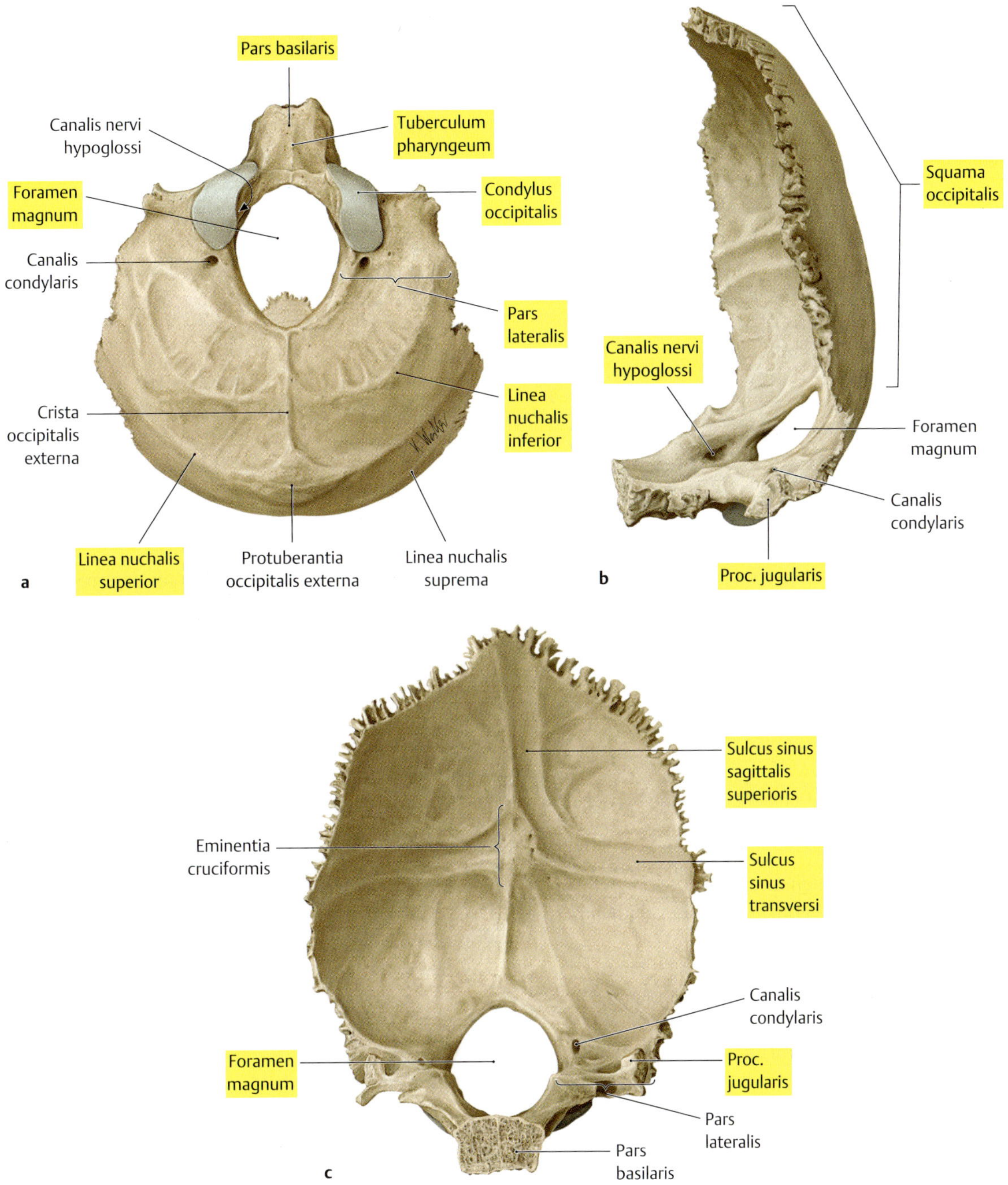

▸ **Abb. 5.5** Os occipitale.

a Ansicht von kaudal. Deutlich zu erkennen ist die Form der **Pars basilaris**, die mit der nach rostral orientierten Fläche ein Bestandteil der SSB ist. Die knöchernen Ausprägungen wie **Linea nuchae inferior** und **Linea nuchae superior** sind charakteristisch für Muskelansätze. Linea nuchae inferior für Anteile der subokzipitalen Muskulatur, Linea nuchae superior für Anteile des M. erector spinae und oberflächlichen Kopf-Schultergürtel-Muskeln. **Tuberculum pharyngeum** ist u. a. Ansatzpunkt der Rachennaht (Raphe pharyngis), die Bestandteil der tiefen Frontallinie ist. Das Os occipitale ist damit vielfältig in verschiedenen myofasziale Wirkungsketten eingebunden. Die **Gelenkflächen** des Os occipitale für die Art. atlantooccipitalis fallen durch ihre ovale und konvexe Form auf. Gut sichtbar auch die Beteiligung von Condylus occipitalis und Pars lateralis an der Bildung des Foramen magnum. (Quelle: Schünke M, Schulte E, Schumacher U. Prometheus. LernAtlas der Anatomie. Kopf, Hals und Neuroanatomie. Illustrationen von M. Voll und K. Wesker. 6. Aufl. Stuttgart: Thieme; 2022)

b In der Ansicht links-lateral ist die schalenförmige Gestalt der **Squama occipitalis** gut zu erkennen. **Canalis nervi hypoglossi** mündet medioventral der Gelenkkondylen. (Quelle: Schünke M, Schulte E, Schumacher U. Prometheus. LernAtlas der Anatomie. Kopf, Hals und Neuroanatomie. Illustrationen von M. Voll und K. Wesker. 6. Aufl. Stuttgart: Thieme; 2022)

c In der Ansicht von ventral sind die Furchen (**Sulcus**) der venösen Blutleiter Sinus sagittalis superior und Sinus transversus gut erkennbar. Der **Proc. jugularis** prägt einen Anteil des Foramen jugulare. (Quelle: Schünke M, Schulte E, Schumacher U. Prometheus. LernAtlas der Anatomie. Kopf, Hals und Neuroanatomie. Illustrationen von M. Voll und K. Wesker. 6. Aufl. Stuttgart: Thieme; 2022)

- **lateraler Rand:**
  - **Incisura und Proc. jugularis** (Begrenzung Foramen jugulare)
  - Proc. intrajugularis (teilt Foramen jugulare in inneren und äußeren Abschnitt)
- **Innenfläche:**
  - Sulcus sigmoideus (→ venöse Blutleiter)
  - Tuberculum jugulare (begrenzt Canalis nervi hypoglossi)
- **Außenfläche**
  - bds. Condylus occipitalis (Gelenkpartner der Art. atlantooccipitalis)
  - Canalis nervi hypoglossi
- **Squama occipitalis:**
  - **Ränder:**
    - Margo lambdoideus (superior → Os parietale)
    - Margo mastoideus (inferior → Os temporale)
  - **Innenfläche:**
    - konkav mit kreuzförmiger Einteilung der Occiputmulden
    - dorsale Begrenzung: Foramen magnum (Membrana atlantooccipitalis posterior)
    - Protuberantia occipitalis interna (→ Inion)
    - **Sulcus sinus transversi** (→ venöse Blutleiter)
    - **Sulcus sinus sagittalis superior** (→ venöse Blutleiter)
    - Crista occipitalis interna
  - **Außenfläche:**
    - Linea nuchae suprema (M. occipitofrontalis)
    - Linea nuchae superior (M. semispinalis capitis, M. trapezius, M. sternocleidomastoideus, etwas kaudal → M. obliquus capitis superior)
    - Linea nuchae inferior (Mm. recti capitis posteriores minor und major)
    - Protuberantia occipitalis externa (→ Inion)
    - Crista occipitalis externa (→ Lig. nuchae)

Benachbarte Knochen und ihre Suturen

- Os parietale (kranial, Sutura lambdoidea)
- Os sphenoidale (anterior, SSB)
- Os temporale (lateral, Suturae petrojugularis, petrobasilaris, occipitomastoidea)
- Atlas (inferior, Art. atlantooccipitalis)

Foramina, Fissuren, Canales

- Foramen magnum → Medulla oblongata, Radix spinalis N. accessorius (XI), Aa. vertebrales dexter, sinister; Aa. spinales anterior, posterior; Plexus venosus vertebralis internus
- Foramen jugulare → N. glossopharyngeus (IX), N. vagus (X), N. accessorius (XI), A. meningea posterior, V. jugularis interna, Sinus petrosus inferior
- Foramen lacerum (in Verbindung mit Os sphenoidale, Os temporale) → N. canalis pterygoidei (Nn. petrosi major et profundus), N. petrosus minor, A. canalis pterygoidea, A. pharyngea ascendens, Vv. emissariae, A. carotis interna liegt auf
- Canalis nervi hypoglossi → N. hypoglossus (XII), Plexus canalis n. hypoglossi
- Canalis condylaris → V. emissaria condylaris

Ligamente, extrakranielle Membran

- Lig. atlantooccipitale laterale, Lig. apicis dentis, Spitze des Dens axis → Margo anterior (Foramen occipitale magnum)
- Lig. alaria, Densspitze → ventromedialer Rand der Kondylen (Os occipitale)
- Lig. longitudinale posterius, Dorsalfläche der Wirbelkörper (Corpora vertebrae), zwischen ihnen gelegene Zwischenwirbelscheiben (Disci intervertebrales)
- Lig. longitudinale anterius, ventrale Fläche der gesamten Wirbelsäule
- Lig. nuchae, Protuberantia occipitalis externa bzw. Linea nuchae mediana → Dornfortsatz des 7. Halswirbels
- Membranae atlantooccipitales anterior, posterior; Membran zwischen Atlas und Os occipitale; siehe auch dorsale Ansicht Kranium (S. 194), ▸ Abb. 4.14.

Muskeln (▸ Abb. 5.6, ▸ Abb. 5.7)

- **M. trapezius:**
  - **Ursprung:** am Hinterkopf Linea nuchae superior, Protuberantia occipitalis externa (Os occipitale) → am Hals Lig. nuchae, Dornfortsätze Halswirbel → am Rücken Dornfortsätze Brustwirbel, Lig. supraspinale
  - **Ansatz:** Klavikula (Pars descendens), Akromion (Pars transversa), Spina scapulae (Pars ascendens)
  - **Innervation:** motorisch R. externus (N. accessorius) → propriozeptiv R. trapezius (Plexus cervicalis)
  - **Funktion:** Heben der Arme, Stabilisierung der Schulter beim Tragen
- **M. semispinalis capitis:**
  - an der Linea nuchae superior
  - **Ursprung:** Proc. transversus C 3–TH6
  - **Ansatz:** Os occipitale (zwischen Linea nuchae superior und inferior)
  - **Innervation:** R. medialis der Rr. posteriores der Spinalnerven
  - **Funktion:** beidseitige Kontraktion: Dorsalextension Kopf, einseitige Kontraktion: Seitneigung ipsilateral, geringe Rotation kontralateral
- **M. splenius capitis:**
  - **Ursprung:** Proc. spinosi (3.–7. Halswirbel), 1.–3. Brustwirbel, Lig. nuchae
  - **Ansatz:** Proc. mastoideus (Os temporale), Linea nuchae superior
  - **Innervation:** Rr. posterior der Spinalnerven
  - **Funktion:** Neigung des Kopfes, Streckung der HWS

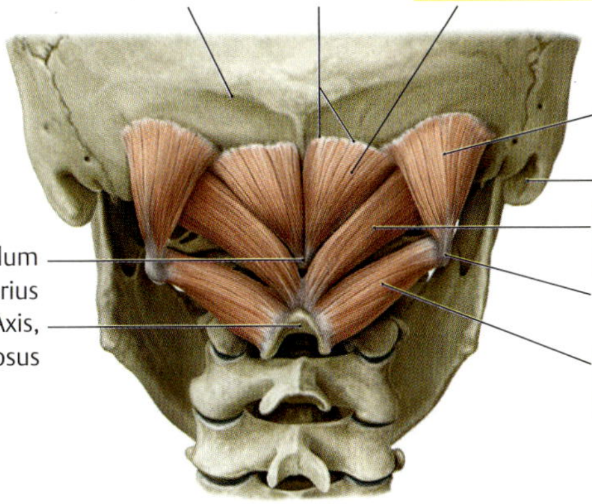

▸ **Abb. 5.6** Subokzipitale Muskulatur (von dorsal). (Quelle: Corts M, Hrsg. Anatomie für Osteopathen. 2. Auflage. Stuttgart: Thieme; 2022 nach Schünke M, Schulte E, Schumacher U. Prometheus, LernAtlas der Anatomie. Allgemeine Anatomie und Bewegungssystem. Illustrationen von M. Voll und K. Wesker. 6. Aufl. Stuttgart: Thieme; 2022)

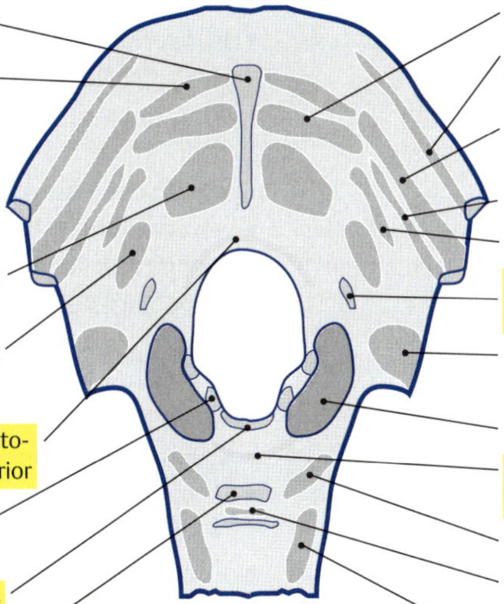

▸ **Abb. 5.7** Os occipitale (von außen). In dieser Ansicht ist gut zu erkennen, wie komplex die ligamentäre und membranöse Verbindung zwischen Os occipitale, Atlas und Axis ist (Kap. 4.3.1). (Quelle: Liem T, Hrsg. Kraniosakrale Osteopathie. 7., überarbeitete und erweiterte Auflage. Stuttgart: Thieme; 2018; Grafik: C. Dardamissis, Freigold Konzept & Design, Hamburg)

- **M. longus capitis:**
  - **Ursprung:** Proc. transversi
  - **Ansatz:** Tuberculum pharyngeum (Os occipitale)
  - **Innervation:** Rr. ventrales (Spinalnerven C 1–C 3)
  - **Funktion:** Stabilisierung des Kopfes, Beugung des Kopfes nach vorne, Rotation des Kopfes
- **M. rectus capitis anterior:**
  - **Ursprung:** Querfortsatz, laterale Knochenmasse 1. Halswirbel
  - **Ansatz:** Pars basilaris (Os occipitale)
  - **Innervation:** Rr. anteriores (Spinalnerven)
  - **Funktion:** leichte Beugung des Kopfes nach vorne und Neigung zur Seite
- **M. rectus capitis lateralis:**
  - **Ursprung:** vorderer Anteil Querfortsatz 1. Halswirbel
  - **Ansatz:** Proc. jugularis (Os occipitale)
  - **Innervation:** Rr. anteriores (Spinalnerven)
  - **Funktion:** leichte Beugung des Kopfes nach hinten und Neigung zur Seite
- **Mm. recti capitis posteriores minor und major:**
  - **Ursprung:**
    - M. rectus capitis minor: Tuberculum posterior (Atlas)
    - M. rectus capitis major: Proc. spinosus (Axis)
  - **Ansatz:** Linea nuchae inferior (Os occipitale)
  - **Innervation:** Rr. posteriores (Spinalnerven)
  - **Funktion:** leichte Neigung und Drehung des Kopfes zur gleichen Seite, Beugung des Kopfes nach hinten
- **M. obliquus capitis superior:**
  - oberhalb des M. rectus capitis posterior major
  - **Ursprung:** Querfortsatz (Atlas)
  - **Ansatz:** Linea nuchae inferior (Os occipitale)
  - **Innervation:** Rr. posteriores (Spinalnerven)
  - **Funktion:** Neigung des Kopfes, Beugung nach hinten
- **M. sternocleidomastoideus:**
  - an der Linea nuchae superior (und am Proc. mastoideus)
  - **Ursprung:** Klavikula
  - **Ansatz:** Lateralseite Proc. mastoideus (Os temporale)
  - **Innervation:** N. accessorius, direkte Nervenäste Plexus cervicalis
  - **Funktion:** seitliche Neigung des Kopfes, leichte Beugung nach hinten
- **M. constrictor pharyngis superior:**
  - über die Raphe pharyngis an das Tuberculum pharyngeum des Os occipitale
  - vierteilig
  - **Ursprung:** Pars pterygopharyngea Hamulus pterygoideus (Os ethmoidale), Pars buccopharyngea Raphe pterygomandibularis, Pars mylopharyngea Linea mylohyoidea (Os mandibulare), Pars glossopharyngea Zungenkörper.
  - **Ansatz:** Raphe pharyngis
  - **Innervation:** Plexus pharyngeus
  - **Funktion:** Verengung Pars nasalis pharyngis (Nasopharynx)
- **M. occipitofrontalis:**
  - an der Linea nuchae suprema der Kopfschwarte
  - zweiteilig
  - **Ursprung:**
    - Venter frontalis: Margo supraorbitalis (Os frontale), Glabella
    - Venter occipitalis: Linea nuchae suprema (Os occipitale), Os temporale
  - **Ansatz:** Galea aponeurotica
  - **Innervation:**
    - Venter frontalis: Rr. temporales (N. facialis)
    - Venter occipitalis: N. auricularis posterior
  - Funktion: hebt die Augenbrauen, runzelt die Stirn

Intrakranielle Membranen

- Lamina superficialis fasciae cervicalis (→ Linea nuchae)
- Lamina praevertebralis fasciae cervicalis, Fascia pharyngobasilaris (→ Tuberculum pharyngeum)
- Membrana atlantooccipitalis anterior
- Membrana tectoria
- Membrana atlantooccipitalis posterior
- Dura mater spinalis
- Falx cerebri
- Falx cerebelli
- Tentorium cerebelli

Systemische Vaskularisation

- A. vertebralis → A. subclavia
- Aa. spinales anterior/posterior → A. vertebralis
- A. meningea posterior → A. pharyngea ascendens → A. carotis externa
- A. basilaris → Vereinigung Aa. vertebrales
- A. cerebri posterior → A. basilaris
- V. spinalis anterior
- V. jugularis interna, Bulbus venae jugularis → Sinus sigmoideus
- V. emissaria condylaris → entstammt Sinus sigmoideus und zieht zu Plexus venosus vertebralis externus
- Sinus transversus, occipitalis, marginalis, sagittalis superior, rectus, sigmoideus, petrosus inferior
- Confluens sinuum

Neurologisches Netzwerk

- N. glossopharyngeus (IX)
- N. vagus (X) mit R. meningeus nervi vagi
- N. accessorius (XI)
- N. hypoglossus (XII)
- Nn. occipitales major/minor
- N. suboccipitalis
- Medulla oblongata
- Okzipitallappen
- Cerebellum
- Ventrikel 4

Myofasziale Wirkungsketten

Das Os occipitale ist beteiligt über

- M. trapezius an der oberflächlichen und tiefen rückwärtigen Armlinie (S. 209),
- M. sternocleidomastoideus an der oberflächlichen Frontallinie (S. 129),
- M. sternocleidomastoideus und M. splenius capitis an den Laterallinien (S. 130),
- M. erector spinae an der Spirallinie (S. 210) und oberflächlichen Rückenlinie (S. 74),
- Raphe pharyngis, Lamina praevertebralis an der tiefen Frontallinie (S. 88),
- Falx cerebri, Falx cerebelli, Tentorium, Raphe pharyngis an der Zentralsehne (Kap. 7.1.1).

Die myofaszialen Wirkungsketten der oberen Extremität ([16], Kap. 2.2.1) erfüllen neben ihrer stabilisierenden Aufgabe beim Stützen u. a. auch die Aufgabe der Umsetzung einer (fein-)koordinierten Einzelbewegung der Hand oder der gesamten oberen Extremität. Als optimale Kraftentwicklung einer komplexen Arm-Körper-Bewegung, z. B. Ausholbewegungen beim Werfen, ermöglichen sie u. a. auch den Prestretch. Die elastische Spannungszunahme im Gewebe macht eine Kraftentwicklung aus dem gesamten Körpersystem möglich, das gleichzeitig von Kopf bis Fuß stabilisiert werden muss.

Das Os occipitale ist auch vielfältig in das Modell des Kräftepolygons (S. 157) eingebunden.

Rückwärtige Armlinie

Verlauf oberflächliche rückwärtige Armlinie ([16], ▸ Abb. 5.8): mittleres Drittel der **Linea nuchae superior**, Protuberantia occipitalis externa, Lig. nuchae, Procc. spinosi C 7–Th 3 → M. trapezius → Akromion, Spina scapulae → M. deltoideus → Tuberculum deltoideum → Septum intermusculare brachii laterale → Epicondylus lateralis humeri → Fingerstreckermuskulatur (Mm. extensores carpi radialis longus und brevis, M. extensor digitorum, M. extensor carpi ulnaris, Mm. extensores pollicis brevis und longus, M. extensor digiti minimi) → Retinaculum extensorum → Ossa carpi → dorsale Seite der Hand und Finger

Verlauf tiefe rückwärtige Armlinie: Proc. spinosus C 7–Th 3 → Mm. rhomboidei major und minor → Margo medialis scapulae → M. infraspinatus, M. teres minor, Rotatorenmanschette → Tuberculum majus humeri → M. triceps brachii → M. anconeus → Olekranon → Periost der Ulna → Proc. styloideus ulnae → Lig. collaterale carpi ulnare → Os triquetrum, Os hamatum → Kleinfingerballenmuskulatur, Os metacarpi V → Periost und Ligamente Außenseite Phalanx proximalis/distalis V

Der Anfang der tiefen rückwärtigen Armlinie kann noch weitere Strukturen umfassen:

- **Variante 1: Proc. jugularis** (Okziput) → M. rectus capitis lateralis → Tubercula der Procc. transversi C 1–C 4 → M. levator scapulae → Angulus superior scapulae, oberer Anteil Margo medialis scapulae → M. supraspinatus → Caput humeri → weiter mit M. triceps brachii
- **Variante 2:** Durch den engen Bezug zur Rotatorenmanschette ist die Wirkung des M. subscapularis von Bedeutung (Verbindung M. rhomboideus), auch wenn er zum Tuberculum minus zieht.

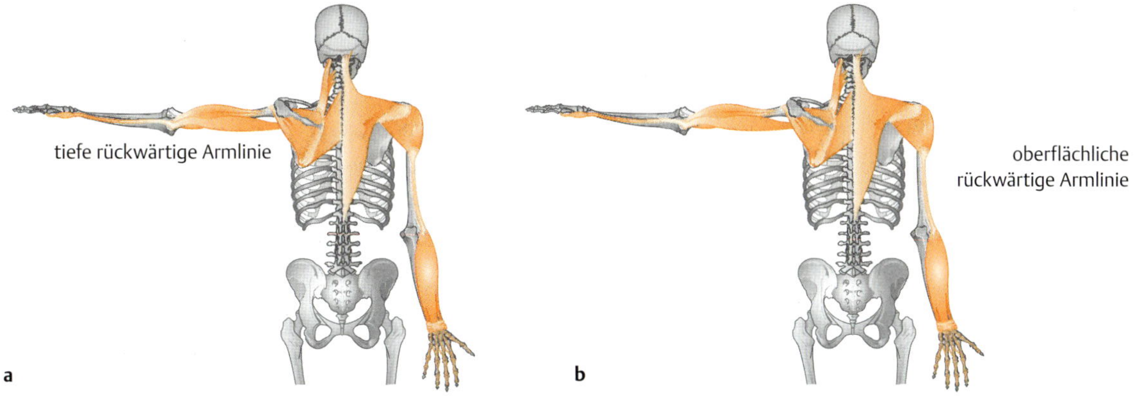

▸ **Abb. 5.8** Myofasziale Wirkungsketten. (Quelle: Corts M, ter Harmsel I. Sportosteopathie. Stuttgart: Haug; 2013)

Spirallinien

Sie verlaufen schraubenförmig um den gesamten Körper herum und reichen vom Fuß bis zum Os occipitale (▶ Abb. 5.9, [16]). Sie ermöglichen Rotations- und Torsionsbewegungen (Cross-Body-Action) und die Zuggurtung des Rumpfes (Rumpfstabilität). Auf allen Ebenen wirken sie auf das Körpergleichgewicht ein und haben eine enge Verbindung zu allen anatomischen Zuglinien (oberflächliche Rückenlinie, oberflächliche Frontallinie, Laterallinien, tiefe frontale Linie). Sie können Kräfte je nach Belastung (Standbein/Spielbein) auf derselben Körperseite weiterleiten oder aber auf die gegenüberliegende Körperseite führen. Eine enge funktionelle Verbindung besteht von Fuß zum Becken (SIAS, Crista iliaca, SIPS). In der Dynamik, z. B. beim Gehen, wirken zuggurtartig stabilisierend. Damit sind sie Stabilisator für Bein und Rumpf. Sie entwickeln oder führen Kräfte fort, die den Körper in Rotation oder Torsion bringen können. Gleichzeitig sind sie Stabilisatoren für Bein und Rumpf.

Verlauf Spirallinie: Linea nuchae superior (lateraler Bereich), Proc. mastoideus → M. splenius capitis, M. splenius cervicis → Proc. spinosus C6–Th5 → M. rhomboideus minor/major, M. serratus posterior superior → zur Gegenseite an medialen Rand der Skapula → M. serratus anterior → laterale Region 5.–9. Rippe → M. obliquus externus/internus abdominis → Crista iliaca, SIAS → M. tensor fasciae latae, Tractus iliotibialis → lateraler Bereich der Tuberositas tibiae → M. tibialis anterior → plantar an Basis ossis metatarsi I → dann lateral aufsteigend über M. peroneus longus → Caput fibulae → M. biceps femoris → Tuber ischiadicum → Lig. sacrotuberale → Os sacrum → Fascia sacrolumbalis, M. erector spinae → Linea nuchae superior

Kraniosakraler Kontext

Die Schädelbasis bewegt sich in der Inspiration in Flexion, in der Exspiration in Extension; die Schuppe bewegt sich in Außen- und Innenrotation. Damit erfolgt die Bewegung des Os occipitale insgesamt um 3 Achsen: Die horizontale Achse verläuft durch die Procc. jugulares (Flexion/Extension), 2 vertikale Achsen laufen durch die jeweilige Fossa cerebellaris (Außen-/Innenrotation der Squama occipitalis).

Die Partes condylares mit dem Foramen magnum werden den Knochen der Zentrallinie zugeordnet. Das Foramen magnum ist gleichzeitig eine Anheftungsstelle der Dura mater, die für die kraniosakrale Verbindung zum Sakrum elementar ist. Die Squama (Schuppe) des Os occipitale zählt zu den Knochen der Peripherie.

Normalbefund bei Palpation: Entspricht der biomechanischen Bewegung in der In- und Exspirationsphase. Inspirationsphase (▶ Abb. 5.10, ▶ Abb. 2.72): Das Os occipitale dreht sich um eine transversale Achse oberhalb des Foramen magnum. Die Pars basilaris und das Foramen magnum gleiten nach superior und anterior. Die Gelenkkondylen zum Atlas bewegen sich nach anterior. Nach inferior-anterior bewegen sich die unteren seitlichen Teile der Hinterhauptschuppe. Nach posterior und inferior bewegen sich Lambda und der kraniale Teil der Hinterhauptschuppe. Eine Außenrotation und Bewegung nach inferior-lateral machen die peripheren, lateralen Teile des Hinterhaupts am Asterion. Nach anterior bewegt sich der Margo mastoideus. In der Exspirationsphase sind die Bewegungen der benannten Strukturen entgegengesetzt.

Die Bewegung ist symmetrisch, mit gleicher ausgewogener Amplitude und Kraft. Die Bewegung wirkt leicht und frei.

Kraniometrische Punkte:

- **Lambda**: entspricht der kleinen Fontanelle des Säuglings → Überlappungszone von Os parietale (paarig) und occipitale
- **Asterion**: entspricht der hinteren seitlichen Fontanelle des Säuglings → Überlappungszone von Os occipitale, parietale (paarig) und temporale (paarig)
- **Inion**: ist ein Punkt in der Medianlinie auf der Protuberantia occipitalis externus

Zentrallinie: Aufgrund seiner Lage wird das Os occipitale den Knochen der Zentrallinie zugeordnet.

Hinweis: Die Quellenangaben [15], [58], [59] beziehen sich auf den gesamten „Kraniosakralen Kontext".

Osteopathische Korrespondenzen

Sutur und Kompression

Massive Restriktionen im Bereich der Suturen können durch externe Krafteinwirkungen (z. B. Stürze, Schläge) auf das Os occipitale ausgelöst werden. Besonders anfällig mit weitreichenden Folgen für die Bewegungsharmonie zwischen Os temporale und Os occipitale ist die Sutura occipitomastoidea mit den korrespondierenden Pivot-Punkten. Die dysfunktionale Bewegung der beiden Knochen zueinander (gestörte Innen-, Außenrotation des Os temporale, gestörte Flexions-, Extensionsbewegung des Os occipitale) kann umfangreiche unphysiologische Spannungen in den korrespondierenden Strukturen verursachen. Die Fluktuation des Liquor cerebrospinalis kann sich verändern und damit auch Rhythmik, Amplitude und Frequenz des PMR. Die Dysfunktion des 4. Ventrikels kann auf die korrespondierenden nervalen Strukturen (z. B. Nervenkerne) einwirken. Die venösen Blutleiter insbesondere im Bereich des Sinus sigmoideus können in ihrer Zirkulation gestört werden und ggf. Stauungen zeigen. Denkbar sind auch Spannungen in intrakranialen Membranen, Tentorium cerebelli, Falx cerebelli, die sich auf das Kleinhirn auswirken können. Möglich sind Schmerzen im Bereich der Dura mater und hinteren

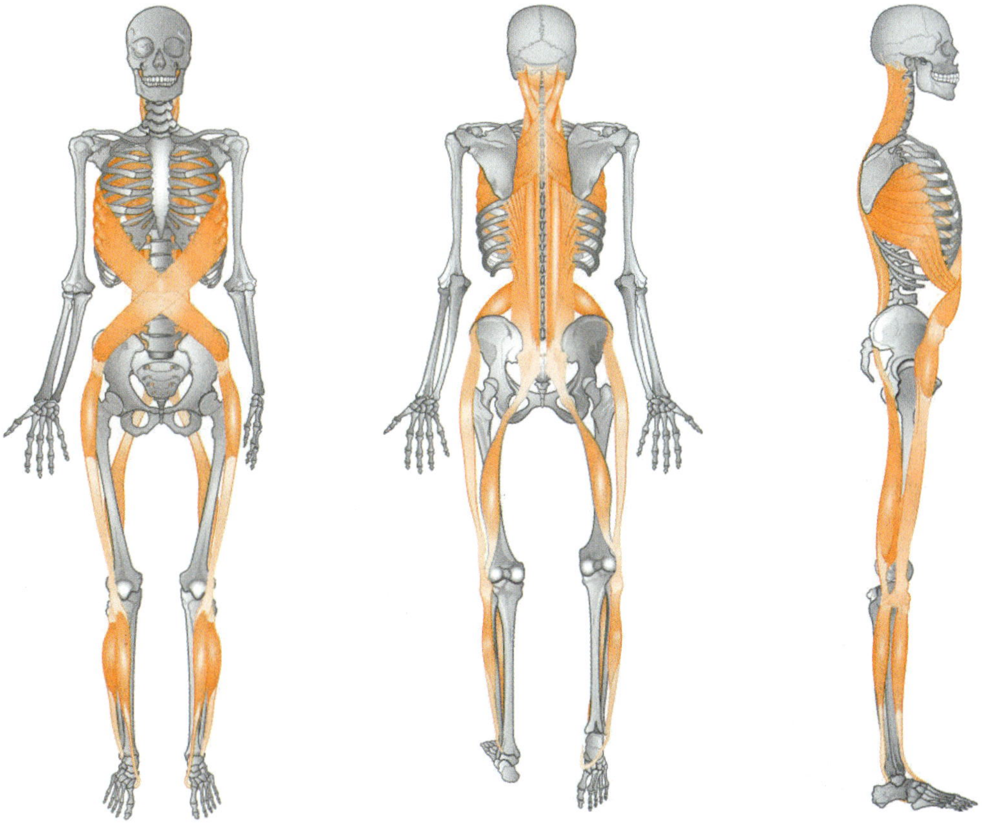

▸ **Abb. 5.9** Spirallinien von ventral, dorsal, lateral. (Quelle: Corts M, ter Harmsel I. Sportosteopathie. Stuttgart: Haug; 2013)

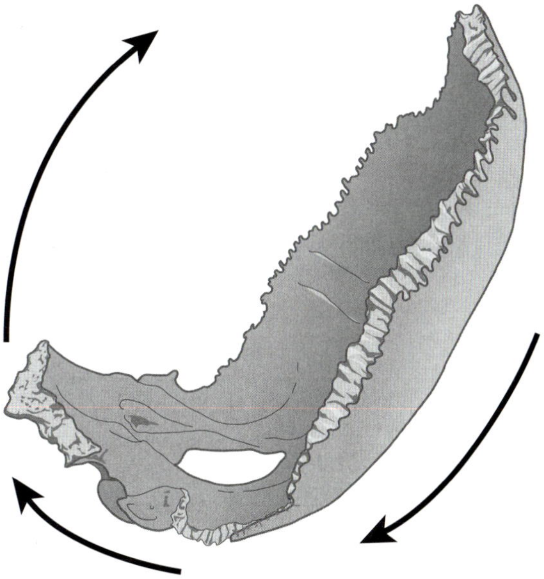

▸ **Abb. 5.10** Os occipitale in der Inspirationsphase (von lateral). (Quelle: Liem T. Kraniosakrale Osteopathie. 7. Aufl. Stuttgart: Thieme; 2018)

Schädelgrube durch Dysfunktion des R. meningeus nervi vagi. Dysfunktionen durch durale Spannungen sind möglich (Kap. 4.3.2).

Foramen jugulare

Das Foramen jugulare wird vom Os occipitale und Os temporale gemeinsam gebildet. Massive Krafteinwirkungen von außen, z. B. bei Geburtstraumata, Zahnextraktionen, können Dysfunktionen am Foramen verursachen und die durchziehenden Strukturen beeinträchtigen. Denkbar sind Abflussstörungen über die V. jugularis interna, Irritationen des N. vagus mit Symptomen wie Übelkeit, Irritation des N. accessorius mit dysfunktionaler Innervation des M. sternocleidomastoideus, M. trapezius.

Region Okziput-Atlas-Axis, Dysfunktion Art. atlantooccipitalis

Die Besonderheit der OAA-Region besteht u. a. in der hohen Dichte von propriozeptiven Rezeptoren. Seh-, Gleichgewichts-, Hör- und Geruchssinn sowie Informationen über Körperhaltung und -stellung (auch kraniomandibulär) sind hier neuronal eng miteinander verknüpft. Aspekte wie Körperstatik im Sinne der aufrechten Körperhaltung und der visuellen Orientierung stellen lediglich einen Teilbereich der Komplexität dar.

Die Membrana atlantooccipitalis posterior (▸ Abb. 5.6) wird von der A. vertebralis und dem N. suboccipitalis durchdrungen. Spannungen in der Membran können Dysfunktionen in den versorgenden Gefäßen verursachen (Zirkulationsstörungen, Schmerzen im Hinterhauptbereich). Dysfunktional können auch eine Vielzahl von am Okziput ansetzenden Muskeln (Nackenmuskulatur, subokzipitale Muskeln) und Faszien (u. a. Lamina praevertebralis fasciae cervicalis) sein (▸ Abb. 5.7). Diese üben wiederum Zug auf Suturen wie Sutura occipitotemporalis aus und können insbesondere bei muskulärem Hypertonus ein Zervikalsyndrom auslösen.

Die A. vertebralis kann durch Kompression in Dysfunktion kommen. Auch die sympathischen Faserstrukturen aus dem Ggl. cervicale superius können irritiert werden. Möglich sind Mikrozirkulationsstörungen und eine gestörte Homöostase des vegetativen Nervensystems (Schwindel, Kopfschmerz). Augenstörungen und Speichelproduktion können durch die Störung des Sympathikus dysfunktional sein. Weitere Dysfunktionen können sich ebenfalls in den regional nahen Hirnnervenverläufen zeigen (N. accessorius, N. hypoglossus, N. vagus, N. glossopharyngeus).

Torsionsdysfunktion in der SSB

Torsionsdysfunktionen können u. a. durch Dysfunktionen des Os sacrum oder eine Dysfunktion von L 5/S 1 (lumbosakraler Übergang) ausgelöst werden. Über die Anheftungsstellen der Dura mater vom Foramen magnum zu C 1/C 2, fortlaufend über das Filum terminale mit Insertion am Sakrum, besteht eine direkte Korrespondenz zur SSB (Kap. 6.3.3).

Auch die langsträngigen ligamentären Verbindungen (Ligg. longitudinalia anterius und posterius) können beeinflussend wirken. Die Kontinuität der Fascia thoracolumbalis – beginnend vom Sakrum und mit einem Anteil röhrenförmig den M. erector spinae umschließend –, die bis zum Okziput zieht, kann dysfunktionale Züge auf das Okziput ausüben und so eine Dysfunktion der SSB begünstigen. Torsionsdysfunktionen können ggf. eine Skoliose der Wirbelsäule initiieren.

Das Diaphragma sellae kann unter Spannung geraten und Hypophyse und Hypophyse-Hypothalamus-Achse in Dysfunktion bringen.

Torsionen können sich auch durch muskuläre Dysbalancen ergeben. Einen dysfunktionalen Einfluss auf die Sutura occipitomastoidea kann der M. sternocleidomastoideus haben. Einseitiger Kopfschmerz ist dann z. B. möglich. M. trapezius mit seinem umfangreichen Ansatz an der Linea nuchae superior und Protuberantia occipitalis externa kann ebenfalls eine ausgeprägte Zugkraft auf das Os occipitale ausüben. Einseitiger Hypertonus kann auch zur Dysfunktion des Foramen jugulare führen und die Versorgung über N. accessorius dysfunktional werden lassen.

Als primäre Dysfunktionen können unphysiologische Spannungsübertragungen über die Zentralsehne (Dysfunktion einzelner Viszera, Diaphragmen) auftreten. Die kurzen Nackenmuskeln (u. a. M. rectus capitis lateralis, Mm. posteriores minor et major) können nicht nur bei einseitigem Hypertonus migräneartigen Kopfschmerz provozieren.

Primäre Ursache insbesondere für einseitige Dysfunktionen und Hypertonus kann, neben körperstatischen Komponenten, auch eine Fehlsichtigkeit sein. Grundsätzlich sollte die Händigkeit (Rechts- oder Linkshänder) und das dominante Auge bei der ersten körperlichen Untersuchung ermittelt werden.

Posturologie, Os hyoideum und Os occipitale

Die horizontale Ausrichtung des Kopfes ist im Sinne der Posturologie eine wesentliche Grundlage für die visuelle (Augen und Sehachse) und vestibuläre Funktionalität (Gleichgewichtsorgane). Das Os hyoideum kann dabei einen gewichtigen Einfluss haben.

Das Os hyoideum ist elementar für den Schluckvorgang. Es ist komplex über Halsfaszien und die supra- und infrahyoidale Muskulatur elastisch aufgehängt. Über Raphe pharyngis und pterygomandibularis korrespondiert es mit der Schädelbasis, insbesondere mit dem Os occipitale. Darüber hinaus korrespondiert das Os hyoideum nach kaudal mit dem Schulterblatt (M. omohyoideus) und Sternum (Fascia cervicalis superficialis, infrahyoidale Muskulatur). Dysfunktion von Os hyoideum und unphysiologische Spannungen in den korrespondierenden Geweben können sich dysfunktional auf das Os occipitale auswirken.

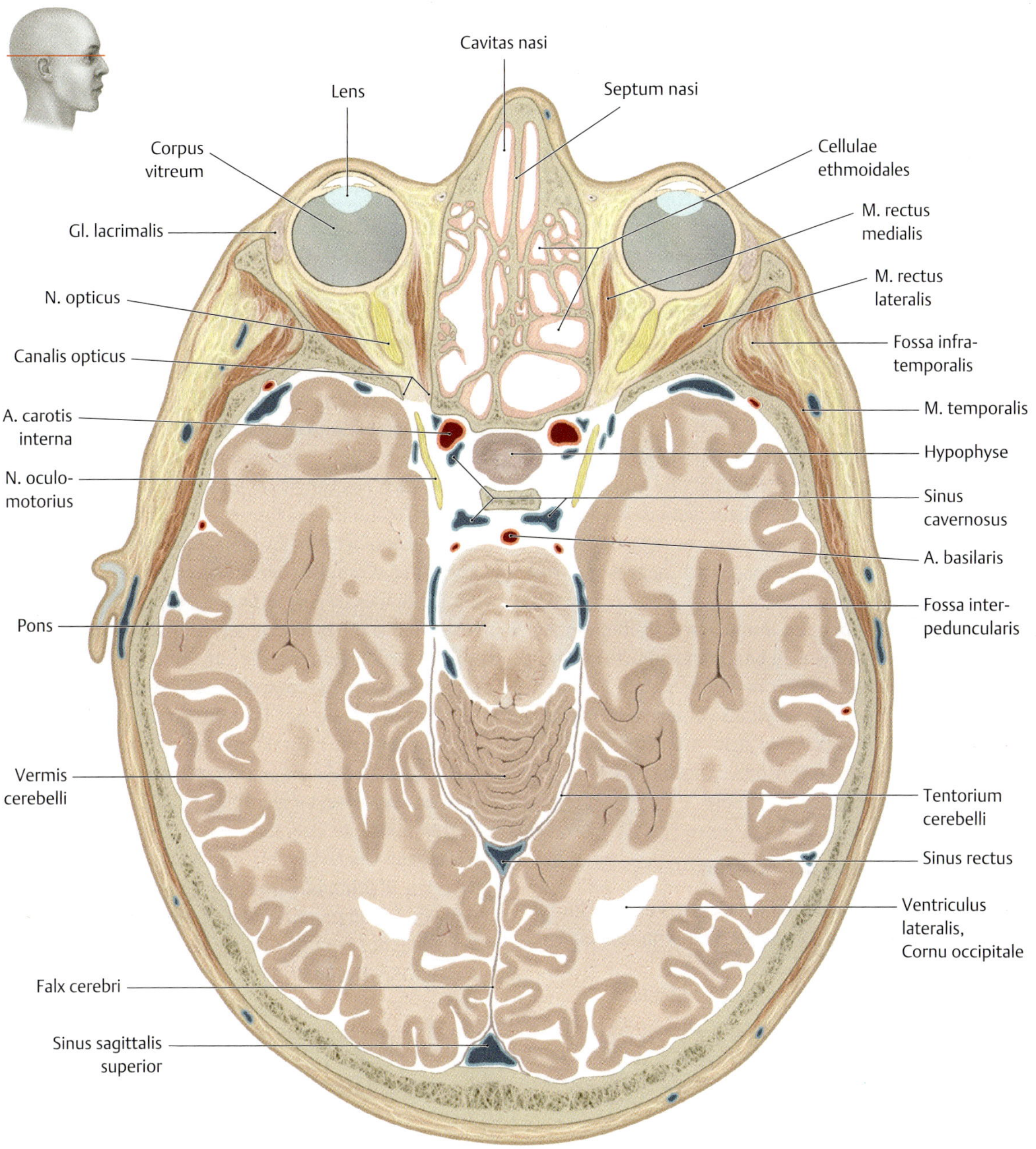

▸ **Abb. 5.11** Horizontalschnitt in Höhe der Augenwinkel. Gut sichtbar die ausgeprägte Kortikalis des Os occipitale. Erkennbar auch Anteile der venösen Blutleiter, die zentrale Lage der A. carotis interna und A. basilaris, die Anschnitte des M. temporalis, die Lage der medialen und lateralen externen Augenmuskeln und Einbettung des Bulbus oculi in die Augenhöhlen. (Quelle: Schünke M, Schulte E, Schumacher U. Prometheus. LernAtlas der Anatomie. Kopf, Hals und Neuroanatomie. Illustrationen von M. Voll und K. Wesker. 6. Aufl. Stuttgart: Thieme; 2022)

Die wechselseitige Beeinflussung der Diaphragmen, insbesondere vom zervikothorakalen, thorakolumbalen und lumbosakralen Übergang auf die Okziput-Atlas-Axis-Region ist vielfältig. Die transversal verlaufenden Diaphragma-Ebenen wirken in der longitudinalen Organisation der Körperfaszien wie Stoßdämpfer und Kraftpufferzonen. Verminderte Funktionalität einzelner Diaphragmen (z. B. Adhäsionen, viszerale Ursachen, neurovegetative Dysbalancen) kann sich dysfunktional auf das Kranium auswirken.

Die Fascia thoracolumbalis verbindet u. a. die Bauch-Lenden-Becken-Region mit dem subokzipitalen Bereich. Die Fascia thoracolumbalis umhüllt die autochthone Rückenmuskulatur wie eine Röhre. Sie stellt damit eine direkte fasziale Verbindung zwischen Sakrum, Ilium und Okziput her. Fasziale Zugkräfte können sich direkt auf die OAA auswirken. Physiologisch erhöht die Anspannung der autochthonen Rückenmuskulatur den faszialen Druck auf beteiligte Muskeln. Dadurch entsteht mehr Stabilität. Myofasziale Dysfunktionen können sich negativ auf die Propriozeption auswirken.

Bei der Geburt kann es zu intraossären Dysfunktionen des Os occipitale kommen. Zu beachten ist auch, ob Dysfunktionen im Bereich von Foramen magnum, Foramen jugulare oder Art. atlantooccipitalis vorliegen. Häufig hat der Säugling dann Saug- und Trinkprobleme. Ursache kann eine Störung des N. glossopharyngeus (IX), N. vagus (X) und/oder N. hypoglossus (XII) sein.

Korrespondierende Strukturen

Auswahl an korrespondierenden Strukturen, die unter systemischen Aspekten therapeutisch von Bedeutung sein können:

- Fasciae cervicalis superficialis und profunda
- Faszien des Pharynx
- reziproke Spannungsmembranen
- Zentralsehne und alle Organe, die mit der Zentralsehne in Verbindung stehen
- Os hyoideum
- Körperstatik
- HWS
- Liquor cerebrospinalis
- Os sacrum
- Plexus venosus vertebralis externus
- Lig. longitudinale posterius

Behandlungshinweise

- Indikationen für die Behandlung des Os occipitale sind u. a.:
  - Dysfunktionen der OAA
  - Lagerungskopfschmerzen
  - Dysfunktionen von Oropharynx, Pharynx und Larynx, über myofasziale, neuronale Verbindung auch des viszeralen Systems (besonders bei Neugeborenen nach Geburtstrauma)
  - bei außerordentlich drastischen Dysfunktionen: Hypertonus der Muskulatur (insbesondere der kurzen Nackenmuskulatur), ggf. Störungen in der Feinkoordination, ggf. visuelle Wahrnehmungsstörungen
- Mit der Platybasia-Technik lässt sich sowohl eine anterior-posteriore Dekompression der SSB und der Sutura occipitomastoidea sowie eine posterior-anteriore Dekompression erreichen.
- Störungen im Atlantookzipitalgelenk, insbesondere einseitige Dysfunktionen, können mit der V-Spread-Technik eine Dekoadaption möglich machen.
- Verstärkte Flüssigkeitsbewegung und zirkulatorische Dynamiken des Liquor cerebrospinalis lassen sich über die CV4-Technik erreichen. Die Lokalisation muss dabei nicht unbedingt am Kranium sein. Eine CV4-Technik über das Sakrum ist ebenfalls möglich. Das Grundprinzip bleibt gleich: Folgen in der exspiratorischen Phase und Widerstand bieten in der inspiratorischen Phase.
- Myofasziale Techniken, die die Gleit- und Scherbewegung in der Fascia thoracolumbalis verbessern, können bei Dysfunktionen der Propriozeption positiv wirken. Insbesondere die Einstellungen des „State of Ease“ können den OAA-Release positiv auf das vegetative Nervensystem wirken lassen.
- Die kombinierte Palpation von Okziput und Sakrum (Handgriff Duraschaukel) ermöglicht es, den kraniosakralen Rhythmus zu spüren und auch auf Dysfunktion von beteiligten Knochen zu untersuchen.
- Befreiung des Foramen magnum ist hilfreich bei komplexen OAA-Dysfunktionen.
- Flower-Spread kann bei intraossären Dysfunktionen innerhalb der Squama angewendet werden.
- Mobilisation der rückwärtigen Armlinien über den horizontalen Armgriff/Armstütz, Spirale

Cave

Thrust-Behandlungstechniken im Hinterhauptbereich können zur Kompression der Sutura occipitomastoidea führen.

5.3 Schnittbilder

▶ Abb. 5.11, ▶ Abb. 5.12

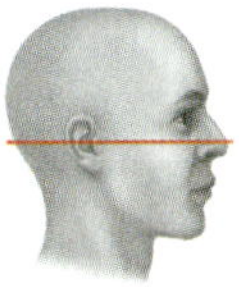

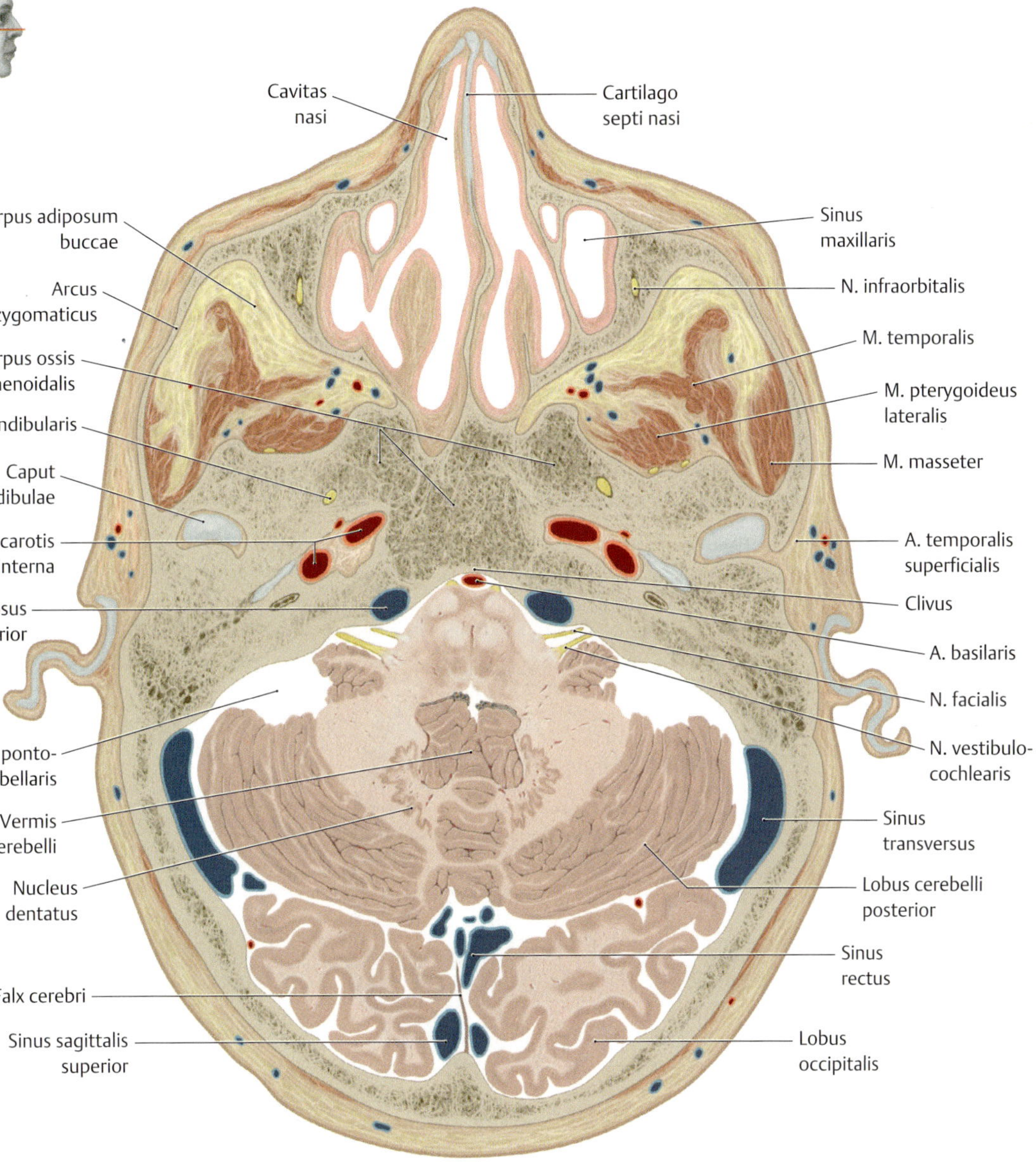

▸ **Abb. 5.12** Horizontalschnitt in Höhe der Nasenspitze (Concha nasalis media). Deutlich anders stellt sich die Formation der Kaumuskulatur dar. Der Anschnitt des Kiefergelenks zeigt den Gelenkkopf des Os mandibulare, der Übergang von Os occipitale und Os temporale zeigt sich in der unterschiedlichen Knochenstruktur von Kortikalis und Spongiosa. (Quelle: Schünke M, Schulte E, Schumacher U. Prometheus. LernAtlas der Anatomie. Kopf, Hals und Neuroanatomie. Illustrationen von M. Voll und K. Wesker. 6. Aufl. Stuttgart: Thieme; 2022)

6 Kraniale Ansicht Kranium

6.1 Überblick

6.1.1 Kraniales Kranium

In der kranialen Perspektive auf das Kranium (▸ Abb. 6.1, ▸ Abb. 6.2, ▸ Abb. 1.2) fällt als Erstes nach Entfernung des Haupthaares die kräftige glatte Kopfhaut auf. Sie ist mit der sehnigen Kopfhaube (**Galea aponeurotica**) verbunden. Diese funktionelle Einheit wird auch als sogenannte **Kopfschwarte** bezeichnet.

Bei Erwachsenen kann die Dicke bis zu 5 mm betragen. Die **Arterien** liegen hier in bindegewebigen Strukturen und versorgen das umliegende Gewebe. Die Arterien in der Kopfhaut speisen sich u. a. aus A. temporalis superficialis, A. supraorbitalis und A. occipitalis. Es existieren auch Anastomosen zu A. meningea media. Die **venösen Gefäße** der Kopfhaut sind fest verankert. Sie sind mit den venösen Blutleitern über die Vv. emissariae (▸ Abb. 6.5) verbunden (Kap. 7.1.4).

Die Konstruktion der Kopfschwarte hat den Vorteil, dass bei **Verletzungen**, wenn die Galea aponeurotica nicht durchtrennt ist, klaffende Hautwunden vermieden werden können. Die starke Durchblutung und die feste und straffe Gewebegestaltung führen allerdings dazu, dass bei stumpfen Traumata das Blut sich nicht gut im Gewebe verteilen kann, wie z. B. bei einem Hämatom am Oberschenkel. Es kommt daher im Kopfbereich zur Bildung von Beulen.

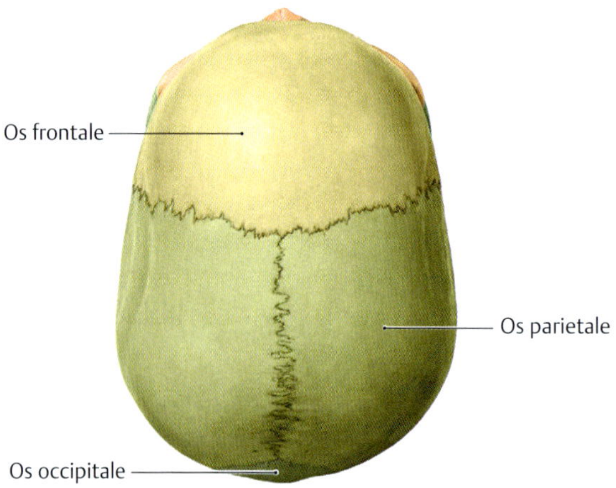

▸ **Abb. 6.1** Übersichtsbild Knochen des Schädeldachs von außen kranial (Norma verticalis). (Quelle: Schünke M, Schulte E, Schumacher U. Prometheus. LernAtlas der Anatomie. Kopf, Hals und Neuroanatomie. Illustrationen von M. Voll und K. Wesker. 6. Aufl. Stuttgart: Thieme; 2022)

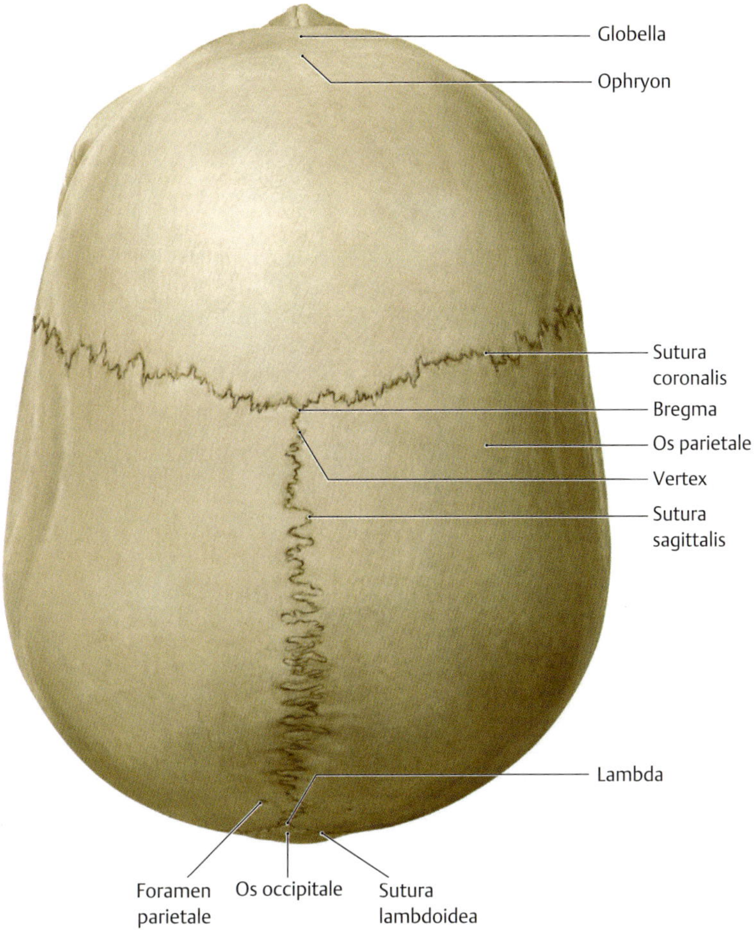

▶ **Abb. 6.2** Übersichtsbild Schädeldach von außen kranial mit Suturen und kraniometrischen Punkten. (Quelle: Schünke M, Schulte E, Schumacher U. Prometheus. LernAtlas der Anatomie. Kopf, Hals und Neuroanatomie. Illustrationen von M. Voll und K. Wesker. 6. Aufl. Stuttgart: Thieme; 2022)

6.1.2 Regionen

▶ Abb. 6.3, ▶ Abb. 6.4

- Regio frontalis (kranialer Anteil)
- Regio parietalis (kranialer Anteil)
- Regio occipitalis (kranialer Anteil)

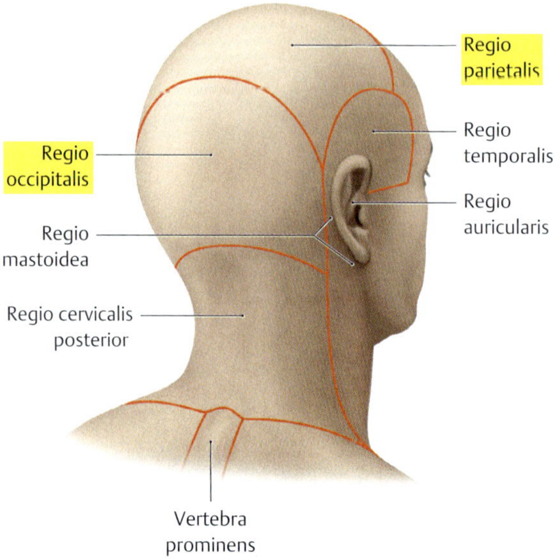

▶ **Abb. 6.3** Ansicht der kranialen Regionen von ventrolateral. (Quelle: Schünke M, Schulte E, Schumacher U. Prometheus. LernAtlas der Anatomie. Kopf, Hals und Neuroanatomie. Illustrationen von M. Voll und K. Wesker. 6. Aufl. Stuttgart: Thieme; 2022)

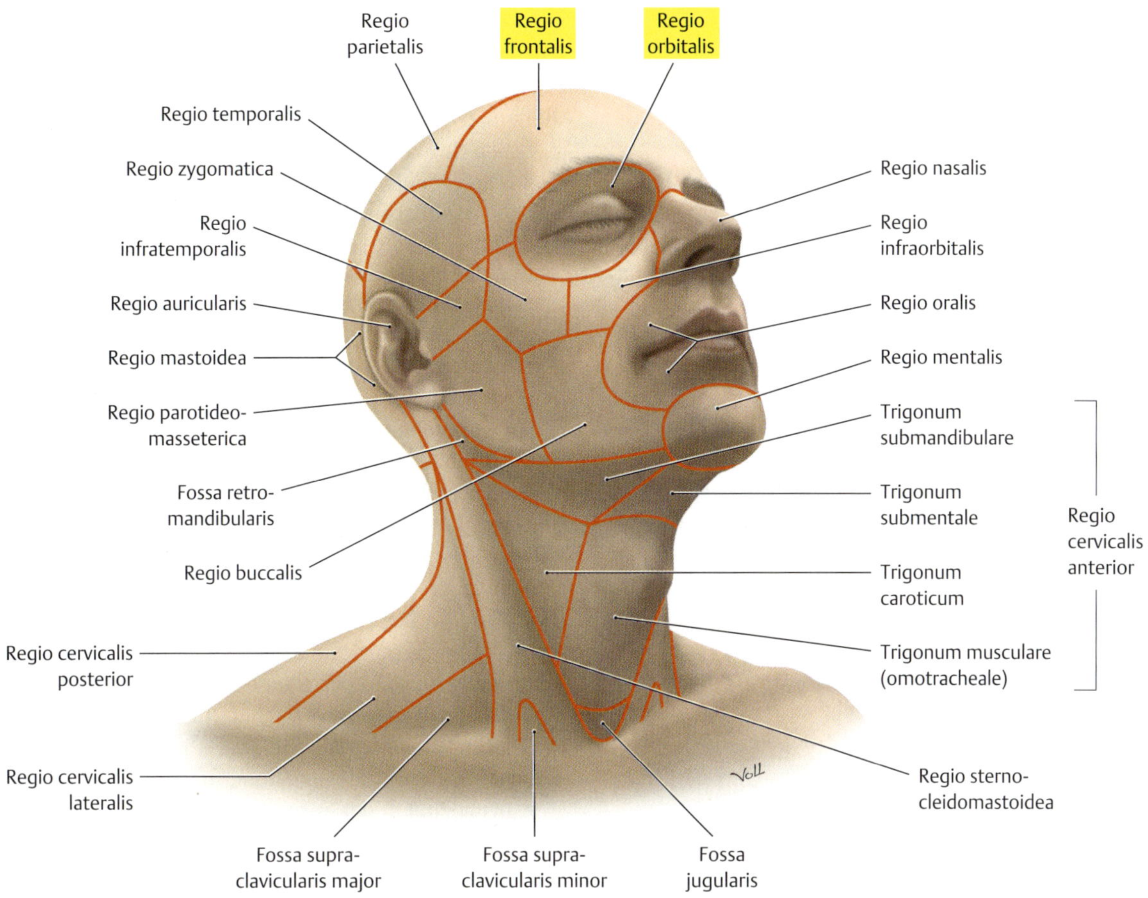

▸ **Abb. 6.4** Ansicht der kranialen Regionen von dorsolateral. (Quelle: Schünke M, Schulte E, Schumacher U. Prometheus. LernAtlas der Anatomie. Kopf, Hals und Neuroanatomie. Illustrationen von M. Voll und K. Wesker. 6. Aufl. Stuttgart: Thieme; 2022)

6.2

Oberflächliche Schicht

6.2.1 Galea aponeurotica

Die Galea aponeurotica ist eine sehr **dichtstrukturierte oberflächliche Faszie** des Kopfes (▶ **Abb. 6.5**). Mit der Kopfhaut ist sie über bandartige Strukturen verbunden. Sie geht am Hals in die **Fascia cervicalis superficialis** über, die dort mit dem **Platysma** korrespondiert. Im kranialen Anteil des Os frontale geht sie in die **SMAS** über.

Stecco [113] beschreibt die Galea aponeurotica als eine Art Sehne, die zentral die oberflächlichen Kopfmuskeln anterior, posterior und lateral, also nach allen Seiten, miteinander verbindet (**M. frontalis, M. occipitalis, M. auricularis superior**).

Die gut durchblutete Galea aponeurotica ist von der tiefen Kopffaszie durch lockeres Bindegewebe getrennt und kann sich gleitend zu den tieferen Faszien bewegen.

Myofasziale Wirkungsketten

Auf die Galea aponeurotica wirken verschiedenste myofasziale Wirkungsketten ein; siehe auch Faszienhülle, mimische Muskulatur (S. 114), Os frontale (S. 74), Laterallinie (S. 130).

Osteopathische Korrespondenzen

Funktionelle Verbindung mit systemischem Bezug

Die Galea aponeurotica ist die korrespondierende Einheit, die die Muskeln in der Nähe der Augenhöhle (M. orbicularis, Venter frontalis des M. occipitofrontalis), Muskeln mit Bezug zum Ohr (M. auricularis) und mit dem Hinterhaupt (Venter occipitalis des M. occipitofrontalis) miteinander verbindet.

Durch ihre gleitende Eigenschaft kann sie auf Muskelzüge aus der Peripherie reagieren. Das bedeutet auch, dass periphere Muskelzüge die Galea aponeurotica unter Spannung setzen können. Triggerpunkte können sich dann verstärkt schmerzhaft zeigen (▶ **Abb. 2.18**).

Je langanhaltender die nozizeptiven Reize aus den korrespondierenden Muskeln sich auf die Spannung der Galea aponeurotica auswirken, umso wahrscheinlicher ist es, dass über die Gamma-Motoneuronen eine erhöhte Schmerzsensibilität entsteht. Aus osteopathischer Sicht stellt sich die Frage, was die Ursache der erhöhten myofaszialen Spannung der korrespondierenden Muskeln ist.

Über die oberflächliche rückwärtige Wirkungskette (S. 74) können sich Spannungen aus der unteren Extremität bis in die Galea aponeurotica fortsetzen. Möglich sind z. B. Dysfunktionen des Kalkaneus oder eine dysfunktionale Fußstatik, die die rückwärtige Muskelkette unter Spannung setzt und als letzte Kompensation die ausgleichende Gleitbewegung der Galea aponeurotica hat. Das setzt aber die Galea aponeurotica unter erhöhte Zugspannung und kann eine Adaption in den anliegenden myofaszialen Strukturen bedeuten. So kann ein Spannungskopfschmerz auch aus einem dysfunktionalen Geschehen im Fuß erklärbar sein.

Propriozeption und oberflächliche Faszien im Hals- und Kopfbereich

Das Kontinuum von Galea aponeurotica und oberflächlicher Halsfaszie ist für die Propriozeption von funktioneller Bedeutung.

Ein verbindendes Element ist hierbei das Lig. nuchae. Es korrespondiert zwischen der subokzipitalen Muskulatur mit der oberflächlichen Halsfaszie und damit auch mit der Galea aponeurotica. Die Feinabstimmung zwischen Augen, Labyrinth und Kopfposition erfolgt u. a. mittels einer Vielzahl an Propriozeptoren in der tiefen Hals- und Nackenmuskulatur. Das Faszienkontinuum ist das Verbindungsnetz für dieses System. Eine fehlerhafte Körperhaltung, z. B. durch eine ausgeprägte Darmptose, kann über propriozeptive Fehlinformation auch zu einer fehlerhaften Kopfhaltung führen. Die Reflexsteuerung kann den posturalen Muskeltonus dadurch beeinträchtigen. Instabilität in der Körperhaltung und Gangunsicherheit können die Folge sein.

Behandlungsansatz können hier u. a. sowohl die Darmptose mit den korrespondierenden Strukturen, die untere Extremität und die kraniozervikalen Strukturen sein; tiefe Frontallinie (S. 88), Zentralsehne (Kap. 7.1.1).

Korrespondierende Strukturen

Auswahl an korrespondierenden Strukturen, die unter systemischen Aspekten therapeutisch von Bedeutung sein können:

- Os temporale
- Os frontale
- Os parietale
- Os occipitale
- Kiefergelenk
- alle myofaszialen Wirkungsketten, die an der Galea aponeurotica ansetzen
- OAA
- Körperstatik
- Propriozeption
- Faszien des Pharynx
- reziproke Spannungsmembranen
- Zentralsehne und alle Organe, die mit der Zentralsehne in Verbindung stehen

Behandlungshinweise

- Im Zusammenhang mit einer Ptose des Darmkonvoluts können u. a. neben den posturologischen Problemen auch Einschränkungen in der Zirkulation auftreten. Der Ausgleich aller Diaphragmen ist, neben dem faszialen abdominalen Release, hilfreich. Dysfunktionen in den Übergängen der Wirbelsäule (LSÜ, TLÜ, CTÜ, OAA) sollten geprüft und je nach Beschwerdebild mit einer MET oder HVLA-Technik gelöst werden [61], [71], [75], [111].
- Die Stimulation der longitudinalen Fluktuation unterstützt die ungehinderte Fluktuation des LCS. Über die Pussy-Foot-Technik kann die transversale Fluktuation harmonisiert werden und damit die parasympathische Komponente unterstützen.

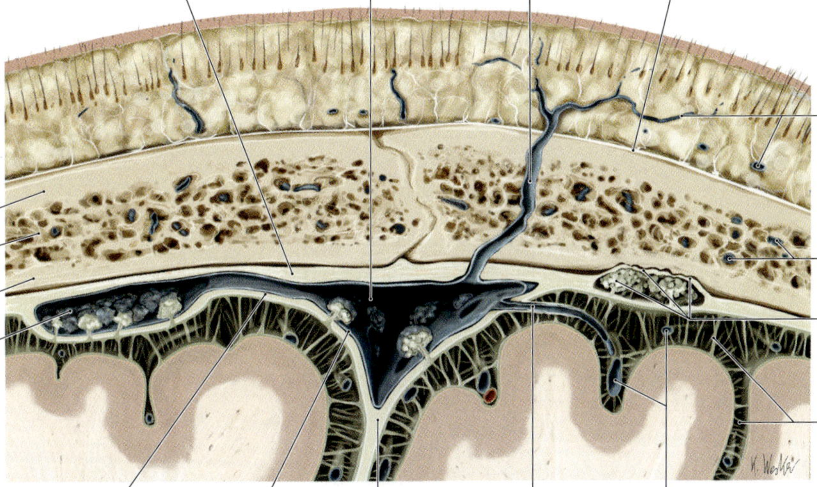

▶ **Abb. 6.5** Galea aponeurotica: Der Frontalschnitt zeigt zum einen die schwartenartige Galea aponeurotica, Kompakta und Spongiosa der Ossa parietalia mit der Sutura sagittalis. Zum anderen ist sichtbar, dass darunter die funktionelle Einheit zwischen Dura mater encephali mit dem periostalen und dem meningealen Blatt liegt. Gut sichtbar auch der Sinus sagittalis, der von beiden Blättern begrenzt wird. Die V. emissaria parietalis durchdringt durch ein Foramen die Schädelkalotte und verbindet den Sinus sagittalis mit den oberflächlichen Venen der V. temporalis (Vv. temporales superficiales). Die Pacchioni-Granulationen sind Ausstülpungen der Arachnoidea mater. Sie dringen in die Sinus vor und resorbieren den Liquor cerebrospinalis. Sie sind also am Liquorstoffwechsel beteiligt. (Quelle: Schünke M, Schulte E, Schumacher U. Prometheus. LernAtlas der Anatomie. Kopf, Hals und Neuroanatomie. Illustrationen von M. Voll und K. Wesker. 6. Aufl. Stuttgart: Thieme; 2022)

6.3
Knöcherne Anteile Kranium

6.3.1 Kalotte

Die Kalotte setzt sich aus Os frontale, Os occipitale und den paarigen Ossa parietalia und Ossa temporalia zusammen (▸ **Abb. 6.2**). Sie ist der kraniale knöcherne Schutz des Gehirns (Kap. 2.3.6, Kap. 3.3.1, Kap. 3.3.3, Kap. 5.2.1).

Die **Innenseite** der Kalotte kennzeichnet sich durch Vertiefungen, Ausbuchtungen, Knochenkämme (▸ **Abb. 6.6**). Die sagittale Furche (Sulcus sinus sagittalis superioris) ist durch den **Sinus sagittalis superior** geprägt. Die **Crista frontalis** ist der Vorsprung, an dem die **Falx cerebri** angeheftet ist. Dieses Relief von Erhabenheiten und Vertiefungen ist ein Hinweis auf die Vielzahl an Strukturen, die an ihr angeheftet sind oder durch ihre enganliegende Art die Knochenstruktur prägen. Die **Foveolae granulares** sind kleine Ausbuchtungen, die durch die **Arachnoidea mater** entstehen.

Kraniosakraler Kontext

Die Dura mater überträgt nach dem biomechanischen Modell der Inspirations- und Exspirationsphase die Bewegung auf das Schädeldach. Nach dem Modell zeigt sich die Kalotte wie in ▸ **Abb. 6.7** und ▸ **Abb. 6.8**.

6.3.2 Schädelbasis von kranial

Das Knochenmosaik der Schädelbasis zeigt sich von der kranialen Ansicht völlig anders gestaltet (▸ **Abb. 6.9**). Deutlich zu erkennen sind hier die **Schädelgruben** und ihre knöcherne Ausprägung. Beteiligte Knochen:

- **vordere Schädelgrube:** Os frontale, Os ethmoidale, Os sphenoidale
- **mittlere Schädelgrube:** Os sphenoidale, Os temporale
- **hintere Schädelgrube:** Os temporale, Os occipitale

Die Tiefe der Schädelgruben nimmt von frontal nach okzipital zu.

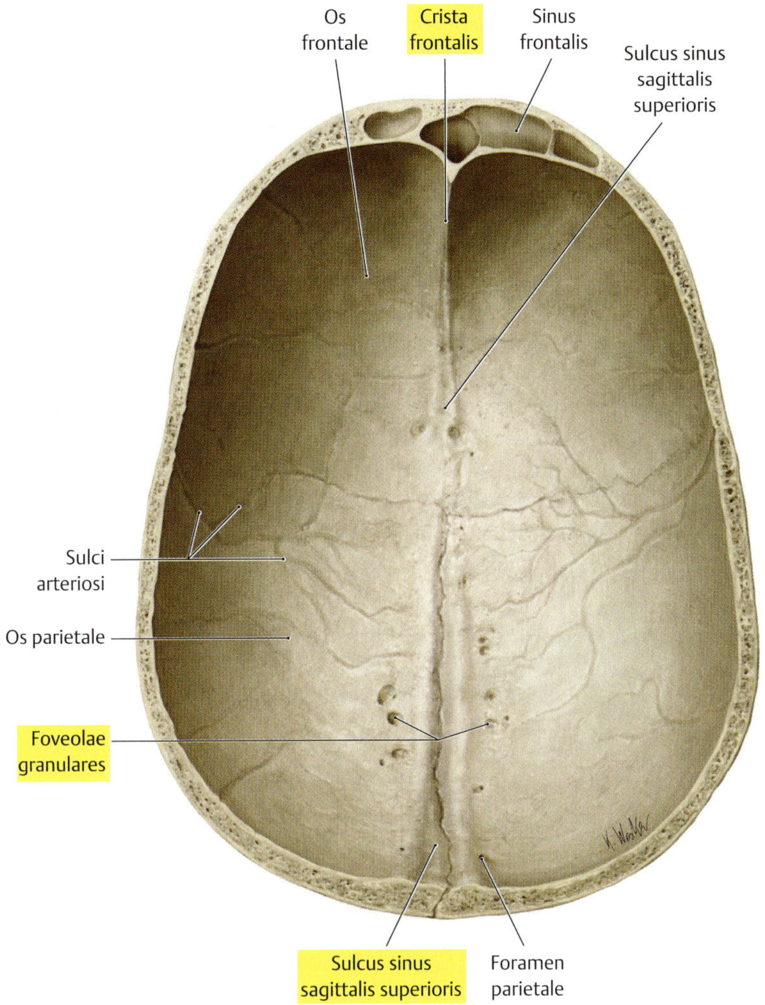

▸ **Abb. 6.6** Schädeldach von innen. (Quelle: Schünke M, Schulte E, Schumacher U. Prometheus. LernAtlas der Anatomie. Kopf, Hals und Neuroanatomie. Illustrationen von M. Voll und K. Wesker. 6. Aufl. Stuttgart: Thieme; 2022)

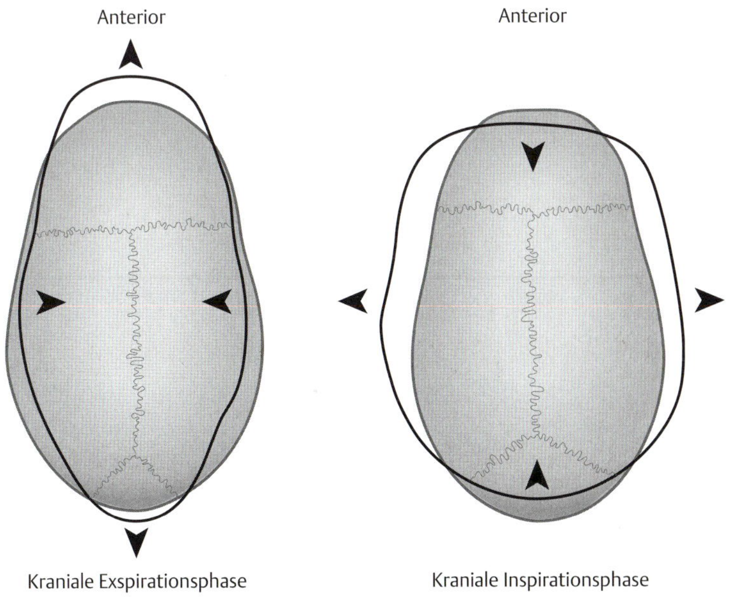

▸ **Abb. 6.7** Schädelbewegung in der Inspirations- und Exspirationsphase (von kranial). (Quelle: Liem T. Kraniosakrale Osteopathie. 7. Aufl. Stuttgart: Thieme; 2018)

6.3.3 Synchondrosis sphenobasilaris (SSB), Synostosis sphenooccipitalis (SSO)

Wie der Begriff Synchondrose aussagt, handelt es sich hier um eine knorpelhafte Verbindung, die sich zwischen dem Os sphenoidale und dem Os occipitale befindet. Sie ist wesentliches Element der **Schädelbasis** und für die Entwicklung des Kraniums und Viszerokraniums wichtig. Die Synchondrosis sphenobasilaris ist mit etwa dem 16.–18. Lebensjahr verknöchert. So wird aus einer Synchondrosis eine Synostosis (Synostosis sphenooccipitalis) [59].

Die Mobilität, die der Synchondrosis innewohnt, lässt vermuten, dass primäre **Dysfunktionen der SSB** intrauterin, perinatal und postnatal im Kindesalter entstehen können. Mögliche **Ursachen** können sein: traumatische Geschehen am Kranium (intrauterine Lage, Geburtstrauma, Schlag-, Sturztrauma) und/oder am Sakrum und Os coccygis, myofasziale und muskuloskelettale Einflüsse, Dysfunktionen der Suturen, dysfunktionale Spannungen der Dura mater, muskulärer Hypertonus, insbesondere der tiefen und oberflächlichen Nackenmuskulatur, Okklusionsstörungen, viszerale Dysfunktionen, die sich über die myofaszialen Verbindungen bis ins Kranium übertragen, entwicklungsphysiologische Störungen, z. B. im Bereich der Bewegungskoordination, Schluck- und Saugstörungen, CMD, visuelle Dysfunktionen.

All diese Faktoren können aufgrund von rhythmischer Dynamik des Liquor cerebrospinalis (PRM) und Viskoelastizität der einzelnen Bestandteile das Kranium in seiner **Funktionalität** beeinflussen. Für den Lebenszeitraum bis zur Verknöcherung der SSB scheinen die unten aufgeführten SSB-Dysfunktionen und ihre adaptierten Bewegungen passend zu sein.

Es existieren zahlreiche **osteopathische Modelle**, die versuchen, das kraniale Puzzle und seine Funktionalität zu erklären. Sie sind hilfreich für das grundlegende Verständnis des dynamischen Systems. Wie jedes Modell führt die Reduzierung darauf aber auch zu Defiziten und lässt sich nicht auf alle Lebenslagen übertragen. Die Ansätze für wissenschaftliche Untersuchungen, um genau das System näher zu klären, sind zahlreich. In Ermangelung wissenschaftlicher Ergebnisse wird hier auf das biomechanische und dynamische Modell der SSB-Dysfunktionen nach Sutherland [37] zurückgegriffen. Von der Bedeutung der SSB als primäre Dysfunktion im Erwachsenalter wird hier abgesehen. Interessant ist der entwicklungsdynamische Aspekt der SSB und die spätere Adaption des übrigen Kraniums (Kap. 2.2.1), insbesondere des Viszerokraniums, sowie die nach der Verknöcherung mögliche intraossäre Elastizität der SSB.

Es werden hier nun die Dysfunktionen aufgezeigt und mit anatomischen Abbildungen verdeutlicht. Dysfunktionen mit Wirkung auf andere Strukturen werden in den einzelnen Kapiteln der jeweiligen Anteile des Kraniums näher behandelt (Kap. 2.4.2, Kap. 5.2.1, Kap. 7.1.1, Kap. 7.1.2).

Praxistipp

Dysfunktionen

Ein Großteil der Dysfunktionen lässt sich aus der kranialen Perspektive gut erkennen. Zur besseren Übersicht sind auch die SSB-Dysfunktionen aufgeführt, die aus der Ansicht lateral besser zu erkennen sind.

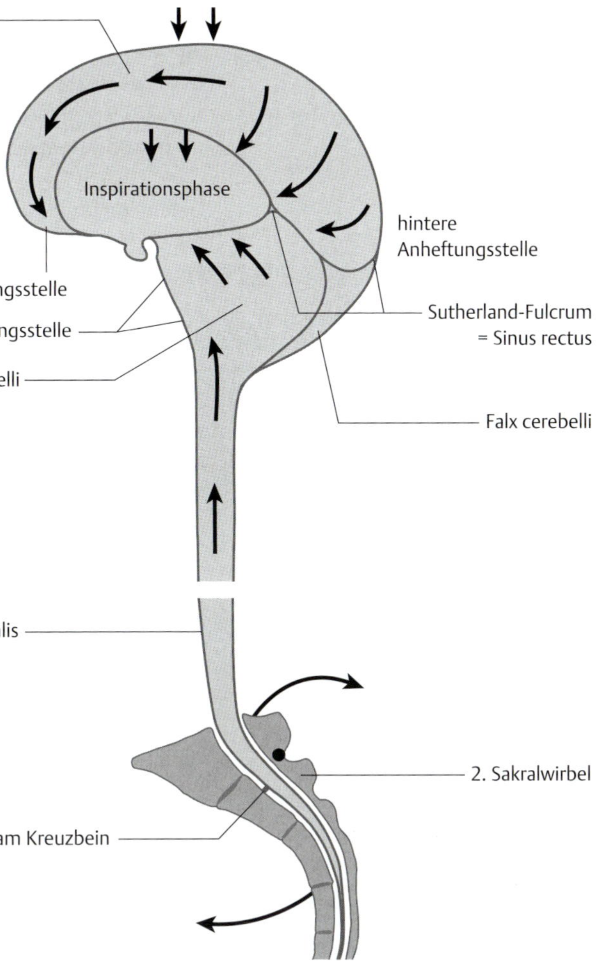

▸ **Abb. 6.8** Spannungsänderung der Duralmembran in der Inspirationsphase. (Quelle: Liem T. Kraniosakrale Osteopathie. 7. Aufl. Stuttgart: Thieme; 2018)

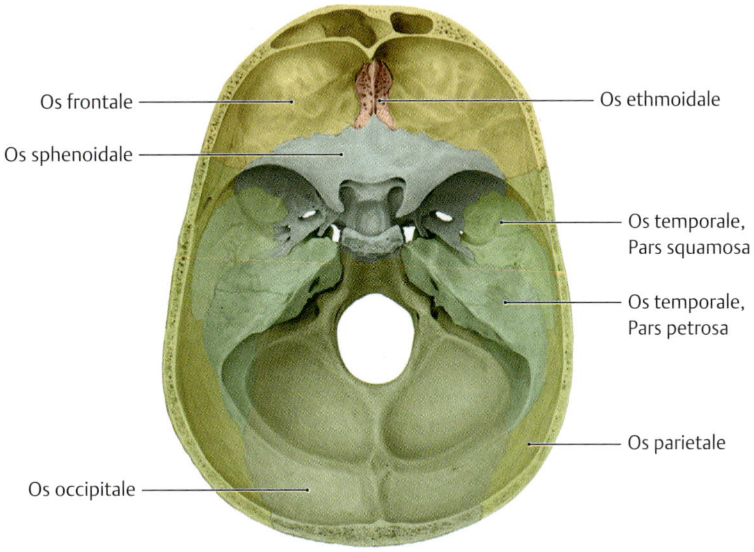

▸ **Abb. 6.9** Knochen an der Schädelbasis von innen. (Quelle: Schünke M, Schulte E, Schumacher U. Prometheus. LernAtlas der Anatomie. Kopf, Hals und Neuroanatomie. Illustrationen von M. Voll und K. Wesker. 6. Aufl. Stuttgart: Thieme; 2022)

Dysfunktionen der SSB

Siehe auch Blickdiagnose SSB-Dysfunktionen, laterale Ansicht (S. 122) und ventrale Ansicht (S. 27).

Hinweis: Quellenangaben für die folgenden Inhalte: [15], [58], [59]

Normalbefund

- Inspirationsphase des PRM:
  - Bewegung des Os sphenoidale: Die Alae majores bewegen sich nach lateral, anterior und kaudal.
  - Bewegung des Os occipitale: Der kaudale Anteil der Squama bewegt sich kaudal-anterior.
- Exspirationsphase des PRM:
  - Bewegung des Os sphenoidale: Die Alae majores bewegen sich nach medial, posterior und kranial.
  - Bewegung des Os occipitale: Die Squama bewegt sich nach kranial-posterior.

Flexionsdysfunktion (▶ Abb. 6.10): Beide Alae majores und die Squama des Os occipitale bewegen sich nach anterokaudal, aber die Bewegung in der kranialen Exspiration ist gestört (eingeschränkte oder keine Bewegung nach posterokranial).

Extensionsdysfunktion (▶ Abb. 6.11): Beide Alae majores und die Squama des Os occipitale sind nach posterokranial ausgerichtet, aber die Bewegung in der kranialen Inspiration ist gestört (eingeschränkte oder keine Bewegung nach anterokaudal).

Torsionsdysfunktion rechts (▶ Abb. 6.12, ▶ Abb. 6.13): Rechte Ala major geht nach kranial und der rechte Anteil der Squama des Os occipitale nach kaudal, die linke Ala major geht nach kaudal und der linke Anteil der Squama des Os occipitale nach kranial.

Torsionsdysfunktion links: Wie rechts mit entgegengesetzter Bewegungsrichtung der benannten Strukturen.

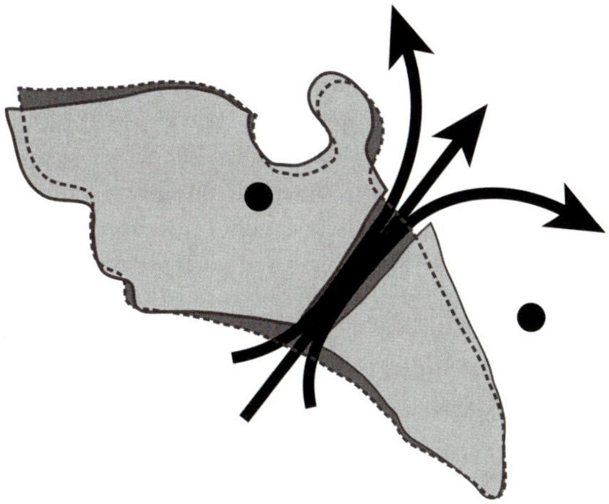

▸ **Abb. 6.10** Flexion der SSB. (Quelle: Liem T. Kraniosakrale Osteopathie. 7. Aufl. Stuttgart: Thieme; 2018)

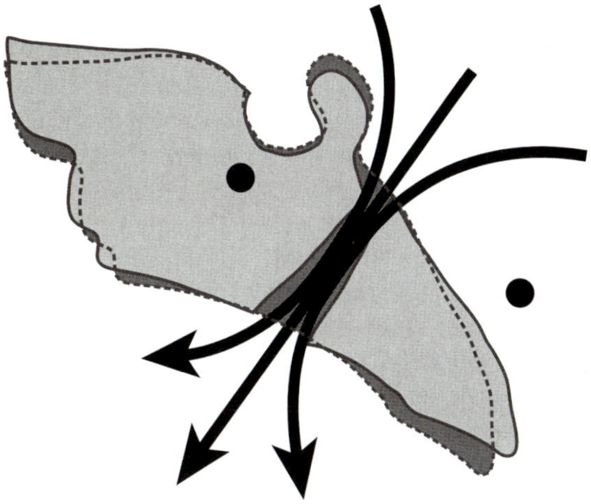

▸ **Abb. 6.11** Extension der SSB. (Quelle: Liem T. Kraniosakrale Osteopathie. 7. Aufl. Stuttgart: Thieme; 2018)

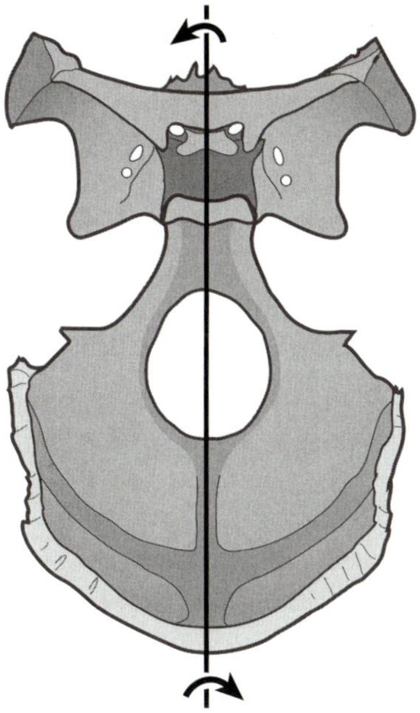

▸ **Abb. 6.12** Torsion rechts der SSB. (Quelle: Liem T. Kraniosakrale Osteopathie. 7. Aufl. Stuttgart: Thieme; 2018)

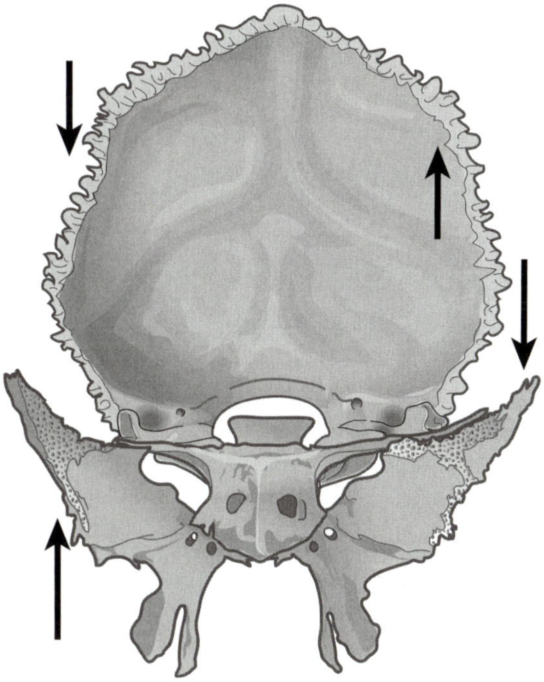

▸ **Abb. 6.13** Mögliche Krafteinwirkung bei einer Torsion rechts. (Quelle: Liem T. Kraniosakrale Osteopathie. 7. Aufl. Stuttgart: Thieme; 2018)

Seitneigerotation rechts (SBR; ▶ Abb. 6.14, ▶ Abb. 6.15, ▶ Abb. 6.16): Linke Ala major und linker Anteil der Squama des Os occipitale stehen kranial angenähert; rechte Ala major und rechter Anteil der Squama des Os occipitale stehen kaudal und weiter voneinander entfernt.

Seitneigerotation links (SBR): Wie links mit entgegengesetzter Bewegungsrichtung der benannten Strukturen.

Superior Vertical Strain up (▶ Abb. 6.17): Beide Alae majores stehen anterokaudal und die Squama ossis occipitalis nach posterokranial. Diese Situation ist identisch mit einer Flexionsbewegung des Os sphenoidale und einer Extensionsbewegung des Os occipitale.

Inferior Vertical Strain down (▶ Abb. 6.18, ▶ Abb. 6.19): Wie Vertical Strain up mit entgegengesetzter Bewegungsrichtung der benannten Strukturen.

Lateral Strain rechts (▶ Abb. 6.20, ▶ Abb. 6.21, ▶ Abb. 6.22): Die rechte Ala major und die rechte Seite der Squama des Os occipitale stehen anterior; die linke Ala major und der linke Anteil der Squama des Os occipitale stehen posterior.

Lateral Strain links: Wie rechts mit entgegengesetzter Bewegungsrichtung der benannten Strukturen.

Kompression (▶ Abb. 6.23): Beide Alae majores stehen posterior, es ist keine Bewegung im Kranium feststellbar.

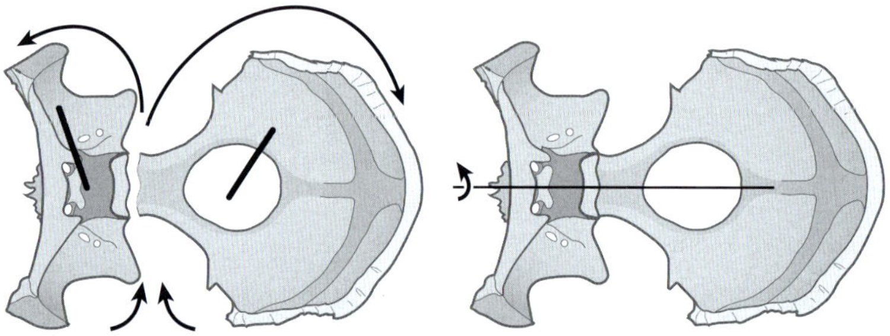

▶ **Abb. 6.14** Seitneigerotation rechts. (Quelle: Liem T. Kraniosakrale Osteopathie. 7. Aufl. Stuttgart: Thieme; 2018)

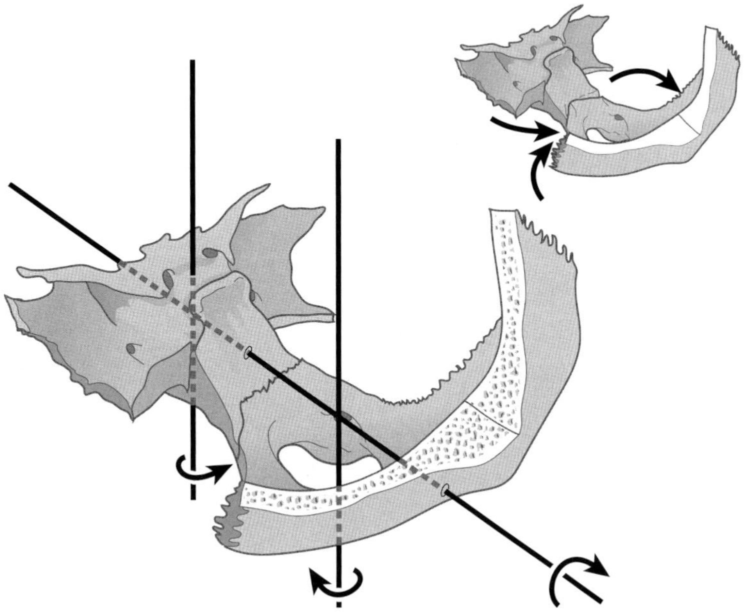

▶ **Abb. 6.15** Seitneigerotation rechts. (Quelle: Liem T. Kraniosakrale Osteopathie. 7. Aufl. Stuttgart: Thieme; 2018)

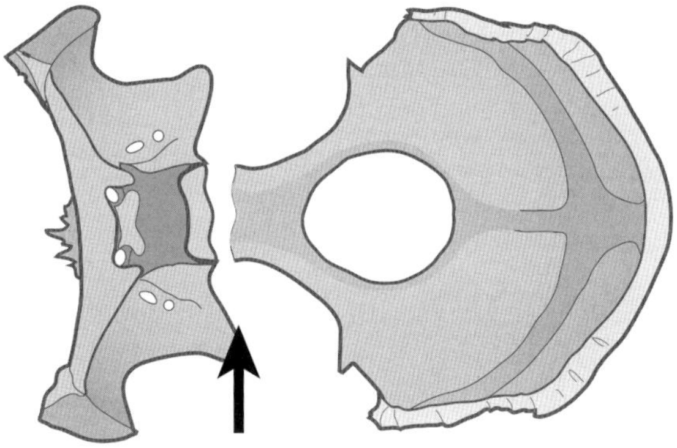

▶ **Abb. 6.16** Mögliche Krafteinwirkung bei einer Seitneigerotation rechts. (Quelle: Liem T. Kraniosakrale Osteopathie. 7. Aufl. Stuttgart: Thieme; 2018)

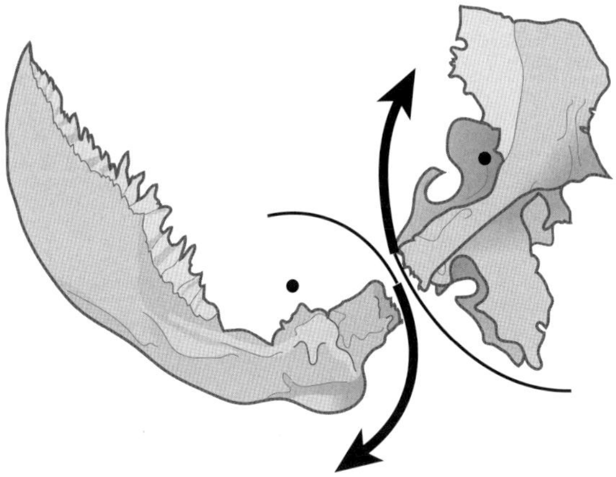

▶ **Abb. 6.17** Superior Vertical Strain up. (Quelle: Liem T. Kraniosakrale Osteopathie. 7. Aufl. Stuttgart: Thieme; 2018)

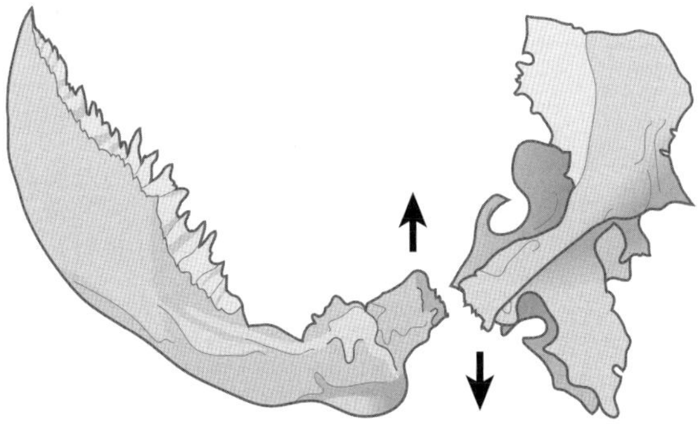

▶ **Abb. 6.18** Inferior Vertical Strain down. (Quelle: Liem T. Kraniosakrale Osteopathie. 7. Aufl. Stuttgart: Thieme; 2018)

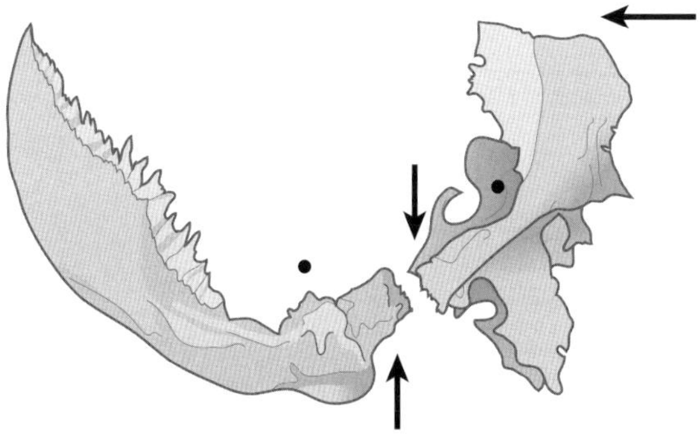

▶ **Abb. 6.19** Mögliche Krafteinwirkung bei einem Inferior Vertical Strain. (Quelle: Liem T. Kraniosakrale Osteopathie. 7. Aufl. Stuttgart: Thieme; 2018)

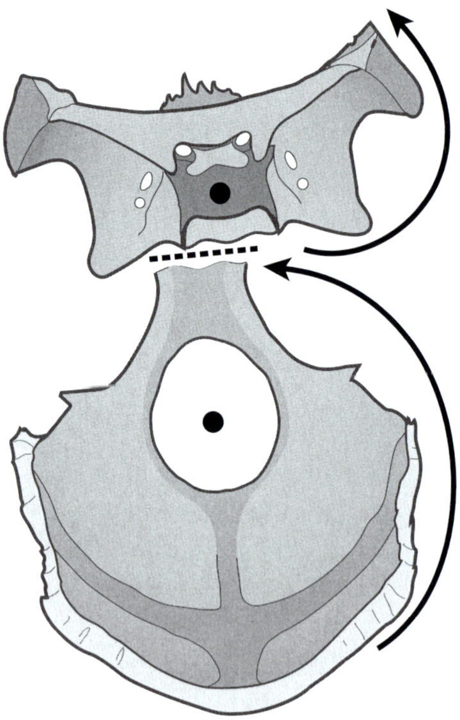

▸ **Abb. 6.20** Lateral Strain rechts. (Quelle: Liem T. Kraniosakrale Osteopathie. 7. Aufl. Stuttgart: Thieme; 2018)

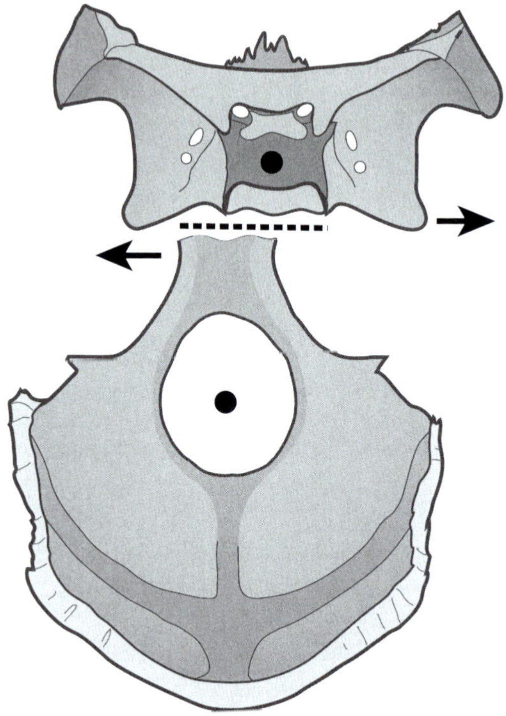

▸ **Abb. 6.21** Lateral Strain rechts. (Quelle: Liem T. Kraniosakrale Osteopathie. 7. Aufl. Stuttgart: Thieme; 2018)

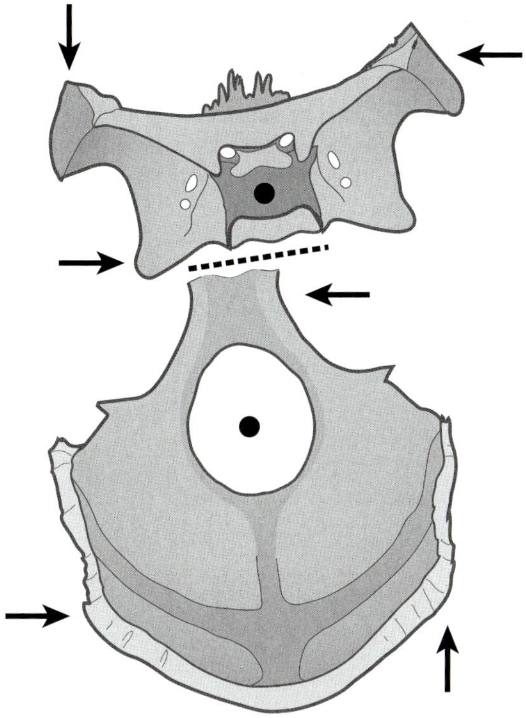

▶ **Abb. 6.22** Mögliche Krafteinwirkung bei einem Lateral Strain rechts. (Quelle: Liem T. Kraniosakrale Osteopathie. 7. Aufl. Stuttgart: Thieme; 2018)

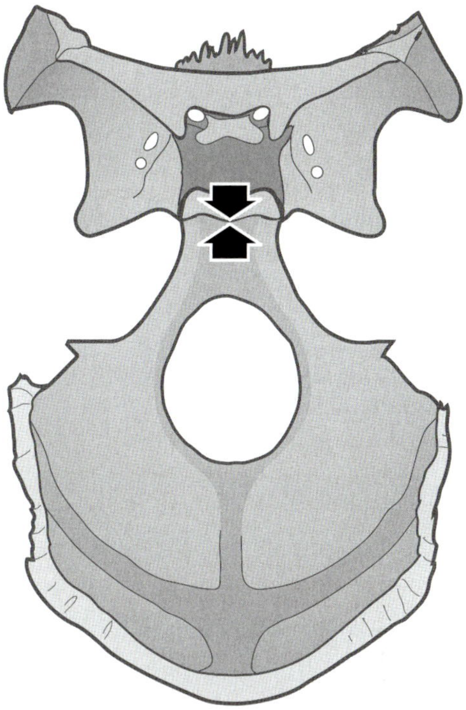

▶ **Abb. 6.23** Kompression der SSB. (Quelle: Liem T. Kraniosakrale Osteopathie. 7. Aufl. Stuttgart: Thieme; 2018)

6.3.4 Leitungsbahnen und Durchtrittsöffnungen

Durchtrittsöffnungen und ihre beteiligten Knochen (▶ Abb. 6.24):

- Foramen ethmoidale anterius → zwischen Os frontale und dem Os ethmoidale
- Lamina cribrosa (Os ethmoidale)
- Canalis opticus (Os sphenoidale, Ala minor)
- Fissura orbitalis superior → zwischen großem und kleinem Flügel des Os sphenoidale
- Hiatus canalis n. petrosi minoris → Vorderfläche Felsenbeinpyramide
- Hiatus canalis n. petrosi majoris → Vorderfläche Felsenbeinpyramide
- Porus acusticus internus → mediale Fläche der Pars petrosa ossis temporalis
- Meatus acusticus internus → in der Pars petrosa ossis temporalis
- Foramen rotundum (Os sphenoidale)
- Foramen ovale (Os sphenoidale)
- Canalis caroticus (Os sphenoidale, Pars petrosa)
- Foramen lacerum → unregelmäßig geformt → zwischen Pars petrosa des Os temporale und Ala major des Os sphenoidale
- Foramen spinosum (Os sphenoidale, Ala major)
- Fissura sphenopetrosa, lateraler Ausläufer des Foramen lacerum
- Foramen jugulare → zwischen Pars petrosa (Os temporale) und Pars lateralis (Os occipitale)
- Foramen magnum (Os occipitale)
- Canalis nervi hypoglossi (Os occipitale)
- Canalis condylaris (Os occipitale)
- Foramen mastoideum (Os temporale)

Öffnungen zwischen Basis cranii interna und anderen Räumen:

Fossa cranii anterior

Foramen ethmoidale anterius
- N., A. u. V. ethmoidalis anterior

→ Orbita

Lamina cribrosa
- Fila olfactoria (I)
- N., A. u. V. ethmoidalis anterior

→ Cavitas nasi

Fossa cranii media

Canalis opticus
- N. opticus (II)
- A. ophthalmica

→ Orbita

Fissura orbitalis superior
- ① V. ophthalmica superior
- ② N. ophthalmicus (V_1)
  - 2a N. lacrimalis
  - 2b N. frontalis
  - 2c N. nasociliaris
- ③ N. abducens (VI)
- ④ N. oculomotorius (III)
- ⑤ N. trochlearis (IV)

→ Orbita

Hiatus canalis n. petrosi minoris
- N. petrosus minor (parasymp., aus IX)
- A. tympanica superior

→ Cavitas tympani

Hiatus canalis n. petrosi majoris
- N. petrosus major (parasymp., aus VII)
- A. u. V. stylomastoidea

→ Canalis nervi facialis

Fossa cranii posterior

Porus u. Meatus acusticus internus
- A. u. Vv. labyrinthi
- ① N. facialis (mit N. intermedius) (VII)
- ② N. vestibulocochlearis (VIII)

→ Canalis nervi facialis, Auris interna

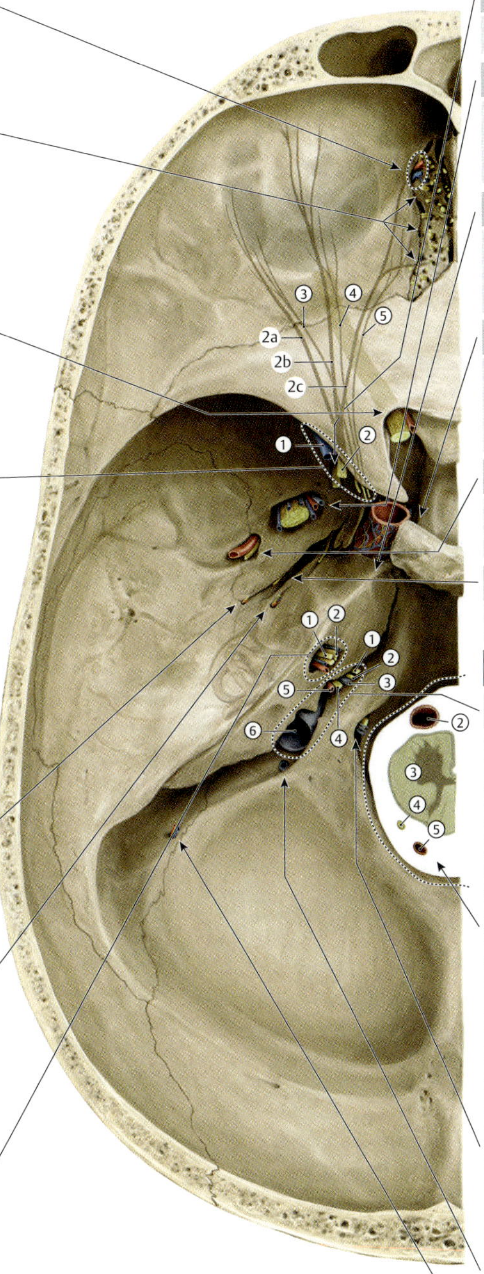

Öffnungen zwischen Basis cranii interna und externa:

Fossa cranii media

Foramen rotundum
- N. maxillaris (V_2)

Foramen ovale
- N. mandibularis (V_3)
- A. pterygomeningea
- Plexus venosus foraminis ovalis

Canalis caroticus
- A. carotis interna
- Plexus caroticus internus (symp.)
- Plexus venosus caroticus internus

Foramen lacerum

(durch A. carotis interna verdeckt)
- N. petrosus profundus (symp.)
- N. petrosus major (parasymp., aus VII)

Foramen spinosum
- A. meningea media
- R. meningeus n.mandibularis (V_3)

Fissura sphenopetrosa
- N. petrosus minor (parasymp., aus IX)

Fossa cranii posterior

Foramen jugulare
- ① N. glossopharyngeus (IX)
- ② N. vagus (X)
- ③ Sinus petrosus inferior
- ④ N. accessorius (XI)
- ⑤ A. meningea posterior
- ⑥ V. jugularis interna

Foramen magnum
- ① A. spinalis anterior
- ② Aa. vertebrales
- ③ Medulla spinalis
- ④ Radix spinalis n. accessorii (XI)
- ⑤ Aa. spinales posteriores
- ⑥ V. spinalis

Canalis nervi hypoglossi
- N. hypoglossus (XII)
- Plexus venosus canalis n. hypoglossi

Canalis condylaris
- V. emissaria condylaris (inkonstant)

Foramen mastoideum
- V. emissaria mastoidea
- R. mastoideus der A.occipitalis

▸ **Abb. 6.24** Durchtrittsstellen von Nerven und Gefäßen durch die Schädelbasis. (Quelle: Schünke M, Schulte E, Schumacher U. Prometheus. LernAtlas der Anatomie. Kopf, Hals und Neuroanatomie. Illustrationen von M. Voll und K. Wesker. 6. Aufl. Stuttgart: Thieme; 2022)

7 Membran- und Gefäßsystem

7.1 Überblick

7.1.1 Membransystem des Schädels

Das Membransystem des Schädels (**Meningen**) ist Teil der stabilisierenden Binnenarchitektur des Schädels. Die bindegewebigen Hirnhäute umhüllen das Gehirn (intrakranielles Membransystem) und das Rückenmark (extrakranielles Membransystem). Sie bieten Schutz für das Nervengewebe und bieten Platz für Blutgefäße (▶ Abb. 7.1, ▶ Abb. 7.2).

Das Durasystem besteht aus horizontalen und vertikalen Anteilen. Aus **3 Schichten** setzen sich die Meningen zusammen:

- **Dura mater cranalis**: Straffes in zwei Schichten verlaufendes Bindegewebe, kleidet Schädelinnenseite aus und ist mit äußerer Schicht das Schädelknochenperiost. Folgende arterielle Gefäße verlaufen in der äußeren Schicht: A. meningea media (A. maxillaris), A. meningea posterior (A. carotis externa), A. ethmoidalis anterior (R. meningeus anterior). Zwischen den beiden Schichten verlaufen die venösen Blutleiter (Kap. 7.1.4).
- **Arachnoidea mater cranialis**: Dünne Bindegewebsmembran (Spinnwebenhaut), liegt der Dura mater eng an. Bildet in der Nähe der Sinus durae matris Ausstülpungen (Granulationes arachnoideae) und ist eine Abflussmöglichkeit für den Liquor cerebrospinalis über aneinandergeheftete Epithelzellen (Tight junction).
- **Pia mater**: Liegt der Gehirnoberfläche direkt an, enthält Blutgefäße, die in das Hirninnere dringen. Sie dient den in den Hirnventrikeln liegenden Plexus choroidei (örtliche Auffaltung der Ventrikelwände) als Basis für die Gefäßführung (Kap. 7.1.2). Sensible Versorgung von Dura mater und Pia mater erfolgt u. a. durch N. opthalmicus, N. trigeminus, N. vagus (Kap. 8.2).

Über das Lig. craniale durae matris ist die Dura am dorsalen Bereich des Os occipitale (Squama) und an den posterioren Bögen von Atlas und Axis befestigt. Die ligamentäre Verbindung zeigt longitudinale und lateral verlaufende Züge. Im Sakrumkanal ist der Duraschlauch mit dem Lig. terminale durae matris und Filium terminale durae matris fixiert. Sie halten die Längsspannung des Duraschlauchs aufrecht [55]. Denkbar ist, dass über die ausgeprägte ligamentäre Sicherung der Dura im Bereich der OAA und die Nähe zur subokzipitalen Muskulatur der Tonus der Spannungsmembranen über den kontinuierlichen Kraftzug der subokzipitalen Nackenmuskulatur und des M. sternocleidomastoideus beeinflusst sein kann.

Entwicklung Dura mater

Die Schichten des Durasystems haben ihren Ursprung in der embryonalen Entwicklung. Ca. in der 4. Woche i. u. bildet sich um das entstehende Gehirn eine verdichtete Membran (Mesenchym). Sie besteht aus zwei Schichten. Außen ist es die Ektomeninx, Ursprung ist die Neuralleiste und das Mesoderm, innen ist es die Endomeninx, Ursprung ist nur die Neuralleiste.
Die Dura mater entwickelt sich aus der Ektomeninx, Pia mater und Arachnoidea aus der Endomeninx.
Das die Hirnanlage umgebende embryonale Bindegewebe adaptiert die kinematischen Wachstumskräfte und bildet strangartige Gewebeverdichtungen für die Gefäßentwicklung. Sie zeigen sich als gurtartige Verstärkungen der Dura.
Die Entwicklung von Dura, Gehirn und Schädel steht im engen funktionellen Verhältnis zueinander. Durch die wachstumsbedingte Größenzunahme des Gehirns wölbt sich das Gehirn zwischen den straffen Durazügen vor. Blechschmidt [8] beschreibt die Dura als eine Art festen Rahmen für das Klein- und Großhirn. Manche Durazüge sind paarig angelegt, z. B. die Falx cerebri. Das Tentorium cerebelli ist unpaarig. (Kap. 1.2.1)

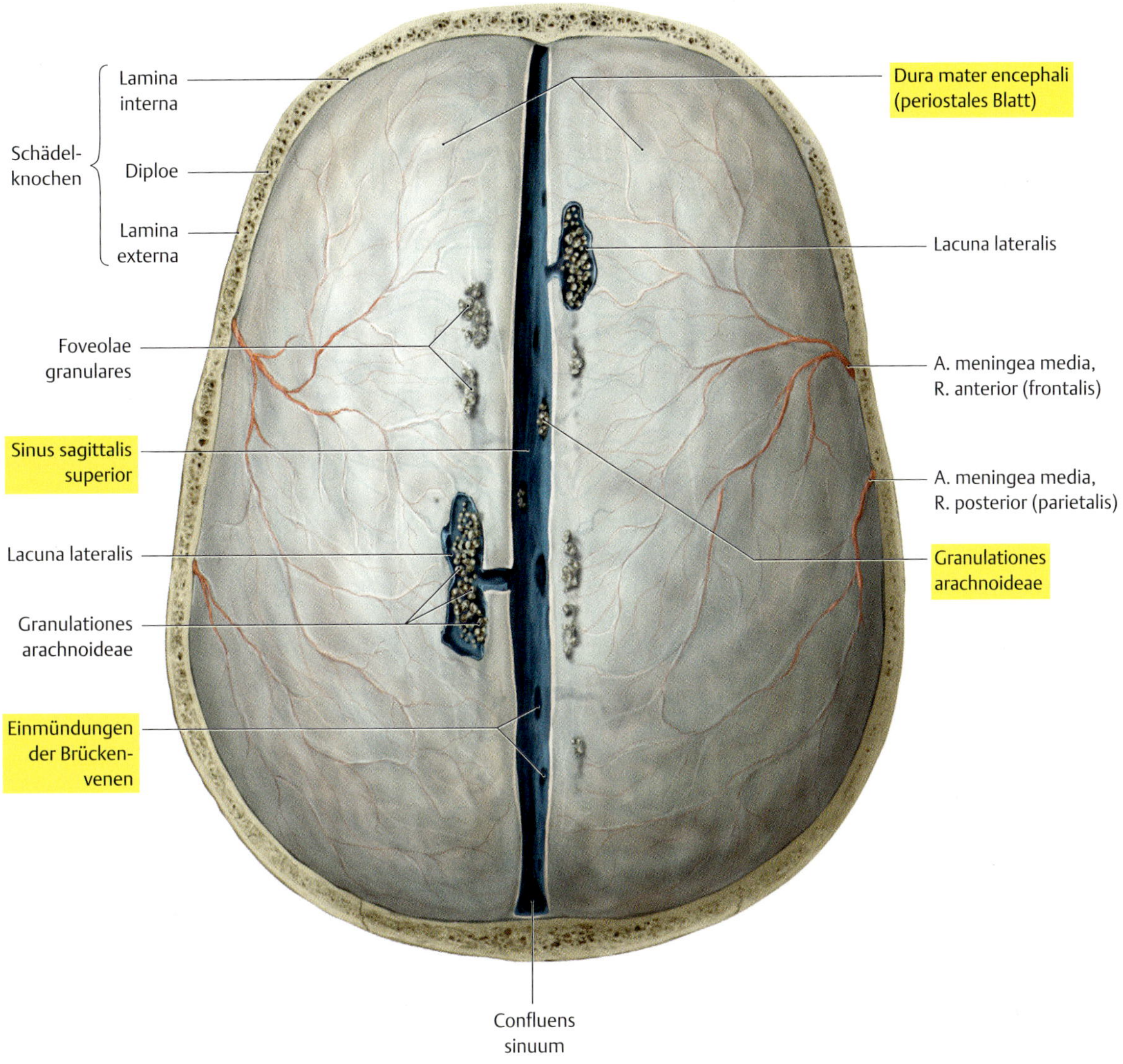

▶ **Abb. 7.1** Übersicht Hirnhäute von kranial inklusive der integrierten Gefäßstrukturen. Granulationes arachnoideae sind Ausstülpungen der Archanoidea mater. Sie durchdringen die Dura mater encephali, ragen in den venösen Blutleiter (hier Sinus sagittalis) und sind Abflussweg des Liquor cerebrospinalis. Die Abflussrate ist abhängig vom Liquordruck. Der Abfluss erfolgt über Tight junctions, die kleine Moleküle, aber keine Fremdkörper oder Proteine passieren lassen. In Fett gelöste Substanzen (lipophil) passieren die Liquor-Blut-Schranke leichter. (Quelle: Schünke M, Schulte E, Schumacher U. Prometheus. LernAtlas der Anatomie. Kopf, Hals und Neuroanatomie. Illustrationen von M. Voll und K. Wesker. 6. Aufl. Stuttgart: Thieme; 2022)

Membranduplikaturen, Durasepten, Ligamente und Räume

- ▶ Abb. 7.2, ▶ Abb. 7.3
- **Falx cerebri:** Hat eine sichelförmige Struktur, die vom Os ethmoidale (Crista galli) bis zum Os occipitale (Crista occipitalis interna) reicht.
- **Falx cerebelli:** Fortsetzung von Falx cerebri innerhalb des Os occipitale, reicht von der Protuberantia occipitalis interna bis zum Rand Foramen magnum.
- **Tentorium cerebelli:** Trennt mittlere Schädelgrube von der hinteren, spannt sich zwischen der Protuberantia occipitalis interna und beidseits des Sulcus sinus transversi (laterale Aufhängung) auf, ist auch befestigt an der oberen Felsenbeinkante (Margo superior partis petrosae) und zieht dann medial zum Dorsum sellae. Von da aus zieht es zum Proc. clinoideus posterior und weiter zum Proc. clinoideus anterior. Es umschließt den Sinus transversus und Sinus petrosus superior.
- **Diaphragma sellae**: Überspannt vom vorderen bis hinteren Proc. clinoidei die Fossa hypophysialis (Sella turcica) und damit auch die Hypophyse, mittig befindet sich der Durchtritt für den Hypophysenstiel. An den Proc. clinoidei korrespondiert das Diaphragma sellae mit den Ansätzen des Tentorium cerebelli.
- **Tentoriumschlitz** (Incisura tentorii): Liegt zwischen den Tentoriumschenkeln und dient u. a. Hirnstamm, A. cerebri posterior sowie N. trochlearis und N. oculomotorius als Durchtrittspforte.
- **Cavum trigeminale**: Umschließt Ganglion trigeminale (mittlere Schädelgrube, Vorderfläche Felsenbeinpyramide).
- **Sinus durae matris**: Befinden sich zwischen den beiden Duraschichten, sie sind mit Endothel ausgekleidet. Hier fließt venöses Blut ab. Dieses System kann jedoch kein Volumen speichern (eine Sonderform im venösen System; Kap. 7.1.4).
- **Subarachnoidalraum**: Befindet sich zwischen Arachnoidea mater und Pia mater. Enthält neben den oberflächlichen Blutgefäßen auch den Liquor cerebrospinalis (äußerer Liquorraum). Die Erweiterungen des Subarachnoidalraums sind Zisternen (▶ Abb. 7.11, ▶ Abb. 7.12).
- **Lig. craniale durae matris**: Ligamentäre Verbindung zwischen Dura, Squama occipitalis, Atlas, Axis.
- **Filium terminale und Lig. terminale durae matris**: Von der kaudalen Durasackspitze verläuft das Filium terminale kaudal, ist im Canalis sacralis dorsal auf S 2 angeheftet und verläuft weiter bis zum Os coccygis. Zusammen mit dem Filium verläuft gleichfalls das Lig. terminale durae matris.

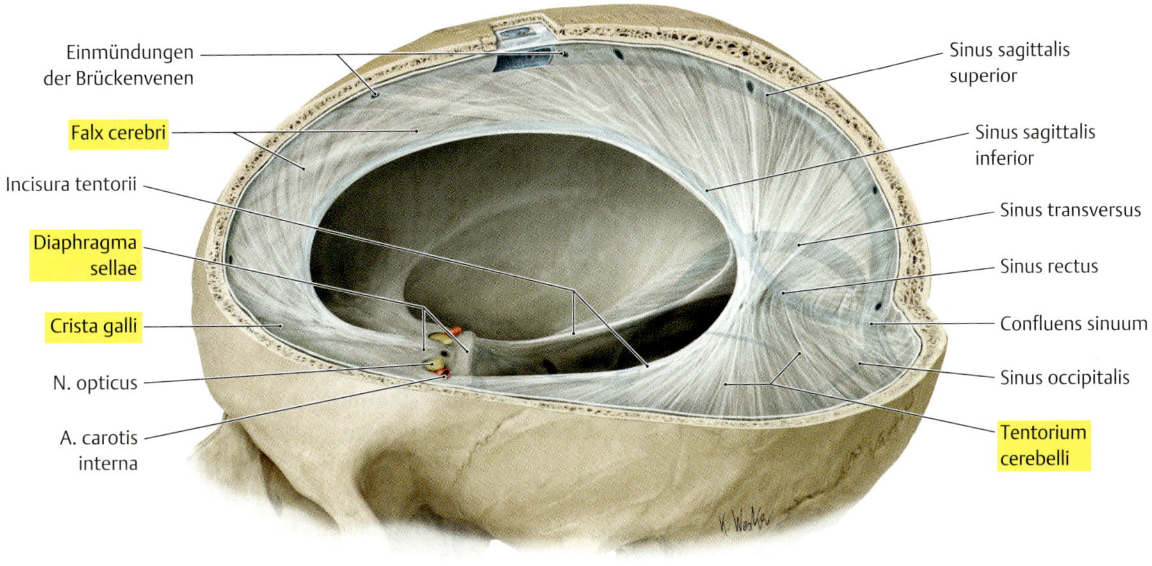

▸ **Abb. 7.2** Durasepten. (Quelle: Schünke M, Schulte E, Schumacher U. Prometheus. LernAtlas der Anatomie. Kopf, Hals und Neuroanatomie. Illustrationen von M. Voll und K. Wesker. 6. Aufl. Stuttgart: Thieme; 2022)

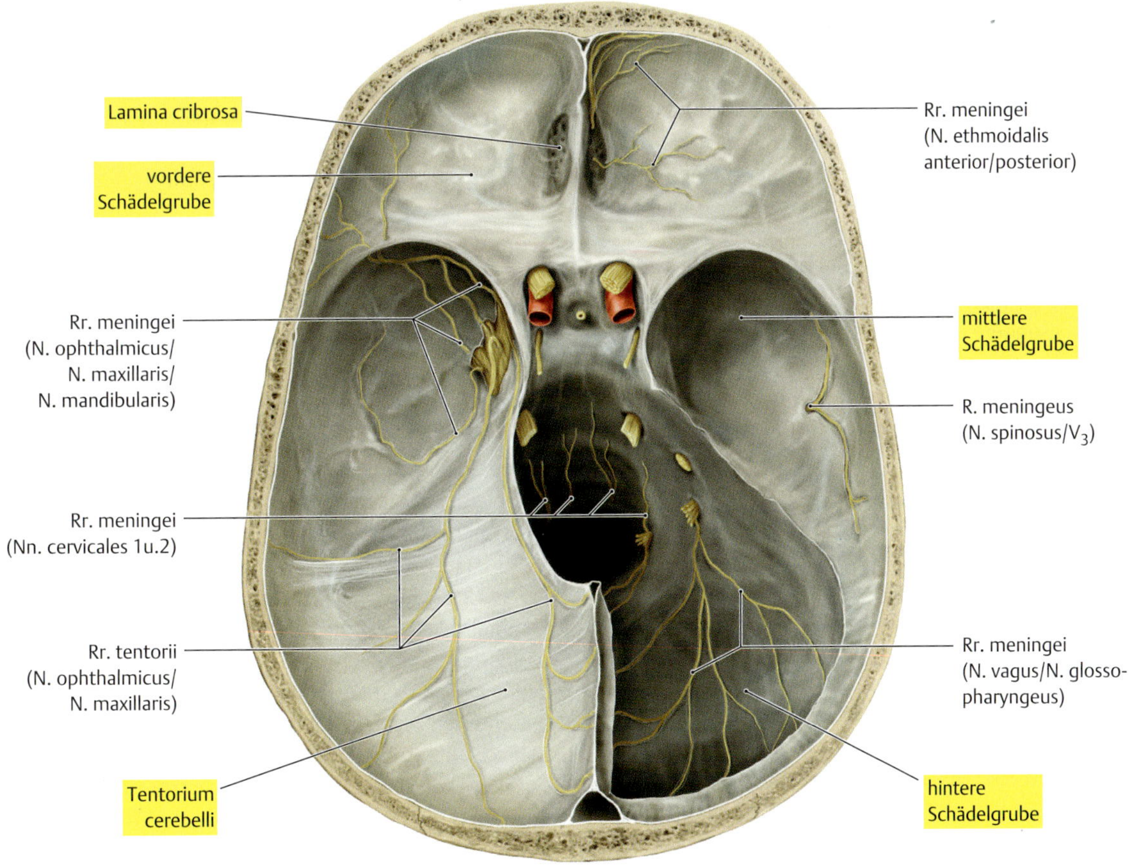

▸ **Abb. 7.3** Innervation der Dura mater im Bereich der Schädelhöhle u. a. durch Äste des N. trigeminus, N. vagus, N. glossopharyngeus. (Quelle: Schünke M, Schulte E, Schumacher U. Prometheus. LernAtlas der Anatomie. Kopf, Hals und Neuroanatomie. Illustrationen von M. Voll und K. Wesker. 6. Aufl. Stuttgart: Thieme; 2022)

Myofasziale Wirkungsketten

Dura mater und Os sacrum: Membransystem und Zentralsehne

Die Zentralsehne ist das Modell einer Faszienkette im Inneren des Körpers, die sich in der Region der Medianlinie befindet (▶ Abb. 7.4). Sie stellt den myofaszialen Einfluss auf die Posturologie des Körpers dar. Diese funktionelle Aneinanderreihung von myofaszialen Strukturen reicht von den intrakranialen Strukturen bis zur unteren Extremität.

Die Falx cerebri stellt sich in diesem System wie eine anteroposteriore Verstärkung der Dura mater encephali da. Sie verlauft von der Crista galli des Os ethmoidale und der Crista frontalis des Os frontale über die Sutura metopica entlang der Sutura sagittalis bis zum kraniometrischen Punkt Inion. Ab da setzt sie sich fort in die Falx cerebelli und endet am Foramen magnum. Am Inion korrespondiert die Falx cerebelli mit dem Tentorium cerebelli. Das Tentorium cerebelli reicht über Os occipitale, Os parietale und Os temporale bis zum Os sphenoidale.

Weiterer Verlauf der Zentralsehne extrakranial

Basis cranii externa: An der Basis cranii externa (kaudaler Anteil der SSB) ist die Aufhängung des Pharynx befestigt (Raphe pharyngis). Die horizontale, nach anterior ausgerichtete c-förmige Aufhängung reicht von der Pars basilaris (Tuberculum pharyngeum ossis occipitalis) über die beiden Partes petrosae des Os temporale bis zu den Procc. pterygoidei des Os sphenoidale. Im Bereich der Pars petrosa überkreuzt die Raphe pharyngis den knorpeligen Anteil der Tuba auditiva.

Spannungen aus dem Schlundbereich, Schluckstörungen, osteopathische Dysfunktionen des Verdauungstraktes, insbesondere im Bereich Ösophagus, können die Aufhängung unter unphysiologische Züge bringen und sich auf die Tuba auditiva auswirken. Denkbar sind ein erschwerter Druckausgleich oder gar Belüftungsstörungen der Tuba auditiva.

Pharynx, Os hyoideum, Larynx: Die laterale, ventrale Befestigung des Pharynx verläuft lateral vom Proc. pterygoideus des Os sphenoidale über die Raphe pterygomandibularis (Lig. sphenomandibulare) zum Os mandibulare. Die Verbindung zum Os hyoideum entsteht über das Lig. stylohyoideum (ventral) zum Cornu minus und dann ringförmig zum Cornu majus des Os hyoideum. Die ventrale Befestigung des Pharynx reicht vom Tuberculum thyroideum superius der Cartilago thyroidea zur Linea obliqua und von dort weiter zum Tuberculum thyroideum inferius bis hinunter zur Cartilago cricoidea.

Die horizontale Ausrichtung des Kopfes ist für die sensomotorische Funktionalität der Vestibularorgane und die Sehachse der Augen bedeutend. Die Beziehung der Zentralsehne zum Os hyoideum weist auf diesen funktionellen Zusammenhang hin. Ziel ist, dass im Sinne der Posturologie Zungenbein, Schultergürtel und Kranium mit Kiefergelenk (Kap. 3.3.2) horizontal ausgerichtet sind.

Region C 6/C 7, Klavikula, Pleurakuppel, Ligg. suspensoria pleurae, Sibson-Faszie: Etwa auf Höhe von C 6/C 7 geht der Pharynx in den Ösophagus über. Hier befindet sich auch die Aufhängung der Pleurakuppel über die Ligg. suspensoria pleurae. Diese sind mit der Sibson-Faszie verbunden, einer Verdichtung der Fascia endothoracica mit der Pleura parietalis im Bereich der oberen Thoraxapertur. Die Klavikula ist hier faszial eingebunden.

Mediastinum, Sternum, Wirbelsäule: Die Fascia endothoracica als Fortsetzung aus der Pleurakuppel bildet u. a. den ventralen und dorsalen Anteil des Mediastinums. Die laterale Begrenzung des Mediastinums wird von der Pleura parietalis gebildet, die sich hier Pleura mediastinalis nennt. Das Mediastinum geht in das Diaphragma abdominale über. Die ventrale knöcherne Begrenzung des Mediastinums ist das Sternum. Dorsal ist es die Brustwirbelsäule.

Diaphragma abdominale: Das Diaphragma abdominale ist ringförmig am Sternum, an den unteren Rippen und mit 2 ligamentären Ausläufern am thorakolumbalen Übergang der Wirbelsäule befestigt. Die ligamentären Ausläufer reichen links (Crus diaphragmaticum sinistrum) ventral bis an den Wirbelkörper von L 1–L 2 (L 3), rechts (Crus diaphragmaticum dextrum) bis L 3 (L 4).

Crura diaphragmatica: Die Crura des Diaphragma abdominale setzen sich kontinuierlich beidseits in die Faszie des M. psoas major fort. Über den Zusammenschluss von M. iliacus und M. psoas major geht die Verbindung weiter über die gemeinsame Fascia iliaca. Die Fascia iliaca steht mit den Faszien des Beckens in Verbindung und wird nach der Passage unter dem Lig. inguinale als Fascia iliopsoica bezeichnet. Dieser Verlauf verdeutlicht die Kontinuität der faszialen Loge des M. psoas major, die bis zum Trochanter minor des Femurs reicht.

Peritoneum: Über die Verbindung vom Diaphragma abdominale zum Peritoneum zeigt sich ein weiterer kontinuierlicher faszialer Verlauf zum Becken. Das Peritoneum ist eine große fasziale Hülle, die durch Omenta, Mesenterien, Ligamente und Recessus verschiedenste Gleitschichten und -spalten bildet. Es reicht bis zum Becken an den subperitonealen Raum heran. Das Peritoneum und die fasziale Ummantelung des M. psoas major stehen in enger Verbindung miteinander.

Faszien des Beckenbodens: Das Diaphragma pelvis (bestehend aus Fascia diaphragmatica pelvis superior und inferior) schließt sich dem subperitonealen Raum nach kaudal an. Die Fascia diaphragmatis urogenitalis superior bedeckt die Innenfläche des M. transversus perinei profundus, die Fascia diaphragmatica urogenitalis inferior die Außenfläche des M. transversus perinei profundus. Die Fascia perinei superficialis und die Fascia lata schließen gemeinsam den kaudalen Bereich des Beckens nach außen ab.

Adduktorenkanal, tiefe Flexorenloge: Vom Becken aus zieht der Adduktorenkanal zur Fascia poplitea. Hier setzen sich fasziale Strukturen als Loge der Beugemuskulatur des Fußes fort. Diese Loge kann durch den Verlauf der Fascia cruris profunda in eine oberflächliche und tiefe Loge unterteilt werden. In der tiefen Loge verlaufen M. flexor digitorum longus, M. flexor hallucis longus und M. tibialis posterior. Die Faszie des M. flexorum digitorum ist nach kranial die kontinuierliche Fortsetzung zum Adduktorenkanal.

Lig. deltoideum, Plantarfaszie: Kaudal zieht der M. flexorum digitorum mit seinem Sehnenverlauf über das Lig. deltoideum (Lig. von Farabeuf). Hier verdichten sich die verschiedenen Faszienanteile und reichen mit ihren Ausläufern bis in die Plantarfaszie. Dort endet die Zentralsehne und zeigt über ihren Verlauf die Bedeutung für die Posturologie [16].

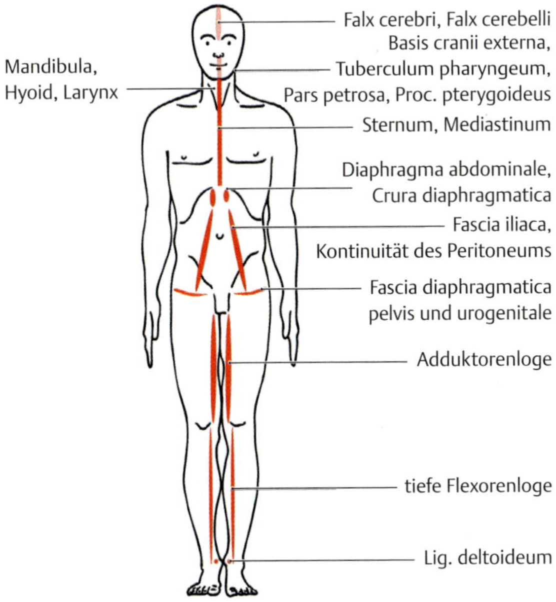

▶ **Abb. 7.4** Verlauf der Zentralsehne. (Quelle: Corts M, Hrsg. Anatomie für Osteopathen. 2. Auflage. Stuttgart: Thieme; 2022 nach Strunk A. Fasziale Osteopathie. 3. Aufl. Stuttgart: Haug; 2021)

Osteopathische Korrespondenzen

Reziprokes Spannungsmembransystem

Nach Sutherland [34] ist das Membransystem ein sogenanntes reziprokes Spannungsmembransystem. Es verbindet die einzelnen Schädelknochen und ist über die Fortsetzung der Meningen in die Dura mater spinalis die direkte Verbindung zum Sakrum. Es ist eine Funktionseinheit, die die Bewegung der Knochen weiterleitet, überträgt und womöglich auch führt. Es ist ein verknüpftes System, durch das sich Spannungen in der einen Region auf andere Regionen übertragen. Die Membranen bewegen sich reziprok zueinander und suchen das optimale Gleichgewicht. Hier bedarf es eines Ruhepunktes für das Membransystem (Fulkrum), um den sich die Strukturen organisieren. Das Sutherland-Fulkrum ist ein freies sich verlagerndes Fulkrum, das sich im Kreuzungspunkt Tentorium cerebelli, Falx cerebelli und Falx cerebri (Bereich Sinus rectus) befindet [66]. Die Anheftung der Dura mater spinalis an S2 und kranial an C2, Atlas und Foramen magnum ist in den osteopathischen Denkmodellen die Erklärung der unwillkürlichen Os-sacrum-Bewegung im Zusammenhang mit der Bewegung der Schädelsphäre (▸ **Abb. 7.5**, ▸ **Abb. 7.6**).

Um Dynamiken, Spannungen und Bewegungselastizitäten im kraniosakralen System zu erklären, existieren zahlreiche Modell [34], [72], [117], [118]. Sie sollen helfen, Bewegungen und rhythmische Spannungswechsel zu systematisieren, und als Gesamtkonzept methodisch hilfreich sein. Sutherland spricht in diesem Zusammenhang von primärer Respiration. Er sieht darin einen primären respiratorischen Mechanismus, der die Dynamik der Duramembranen, die rythythmische Bewegung des Liquor und die inhärente Bewegung des ZNS ermöglicht.

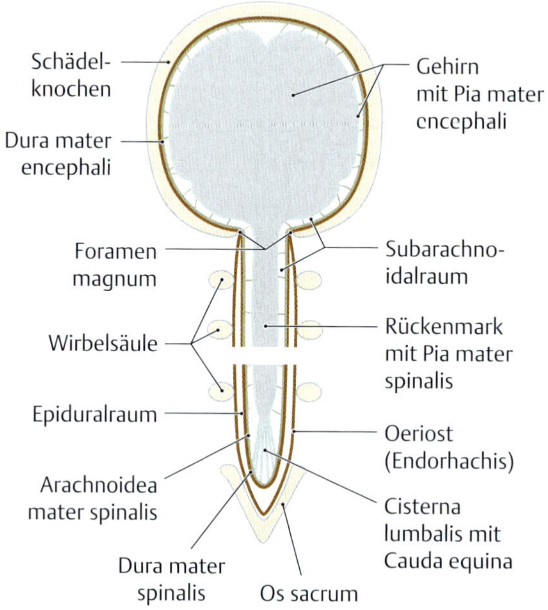

▸ **Abb. 7.5** Meningen in Schädelhöhle und Wirbelkanal. (Quelle: Schünke M, Schulte E, Schumacher U. Prometheus. LernAtlas der Anatomie. Kopf, Hals und Neuroanatomie. Illustrationen von M. Voll und K. Wesker. 6. Aufl. Stuttgart: Thieme; 2022)

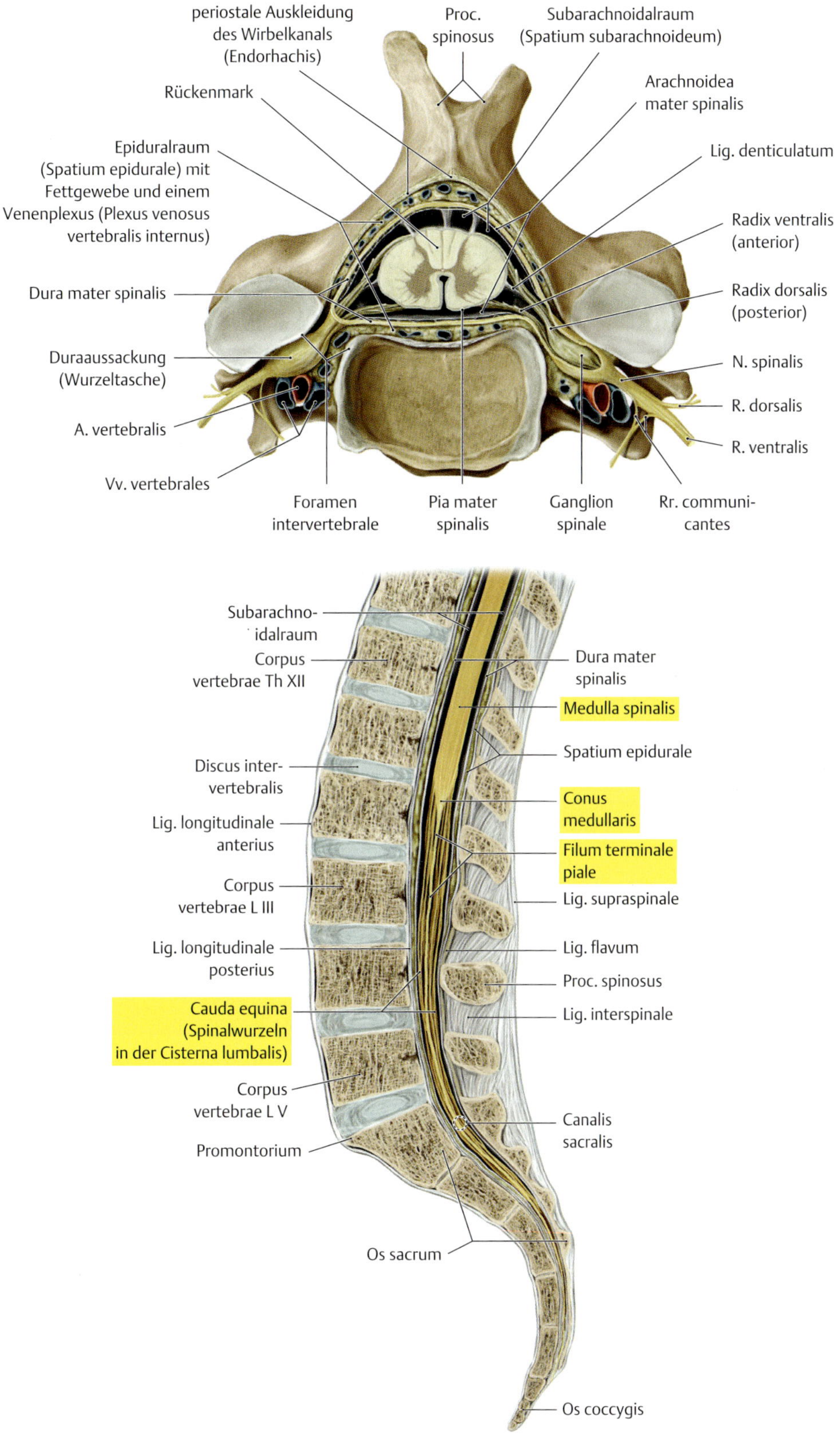

▶ **Abb. 7.6** Rückenmarkshäute im Querschnitt.

a Rückenmarkshäute im Querschnitt. (Quelle: Schünke M, Schulte E, Schumacher U. Prometheus, LernAtlas der Anatomie. Kopf, Hals, Neuroanatomie. Illustrationen von M. Voll und K. Wesker. 6. Aufl. Stuttgart: Thieme; 2022)

b Rückenmarkshäute im Mediansagittalschnitt mit Darstellung Medulla spinalis und Übergang zur Cauda aequina. (Quelle: Schünke M, Schulte E, Schumacher U. Prometheus, LernAtlas der Anatomie. Allgemeine Anatomie und Bewegungssystem. Illustrationen von M. Voll und K. Wesker. 6. Aufl. Stuttgart: Thieme; 2022)

Die Zentrallinie, Midline (Rohen [92]spricht von Dimensionen), wird hier topografisch als kraniokaudale mediane Achse auf den gesamten Körper bezogen. Die kraniosakrale inspiratorische Phase soll sich, im Hinblick auf den gesamten Körper, in einer Flexion und Außenrotation zeigen (▶ **Abb. 7.7**). Strukturen der Zentrallinie gehen dabei um eine horizontale Achse in Flexion. Periphere Strukturen gehen in Außenrotation. In der exspiratorischen Phase zeigen sich dann Extensionsbewegungen der Strukturen der Zentrallinie und Innenrotation der peripheren Strukturen (▶ **Abb. 7.8**, Kap. 6.3.1). Die ▶ **Abb. 7.9** zeigt die Flexionsbewegung der Strukturen der Zentralline in der inspiratorischen Phase.

Anmerkung

- Die Mobilität der einzelnen Schädelknochen ist in den jeweiligen Kapiteln der Knochen beschrieben.
- Die drei Dimensionen nach Rohen [92] beschreiben die verschiedenen Raumrichtungen rechts/links, vorne/hinten, oben/unten. Dazu werden Gesetzmäßigkeiten des Wachstums und eine emotionale Ebene in Verbindung gebracht.
- Der Begriff Midline wird in der Osteopathie in unterschiedlichen Kontexten verwendet (strukturell, topografisch, bioenergetisch) [60].

Membransystem und Diaphragmen

Im osteopathischen Sinn spricht man auch von funktionell-osteopathischen Diaphragmen. Diaphragmen verlaufen horizontal (▶ **Abb. 7.10**). Durch sie treten verschiedenste Strukturen (z. B. Gefäße, Nerven) durch. Die qualitativen Bewegungseigenschaften der Diaphragmen sind Elastizität, Kontraktion und Dekontraktion. Sie ermöglichen eine sich der Belastung anpassende rhythmisch-harmonische Bewegung und gewährleisten damit eine barrierefreie Zirkulation der Körperflüssigkeiten [15] [46], [80].

Als auf- und absteigende Faszienketten dienen sie sowohl zur Aufhängung als auch als Kreuzungspunkt, Stabilisatoren und/oder auch zur Umlenkung.

Diaphragmen dienen zum einen als Pufferzonen im Sinne der Körperstatik. Sie trennen und verbinden zeitgleich die Längsstrukturen (Faszien) des Körpers und unterstützen die Zirkulation der interstitiellen Flüssigkeiten des Körpers. Sie wirken wie eine zentrale venolymphatische Pumpe.

Zum anderen beeinflussen sie durch ihre Bewegung die Druckverhältnisse im Körper und können hier ausgleichend wirken. Sie wirken aber auch trennend auf Korperregionen und -räume. Gleichzeitig sind sie auch Stütz- und Aufhängevorrichtung für die Organe.

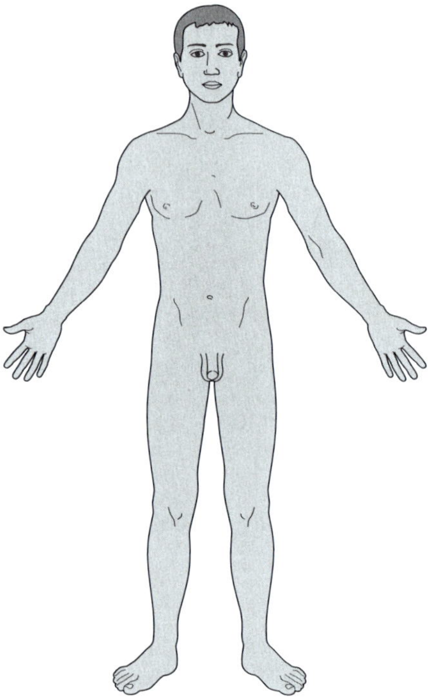

▶ **Abb. 7.7** Körperbewegung in der Inspirationsphase nach Upledger. (Quelle: Liem T. Kraniosakrale Osteopathie. 7. Aufl. Stuttgart: Thieme; 2018)

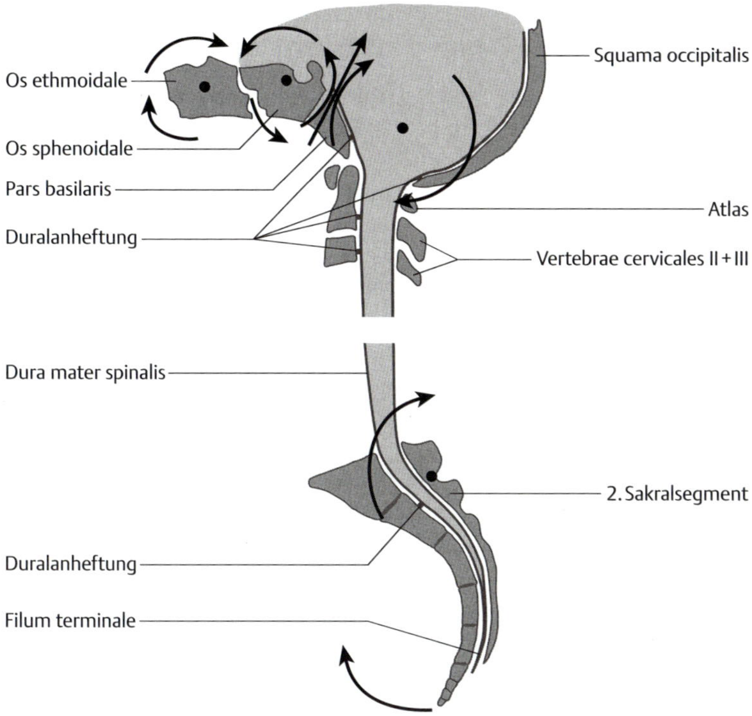

▸ **Abb. 7.9** Kraniosakrale Bewegung in der Inspirationsphase. (Quelle: Liem T. Kraniosakrale Osteopathie. 7. Aufl. Stuttgart: Thieme; 2018)

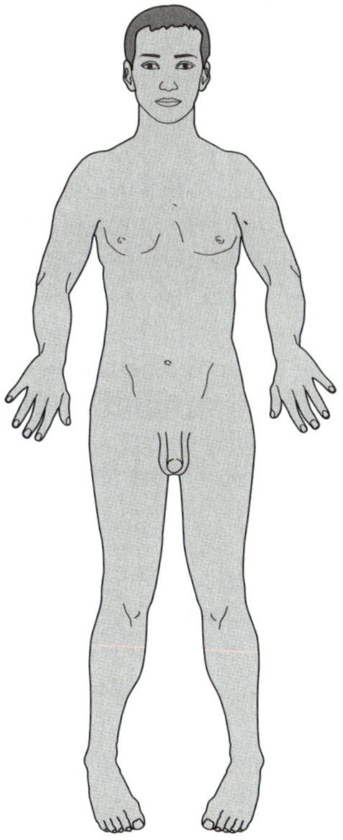

▸ **Abb. 7.8** Körperbewegung in der Exspirationsphase nach Upledger. (Quelle: Liem T. Kraniosakrale Osteopathie. 7. Aufl. Stuttgart: Thieme; 2018)

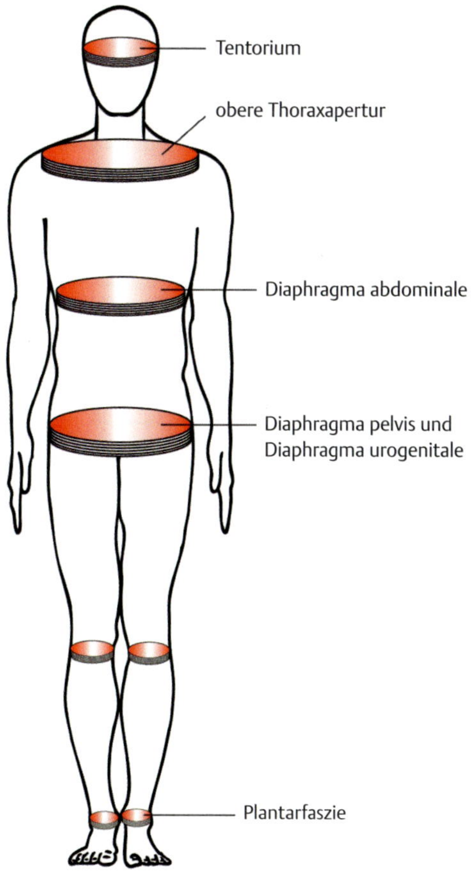

▸ **Abb. 7.10** Die 5 Diaphragmen aus osteopathischer Sicht. (Quelle: Corts M, Hrsg. Anatomie für Osteopathen. 2. Auflage. Stuttgart: Thieme; 2022 nach Strunk A. Fasziale Osteopathie. 3. Aufl. Stuttgart: Haug; 2021)

Behandlungshinweise

- Indikationen für die Behandlung der Dura mater sind u. a.:
  - Kopfschmerzen
  - Schmerzen im Bereich des Beckenbodens
  - Dysfunktionen von Okziput-Atlas-Region, Sakrum, Os coccygis und Knochen des Kraniums
  - veränderte Qualität des PRM
  - vegetative Dysbalance
  - dysfunktionale Nervendurchtritte an Engpässen, Foramina
  - venöse, arterielle oder liquorbedingte Zirkulationsstörungen
- Mit frontookzipitaler Handhaltung, Schalengriff Os temporale, Durazug von kaudal und kranial kann das Membransystem gezielt getestet werden.
- Die Behandlungstechnik Duraschaukel als extrakraniale Technik kann die inhärente Bewegung der Dura mater spinalis synchronisieren.
- Das vertikale System der Dura mater cranalis kann über verschiedene Spread-Techniken harmonisiert werden (z. B. Os-frontale-Spread, Os-parietale-Spread)
- Ossäre Anheftungsstellen der Dura mater sind Bereiche, in denen sich verstärkt Dysfunktionen zeigen können. Diese können ursprünglich durch dysfunktionale Spannungen innerhalb der Dura mater oder reaktiv durch Dysfunktion in der Peripherie bedingt sein. Der Fokus ist bei der Falx cerebri auf folgende beteiligte knöcherne Strukturen zu richten: Crista galli ossis ethmoidalis, Crista frontalis und Sulcus sinus sagittalis (Os frontale), Sulcus sinus sagittalis superior, Protuberantia occipitalis interna (Os occipitale).
- Das Tentorium cerebelli hat seine ossären Anheftungen dorsal an der Protuberantia occipitalis interna, am Sulcus sinus lateralis (Os occipitale) und lateral an der Sutura parieto mastoidea. Die Earpull-Technik kann hier zur Behandlung der horizontalen Anteile des Tentorium cerebelli eingesetzt werden.
- Mit Einstellung eines PBMT ab Os parietale können Dysfunktionen gelöst werden. Techniken wie Disengagement, dysfunktionaler Suturen (z. B. Sutura parietosquamosa), Setzen eines Enhancers bei einer Sinustechnik oder indirekte Techniken (Side of Ease) sind dabei sinnvolle Ergänzungen.

7.1.2 Liquor cerebrospinalis und Ventrikelsystem

Liquor cerebrospinalis ist eine klare, blutplasmaähnliche Flüssigkeit, die im Hohlraumsystem des ZNS zirkuliert. Produziert wird der Liquor vom **Plexus choroideus**. Er verfügt über **arteriovenöse Gefäßknäule** (Konvolute), die den Liquor produzieren, resorbieren und toxische Substanzen aus dem Liquor filtern (Transportfunktion, Ernährungsfunktion des Liquors). Gegen mechanische Krafteinwirkung von außen hat der Liquor eine **Pufferfunktion**. Gleichzeitig trägt er zur **Stabilisierung** der intrakranialen Binnenarchitektur bei (Hohlraumfüllung) und hat hydrostatische Wirkung auf das Gewicht des Gehirns.

Die **Gefäßkonvolute** bilden gleichzeitig die physiologische Barriere zwischen dem Blutkreislaufsystem und dem Liquorsystem des ZNS (**Blut-Liquor-Schranke**).

Räume und Zirkulation des Liquor cerebrospinalis

Innerhalb des Subarachnoidalraums existieren Räume (Cisternae subarachnoideae), die als äußere **Liquorräume** bezeichnet werden. Die inneren Liquorräume, also Räume im Innern des Gehirns, sind die 4 Hirnventrikel. Es gibt 2 paarige Seitenventrikel (**Ventriculi laterales primus und secundus**) mit jeweils einem **Vorder-, Unter- und Hinterhorn**. Die **Vorderhörner** sind durch eine Scheidewand voneinander getrennt (Septum pellucidum). Der Liquorfluss der **Seitenhörner** ist nur durch Öffnungen des unpaarigen 3. Hirnventrikels (**Ventriculus tertius**, Foramina interventricularia) möglich.

In allen Hirnventrikeln findet sich der **Plexus choroideus**. Die Liquorräume sind über Kanäle miteinander verbunden. Dabei bildet die **Apertura lateralis ventriculi quarti** im 4. Hirnventrikel (**Ventriculus quartus**) eine besondere Verbindungsform. Diese paarig angelegte laterale Öffnung im Bereich des 4. Hirnventrikels mündet in die Zisterne am Kleinhirnbrückenwinkel (Cisterna pontocerebellaris).

Die **Apertura mediana** ist der Ort, an dem sich der äußere Liquorraum (Subarachnoidalraum, Zisternen) mit dem inneren Liquorraum (Hirnventrikel, **Aquaeductus mesencephali, Zentralkanal** des Rückenmarks) verbindet. Der 4. Hirnventrikel ist als Verbindungsraum zwischen den inneren und den äußeren Liquorräumen für die Liquorzirkulation elementar (▶ Abb. 7.11, ▶ Abb. 7.12, ▶ Abb. 7.13).

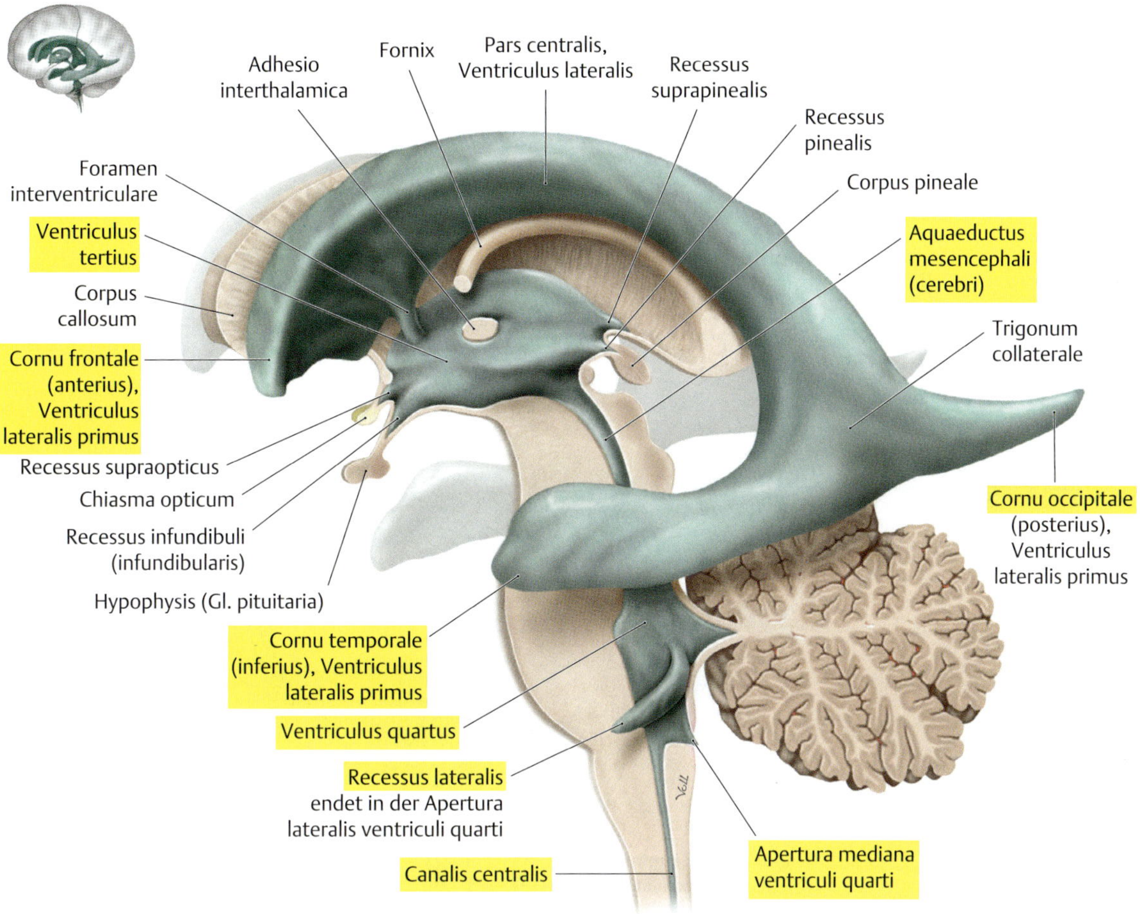

▶ **Abb. 7.11** Übersicht über das Ventrikelsystem und angrenzende Strukturen. Ansicht von lateral-links, Lage der 4 Hirnventrikel. Hier paariger Seitenventrikel (Ventriculus lateralis primus) mit Vorder-, Unter- und Hinterhorn, kaudal davon der dritte Hirnventrikel (Ventriculus tertius) und der am weitesten kaudal gelegene vierte Hirnventrikel (Ventriculus quartus). (Quelle: Schünke M, Schulte E, Schumacher U. Prometheus. LernAtlas der Anatomie. Kopf, Hals und Neuroanatomie. Illustrationen von M. Voll und K. Wesker. 6. Aufl. Stuttgart: Thieme; 2022)

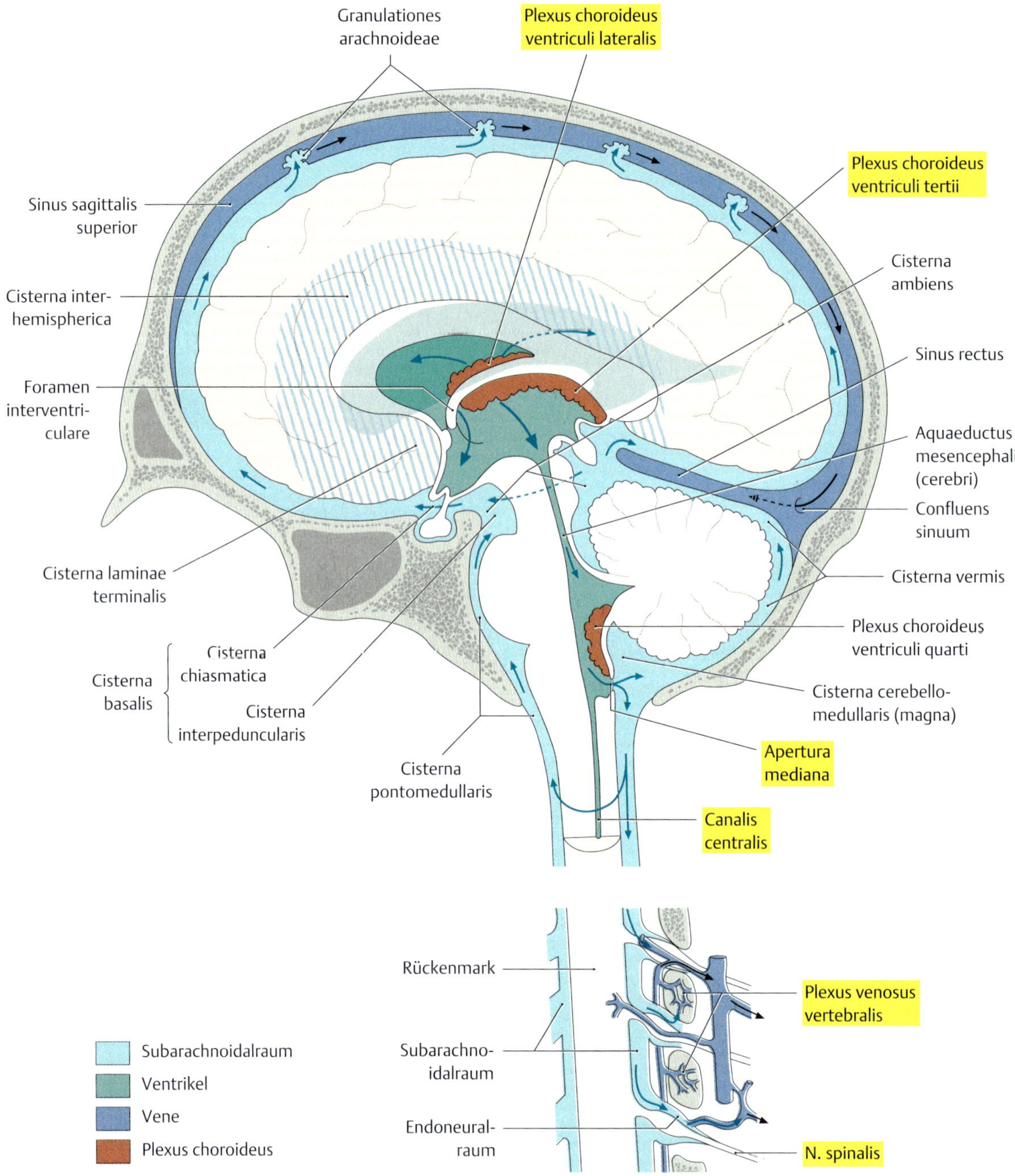

▸ **Abb. 7.12** Liquorzirkulation und Zisternen. Über die bindegewebige Umscheidung (Perineuralscheiden) der austretenden Spinalnerven scheint gleichfalls wie bei den Granulationes arachnoideae Liquorresorption möglich zu sein [56], [62]. (Quelle: Schünke M, Schulte E, Schumacher U. Prometheus. LernAtlas der Anatomie. Kopf, Hals und Neuroanatomie. Illustrationen von M. Voll und K. Wesker. 6. Aufl. Stuttgart: Thieme; 2022)

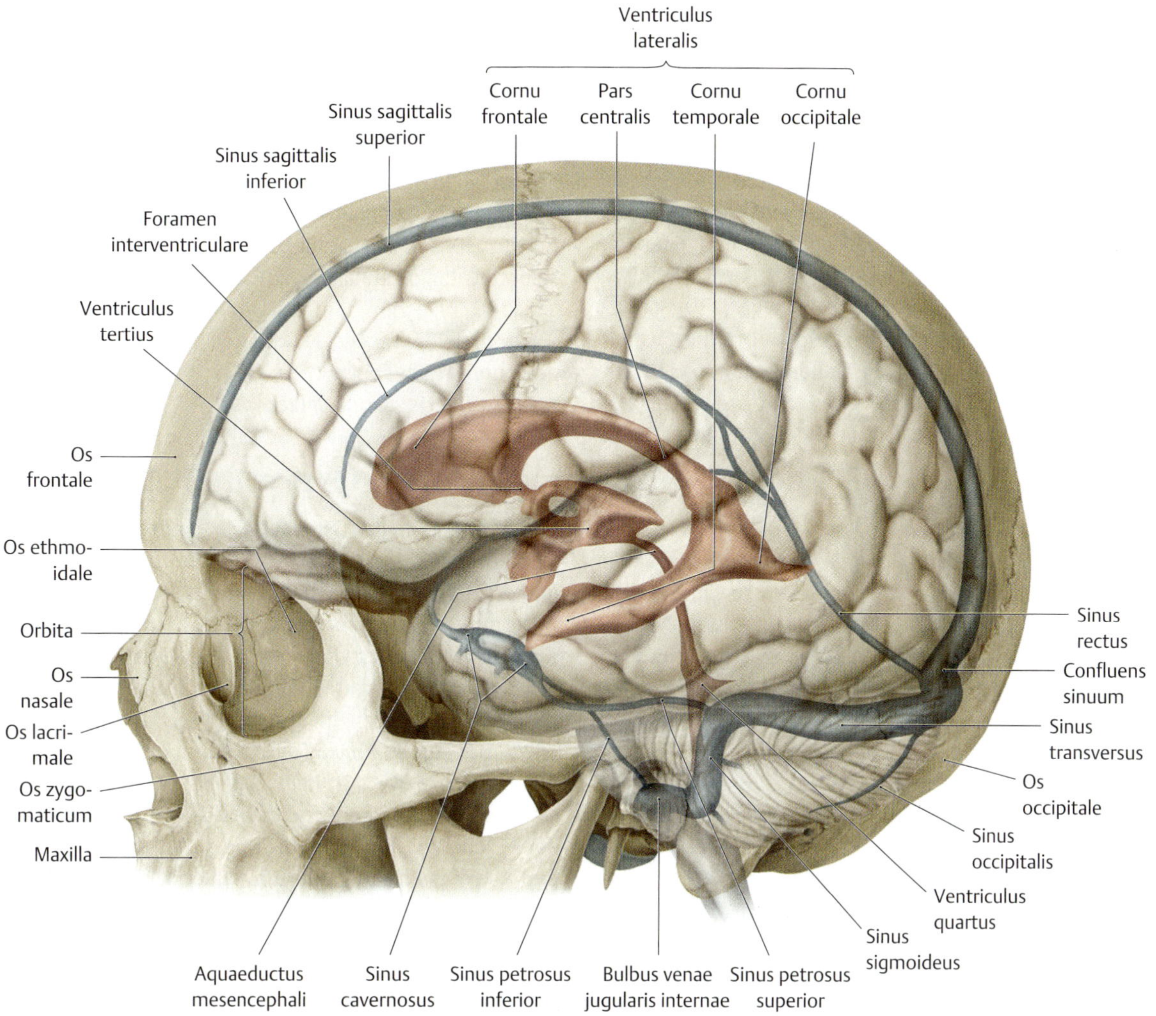

▶ **Abb. 7.13** Projektion Lagekorrelation von Ventrikelsystem und Sinussystem. (Quelle: Schünke M, Schulte E, Schumacher U. Prometheus. LernAtlas der Anatomie. Kopf, Hals und Neuroanatomie. Illustrationen von M. Voll und K. Wesker. 6. Aufl. Stuttgart: Thieme; 2022)

Osteopathische Korrespondenzen

Vernetztes dynamisches System

Liquorzirkulation erfolgt pulsierend. Die Entstehungsmechanismen sind nicht wissenschaftlich belegt. Erklärungsansätze scheinen vielfältig zu sein (arteriellen, venösen, respiratorischen, kardiovaskulären Ursprungs, Eigenbeweglichkeit des Gehirngewebes). Auch die hydrodynamischen Einflüsse über Körperlage und Engpässe (Wirbelkanalstenose) können wohl auf den LCS einwirken. Der Plexus choroideus wird vom VNS (Vegetatives Nervensystem) innerviert. Ein sympathikotoner Zustand führt zu einer verminderten Liquorproduktion. In den Ventrikelwänden und im Aquaeductus mesenchephali konnten Endorphine lokalisiert werden. Anscheinend bestehen hier direkte neurogene Verbindungen zu Thalamus, Hypothalamus, Epiphyse und Chiasma opticum. Sie alle wirken auf die Homöostase des menschlichen Systems ein und korrespondieren mit den zirkadianen Rhythmen. Der erhöhte parasympathische Einfluss und damit seine regenerierende Kraft auf den Gesamtorganismus kann womöglich über das Liquorsystem stimuliert werden. Über die Behandlung des 4. Ventrikel ist dies wohl besonders effektiv.

Die strukturellen Merkmale der Meningen und die hydrodynamischen Eigenschaften des LCS können den Rhythmus auf andere Strukturen übertragen. Dynamik findet aufgrund der Spannungs- und Druckveränderungen im Körpersystem statt. Schädelknochenbewegungen ergeben sich durch suturale Verbindungen und intraossäre Elastizität (Umfang und Ausmaß sind je nach Lebensalter unterschiedlich). Eine Übertragung der Bewegung beruht vermutlich auf den korrespondierenden Strukturen zwischen Schädelbasis und Sakrum [34], [58], [59], [62].

Entsorgung im Schlaf

Der Abtransport von Stoffwechselprodukten ist eine Aufgabe des LCS. Dies erfolgt im interstitiellen Raum (glymphatisches System). Liquor fließt u. a. in das Interstitium des Hirnparenchyms und in das Rückenmark. Der Liquor wird dann entlang der Arterien über den perivaskulären Raum in das Parenchym gebracht. Über Astrozyten wird der Liquor aufgenommen und in den Zellzwischenraum geleitet. Über den perivaskulären Raum der Venen, die das Gehirn verlassen, gelangt der Liquor in das Lymphsystem und damit in die finale Entsorgung über das Blutkreislaufsystem.

Dieser Prozess scheint besonders während des Schlafens abzulaufen. Schlafstörungen, vegetative Dysbalance (sympathikoton) können den Abtransport von Stoffwechselmetaboliten (Eiweiße etc.) stören. Neurodegenerative Erkrankungen wie Alzheimer, ALS, Morbus Parkinson etc. können hiermit in Verbindung stehen [22].

CV4-Techniken und Pumptechniken am Kranium können hier eine zirkulatorische Unterstützung des Liquorsystems bieten.

Behandlungshinweise

- Zur Beurteilung des PRM eignen sich der Horchgriff bzw. die Schädeldachhaltung nach Sutherland.
- Durch spezifische Behandlungstechniken, wie z. B. die Kompression des 4. Ventrikels (CV4-Technik), soll der PRM beeinflusst werden.
- Liquortechniken können sich auf die longitudinale und transversale Fluktuation beziehen. Typische Techniken für die longitudinale Fluktuation sind u. a. die CV3- und CV4-Technik, Temporalrollen, Sakrumtechniken. Für die transversale Fluktuation bietet sich z. B. die Technik Pussy-Foot an.
- PBFT über Os sacrum setzen.

7.1.3 Arterielles System

Zirkulation ist in der Osteopathie eines der wesentlichen Elemente im menschlichen Körper, um die Homöostase und die regenerativen Kräfte zu unterstützen.

Die **arterielle Versorgung** von Hals und Kopf speist sich aus den beiden Karotiden, A. carotis interna und A. carotis externa, und der A. vertebralis. Ihren Ursprung haben die Karotiden in der **A. carotis communis**, die wiederum auf der linken Seite aus dem Aortenbogen, auf der rechten Seite aus dem Truncus brachiocephalicus stammt. Die **paarige A. vertebralis** entstammt jeweils der A. subclavia. Der Hals wird von der **A. carotis externa** und Ästen aus der **A. subclavia** versorgt. Die Versorgung des Kopfes ist facettenreich strukturiert.

A. carotis externa

Die paarige A. carotis externa zieht über den Hals zum Kranium (▶ Abb. 7.14), zweigt sich in Äste auf, die Gesicht (A. facialis), Mundboden, Zunge (A. lingualis), Kaumuskeln und Meningen (A. maxillaris mit A. meningea media) und Teile des Schädels versorgen. Für Hinterhaupt (A. occipitalis), Schläfe (A. temporalis), Ohrregion (A. auricularis) stehen jeweils Gefäßäste zur Verfügung. Im Halsbereich versorgt sie auch Schilddrüse, Kehlkopf (A. thyroidea superior) und Pharynx (A. pharyngea ascendens).

Wesentliche Hauptäste sind:

- A. facialis
- A. maxillaris
- A. temporalis superficialis
- A. auricularis
- A. occipitalis
- A. pharyngea ascendens
- A. thyroidea superior
- A. lingualis

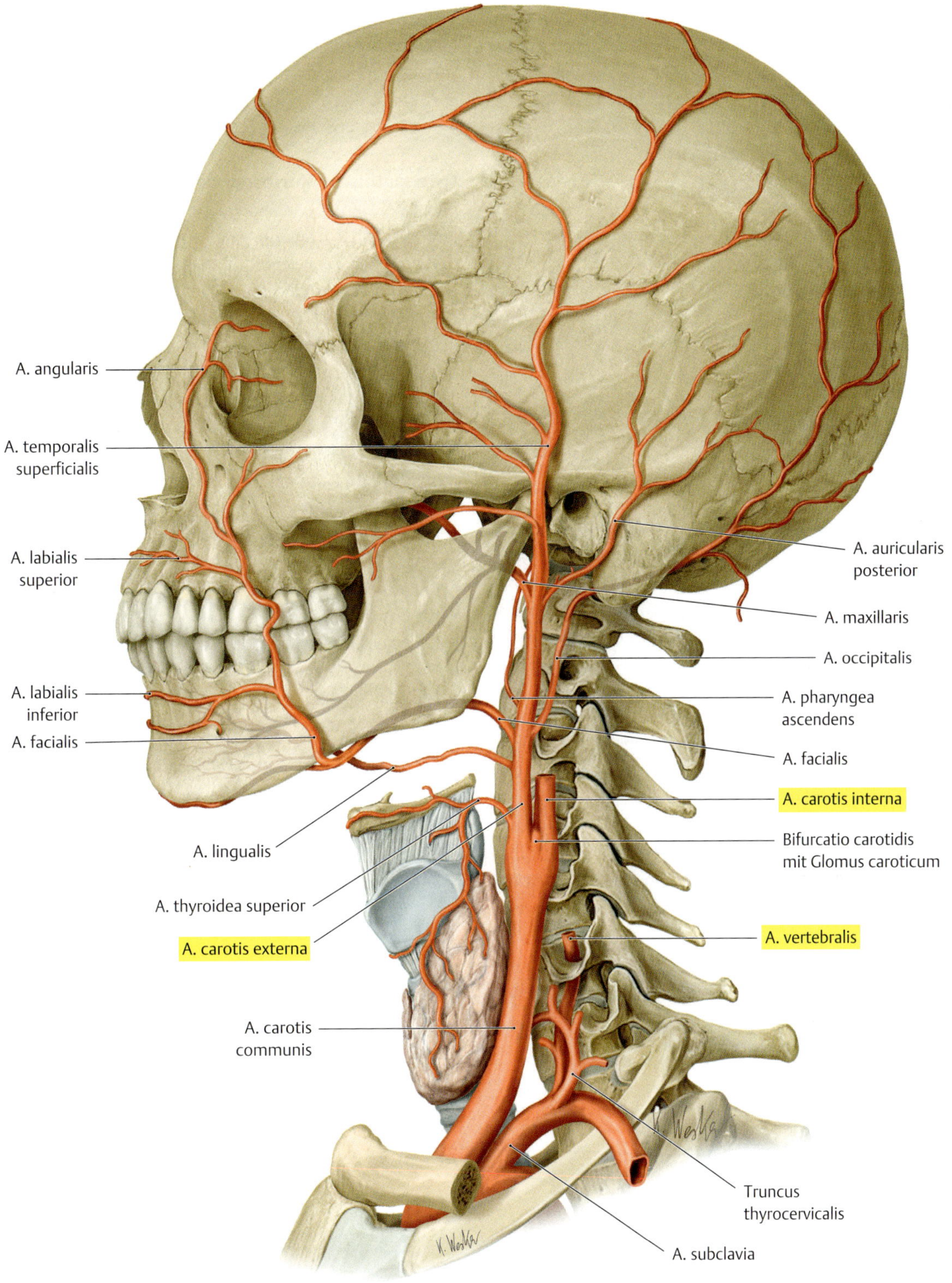

▸ **Abb. 7.14** Arterien von Kopf und Hals im Überblick. (Quelle: Schünke M, Schulte E, Schumacher U. Prometheus. LernAtlas der Anatomie. Kopf, Hals und Neuroanatomie. Illustrationen von M. Voll und K. Wesker. 6. Aufl. Stuttgart: Thieme; 2022)

Osteopathische Korrespondenz: Die fasziale Ummantelung der Vagina carotica korrespondiert u. a. nach kranial mit Fascia paratideomasseterica (Kap. 3.2.1). Physiologische Engpässe, die Druck auf die genannten Gefäße entwickeln und Einschränkungen der vaskulären Mobilität und Drainage verursachen können:

- Foramen mentale
- Foramen infraorbitale
- Canalis pterygoideus
- Foramen sphenopalatinum
- Canalis palatinus major
- Cc. palatini minores
- Canalis mandibularis
- Fissura petrotympanica
- Foramen spinosum
- Foramen mastoideum

A. carotis interna

Die paarige A. carotis interna ist in 4 Abschnitte unterteilt (Pars cervicalis, Pars petrosa, Pars cavernosa, Pars cerebralis; ▶ **Abb. 7.15**). Sie versorgt im Wesentlichen intrakranielle Strukturen, Augen und teilweise Nasen-Stirn-Bereich. Im Detail sind es die Stirn, Nasenhöhle (kranialer Anteil), Hirnabschnitte in der vorderen und mittleren Schädelgrube, Hirnhaut, Augenhöhle und Augapfel, Paukenhöhle, Hypophyse und Ggl. trigeminale.

Verschiedene Hauptäste mit weiteren Abzweigungen versorgen die einzelnen Regionen: Augen-, Stirn- und oberen Nasenbereich (A. ophthalmica, ▶ **Abb. 7.16**), Teile von Frontal- und Temporallappen (A. cerebri media), Frontallappen (A. cerebri anterior), Hypophyse (A. hypophysialis superior), Limbisches System (A. choroidea anterior), Teile von Temporal- und Okzipitallappen (A. cerebri posterior).

Wesentliche Hauptäste sind:

- A. cerebri anterior
- A. cerebri medialis
- A. choroidea anterior
- A. cerebri posterior

Osteopathische Korrespondenzen: Die A. carotis interna ist beidseits über den kreisförmigen arteriellen Kreislauf (Circulus arteriosus Willisii) mit dem Stromgebiet der paarigen A. vertebralis verbunden. Über Lig. stylohyoideum korrespondieren Os hyoideum und Os temporale miteinander. Dysfunktionen des Zungenbeins oder des Os temporale können intraossäre Spannungen auf die A. carotis interna (siphonartiger Verlauf in Pars petrosa) übertragen.

Physiologische Engpässe, die Druck auf die genannten Gefäße entwickeln und Einschränkungen der vaskulären Mobilität und Drainage verursachen können:

- Canalis caroticus
- Durchtritt Dura mater lateral des Proc. clinoideus anterior
- Canalis opticus
- Anulus tendineus
- Fissura orbitalis superior
- Foramina ethmoidalia posterior und anterior
- Lamina cribrosa
- Incisura frontalis
- Foramen supraorbitalis

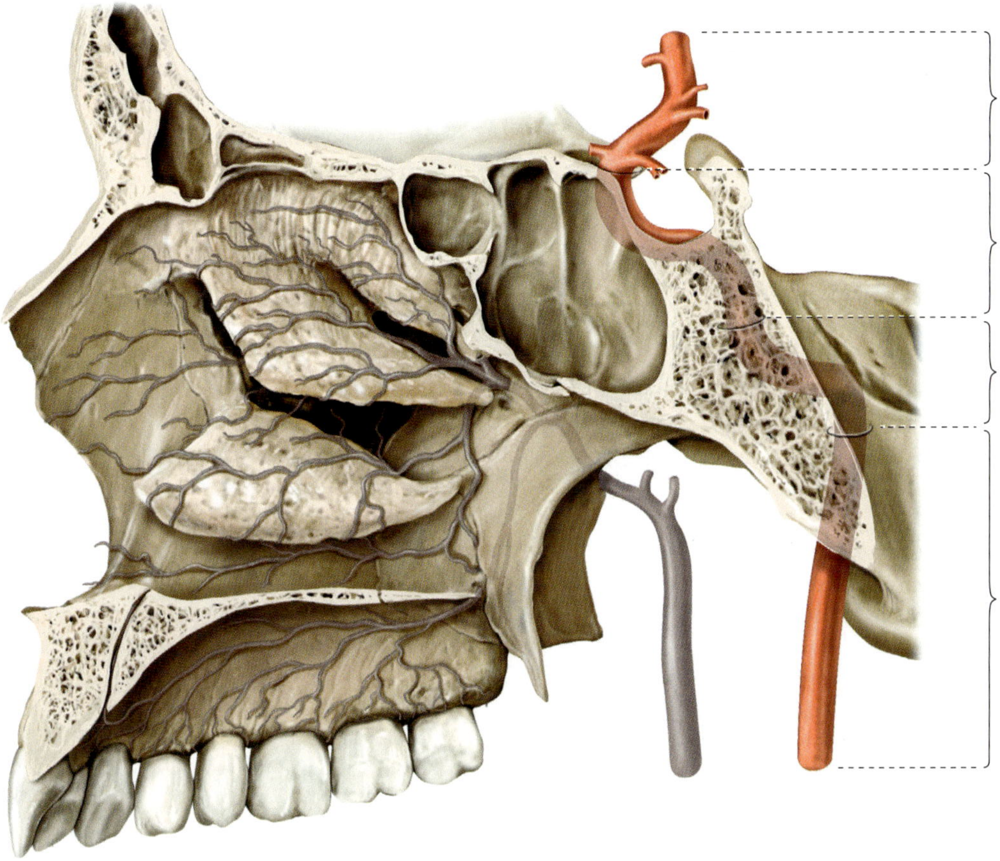

▸ **Abb. 7.15** Untergliederung der A. carotis interna und Äste, die extrazerebrale Strukturen am Kopf versorgen. (Quelle: Schünke M, Schulte E, Schumacher U. Prometheus. LernAtlas der Anatomie. Kopf, Hals und Neuroanatomie. Illustrationen von M. Voll und K. Wesker. 6. Aufl. Stuttgart: Thieme; 2022)

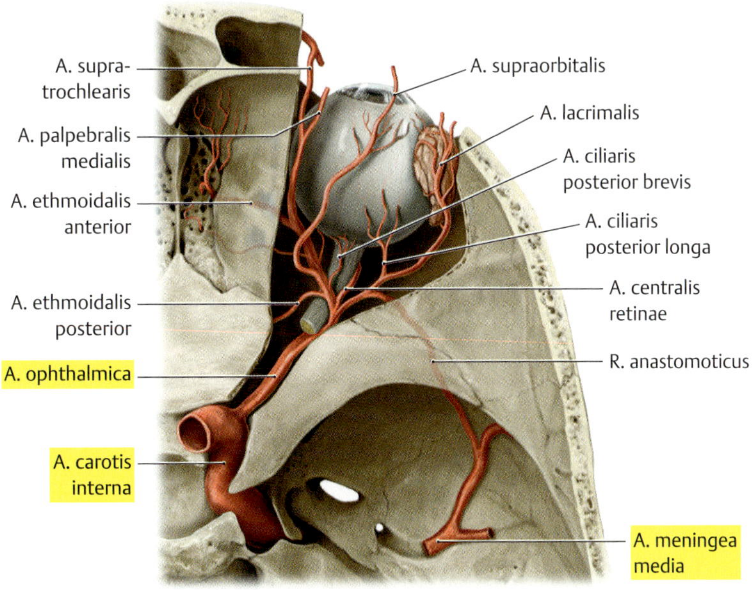

▸ **Abb. 7.16** A. ophthalmica. (Quelle: Schünke M, Schulte E, Schumacher U. Prometheus. LernAtlas der Anatomie. Kopf, Hals und Neuroanatomie. Illustrationen von M. Voll und K. Wesker. 6. Aufl. Stuttgart: Thieme; 2022)

A. vertebralis

Die paarig angelegte A. vertebralis stammt jeweils aus der A. subclavia, verläuft durch das Foramen transversum von C 6–C 1, durchdringt die Membrana atlantooccipitalis posterior, verläuft im Subarachnoidalraum durch das Foramen magnum in die hintere Schädelgrube (► Abb. 7.17).

Sie versorgt die Regionen: hintere Schädelgrube, Meningen (Rr. meningei), verlängertes Rückenmark (Aa. spinales posterior und anterior), Kleinhirn (A. cerebelli inferior posterior), den 4. Ventrikel (Äste zum Plexus choroideus).

Die Zusammenführung der beiden Arterien findet auf dem Clivus zur A. basilaris statt, die sich dann in die Endäste A. cerebri posterior sinister und A. cerebri posterior dexter aufteilt.

Osteopathische Korrespondenzen: Die A. vertebralis schwenkt am Atlas nach posterior und ist im Trigonum suboccipitale lokalisiert. Sie ist dort u. a. vom M. semispinalis capitis bedeckt. Ein Hypertonus der subokzipitalen Muskeln kann das Gefäß komprimieren. Mögliche Symptome sind Kopfschmerzen, die bei einseitiger Dysfunktion einen einseitigen Kopfschmerz verursachen können.

Über den Circulus arteriosus Willisii (► Abb. 7.18) werden Innenohr, Sehrinde, Kleinhirn, Stammhirn und Pons versorgt.

Physiologische Engpässe, die Druck auf die Gefäße entwickeln und Einschränkungen der vaskulären Mobilität und Drainage herbeiführen können:

- Foramina transversaria C 6–C 1
- Membrana atlantooccipitalis
- tiefe subokzipitale Muskulatur
- Foramen magnum

Barral [3] beschreibt Dehn-, Gleit- und Induktionstechniken zur Behandlung von Arterien.

Kopfschmerz durch Gefäßkompression:

- A. supraorbitalis → einseitig oder beidseitig Stirnkopfschmerzen, Schmerzen um die Orbita
- A. temporalis superficialis → Schläfen und parietale Region des Kopfes
- A. occipitalis → beginnend hinter dem Ohr bis zum okzipitalen Bereich

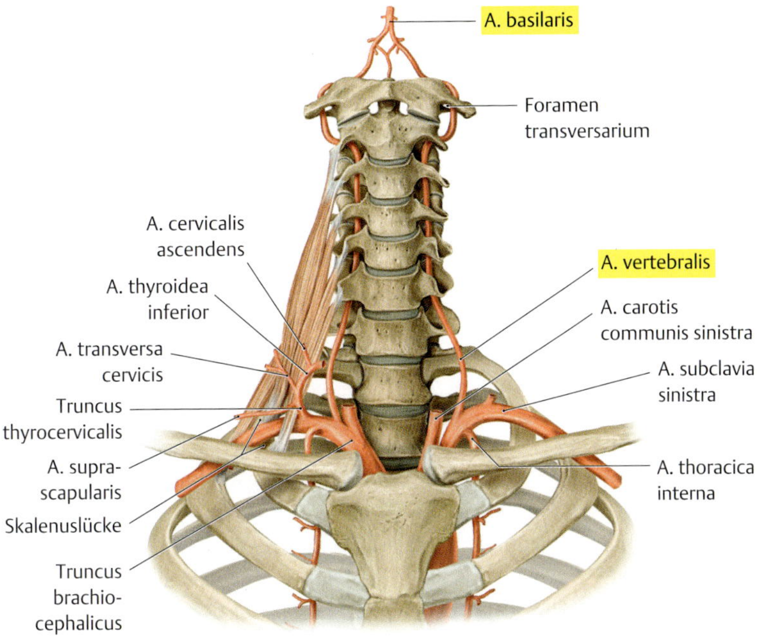

▸ **Abb. 7.17** A. subclavia und ihre Äste, hier A. vertebralis. (Quelle: Schünke M, Schulte E, Schumacher U. Prometheus. LernAtlas der Anatomie. Kopf, Hals und Neuroanatomie. Illustrationen von M. Voll und K. Wesker. 6. Aufl. Stuttgart: Thieme; 2022)

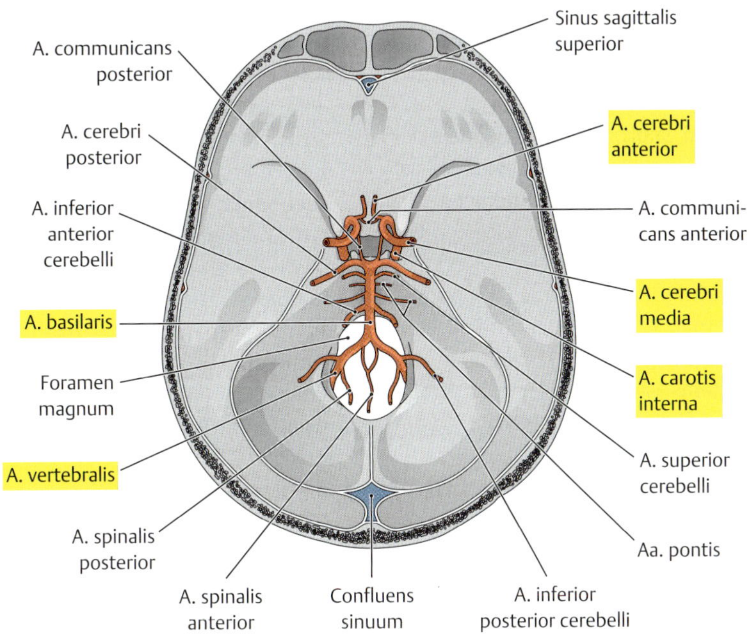

▸ **Abb. 7.18** Projektion des Circulus arteriosus cerebri (Willisii) auf die innere Schädelbasis. (Quelle: Schünke M, Schulte E, Schumacher U. Prometheus. LernAtlas der Anatomie. Kopf, Hals und Neuroanatomie. Illustrationen von M. Voll und K. Wesker. 6. Aufl. Stuttgart: Thieme; 2022)

7.1.4 Venöses System

Das venöse Blut aus dem Schädelinneren und den Kopfweichteilen wird von verschiedenen Venen im Kopf- und Halsbereich aufgenommen. Die venöse Entsorgung aus dem Innern des Kraniums erfolgt vorwiegend über die V. jugularis interna, kleinere Abflüsse über die Diploevenen und Emissarvenen (Kap. 6.1.2).

Kopfvenen, die die Weichteile des Gesichts venös entsorgen, ist die paarig angelegte V. angularis, die am medialen Augenwinkel beginnt und sich als V. facialis weiter kaudal fortsetzt. Die V. facialis, die Zuflüsse auch aus dem Nasen-, Lippen- und Kinnbereich hat, nimmt die V. retromandibularis auf und mündet in die V. jugularis interna (▶ **Abb. 7.19**).

Weitere oberflächliche Kopfvenen sind die paarig angelegte V. temporalis superficialis, die über die Schläfenregion verläuft, in die V. retromandibularis übergeht und in der V. jugularis interna mündet.

V. occipitalis entspringt dem Kopfschwartenbereich des Hinterhaupts und mündet in der V. jugularis externa.

Das venöse Blut aus der Schädelkalotte wird über die Diploevenen in das Sinussystem geleitet.

Über die Emissarvenen sind Diploevenen, oberflächlichen Schädelvenen und das Sinussystem miteinander verbunden.

Innerhalb des Kraniums kann man zwischen oberflächlichen Venen und tiefen Venen des Kraniums unterscheiden.

Aus den kortikalen und subkortikalen Regionen des Gehirns entspringen die kleinen und feinen Äste des venösen Systems. Aus dem vielfältigen, kleinlumigen verzweigten Venennetz speisen sich dann die nächstgrößeren Gefäße.

Die Vv. superiores cerebri (drainieren u. a. Frontal- und Parietallappen) und werden über sogenannte **Brückenvenen** mit den Sinussystem (▶ **Abb. 7.1**) verbunden. Lokalisation des Sinussystems ist u. a. in der Falx cerebri und in den Ansatzstellen des Tentorium cerebelli (Duplikaturen der Dura mater).

V. magna cerebri speist sich aus den tiefen Gehirnvenen V. basilaris und V. interna cerebri. Die V. magna cerebri mündet ebenfalls in einem Teil des Sinussystems (Sinus rectus).

Die Venen der medialen Bereiche der beiden Hirnhemisphären (Temporal- und Okzipitallappen) fließen in einen transversalen Anteil des Sinussystems (Sinus transversus).

> **Cave**
>
> **V. angularis bildet eine Anastomose über die V. supraorbitalis zur V. ophthalmica superior. Entzündliche Veränderungen der Gesichtshaut können so in das intrakranielle Venensystem gelangen und zur Sinus-cavernosus-Thrombose führen.**

Sinussystem: Das venöse Blut sammelt sich des Kraniums größtenteils über den **Sinus durae matris**. Das sind Hohlräume zwischen 2 Blättern der Dura mater (Duplikaturen) im Kranium. Sie dienen als sogenannte **venöse Blutleiter**. Ein wesentlicher Unterschied zu den klassischen venösen Gefäßen in der Peripherie ist, dass sie nicht von Arterien begleitet werden und diese Blutleiter keine elastischen Wände haben. Sie sind starr, nur mit Endothel ausgekleidet und besitzen keine Venenklappen. Die venösen Blutleiter entsorgen das venöse Blut aus Gehirn, Meningen, Schädelkalotte und der Augenhöhle. Sie leiten das venöse Blut zur paarig angelegten **V. jugularis interna**. Die V. jugularis tritt durch das Foramen jugulare aus dem Schädel aus und mündet im Bereich des zervikothorakalen Diaphragmas in die **V. brachiocephalica**.

Einteilung von kranial nach kaudal:

- **Sinus sagittalis superior**: Oberrand Falx cerebri, Aufnahme der Gehirnvenen (Vv. superiores cerebri), mündet im Confluens sinuum
- **Sinus sagittalis inferior**: Unterrand Falx cerebri, mündet in Sinus rectus
- **Sinus occipitalis**: in Falx cerebelli, Aufteilung in Sinus marginalis (rechts/links), mündet in Bulbus der V. jugularis
- **Confluens sinuum**: Vereinigungspunkt von Sinus sagittalis superior, Sinus rectus, Sinus occipitalis, Lage: auf Höhe Protuberantia occipitalis externa
- **Sinus rectus**: verläuft ab Sinus sagittalis inferior auf dem Tentorium cerebelli entlang der Gehirnmitttellinie (Treffpunkt von Falx cerebri auf Tentorium cerebelli) zum Confluens sinuum
- **Sinus transversus**: ab Sinus confluens, Hinterkante Tentorium cerebelli, mündet im Sinus sigmoideus, nimmt Venen des Groß- und Kleinhirns auf (Vv. inferiores cerebri und cerebelli)
- **Sinus sigmoideus**: s-förmiger Verlauf vom Sinus transversus zum Foramen jugulare, mündet in V. jugularis interna
- **Sinus cavernosus**: ringförmiger Verlauf, beidseits von Sella turcica anterior und posterior, über Sinus intercavernosus verbunden, mündet in Sinus petrosi superior und inferior sowie den Plexus basilaris, nimmt Venen aus Augen- und Gesichtsbereich (V. ophthalmica, V. angularis) und aus mittlerer, hinterer Schädelgrube auf
- **Sinus petrosus superior**: verbindet Sinus cavernosus mit Sinus sigmoideus, verläuft an der oberen Felsenbeinkante (Margo petrosus superior)
- **Sinus petrosus inferior:** verbindet Sinus cavernosus mit V. jugulare inferior, verläuft an der unteren Felsenbeinkante
- **Plexus basilaris:** verbindet beidseitigen Sinus petrosi inferior, liegt geflechtartig auf dem Clivus

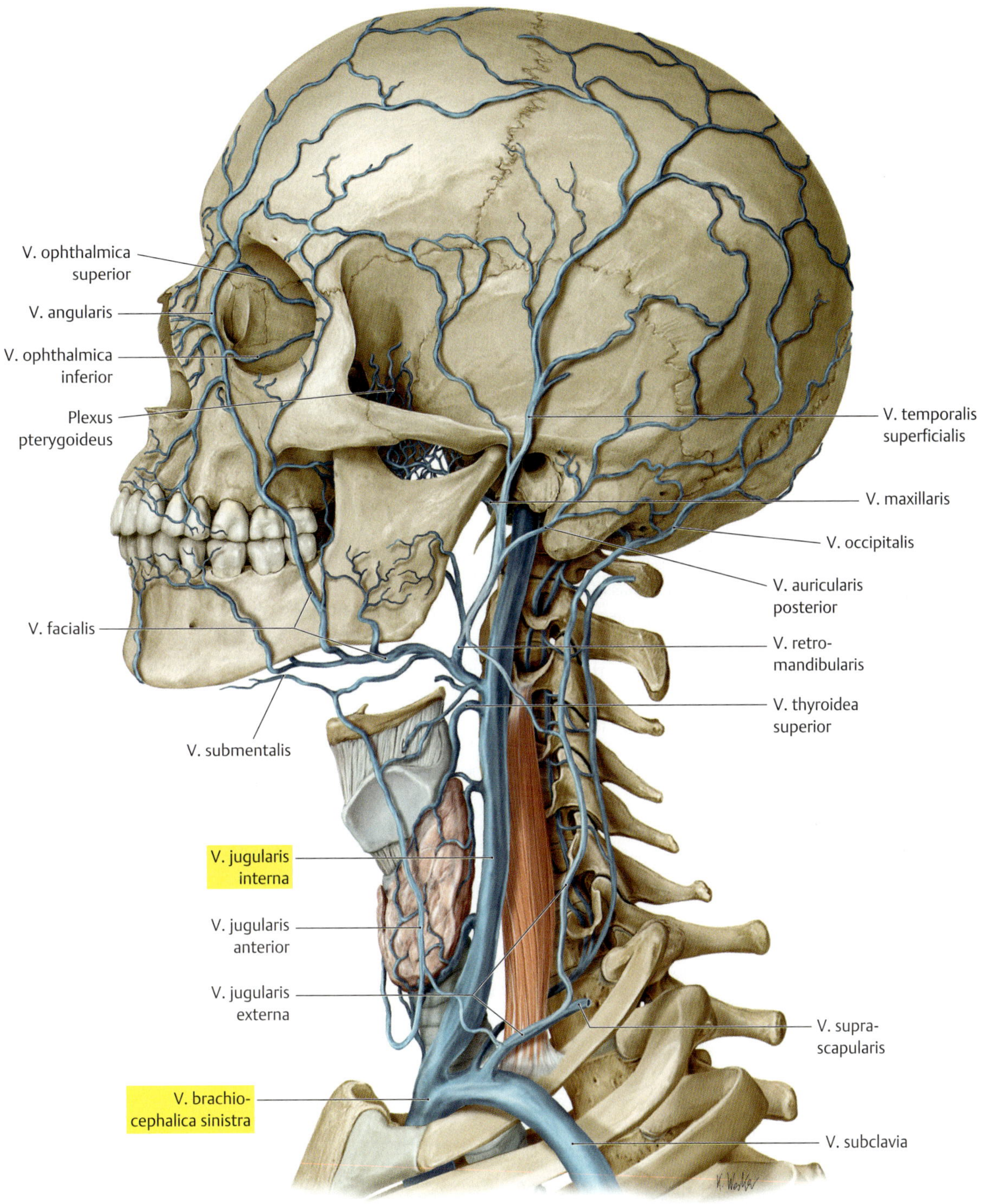

▸ **Abb. 7.19** Oberflächliche Kopf- und Halsvenen und deren Abfluss in die V. brachiocephalica. (Quelle: Schünke M, Schulte E, Schumacher U. Prometheus. LernAtlas der Anatomie. Kopf, Hals und Neuroanatomie. Illustrationen von M. Voll und K. Wesker. 6. Aufl. Stuttgart: Thieme; 2022)

- **Sinus sphenoparietalis:** verläuft von vorderer zur mittlerer Schädelgrube unter dem Ala minor ossis sphenoidalis, mündet im Sinus cavernosus (▶ Abb. 7.20, ▶ Abb. 7.21)

Osteopathische Korrespondenzen

Praxistipp

Differenzialdiagnose Infektionen

Zwischen dem Sinus sigmoideus und den Cellulae mastoideae befindet sich nur eine hauchdünne Knochenwand. Hier liegt eine Gefahrenquelle, durch die eine Mittelohrinfektion in das Sinussystem gelangen kann. Gefahr von Meningitis, Thrombenbildung (Sinusthrombose). Weitere Gefahrenquelle für Infektionen sind die zuführenden Gefäße aus dem Gesichts- und Augenbereich, die im Sinus cavernosus einmünden.

Hirnnerven und Passagestörungen

Im Sinus cavernosus befindet sich eine balkenartige Bindegewebestruktur. Sie macht es möglich, dass Gefäße der A. carotis interna (Karotissiphon) und Nervenverläufe (N. abducens) durch den Sinus cavernosus ziehen können. In der lateralen Cavernosus-Wand verlaufen der N. oculomotorius (III), N. ophthalmicus (V_1), N. maxillaris (V_2). Stauungen im Cavernosus können durch Kompression der Nervenverläufe die Funktion der äußeren Augenmuskulatur stören (z. B. bei Schädelbasisfraktur).

Osteopathische Dysfunktionen im Bereich der knöchernen Schädelanteile und dysfunktionale Spannungen in den Membranen können die Zirkulation im Augen- und Gesichtsbereich beeinträchtigen.

Hören und Gleichgewicht

Sinus petrosus inferior nimmt die Vv. labyrinthi auf. Osteopathische Dysfunktionen des Os temporale können die venöse Entsorgung des Labyrinths negativ beeinflussen. Eine gestörte Mikrozirkulation kann die Funktionalität des Innenohrs (Lage im Labyrinth in der Felsenbeinpyramide) beeinträchtigen. Hier befinden sich die Komponenten für Gehör- (Cochlea) und Gleichgewichtssinn (Vestibularorgan). Hörstörungen, Tinnitus, Schwindel sind möglich.

Intraossäre Spannungen des Os temporale können durch CMD provoziert werden. Die mechanische Überbelastung des Kauapparats kann Hörstörungen provozieren. Kombinierte Behandlungstechniken vom Os mandibulare und Os temporale sind ein Aspekt der möglichen osteopathischen Intervention.

Alternative Abflusswege

Vv. emissariae sind Anastomosen zwischen den intrakraniellen und den extrakraniellen Venen. Sie verbinden Sinus durae matris (▶ Abb. 7.20), Diploevenen (Venen im Schädeldach) und die oberflächlichen Schädelvenen miteinander (▶ Abb. 7.21).

Die Diploevenen haben 4 große Hauptabflussgefäße:

- V. diploica frontalis (Drainage Os frontale)
- V. diploica occipitalis (Drainage Os occipitale)
- V. diploica temporalis anterior (Drainage seitliche Anteile Os frontale)
- V. diploica temporalis posterior (Drainage Os parietale)

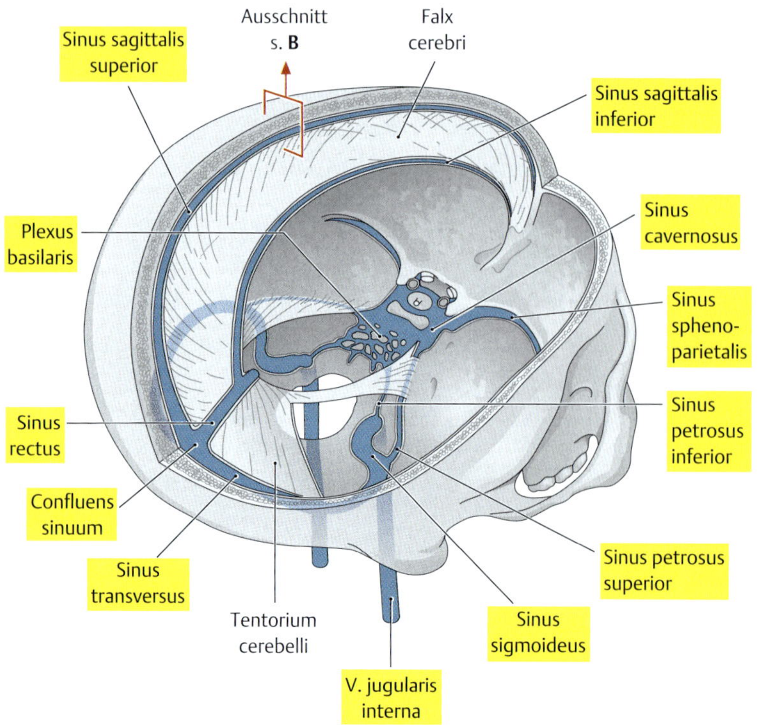

▶ **Abb. 7.20** Einbau der wichtigsten Sinus durae matris in den Schädel. Die lateralen Blutleiter sind paarig angelegt. Die medialen Blutleiter sind unpaarig. Die Fließrichtung kann je nach Druckverhältnis variieren, da keine Klappen im Sinussystem vorhanden sind. (Quelle: Schünke M, Schulte E, Schumacher U. Prometheus. LernAtlas der Anatomie. Kopf, Hals und Neuroanatomie. Illustrationen von M. Voll und K. Wesker. 6. Aufl. Stuttgart: Thieme; 2022)

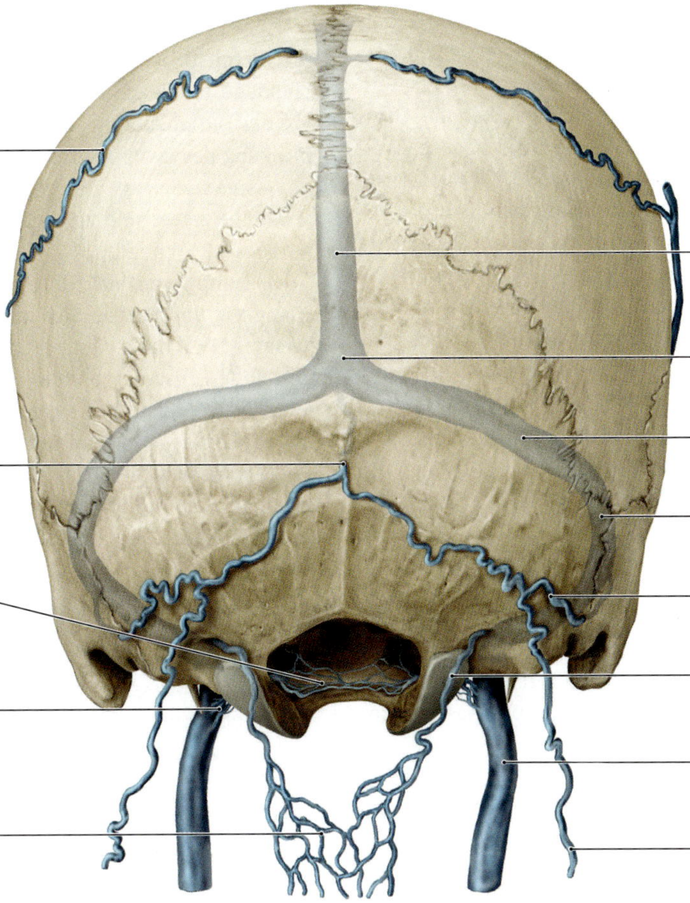

▸ **Abb. 7.21** Venen des Hinterhaupts.
Die Vv. emissariae treten in Funktion der Anastomosen durch Foramina der Schädelknochen. Sie sorgen damit u. a. für Druckausgleich. Die paarige V. emissaria parietalis tritt aus Foramen parietale und verbindet V. temporalis superficialis mit dem Sinus sagittalis superior. Vv. emissariae mastoidea (Foramina mastoidea) verbinden u. a. Vv. auriculares posterior, Vv. occipitales mit Sinus sigmoidei. Die unpaarige V. emissaria occipitalis gelangt an Protuberantia occipitalis externa nach außen und verbindet Vv. occipitales mit Confluens sinuum. Vv. emissariae condylares (Canalis condylaris) verbinden Plexus venosi vertebralis externi mit Sinus sigmoidei. Ein Okziput-Release kann befreiend auf die Foramina wirken. (Quelle: Schünke M, Schulte E, Schumacher U. Prometheus. LernAtlas der Anatomie. Kopf, Hals und Neuroanatomie. Illustrationen von M. Voll und K. Wesker. 6. Aufl. Stuttgart: Thieme; 2022)

Entsorgung findet über die verschiedenen Anteile der Sinus durae matris und über die Vv. emmissariae condylaris in den Plexus venosus vertebralis externus statt.

Osteopathische Entstauungstechniken über die Okziputkondylen (Flower-Spread) können die venöse Drainage des Kraniums unterstützen (Kap. 6.1.1). Myofasziale Techniken im Bereich des Mastoids können über das Foramen mastoideum (V. emissaria mastoidea) entstauend auf das Sinusystem wirken.

Auf der Höhe Art. sternoclaviculare vereinigt sich die V. jugularis interna mit V. subclavia zur V. brachiocephalica. Fasziale Behandlung der Klavikula, parietale Techniken für Sternum und Klavikula können den venösen Abfluss des Kraniums verbessern.

Der Sternum-Recoil gehört zu den zirkulatorischen Behandlungstechniken und ist eine intensiven venölymphatischen Technik [37].

Behandlungshinweise

Thoraxtechniken, Rippraising, haben nicht nur einen positiven Effekt auf das VNS, sondern verbessern auch die venöse Drainage des Kraniums, weil sie u. a. das zervikothorakale Diaphragma entspannen.

Mögliche Behandlungsabfolge zur venösen Entstauung Kranium:

1. Befreiung aller Diaphragmen unterhalb des zervikothorakalen Übergangs; periphere parietale, viszerale, fasziale Dysfunktionen vorab behandeln
2. fasziale Technik Klavikula
3. MET 1. Rippe
4. Befreiung des zervikothorakalen Diaphragmas
5. Faszialer lift über M. sternoleidomastoideus
6. MET Art. atlantooccipitalis
7. Okziput-Release
8. Disengagement Sutura sphenopetrosa, Sutura occipitomastoidea
9. Sinus-Techniken
10. CV4-Technik

7.1.5 Lymphatisches System

Aus osteopathischer Sicht ist die **Mikrozirkulation** entscheidend für Regeneration und Gesundung. Die Palpation der Lymphknoten ist wichtig für die Diagnostik. Die Anregung des Lymphabflusses ist ein wichtiger Behandlungsaspekt. Die Lage der Lymphknoten und das jeweilige Sammelgebiet sind zur besseren Übersicht aufgeführt (► Abb. 7.22).

Der **Lymphkreislauf** führt die Lymphe (interstitielle Flüssigkeit) ins venöse Blut zurück. Es ist ein fein verzweigtes Netz, das sich aus Kapillaren zu größeren Sammelgefäßen zusammenschließt. **Lymphknoten** liegen an bestimmten Stellen des Systems. Sie filtern die Lymphe und dienen der **Immunabwehr**. Die Lymphbahnen und -knoten lassen sich in oberflächliche und tiefe regionale **Lymphknoten und Stammlymphknoten** unterteilen. Die Lymphkapillaren beginnen blind im Interstitium.

Haut und Weichteile des Kraniums

Das Sammelgebiet von Haut und Weichteilen des Kraniums wird vorwiegend von den oberflächlichen regionalen Lymphknoten (► Abb. 7.23) gefiltert.

- **Nodi lymphatici parotidei superficialis:** auf Fascia parotidea vor dem Ohr, filtern Lymphe aus Stirn- und Schläfenregion
- **Nodi lymphatici submandibulares:** im Trigonum submandibulare, filtern Lymphe aus Stirn, Nase, Wangen, Lippen, Gaumen, Zähnen (Oberkiefer alle Zähne, Unterkiefer Zähne 3–8), Zahnfleisch, Zunge, Mundboden
- **Nodi lymphatici submentales:** zwischen den Ansätzen des M. digastricus, filtern Lymphe aus Unterlippenmitte, Kinn, unteren Frontzähnen, Zahnfleisch, Zungenspitze
- **Nodi lymphatici mastoidei:** auf Proc. mastoideus, filtern Lymphe aus Gewebe hinter und oberhalb des Ohres
- **Nodi lymphatici occipitales:** Linea nuchae superior, filtern Lymphe aus der Hinterhauptregion
- **Nodi lymphatici cervicales anteriores:** Lage: entlang V. jugularis anterior; filtern Lymphe aus Vorderseite der zervikalen Haut, Kehlkopf, Trachea
- **Nodi lymphatici cervicales laterales superficiales:** entlang V. jugularis externa, filtert Lymphe aus seitlicher zervikaler Haut

Der Abfluss erfolgt dann über die Nodi cervicales laterales profundi in das Sammelgefäß Truncus jugularis in den Ductus thoracicus (links) bzw. Truncus lymphaticus dexter.

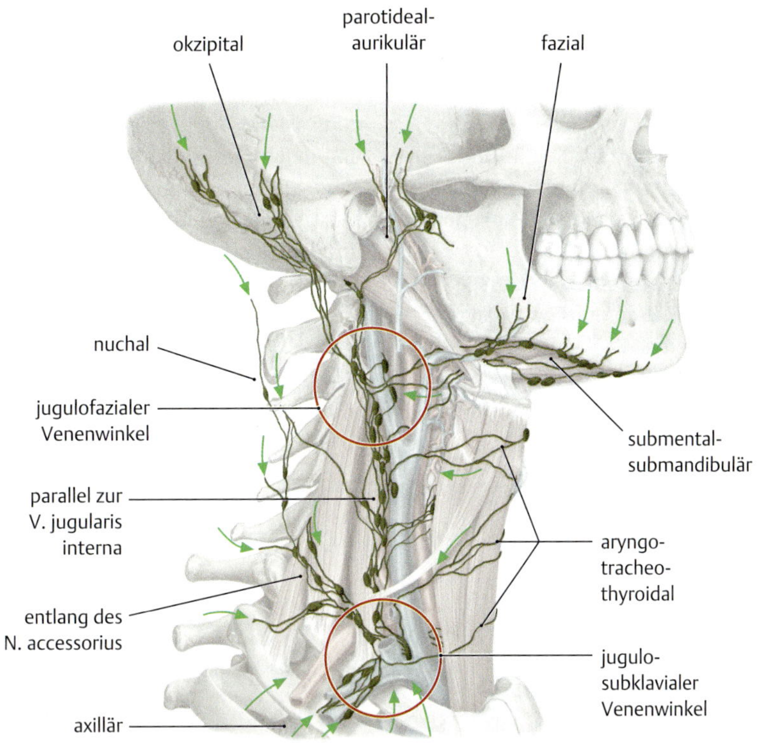

▸ **Abb. 7.22** Flussrichtung der Lymphströme am Hals. (Quelle: Schünke M, Schulte E, Schumacher U. Prometheus. LernAtlas der Anatomie. Kopf, Hals und Neuroanatomie. Illustrationen von M. Voll und K. Wesker. 6. Aufl. Stuttgart: Thieme; 2022)

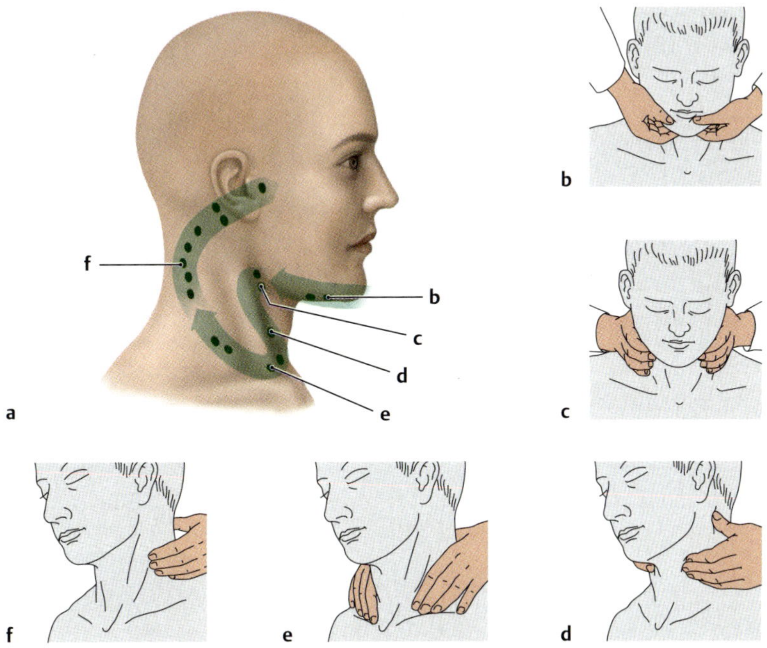

▸ **Abb. 7.23** Systematische Palpation der Halslymphknoten. (Quelle: Schünke M, Schulte E, Schumacher U. Prometheus. LernAtlas der Anatomie. Kopf, Hals und Neuroanatomie. Illustrationen von M. Voll und K. Wesker. 6. Aufl. Stuttgart: Thieme; 2022)

Eingeweide im Kopf- und Halsbereich

Die Lymphe aus den Organen des Kraniums wird vorwiegend von den tiefen regionalen Lymphknoten aufgenommen.

- **Nodi lymphatici retropharyngeales:** Seiten- und Hinterwand des Epipharynx, filtern Lymphe aus Rachen, hinterer Nasenhöhle, Ohrspeicheldrüse, Paukenhöhle und Ohrtrompete
- **Nodi lymphatici parotidei profundi:** an Ohrspeicheldrüse, filtern Lymphe aus äußerem Gehörgang, aber auch aus Ohrspeicheldrüse und Paukenhöhle
- **Nodi lymphatici cervicales profundi:** entlang V. jugularis interna, filtern Lymphe aus Zungengrund, Rachen sowie die Lymphe aus allen Lymphknoten von Kopf und Hals

Daraus ergeben sich drei große Lymphstationen am Hinterhaupt, Ohr- und Wangenbereich.

Der Abfluss erfolgt dann über die Nodi cervicales laterales profundi und das Sammelgefäß Truncus jugularis in den Ductus thoracicus (links) bzw. Truncus lymphaticus dexter.

Behandlungshinweise

Zirkulatorische Techniken wirken gleichfalls auf das lymphatische System Kap. 7.1.4. Durch die fasziale Verbindung des M. omohyoideus mit der V. jugularis interna und den an ihr entlanglaufenden Nodi lymphatici cervicales profundi kann eine myofasziale Behandlung des Muskels den lymphatischen Abfluss aus dem Kranium unterstützen.

7.2 Schnittbilder

▸ Abb. 7.24, ▸ Abb. 7.25

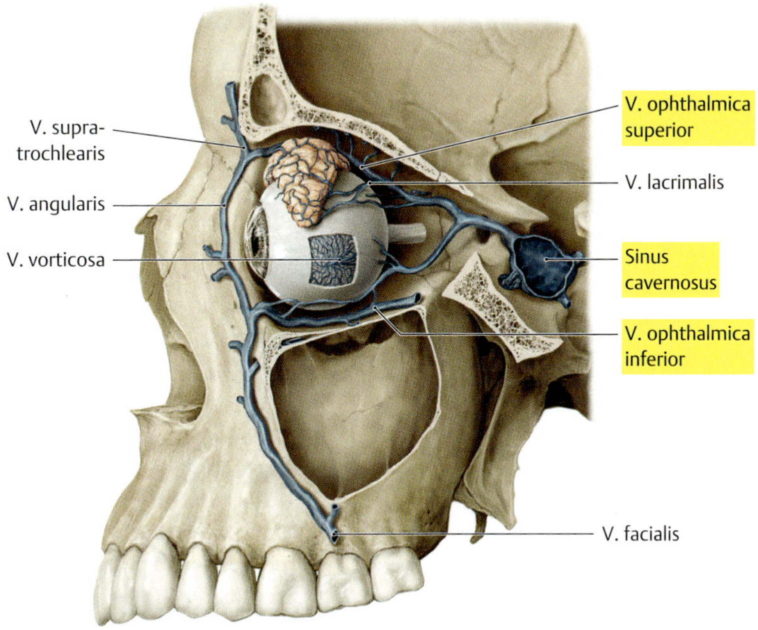

▸ **Abb. 7.24** Auge, venöser Abfluss. V. ophthalmica inferior korrespondiert mit Plexus venosus pterygoideus und über V. ophthalmica mit Sinus cavernosus (Kap. 2.5.1) (Quelle: Schünke M, Schulte E, Schumacher U. Prometheus. LernAtlas der Anatomie. Kopf, Hals und Neuroanatomie. Illustrationen von M. Voll und K. Wesker. 6. Aufl. Stuttgart: Thieme; 2022)

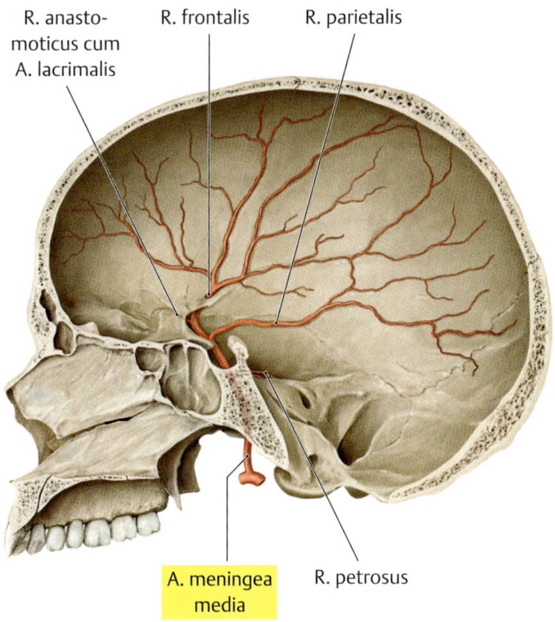

▸ **Abb. 7.25** A. meningea media ist das wesentliche Gefäß für die Versorgung der Dura mater, aber auch für die Schädelknochen, das Ggl. trigeminale, den M. tensor tympani und die Paukenhöhle. Sie dringt durch das Foramen spinosum in das Schädelinnere ein. (Quelle: Schünke M, Schulte E, Schumacher U. Prometheus. LernAtlas der Anatomie. Kopf, Hals und Neuroanatomie. Illustrationen von M. Voll und K. Wesker. 6. Aufl. Stuttgart: Thieme; 2022)

8 ZNS, VNS und Hirnnerven, Plexus cervicalis

8.1 Überblick

8.1.1 Großhirn (Telencephalon)

- Lage: vordere, mittlere Schädelgrube, liegt über Tentorium cerebelli
- besteht aus 2 Hirnhemisphären, die durch Corpus callosum (Balken) miteinander verbunden sind
- Großhirnrinde: Nervenzellkörper (graue Substanz)
- Großhirnmark: myelinisierte Axone (weiße Substanz)
- Oberflächenvergrößerung durch Gyri (Windungen) und Sulci (Furchen)
- unterschiedliche Lappen: Temporal-, Frontal-, Parietallappen
- Ausstülpung des Großhirns Bulbus olfactorius → N. olfactorius
- Funktion: kognitive Fertigkeiten (Somatosensorik), Sprache, Emotionen, Gedächtnis, Planung und Umsetzung von Bewegungen, Sitz des Bewusstseins

8.1.2 Zwischenhirn (Diencephalon)

- Lage: zwischen Mittel- und Großhirn
- umschließt den 3. Ventrikel
- 5 Ebenen:
  - **Thalamus:** „Tor zum Bewusstsein“, alle Informationen aus der Peripherie, die zum Großhirn gelangen
  - **Subthalamus:** Basalganglien des motorischen Systems
  - **Metathalamus:** Seh- und Hörbahn (Corpora geniculata)
  - **Epithalamus mit Epiphyse:** Regulation zirkadianer Rhythmen, Schaltstelle für sensorische Informationen (z. B. Pupillenreflex)
  - **Hypothalamus:** oberstes Regulationsorgan des vegetativen und endokrinen Systems, ist unabhängig vom Großhirn
- Hirnnerv N. opticus (II)

Osteopathische Korrespondenzen

Hypothalamus ist das Steuerzentrum des vegetativen Nervensystems, direkt auf dem Hypothalamus liegt der 3. Ventrikel. Fluktuationstechniken (CV4, CV3) können zu einer besseren Zellversorgung führen, da die Mikrozirkulation angeregt werden kann.

Bei tumorösen Veränderungen kann die Kernstruktur im Hypothalamus (Ncl. supropticus) beeinträchtigt werden, es wird dann zu wenig ADH (Antidiuretisches Hormon) gebildet, was zu einem Diabetes insipidus führen kann.

8.1.3 Hirnstamm

Der Hirnstamm ist das Regulationszentrum des Gehirns, das vom Zwischenhirn zum Rückenmark reicht, umschlossen ist von einem Nervenkernnetz (Formatio reticularis) und die Verschaltung der Hirnnervenkerne koordiniert.

- **Mittelhirn (Mesencephalon):**
  - **Lage:** Zwischen Diencephalon und Pons, oberster Abschnitt Hirnstamm
  - **Funktion:** Extrapyramidalmotorik, Koordination Bewegungsimpulse und -abläufe, u. a. Steuerung Kopf- und Halsbewegungen, leitet Bewegungsplanung an Kleinhirn weiter, Steuerung Feinmotorik
  - **Hirnnervenkerne:** N. oculomotorius (III) und N. trochlearis (IV)
- **Pons:**
  - **Lage:** Zwischen Mesencephalon und Medulla oblongata, mittlerer Abschnitt Hirnstamm
  - **Funktion:** Erlernen, Korrigieren, Steuerung von Bewegungsabläufen, Richtungshören, Steuerung M. stapedius
  - **Hirnnervenkerne:** N. trigeminus (V), N. abducens (VI), N. facialis (VII)
- **Medulla oblongata:**
  - **Lage:** zwischen Pons und Rückenmark, unterster Abschnitt
  - **Funktion:** u. a. Atmungs- und Kreislaufregulation, Würgereflex
  - **Hirnnervenkerne**: N. vestibulocochlearis (VIII), N. glossopharyngeus (IX), N. vagus (X), N. accessorius (XI), N. hypoglossus (XII; ▸ **Abb. 8.1**)

Osteopathische Korrespondenzen

Kleinhirn- und Ponsschädigungen äußern sich u. a. durch einen herabgesetzten Muskeltonus, eine Ataxie, eine gestörte Blickstabilisierung.

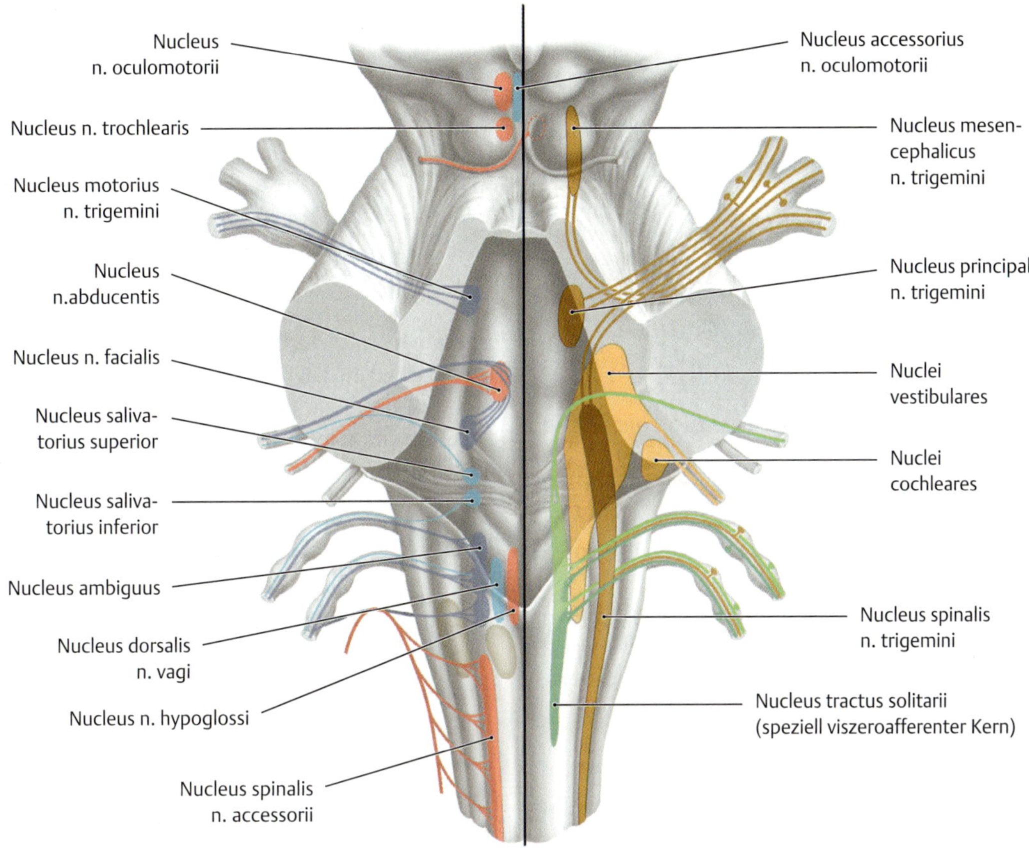

▸ **Abb. 8.1** Lage der Hirnnervenkerne III–XII im Hirnstamm (von dorsal). Hirnstamm (Kleinhirn entfernt). (Quelle: Schünke M, Schulte E, Schumacher U. Prometheus. LernAtlas der Anatomie. Kopf, Hals und Neuroanatomie. Illustrationen von M. Voll und K. Wesker. 6. Aufl. Stuttgart: Thieme; 2022)

8.1.4 Vegetatives Nervensystem (VNS)

Sympathikus

Dieser Teil des Nervensystems dient verstärkter körperlicher Aktion und Leistungsfähigkeit. Er erhöht Herzfrequenz, Erregungsleitung und Kontraktionskraft des Herzens. Im Lungenbereich führt er zur Bronchodilatation, im Verdauungstrakt zu verstärkter Sphinkterkontraktion, hemmt die Motilität.

Die Speicheldrüsen produzieren vermehrt muköses Sekret, das Pankreas schüttet mehr Insulin zur Energiebereitstellung aus, senkt gleichzeitig die Sekretion für die Verdauung.

Der Blasensphinkter, M. sphincter vesicae, kontrahiert, der M. detrusor vesicae relaxiert.

Die **sympathische Versorgung** des Kopfes erfolgt aus einem paravertebralen Grenzstrangganglion, insbesondere dem Ggl. cervicale superius. Das Ganglion liegt etwa auf Höhe von C 2/3.

Die sympathischen Nervenfasern aus dem Ggl. cervicale superius verlaufen in der Regel entlang einer Arterie (wie bei fast allen Fasern des sympathischen Nervensystems).

Nervenfasern im Einzelnen:

- sympathische Nervenfaser N. jugularis → zieht kranial zur Schädelbasis und fügt dem Ggl. inferius des N. glossopharyngeus (IX) und dem Ggl. superius des N. vagus (X) Nervenfasern zu
- N. caroticus internus → wird zum N. petrosus profundus
- Nn. carotici externi: Speicheldrüsen
- Rr. laryngopharyngei: Plexus pharyngeus
- N. cardiacus cervicalis superior: Plexus cardiacus
- Fasern zur Epiphyse

Osteopathische Korrespondenzen: Ggl. inferius und superius liegen unter und über dem Foramen jugulare. Osteopathische Dysfunktionen in der Sutura occipitomastoidea und im Foramenbereich selbst können z. B. durch einen venösen Stau im Bereich der V. jugularis interna sympathische Nervenfasern irritieren. Vegetative Dystonien könnten die Folge sein.

! Merke
Die sympathischen Fasern werden nicht in den vegetativen Ganglien des Kopfes verschaltet.

Parasympathikus

Er ist ein weiterer Teil des vegetativen Nervensystems, der dem Organismus zur Regeneration verhilft. Der Parasympathikus senkt die Herzfrequenz, verlangsamt die Erregungsleitung und die Kontraktionskraft des Herzens. Im Lungenbereich führt er zur Bronchokonstriktion, im Verdauungstrakt zu mehr Sphinkterdilatation, zu erhöhter Motilität und vermehrter Magensäuresekretion. Die Speicheldrüsen produzieren vermehrt seröses Sekret, das Pankreas schüttet mehr Insulin (exokrine Sekretion) aus. Der Blasensphinkter entspannt sich (Relaxation des M. sphincter vesicae). Der M. detrusor vesicae zeigt Kontraktion. Der Parasympathikus unterstützt die Erektion. Im Augenbereich zeigen sich Miosis und Nahakkommodation. Der Parasympathikus schafft also Reserven für die Leistungsbereitschaft.

Vegetative Ganglien des Kopfes: Es befinden sich 4 parasympathische Ganglien im Bereich des Kopfes, die jeweils eine Radix parasympathica, Radix sympathica und Radix sensoria haben. Bis auf N. vagus werden hier die parasympathischen Fasern umgeschaltet. Die Fasern des N. vagus werden nahe dem Organ umgeschaltet. Weder die sensorischen noch die sympathischen Fasern werden in den parasympathischen Kopfganglien umgeschaltet. Sie verlaufen nur durch das Ganglion, ohne umgeschaltet zu werden.

Ganglion und Lage

- Ggl. ciliare (Orbita; ▸ **Abb. 8.2**)
- Ggl. pterygopalatinum (Fossa pterygopalatina; ▸ **Abb. 8.3**)
- Ggl. oticum (Fossa infratemporalis; ▸ **Abb. 8.4**)
- Ggl. submandibulare (Mundboden; ▸ **Abb. 8.5**)

Osteopathische Korrespondenzen: Das parasympathische Nervensystem mit seiner regenerativen Kraft ist ein wichtiger Behandlungsbereich in der Osteopathie. Im Plexus choroideus scheinen Fasern des sympathischen und parasympathischen Systems nachweisbar zu sein. Über das vegetative Nervensystem werden Blutgefäße und das Epithel innerviert. Die Liquorproduktion wird unter parasympathischer Dominanz optimiert.

8.1.5 Enterisches Nervensystem

Es ist eine **Sonderform des VNS** in der Wand von Ösophagus, Magen und Darm. Das enterische Nervensystem besteht aus 3 Nervengeflechten: In der dünnen Bindegewebsschicht unter der Schleimhaut (Tela submucosa) liegt der Meissner-Plexus (Plexus submucosus), zwischen den beiden Schichten der glatten Muskulatur (Tunica muscularis) liegt der Auerbach-Plexus (Plexus myentericus), zwischen Serosa, Peritoneum viscerale und Tunica muscularis befindet sich der Plexus subserosus.

Es steht funktionell mit den anderen vegetativen Systemen in Verbindung, agiert jedoch unabhängig davon. Nur in Notfällen dominiert das vegetative Nervensystem, z. B. Erbrechen bei Intoxikationen.

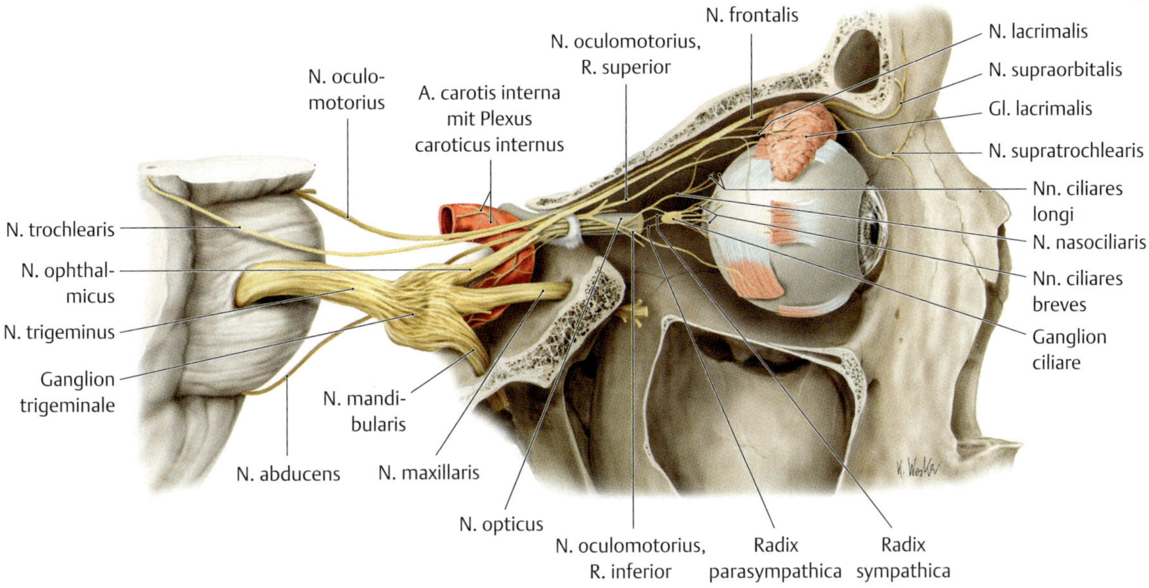

▸ **Abb. 8.2** Innervation der rechten Orbita, Ggl. ciliare. (Quelle: Schünke M, Schulte E, Schumacher U. Prometheus. LernAtlas der Anatomie. Kopf, Hals und Neuroanatomie. Illustrationen von M. Voll und K. Wesker. 6. Aufl. Stuttgart: Thieme; 2022)

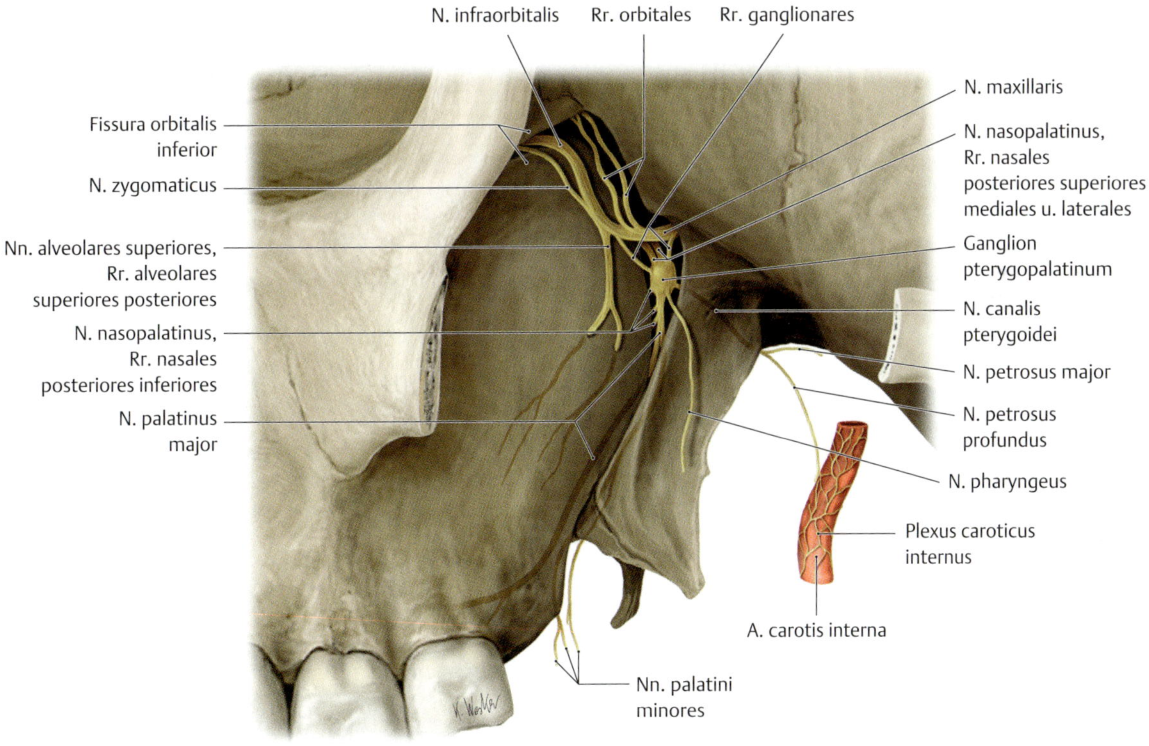

▸ **Abb. 8.3** Verlauf der Nerven in der linken Fossa pterygopalatina, Ggl. pterygopalatinum (von lateral). (Quelle: Schünke M, Schulte E, Schumacher U. Prometheus. LernAtlas der Anatomie. Kopf, Hals und Neuroanatomie. Illustrationen von M. Voll und K. Wesker. 6. Aufl. Stuttgart: Thieme; 2022)

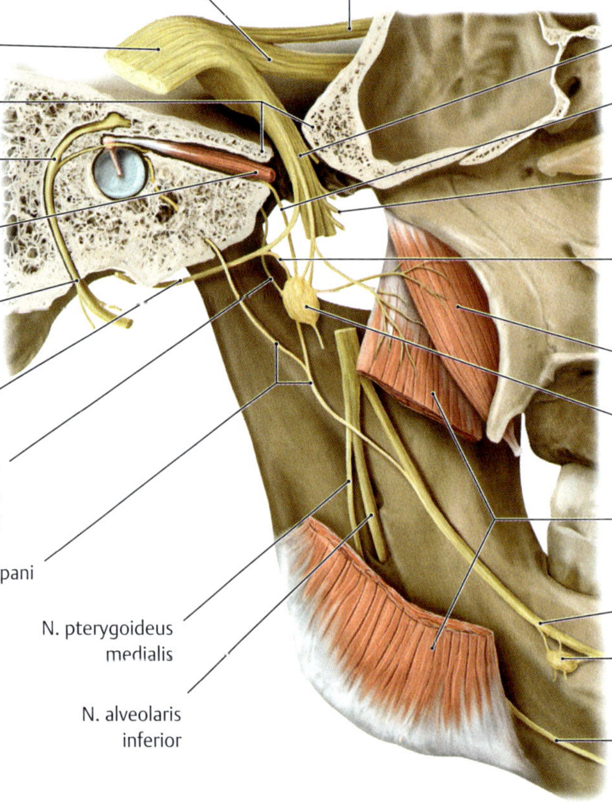

▸ **Abb. 8.4** Linkes Ggl. oticum mit seinen Wurzeln in der Tiefe der Fossa infratemporalis. (Quelle: Schünke M, Schulte E, Schumacher U. Prometheus. LernAtlas der Anatomie. Kopf, Hals und Neuroanatomie. Illustrationen von M. Voll und K. Wesker. 6. Aufl. Stuttgart: Thieme; 2022)

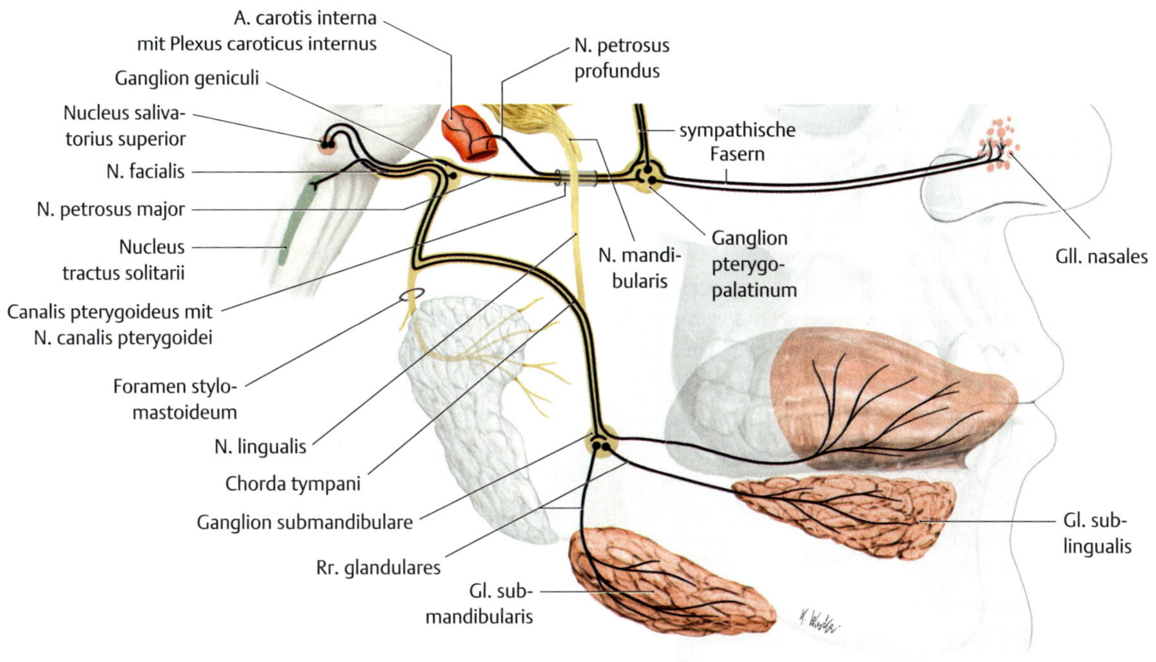

▸ **Abb. 8.5** Ggl. submandibulare. Parasympathische viszeroefferente und viszeroafferente Fasern (Geschmacksfasern) des N. facialis. (Quelle: Schünke M, Schulte E, Schumacher U. Prometheus. LernAtlas der Anatomie. Kopf, Hals und Neuroanatomie. Illustrationen von M. Voll und K. Wesker. 6. Aufl. Stuttgart: Thieme; 2022)

Osteopathische Korrespondenzen

Die osteopathische Behandlung der Viszera hat großen Einfluss auf den vegetativen Ausgleich und kann die Mikrozirkulation verbessern. Die funktionelle Besiedelung des Verdauungstrakts durch das Mikrobiom scheint einen wesentlichen Beitrag zu leisten, um die Entstehung von beispielsweise neurovegetativen Erkrankungen, Alzheimer, Angststörungen und bestimmten Formen von Depressionen zu verhindern. Möglich ist, dass sich durch osteopathische Interventionen eine positive gegenseitige Beeinflussung von nervaler und hormoneller Interaktion sowie der Immunmodulation ergibt (Darm-Hirn-Achse).

8.1.6 Plexus cervicalis

- Nervengeflecht im lateralen Halsdreieck
- Rr. anteriores aus C 1–C 4
- motorische Anteile:
  - Ansa cervicalis → M. infrahyoidei (kaudaler Anteil Zungenbeinmuskulatur)
  - N. phrenicus (C 3–C 5): u. a. Zwerchfellinnervation
- sensible Anteile:
  - Vielzahl an Nervenfasern, die am Punctum nervosum austreten (Hinterrand M. sternocleidomastoideus).
  - N. occipitalis minor (laterales Hinterhaupt)
  - N. auricularis magnus (Haut um das Ohr herum)
  - N. transversus colli (anteriore Halsregion)
  - N. supraclavicularis (Haut Schlüsselbein)

Osteopathische Korrespondenzen

Dysfunktionen im Bereich der OAA können insbesondere die sensiblen Nervenäste beeinträchtigen und Kopfschmerzen im Versorgungsgebiet verursachen.

8.2 Hirnnerven

8.2.1 N. olfactorius (I)

▶ Abb. 8.6, ▶ Abb. 8.7

- **Funktion**: Nervenfasern, die Riech- und Geschmacksinformationen an das ZNS weiterleiten
- **Faserqualität**: speziell viszeroafferent
- **Kerngebiet** (Lokalisation): kein Nervenkern, da Bulbus olfactorius Ausstülpung des Endhirns ist
- **Passagen/Engpässe/Foramina**: afferente Nervenfasern aus Riechschleimhaut → über Lamina cribrosa (Os ethmoidale) Eintritt in den Schädel → vordere Schädelgrube zu Bulbus olfactorius (Umschaltung vom 1. zum 2. Neuron) → zu Tractus olfactorius → Amygdala

Osteopathische Korrespondenzen

Dysfunktionen zwischen Os frontale und Os ethmoidale im Bereich der Lamina cribrosa können die feinen Fila olfactoria in ihrer Funktion einschränken. Gerade die Mikrozirkulation ist elementar für die Riechschleimhaut, denn diese hat eine hohe Regenerationsrate. Riechzellen teilen sich fortlaufend während des gesamten Lebens. Die Nervenfasern sind von der Dura mater und der weichen Hirnhaut umhüllt. So steht der Liquor in einer funktionellen Einheit mit dem Interstitium in Verbindung. Gleichzeitig besteht der Kontakt zu den Blut- und Lymphgefäßen. Das Lösen von Blockaden im Bereich Nasion, Sutura frontoethmoidalis kann eine ungestörte Liquorzirkulation möglich machen und die regenerativen Kapazitäten der Riechschleimhaut unterstützen.

Der N. olfactorius ist ein Teil des Endhirns, entspringt also nicht dem Hirnstamm. Die Information kann u. a. direkt an die primäre Riechrinde (Regio praepiriformis) und die Amygdala (Corpus amygdaloideum) geleitet werden. Die Amygdala speichert Gedächtnisinhalte und ist involviert in Emotionen. Daher können Gerüche eine ganze Kaskade von emotionalen Erinnerungen auslösen. Gerüche können Warnfunktion haben, aber auch je nach Ausprägung das soziale Leben beeinflussen. Das Mikrobiom eines jeden Menschen ist individuell ausgeprägt und führt u. a. zu einem spezifischen Haut- und Schweißgeruch. Dieser kann als angenehm oder unangenehm empfunden werden.

Am oberen Rand der Nasenmuschel befindet sich die Regio olfactoria (▶ Abb. 8.6). Einschränkungen des Geruchssinns können daher bei ausgeprägten Infektionen (Rhinitis) auftreten. Duratechniken können hier regenerierend wirken.

> **Praxistipp**
> **Differenzialdiagnose**
> Andere Ursachen für den Verlust des Geruchssinns: Trauma, Tumor, Morbus Parkinson

Behandlungshinweise

- Disengagement-Techniken im Bereich Nasion und eine Os-frontale-Hebetechnik können Blockaden der Sutura frontoethmoidalis auflösen.
- Das Einstellen eines PBMT wirkt harmonisierend auf die Ansätze der Falx cerebri an der Crista galli.

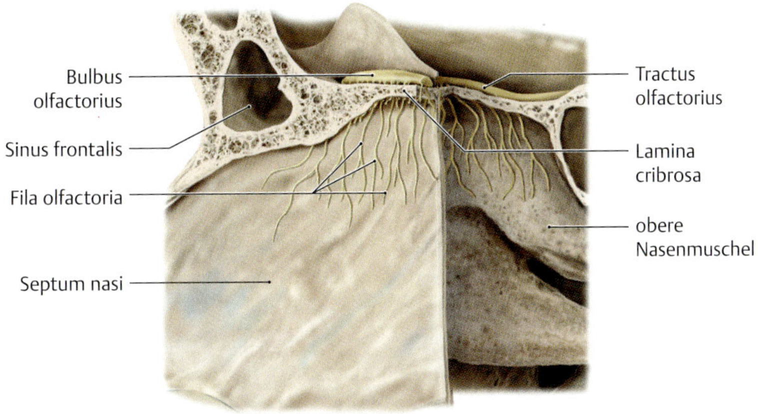

▸ **Abb. 8.6** Ausdehnung der Riechschleimhaut (Regio olfactoria). (Quelle: Schünke M, Schulte E, Schumacher U. Prometheus. LernAtlas der Anatomie. Kopf, Hals und Neuroanatomie. Illustrationen von M. Voll und K. Wesker. 6. Aufl. Stuttgart: Thieme; 2022)

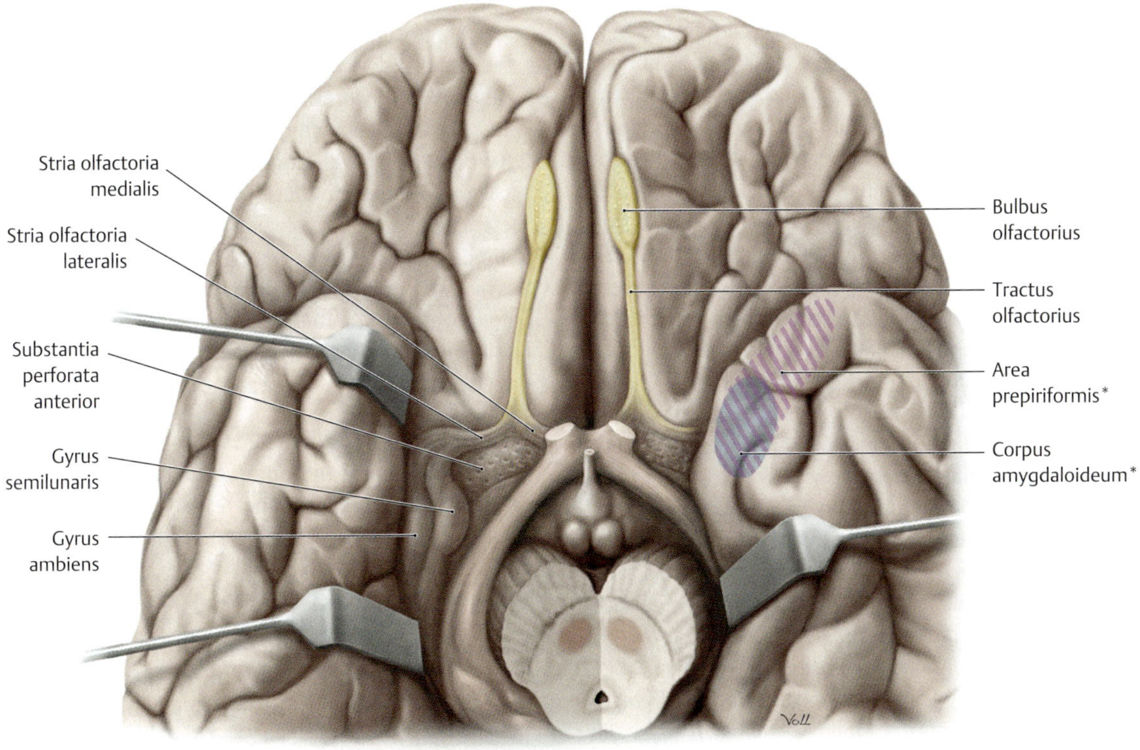

▸ **Abb. 8.7** Bulbus und Tractus olfactorius an der basalen Fläche des Frontalhirns. (Quelle: Schünke M, Schulte E, Schumacher U. Prometheus. LernAtlas der Anatomie. Kopf, Hals und Neuroanatomie. Illustrationen von M. Voll und K. Wesker. 6. Aufl. Stuttgart: Thieme; 2022)

8.2.2 N. opticus (II)

▶ Abb. 8.8, ▶ Abb. 8.9

- **Funktion**: Sehen
- **Faserqualität**: speziell somatoafferent
- **Kerngebiet** (Lokalisation): kein Nervenkern, direkt aus Diencephalon entstanden, Ausstülpung des Gehirns
- **Passagen/Engpässe/Foramina**: Ganglienzellen Netzhaut → N. opticus → Durchtritt über die Papilla n. optici → durch Anulus tendineus communis → Canalis opticus (Basis Alae minores ossis sphenoidalis) in der mittleren Schädelgrube → Chiasma opticum → Tractus opticus → Corpus geniculatum laterale (Thalamus) → Radiatio optica → primäre Sehrinde (Okzipitallappen)

Osteopathische Korrespondenzen

Das visuelle System gibt neben dem Gleichgewichtssystem elementare Afferenzen an das ZNS für Körpergleichgewicht, Bewegung im Raum und Ausrichtung der Körperstatik (Kap. 8.2.8) weiter. Engpässe für den N. opticus bestehen in der Orbita im Bereich des Anulus tendineus communis, Canalis opticus und Subarachnoidalraums. Das Os sphenoidale mit der Sella turcica ist direkter Nachbar des Chiasma opticum und vergleichbar mit einer Sehnenscheide. Der N. opticus ist in ganzer Länge von Dura mater und weicher Hirnhaut umschlossen. Die weiche Hirnhaut (Leptomeninx) besteht aus 2 Blättern (Arachnoidea mater, Pia mater). Zwischen den beiden Schichten befindet sich der Subarachnoidalraum, der mit Liquor gefüllt ist. Die Dura mater heftet sich beim Eintritt des N. opticus in die Augenhöhle dem Anulus tendineus an. Anschließend umhüllt nur noch die weiche Hirnhaut den Nerv. Diese Konstruktion ist wichtig für die Mikrozirkulation und die Verbindung zum lymphatischen System. Denn Lymphkapillaren in der Dura mater sorgen für Rückresorption des Liquors. Kompressionen können auch durch Gefäße entstehen, z. B. A. carotis interna seitlich des Chiasmas, A. cerebri anterior liegt in nächster Nähe.

Neben der Entspannung der äußeren Augenmuskeln ist die Zirkulation ein wichtiger Faktor für die Geweberegeneration des Augenorgans. Drainagetechniken über alle Diaphragmen sind hilfreich. Die ossäre Behandlung der Orbita kann die Durchtrittsbereiche harmonisieren. Darüber hinaus sind auch Propriozeption und Posturologie elementar. Integrierende Techniken über untere Extremität, Sakrum, OAA und Kranium sind funktionell sinnvoll.

Behandlungshinweise

- Als neurovegetativer Ausgleich bieten sich Behandlungstechniken über den 4. Ventrikel an.
- MET können die äußeren Augenmuskeln entspannen.
- Für die Regulation des sympathischen Systems bieten sich myofasziale Behandlungstechniken an der oberen HWS an (Ggl. cervicale superius).
- Der CTÜ ist eine wichtige Region für die Verschaltung des Sympathikus auf die oberen zervikalen Halsganglien. Eine HVLA-Technik kann den oftmals unter großer muskulärer Spannung stehenden Bereich lösen.

8.2.3 N. oculomotorius (III)

▶ Abb. 8.14, ▶ Abb. 8.15, ▶ Abb. 8.16

- **Funktion**: Augenmuskulatur (Großteil)
- **Faserqualität**:
  - allgemein somatoefferent (motorisch): M. levator palpebrae superioris, Mm. recti oculi superior, inferior, medialis, M. oculi obliquus inferior
  - allgemein viszeroefferent (parasympathisch): M. ciliaris, M. sphincter pupillae
- **2 Kerngebiete** (Lokalisation): Ncl. n. oculomotorii, Ncl. accessorius n. oculomotorii (Ncl. Erdinger-Westphal) → Mesencephalon, embryologischer Ursprung Neuralrohr (Grundplatte)
- **Passagen/Engpässe/Foramina**: Hirnstamm → Wand Sinus cavernosus (mittlere Schädelgrube) → Fissura orbitalis superior (zwischen Alae majores und minores des Os sphenoidale) → Orbita

Merke
Augenmuskelnerven sind: N. oculomotorius (III), N. trochlearis (IV), N. abducens (VI)

Osteopathische Korrespondenzen

Durch den Verlauf in der Wand des Sinus cavernosus kann bei einer Stauungsproblematik der N. oculomotorius beeinträchtigt werden. Wenn parasympathische Fasern betroffen sind (bei geringer Kompression), kann das zu einem gestörten Pupillenreflex (lichtstarre weite Pupille) führen und eine Nah-Akkommodation stören (Ausfall M. ciliaris). Zirkulatorische Techniken, die die venösen Blutleiter drainieren, können entstauend wirken.

Cave
Ausschluss schulmedizinischer Pathologien!

Behandlungshinweise

Behandlungshinweise finden Sie im Kap. 8.2.2.

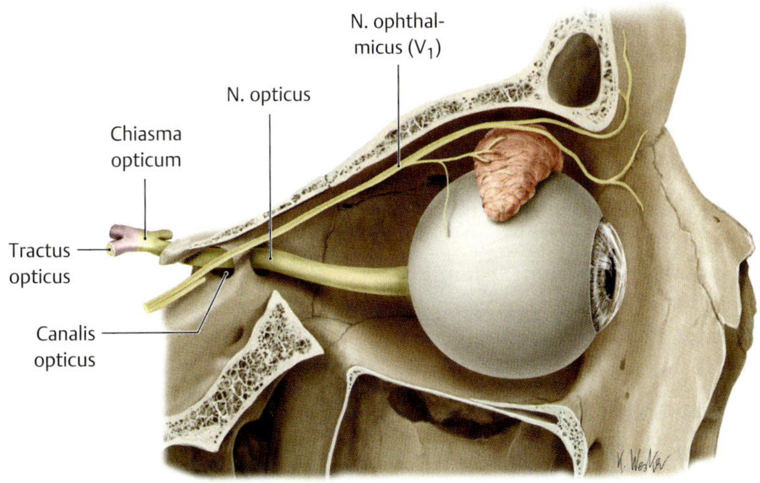

▶ **Abb. 8.8** Verlauf des N. opticus in der rechten Orbita. (Quelle: Schünke M, Schulte E, Schumacher U. Prometheus. LernAtlas der Anatomie. Kopf, Hals und Neuroanatomie. Illustrationen von M. Voll und K. Wesker. 6. Aufl. Stuttgart: Thieme; 2022)

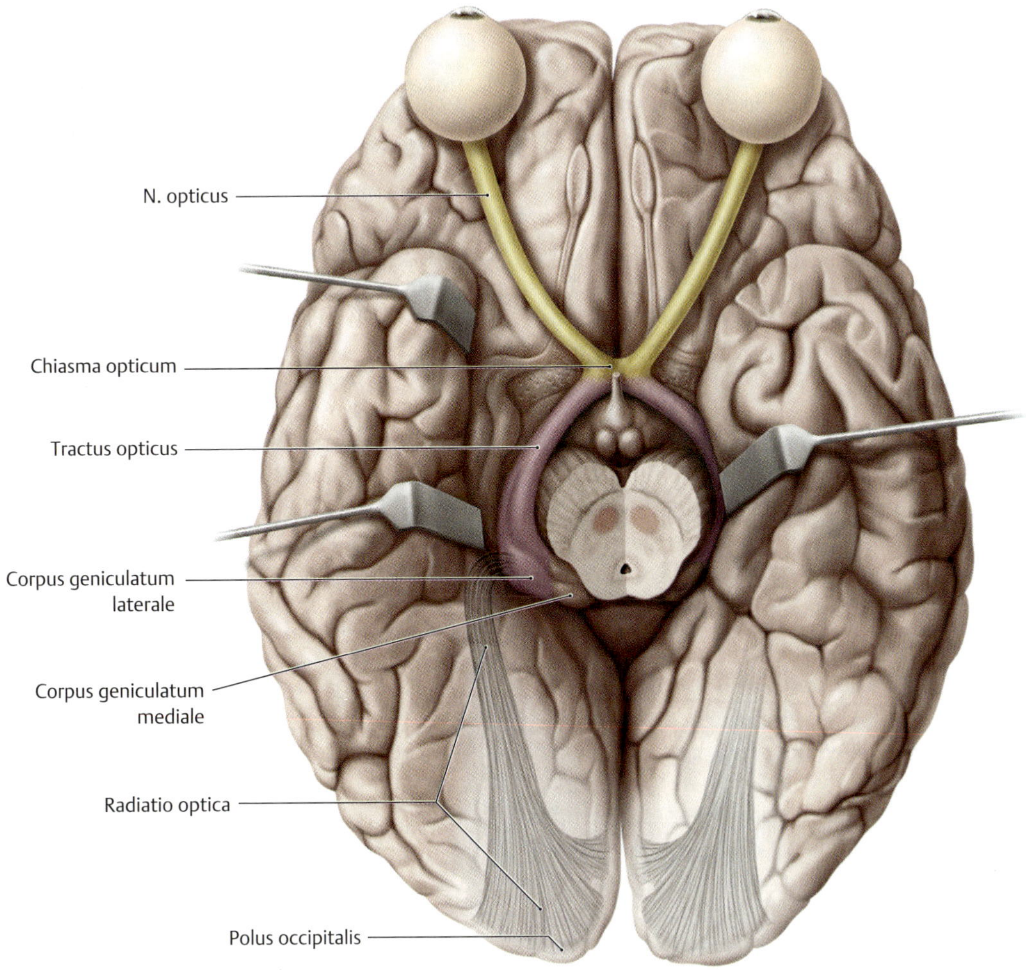

▶ **Abb. 8.9** Auge, N. opticus, Chiasma opticum und Tractus opticus. (Quelle: Schünke M, Schulte E, Schumacher U. Prometheus. LernAtlas der Anatomie. Kopf, Hals und Neuroanatomie. Illustrationen von M. Voll und K. Wesker. 6. Aufl. Stuttgart: Thieme; 2022)

8.2.4 N. trochlearis (IV)

▶ Abb. 8.14, ▶ Abb. 8.15, ▶ Abb. 8.16

- **Funktion**: Innervation Augenmuskulatur (kleiner Teil)
- **Faserqualität**: allgemein somatoefferent (motorisch): M. oculi obliquus superior
- **1 Kerngebiet** (Lokalisation): Ncl. n. trochlearis (Mesencephalon), embryologischer Ursprung aus dem Neuralrohr (Grundplatte)
- **Passagen/Engpässe/Foramina**: Hirnstamm → Tentorium cerebelli → Duraeintritt → Wand Sinus cavernosus → Fissura orbitalis superior → Orbita

Osteopathische Korrespondenzen

Der N. trochlearis hat im Vergleich mit den beiden anderen Augenmuskelnerven den längsten Weg innerhalb der Dura mater. Spannungen in Dura mater und Gefäßveränderungen können sich dysfunktional auf den Nerv auswirken. Ein Abweichen des Augapfels nach oben-innen ist eine Indiz für eine beginnende Parese.

Behandlungshinweise

Behandlungshinweise finden Sie im Kap. 8.2.2.

8.2.5 N. trigeminus (V)

▶ Abb. 8.10, ▶ Abb. 8.11, ▶ Abb. 8.12, ▶ Abb. 8.13

- **Funktion**: Innervation Kaumuskulatur, teilweise suprahyoidale Muskulatur, sensible Innervation Gesichtshaut, Teile der Hirnhaut, Innervation der sezernierenden Schleimhäute und Drüsen, propriozeptive Information aus Kaumuskulatur, Kiefergelenk, Zunge, Gaumen.
- besteht aus **3 Ästen:** N. ophthalmicus (V_1), N. maxillaris (V_2) und N. mandibularis (V_3)
- embryologischer Ursprung aus dem 1. Kiemenbogen

N. ophthalmicus (V_1) mit R. tentorius, N. frontalis, N. lacrimalis, N. nasociliaris

- **Funktion:** sensible Versorgung der Hirnhaut in der vorderen Schädelgrube, von Falx cerebri, Tentorium cerebelli, Haut der Stirn, Augenregion, Tränendrüse, Schleimhäute Nase, Sinus frontalis und sphenoidalis, Siebbeinzellen
- **Faserqualität:** allgemein somatoafferent → Berührungs- und Druckinformation, Schmerz, mechanorezeptive Reize und Temperaturreize
- **4 Kerngebiete (Lokalisation):** Ncl. principalis n. trigemini (Pons), Ncl. spinalis n. trigemini (oberes Zentralmark und Medulla oblongata), Ncl. mesencephalicus n. trigemini, Ncl. motorius n. trigemini (beide Mesencephalon)
- **Passagen/Engpässe/Foramina:** aus Ggl. trigeminale → laterale Wand Sinus cavernosus
- **Aufteilung in**:
  - **R. tentorius/meningeus** (Hirnhautinnervation)
  - **N. frontalis, N. lacrimalis, N. nasociliaris** → Durchtritt durch Fissura orbitalis superior (Os sphenoidale)
  - **N. lacrimalis:** sensible Innervation Tränendrüse, Bindehaut, Oberlid; nimmt parasympathische Fasern aus Ggl. pterygopalatinum auf (ursprünglich Fasern vom N. facialis, VII)
  - **N. frontalis:** sensible Innervation Stirn, Schleimhaut Sinus frontalis, Oberlid → 2 weitere Abzweigungen in N. supratrochlearis, N. supraorbitalis (Foramen supraorbitalis Os frontale)
  - **N. nasociliaris:** sensible Innervation Bulbus oculi mit Faserzug zu Ggl. ciliare → Cellulae ethmoidales über Nn. ethmoidales anterior/posterior (Foramen ethmoidale anterius, posterius → Os frontale/Os ethmoidale) → Schleimhaut Sinus sphenoidalis, Nasenscheidewand, Haut Nasenrücken bis Nasenspitze

N. maxillaris (V_2) mit R. meningeus, Rr. ganglionares, N. zygomaticus, N. infraorbitalis

- **Funktion:** sensible Innervation von Hirnhaut, Gesichtshaut Bereich unteres Augenlid und Oberlippe, Schleimhäute Nasenmuschel, Kieferhöhle, Gaumen, Oberkieferzähne
- **Faserqualität:** allgemein somatoafferent → Berührungs- und Druckinformation, Schmerz, mechanorezeptive Reize und Temperaturreize
- **Kerngebiet** (Lokalisation): Ncl. principalis n. trigemini, Ncl. spinalis n. trigemini
- **Passagen/Engpässe/Foramina:** aus Ggl. trigeminale → laterale Wand Sinus cavernosus → Abzweigung vom R. meningeus (Hirnhautinnervation)
- **Durchtritt N. maxillaris** durch Foramen rotundum (Os sphenoidale) → zu Fossa pterygopalatina → Aufzweigung in Rr. ganglionares → sensible Fasern → Passage, keine Verschaltung zum Ggl. pterygopalatinum
- **Aufzweigung in:**
  - **Rr. nasalis, N. nasopalatinus** → Durchtritt Foramen sphenopalatinum → sensible Versorgung Nasenschleimhaut, Cellulae ethmoidales
  - **N. palatinus major, Nn. palatini minores** → Canales palatini major et minor (Os palatinum) → sensible Versorgung gesamter Gaumen
- **N. zygomaticus** → sensible Fasern und Aufnahme parasympathischer Fasern aus Ggl. pterygopalatinum → Fissura orbitalis inferior (Os maxillare und sphenoidale) → in Orbita → sensible Innervation Hautregion Os zygomaticum, Os temporale; gibt parasympathische Äste an N. lacrimalis weiter → Innervation Tränendrüse

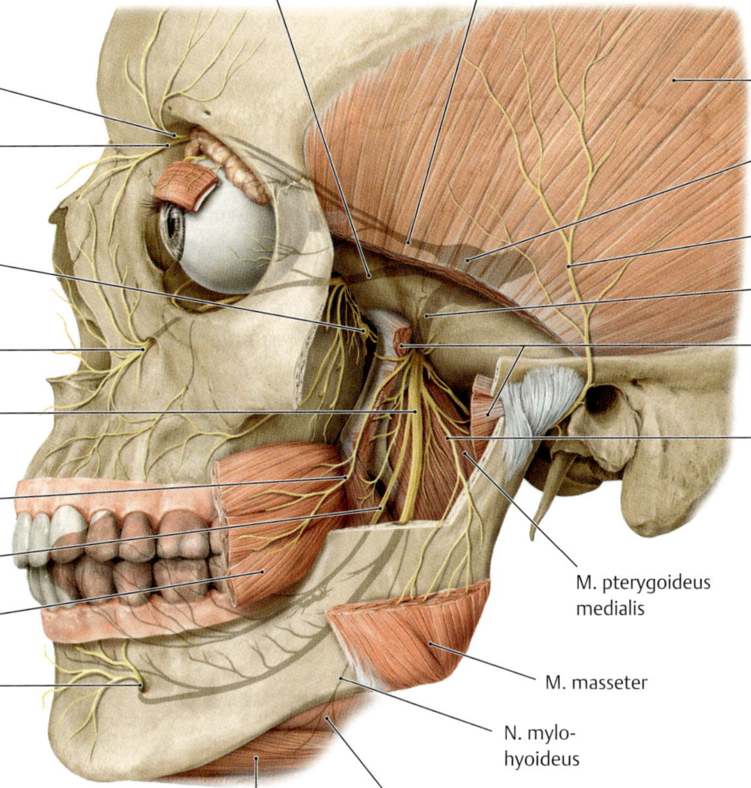

▸ **Abb. 8.10** N. trigeminus (V). (Quelle: Schünke M, Schulte E, Schumacher U. Prometheus. LernAtlas der Anatomie. Kopf, Hals und Neuroanatomie. Illustrationen von M. Voll und K. Wesker. 6. Aufl. Stuttgart: Thieme; 2022)

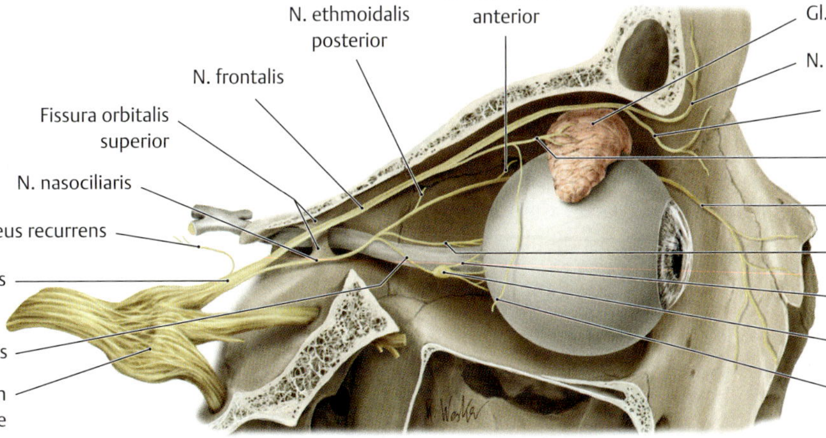

▸ **Abb. 8.11** Aufzweigung des N. ophthalmicus (= 1. Ast des N. trigeminus, V_1) im Bereich der Orbita. (Quelle: Schünke M, Schulte E, Schumacher U. Prometheus. LernAtlas der Anatomie. Kopf, Hals und Neuroanatomie. Illustrationen von M. Voll und K. Wesker. 6. Aufl. Stuttgart: Thieme; 2022)

- **N. infraorbitalis** → sensible Fasern → Fissura orbitalis inferior (Os maxillare und Os sphenoidale) → in Orbita → Orbitaboden → Abzweigung Rr. alveolares → Sinus maxillaris und Oberkieferzähne → Abzweigung → Canalis infraorbitalis, Austritt Foramen infraorbitale (Os maxillare), sensible Innervation Gesichtsregion unteres Augenlid/Oberlippe

N. mandibularis (V_3) mit diversen sensiblen und motorischen Ästen

- **Funktion:** sensible Innervation Hirnhaut, Gesichtshaut Oberlippe-Kinn, äußerer Gehörgang; motorische Innervation Kaumuskulatur, Trommelfellspannung, Gaumensegelspannung, Hebung des Zungenbeins
- **Faserqualität:** allgemein somatoafferent → propriozeptive Reize, Berührungs- und Druckinformation, Schmerz, mechanorezeptive Reize und Temperaturreize, speziell viszeroefferent (motorisch)
- **Kerngebiet** (Lokalisation)**:** Ncl. principalis n. trigemini, Ncl. mesencephalicus n. trigemini, Ncl. motorius n. trigemini, Ncl. spinalis n. trigemini
- **Passagen/Engpässe/Foramina:** aus Ggl. trigeminale → Durchtritt Foramen ovale (Os sphenoidale) → in Fossa infratemporalis. Aufteilung in:
  - **sensible Äste:**
    - **R. meningeus als N. spinosus** → Durchtritt Foramen spinosum (Ala major ossis sphenoidalis) → Schädelhöhle → vordere Dura mater, Sinus sphenoidalis, Cellulae mastoideae
    - **N. auriculotemporalis** → umschlingt A. meningea media, nimmt postganglionäre Fasern aus Ggl. oticum auf für parasympathische Innervation der Gl. parotis (Ursprung: N. glossopharyngeus, IX) → Verlauf medial am Collum mandibulae nach kaudal → dann kranial vor der Ohrmuschel → quert Proc. zygomaticus (Os temporale) → Haut Schläfenbereich, Teile Ohrmuschel, Region vor Tragus, Meatus acusticus externus, Trommelfellaußenseite
    - **N. lingualis** → kaudal zu M. pterygoideus lateralis → Aufnahme postganglionärer Geschmacksfasern aus Chorda tympani (N. facialis; Fasern Geschmackssinn → Spatium pterygomandibulare (Os mandibulare) → Abgabe postganglionärer Fasern an Ggl. submandibulare (Versorgung Gl. submandibularis, Gl. sublingualis → N. lingualis weiter zu lateralem Zungenrand bis Zungenspitze (quert M. constrictor pharyngis superior, M. styloglossus) → vordere zwei Drittel der Zunge sensorisch und sensibel
    - **N. buccalis** → zwischen den Köpfen der Mm. pterygoidei lateralis und medialis → quert Ansatzsehne M. temporalis → durchbohrt M. masseter, zieht zu M. buccinator → Wangenhaut und Mundschleimhaut der Wange
    - **N. alveolaris inferior** → sensibel und motorisch (!) → kaudal zu M. pterygoideus lateralis → Spatium pterygomandibulare (Os mandibulare) → Abspaltung N. mylohyoideus (motorische Innervation M. mylohyoideus, M. digastricus, Venter anterior) → Foramen mandibulae → Canales mandibulae → Foramen mentale → Austritt N. mentalis
  - **motorische Äste:**
    - **N. mylohyoideus** s. N. alveolaris inferior
    - **N. massetericus:** quert M. pterygoideus lateralis → Incisura mandibulae → medial eintretend in M. masseter
    - **Nn. temporales profundi:** Verlauf teilweise wie M. buccalis und M. massetericus → M. temporalis
    - **N. pterygoideus medialis:** durchdringt M. pterygoideus medialis zusammen mit N. tensoris tympani (unverschaltet vom Ggl. oticum) und N. tensor veli palatini → Innervation M. pterygoideus medialis, M. tensor tympani (Mittelohr Trommelfell), M. tensor veli palatini (Gaumensegel)
    - **N. pterygoideus lateralis**: zieht zur Oberfläche des M. pterygoideus lateralis

Osteopathische Korrespondenzen

Als dickster Nerv des Hirnstamms imponiert der N. trigeminus im Austrittsbereich aus der Pons (laterale Seite). Er zieht von da nach ventral, kreuzt die Kante der Felsenbeinpyramide (Os temporale) und tritt unter die Dura. Die Dura bildet hier eine Art Tasche (Cavum trigeminale), in der der N. trigeminus das Ggl. Gasseri (Ggl. trigeminale) bildet. Nach dem Ganglion teilt sich der N. trigeminus in seine 3 Äste auf.

Spannung der Dura oder Dysfunktion des Os temporale können zu Dysfunktionen im Bereich des N. trigeminus führen, Schmerzsymptome im sensibel versorgten Gesichtsbereich und der Duraanteile sind möglich.

SSB-Dysfunktionen und CMD können den physiologischen Muskeltonus der Mm. pterygoidei medialis und lateralis beeinträchtigen. Der Nervenverlauf des Trigeminusastes N. pterygoideus medialis kann irritiert werden und Störungen im Bereich der Trommelfellspannung oder des Gaumensegels können eine Folge sein.

Bei CMD kann es durch eine veränderte Bewegungsachse im Temporomandibulargelenk zu ausgeprägten Spannungen im Bereich der Gelenkkapsel und zu myofaszialen Spannungen kommen (abgesehen vom Hypertonus der Kaumuskulatur). Durch den Verlauf des N. auriculotemporalis vor dem Tragus und des Meatus acusticus externus kann der sensible Ast in seiner Funktion beeinträchtigt werden und Schmerzen u. a. im äußeren Gehörgang und Trommelfellbereich verursachen.

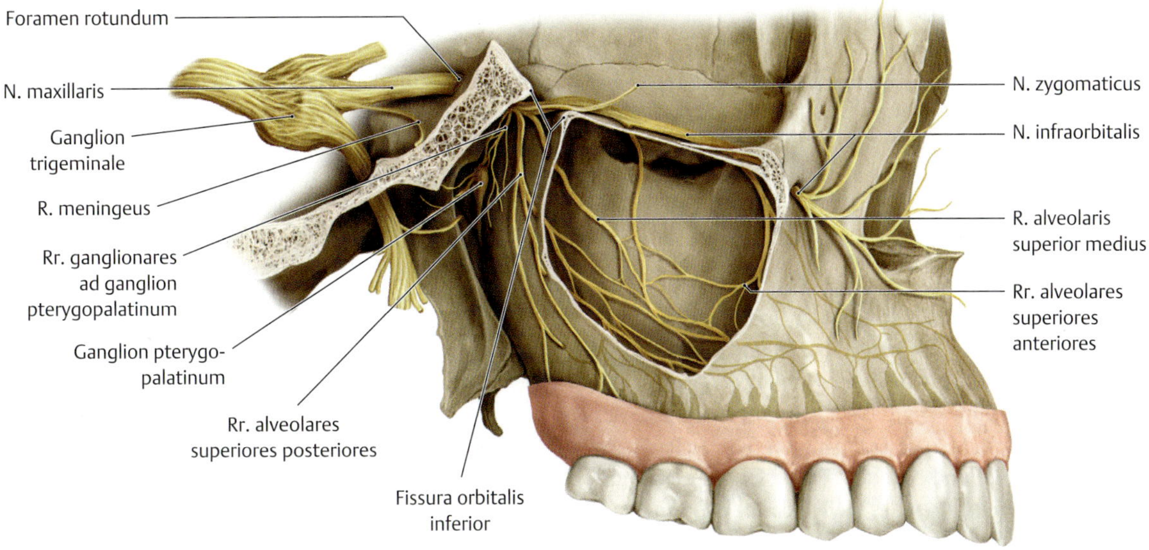

▸ **Abb. 8.12** Aufzweigung des N. maxillaris (= 2. Ast des N. trigeminus, V_2) im Bereich des Os maxillare. (Quelle: Schünke M, Schulte E, Schumacher U. Prometheus. LernAtlas der Anatomie. Kopf, Hals und Neuroanatomie. Illustrationen von M. Voll und K. Wesker. 6. Aufl. Stuttgart: Thieme; 2022)

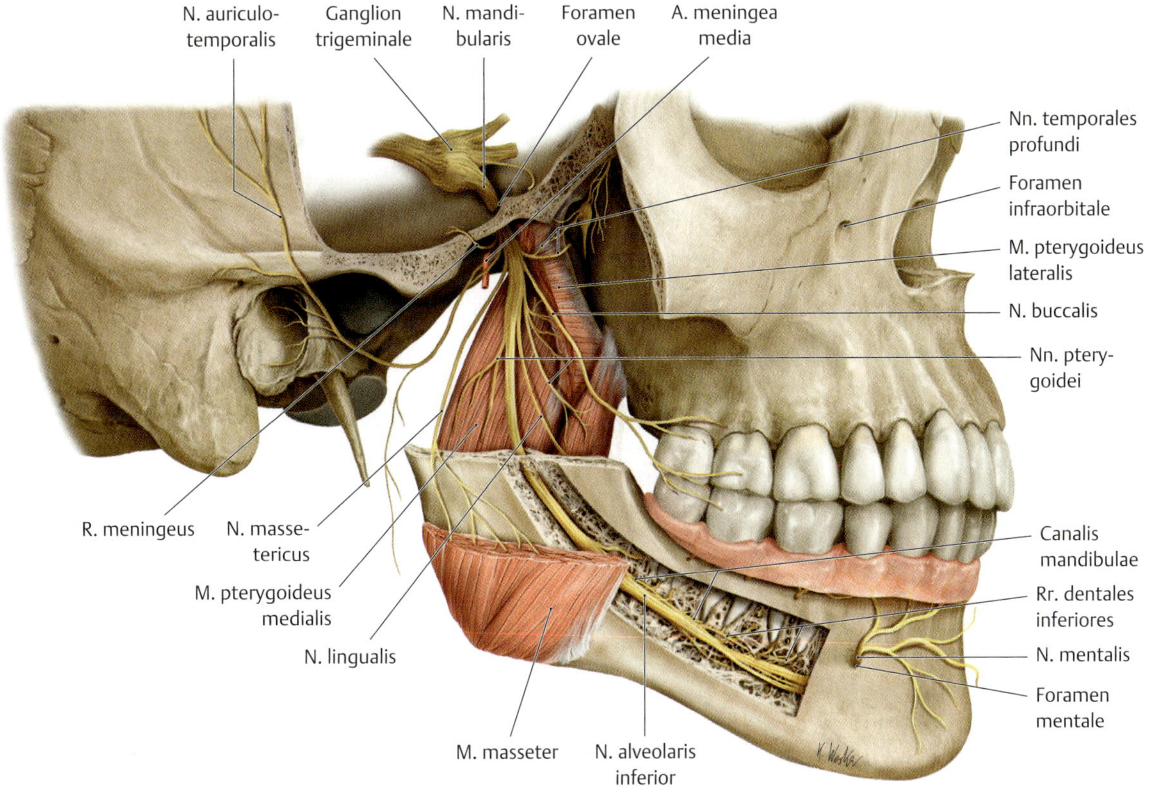

▸ **Abb. 8.13** Aufzweigung des N. mandibularis (= 3. Ast des N. trigeminus, V_3) im Bereich des Unterkiefers. (Quelle: Schünke M, Schulte E, Schumacher U. Prometheus. LernAtlas der Anatomie. Kopf, Hals und Neuroanatomie. Illustrationen von M. Voll und K. Wesker. 6. Aufl. Stuttgart: Thieme; 2022)

Praxistipp

Differenzialdiagnose

Die Ursache kann auch eine entzündliche schmerzhafte Veränderung oder Irritation des N. auriculotemporalis sein.

Behandlungshinweise

- Aus osteopathischer Sicht bieten sich, wenn entzündliche Prozesse ausgeschlossen sind, unter Berücksichtigung der Körperstatik und der komplexen myofaszialen Verknüpfungen mit der Körperperipherie die folgenden Techniken an: MET zur Detonisierung der Kaumuskulatur, fasziale Entspannung von Gelenkkapsel, Lig. laterale und Mundbodenmuskulatur. Die indirekte Behandlung über das Os hyoideum wirkt myofaszial harmonisierend und zirkulationsfördernd.
- Der Hypertonus der Mundschließer bei einer CMD (M. masseter, M. temporalis, M. pterygoideus medialis) kann den Verlauf des N. buccinator beeinträchtigen. Wangenschmerzen und Unterversorgung der Wangenschleimhaut sind möglich.
- Die Korrespondenz des N. lingualis zum M. constrictor pharyngis superior, M. styloglossus kann ihn anfällig machen für myofasziale Dysfunktionen aus dem Bereich der Zentralsehne und Dysfunktionen des Os temporale.

8.2.6 N. abducens (VI)

▶ Abb. 8.14, ▶ Abb. 8.15, ▶ Abb. 8.16

- **Funktion**: Innervation eines Augenmuskels
- **Faserqualität**: allgemein somatoefferent (motorisch): M. oculi rectus lateralis
- **1 Kerngebiet** (Lokalisation): Ncl. n. abducens (Pons), embryologischer Ursprung aus dem Neuralrohr (Grundplatte)
- **Passagen/Engpässe/Foramina**: Hirnstamm → Duraeintritt auf Höhe des Clivus am Os sphenoidale → Sinus cavernosus → gemeinsamer Verlauf mit A. carotis interna → Fissura orbitalis → Orbita

Osteopathische Korrespondenzen

Der lang gezogene Verlauf entlang der Schädelbasis und die Nähe zu den Blutgefäßen kann den Nerv in seiner Funktionalität beeinträchtigen. Dysfunktionen des SSB, Stauungsdysfunktionen im Sinus cavernosus, dysfunktionale Spannungen der Dura mater können mögliche Ursachen sein.

Cave

Bei einer Fraktur der Schädelbasis kann eine Nervus-abducens-Läsion auftreten. Kennzeichen: Einseitiges Schielen, betroffenes Auge weicht nach innen ab.

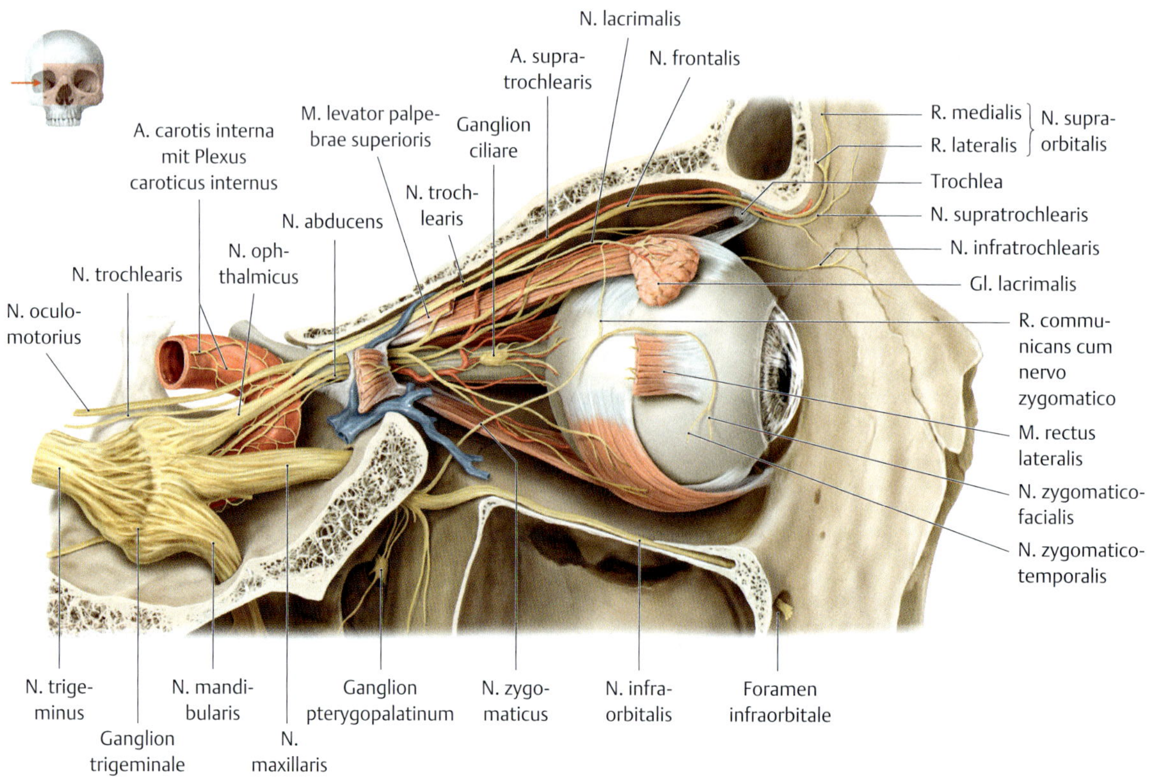

▶ **Abb. 8.14** Rechte Orbita von der Seite. (Quelle: Schünke M, Schulte E, Schumacher U. Prometheus. LernAtlas der Anatomie. Kopf, Hals und Neuroanatomie. Illustrationen von M. Voll und K. Wesker. 6. Aufl. Stuttgart: Thieme; 2022)

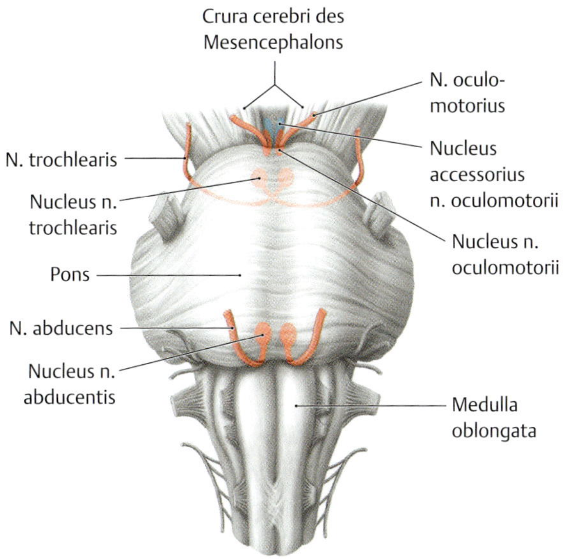

▸ **Abb. 8.15** Austritt der Augenmuskelnerven aus dem Hirnstamm. (Quelle: Schünke M, Schulte E, Schumacher U. Prometheus. LernAtlas der Anatomie. Kopf, Hals und Neuroanatomie. Illustrationen von M. Voll und K. Wesker. 6. Aufl. Stuttgart: Thieme; 2022)

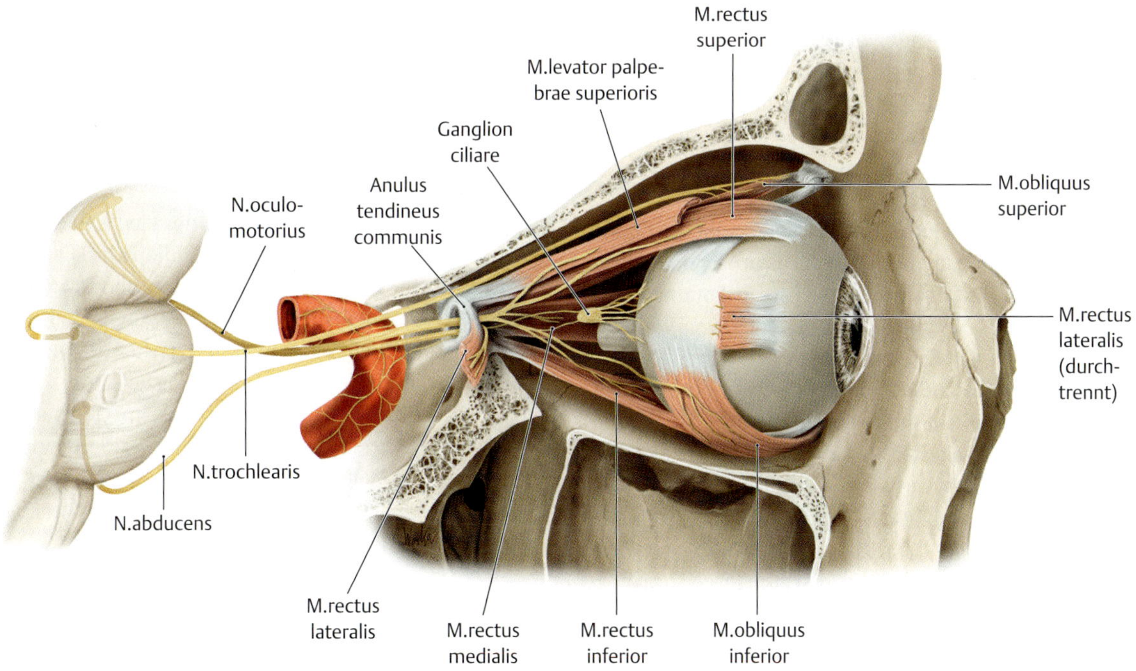

▸ **Abb. 8.16** Verlauf der Augenmuskelnerven. (Quelle: Schünke M, Schulte E, Schumacher U. Prometheus. LernAtlas der Anatomie. Kopf, Hals und Neuroanatomie. Illustrationen von M. Voll und K. Wesker. 6. Aufl. Stuttgart: Thieme; 2022)

Behandlungshinweise

Behandlungshinweise finden Sie im Kap. 8.2.2.

8.2.7 N. facialis (VII)

► Abb. 8.17, ► Abb. 8.18, ► Abb. 8.19, ► Abb. 8.20

- **Funktion:** motorisch: mimische und Mundbodenmuskulatur, Steigbügelmuskel; sensorisch: Geschmackswahrnehmung vordere zwei Drittel der Zunge, Tränendrüsen, Mundspeicheldrüsen, Nasenschleimhaut
- **Besonderheit:** „zusammengesetzter Nerv", intrazerebral treffen N. facialis und N. intermedius zusammen → N. intermediofacialis → gemeinsamer Austritt am Hirnstamm im Kleinhirnbrückenwinkel (Pons)
- **Faserqualität**: speziell viszeroefferent (motorisch), speziell viszeroafferent (Geschmack), allgemein viszeroefferent (parasympathisch)
- **Kerngebiet** (Lokalisation): Ncl. n. facialis, Ncl. tractus solitarii, N. salvatorius superior (Pons), embryologischer Ursprung aus dem 2. Kiemenbogen
- **Passagen/Engpässe/Foramina:** Porus acusticus internus → Meatus acusticus internus (Pars petrosa Os temporale) → Canalis n. facialis → Faserzusammenschluss zum Ggl. geniculi (nur Verschaltung Chorda tympani und N. auricularis posterior) → gebogener Verlauf (äußeres Fazialisknie, Geniculum n. facialis) → Foramen stylomastoideum (Os temporale) → ausstrahlende Aufzweigung im Bereich der Gesichtshälfte
- **Pars petrosa, 3 Äste:**
  - **N. petrosus major** → Hiatus canalis n. petrosi majoris → Vereinigung mit N. petrosus profundus (Plexus caroticus internus, Sympathicus) im Foramen lacerum → jetzt N. canalis pterygoidei (N. von Vidianus) → Austritt aus Schädelgrube über Formen lacerum (Os sphenoidale/Os temporale) → zieht durch Canalis pterygoideus (Os sphenoidale) → zur Fossa pterygopalatina → Verschaltung im Ggl. pterygopalatinum (parasympathische Fasern Gl. lacrimalis, Gl. nasalis, Gl. palatinae), Fasern legen sich an Äste des N. maxillaris ([V_2], Rr. ganglionares, N. zygomaticus, N. infraorbitalis) an und ziehen zum Erfolgsorgan
  - **N. stapedius** → Canalis facialis → durchdringt die Kanalwand → zum Mittelohr → M. stapedius (bei Kontraktion Abschwächung der Schwingungen im ovalen Fenster des Labyrinths durch Verkantung der Steigbügelbodenplatte → Schwingungen des Trommelfells werden nicht mehr verstärkt an Innenohr weitergegeben → verminderter Gehörsinn)
  - **Chorda tympani** → Canalis facialis → zieht zur Paukenhöhle zwischen den Gehörknöchelchen Malleus und Incus → durchdringt kranial das Trommelfell → Fissura petrotympanica → Fossa infratemporale → zieht gemeinsam mit N. lingualis zum Ggl. submandibulare → Verschaltung des parasympathischen Anteils für Gl. submandibularis und Gl. sublingualis → sensorische Fasern ziehen mit N. lingualis bis zur Zungenspitze
- nach **Foramen stylomastoideum:**
  - N. auricularis posterior (gemischt) → Verlauf über Proc. mastoideus → 2 Äste:
    - Rr. styloideus und digastricus → motorische Innervation M. stylohyoideus, Venter posterior
    - M. digastricus, sensible Innervation Ohrmuschel, Anastomose mit sensiblem Ast N. vagus
- **Verlauf N. facialis zur Gl. parotidea**: hier bildet Plexus parotideus 2 Hauptäste → Pars temporofacialis und Pars cervicofacialis → Innervation mimische Muskulatur

Osteopathische Korrespondenzen

Ursachen einer Bell-Lähmung (Fazialisparese) können sein: Tumorgeschehen, Frakturen im Bereich der Pars petrosa, Meningitis, Borreliose, Herpes-zoster-Virusinfektion, Schlaganfall, Diabetes mellitus. Sogenannte idiopathische Fazialisparesen können entstehen, wenn der Nervenaustrittsbereich am Foramen stylomastoideum beeinträchtigt ist. Kompression kann entstehen durch unphysiologischen Zug der in der Nähe liegenden Muskelansätze (M. sternocleidomastoideus, M. splenius capitis, M. longissimus capitis, M. digastricus – Venter posterior, M. stylohyoideus, M. stylopharyngeus, M. styloglossus, M. rectus capitis lateralis).

Myofasziale Adhäsion im Bereich des Plexus parotideus kann eine weitere Möglichkeit einer idiopathischen Fazialisparese sein. Er liegt zwischen dem oberflächlichen und tiefen Anteil der Ohrspeicheldrüse. Von hier aus werden die mimischen Muskeln innerviert. Abgeklungene Entzündungen im Bereich der Ohrspeicheldrüse können die Viskoelastizität der Fasziengewebe im Ohrspeicheldrüsenbereich beeinträchtigen und die zirkulatorische Versorgung der Zellen beeinträchtigen. Denkbar ist bei ausgeprägten Adhäsionen auch eine mechanische Kompression des Plexus.

Praxistipp

Differenzialdiagnose

- Zentrale Fazialislähmung (1. motorisches Neuron fällt rechts aus): Gelähmt ist kontralateral die mimische Muskulatur der unteren Gesichtshälfte (in diesem Fall hängt der Mundwinkel also links herab), Stirnrunzeln ist beidseits intakt.
- Periphere Fazialislähmung (2. motorisches Neuron fällt aus): Die mimische Muskulatur der gesamten Gesichtshälfte ist gelähmt auf derselben Gesichtsseite, wo die Störung liegt (rechtsseitige Störung, rechtsseitige Gesichtslähmung).

Die Kooperation des N. trigeminus mit dem N. facialis zeigt sich u. a. im Kornealreflex.

Dysfunktionen des Os temporale durch Geburtstraumata, laterale Schläge auf das Os temporale können den Durchtrittsbereich des N. stapedius irritieren. Eine verminderte Reizweiterleitung kann die Innervation des M. stapedius beeinträchtigen und so das adaptive Hörvermögen beeinträchtigen, z. B. Hyperakusis, weil der Stapediusreflex gestört ist.

Eine Kompression der Fissura petrotympanica kann die Chorda tympani irritieren und den Geschmackssinn in den vorderen zwei Dritteln der Zunge beeinträchtigen. Auch die parasympathische Versorgung der Gl. sublingualis und Gl. submandibularis kann beeinträchtigt sein und die Speichelbildung stören.

Praxistipp

Differenzialdiagnose

Folgende Diagnosen sind möglich: Kleinhirnbrückenwinkeltumor, Akustikusneurinom (S. 282), oft mit Schwindel einhergehend.

Behandlungshinweise

- Duratechniken, die auf die horizontalen Anteile des Tentoriums wirken, können hilfreich sein.
- Ein Disengagement der beteiligten Suturen kann unterstützend eingesetzt werden.

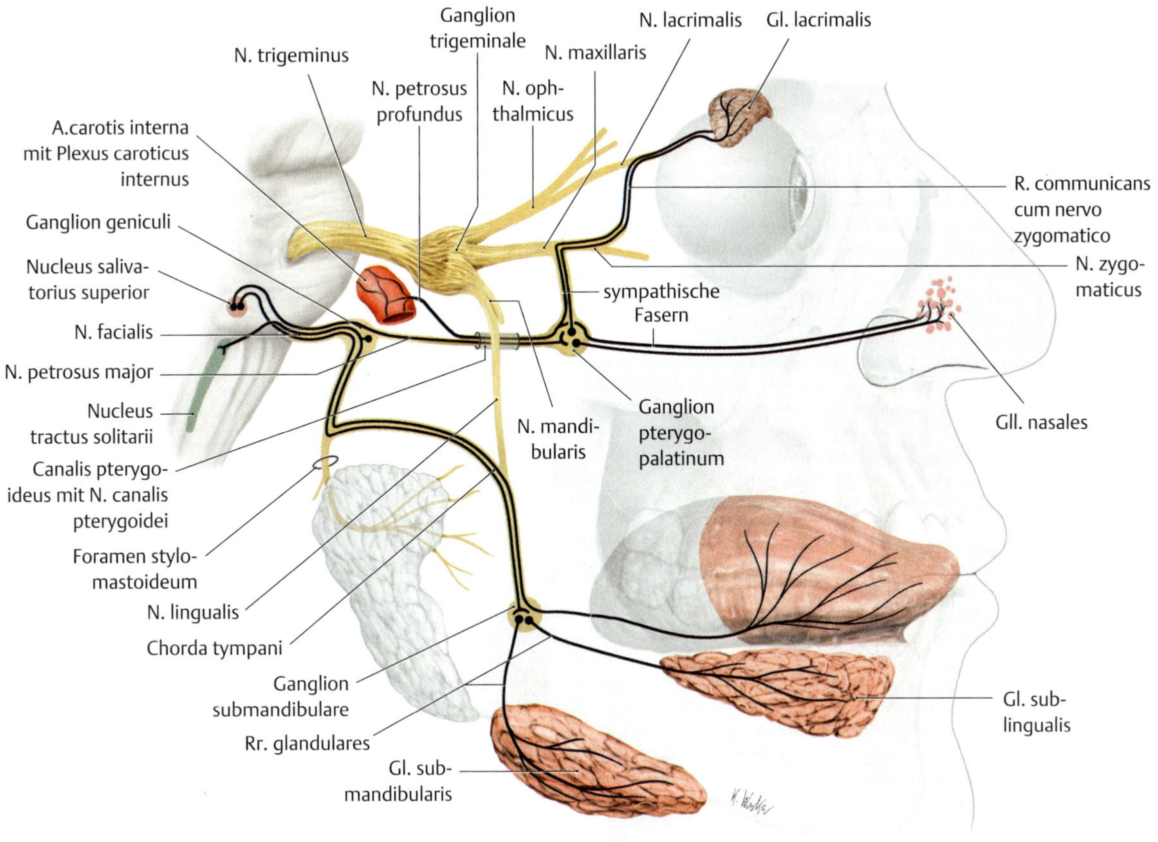

▸ **Abb. 8.17** Parasympathische viszeroefferente und viszeroafferente Fasern (Geschmacksfasern) des N. facialis. (Quelle: Schünke M, Schulte E, Schumacher U. Prometheus. LernAtlas der Anatomie. Kopf, Hals und Neuroanatomie. Illustrationen von M. Voll und K. Wesker. 6. Aufl. Stuttgart: Thieme; 2022)

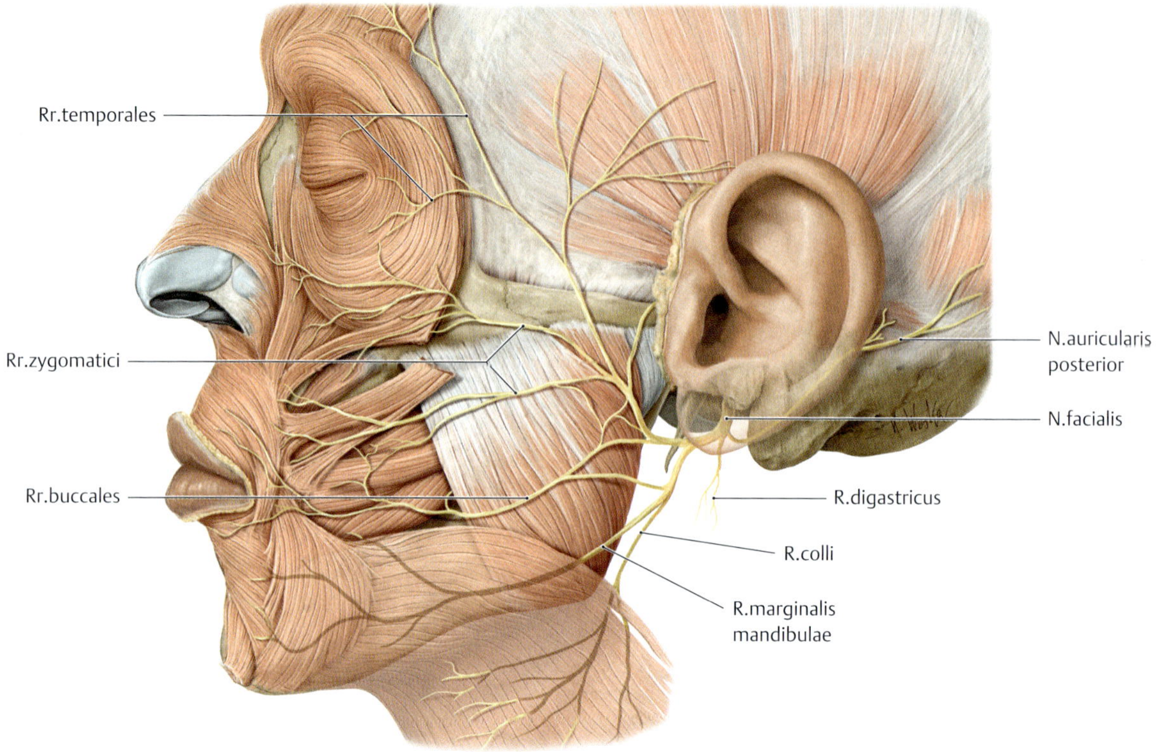

▸ **Abb. 8.18** Aufspaltung der Fazialisäste für die mimische Muskulatur. (Quelle: Schünke M, Schulte E, Schumacher U. Prometheus. LernAtlas der Anatomie. Kopf, Hals und Neuroanatomie. Illustrationen von M. Voll und K. Wesker. 6. Aufl. Stuttgart: Thieme; 2022)

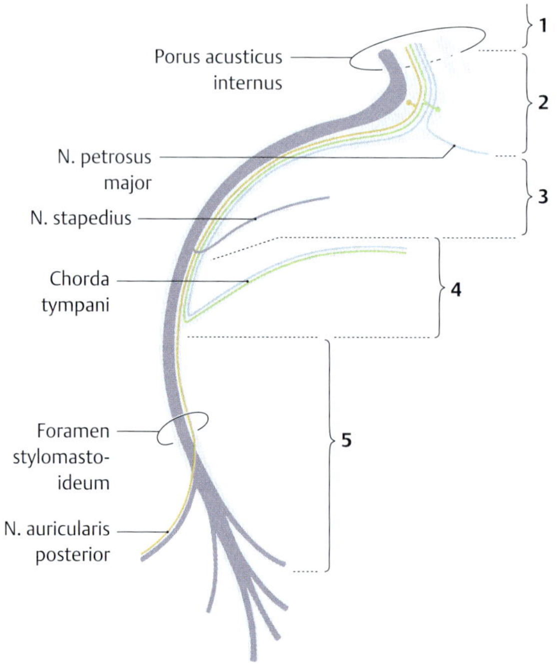

▸ **Abb. 8.19** Aufzweigungsschema des N. facialis im Felsenbein und dessen diagnostische Bedeutung bei Felsenbeinfrakturen. (Quelle: Schünke M, Schulte E, Schumacher U. Prometheus. LernAtlas der Anatomie. Kopf, Hals und Neuroanatomie. Illustrationen von M. Voll und K. Wesker. 6. Aufl. Stuttgart: Thieme; 2022)

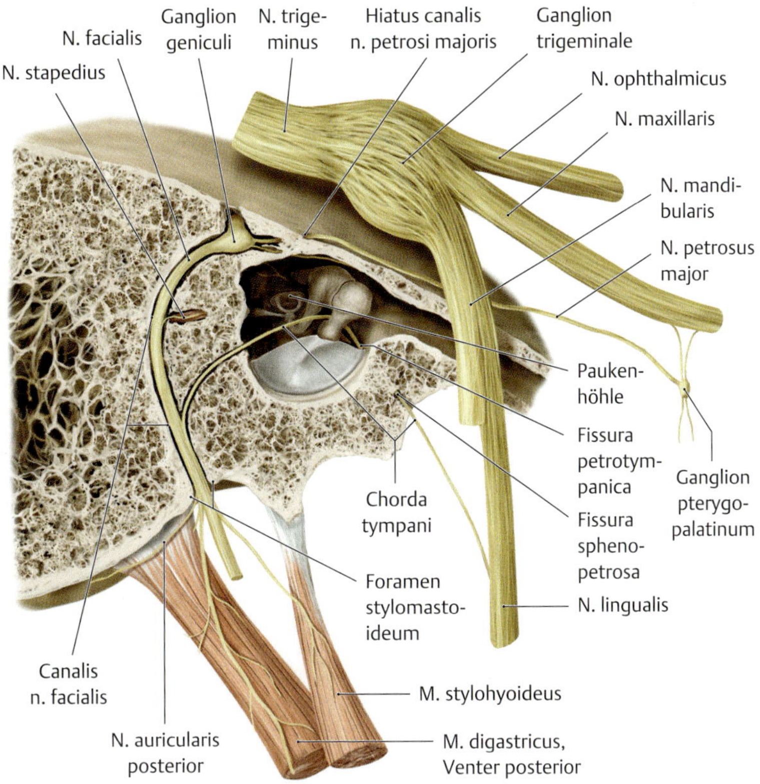

▸ **Abb. 8.20** Aufspaltung des N. facialis in der Pars petrosa ossis temporalis. (Quelle: Schünke M, Schulte E, Schumacher U. Prometheus. LernAtlas der Anatomie. Kopf, Hals und Neuroanatomie. Illustrationen von M. Voll und K. Wesker. 6. Aufl. Stuttgart: Thieme; 2022)

8.2.8 N. vestibulocochlearis (VIII)

▸ Abb. 8.21, ▸ Abb. 8.22, ▸ Abb. 8.23

- **Funktion:** Innervation Hör- und Gleichgewichtsorgan
- **Besonderheit:** Im Grunde genommen sind es 2 Nervenäste, die mit einer Bindegewebshülle umgeben sind.
- **Faserqualität:** speziell somatoafferent (Gleichgewicht, Hören)
- **Kerngebiet (Lokalisation):** Ncl. vestibularis superior, Ncl. inferior, Ncl. medialis, Ncl. lateralis, Ncl. cochlearis anterior, Ncl. cochlearis posterior (Medulla oblongata), embryologischer Ursprung Neuralleiste
- **Passagen/Engpässe/Foramina:**
  - **N. vestibularis**: Sinnesreize der Haarzellen der 3 Bogengänge und Makulaorgane
  - **N. cochlearis**: Sinnesreize der Haarzellen aus Corti-Organ
  - beide Nerven verlaufen durch den Meatus acusticus internus zum Porus acusticus internus → Eintritt in die hintere Schädelgrube → Eintritt Hirnstamm am Kleinhirnbrückenwinkel

Osteopathische Korrespondenzen

Intradurale Spannungen können durch eine Dysfunktion des Os temporale den Verlauf des N. vestibulocochlearis im Bereich des Eintritts in die hintere Schädelgrube (Porus acusticus internus) irritieren. Schwindel und Störungen des Hörvermögens können auftreten.

Der N. vestibulocochlearis ist elementar für die sichere Körperorientierung und -bewegung im Raum. Gemeinsam mit Informationen aus der visuellen Wahrnehmung und der propriozeptiven Information werden wichtige Afferenzen zum ZNS gesendet, aus denen dann Efferenzen für die Gesamtkörperkoordination resultieren. Dysfunktionen von OAA, Os temporale, Os sphenoidale können die Funktionalität des Nervs beeinträchtigen. Ein Nystagmus kann durch fehlerhafte Signale des Vestibularsystems ausgelöst werden, indem das System eine Kopfbeschleunigung vorgibt, die gar nicht existent ist.

Praxistipp

Akustikusneurinom

Das Akustikusneurinom ist eine gutartige tumoröse Veränderung der Myelinscheiden des N. vestibulocochlearis. Es tritt im Bereich des Kleinhirnbrückenwinkels auf. Durch Größenzunahme entsteht eine Kompression des N. vestibulocochlearis. Typische Symptome sind Schwerhörigkeit, Schwindel und Gleichgewichtsstörungen. Die Störung der Körperkoordination beruht darauf, dass bei der Verarbeitung der Afferenzen wesentliche Zentren des ZNS an den efferenten Signalen beteiligt sind: Thalamus für das Raumempfinden, Hypothalamus für die vegetative Regulation (der u. a. für das Erbrechen bei Schwindel verantwortlich ist), Hirnstamm für die Blickmotorik (s. Hinweis zu Nystagmus), Rückenmark für die stützende Motorik und das Kleinhirn für die Feinkoordination der Bewegung. Weitere Größenzunahme des Tumors kann auch Geschmacksirritationen provozieren, weil der N. facialis ebenfalls in der Nähe des Kleinhirnbrückenwinkels austritt.

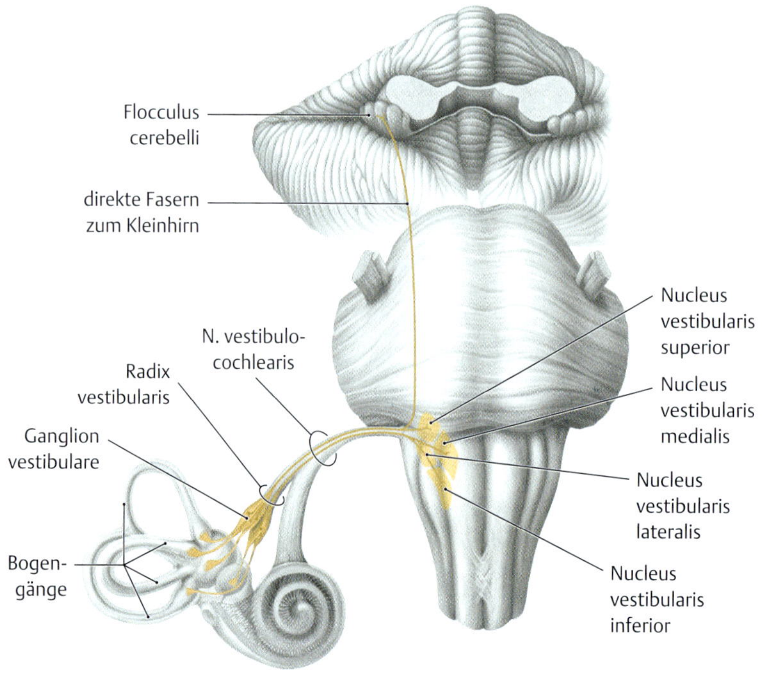

▸ **Abb. 8.21** Kerngebiete des N. vestibulocochlearis im Hirnstamm. (Quelle: Schünke M, Schulte E, Schumacher U. Prometheus. LernAtlas der Anatomie. Kopf, Hals und Neuroanatomie. Illustrationen von M. Voll und K. Wesker. 6. Aufl. Stuttgart: Thieme; 2022)

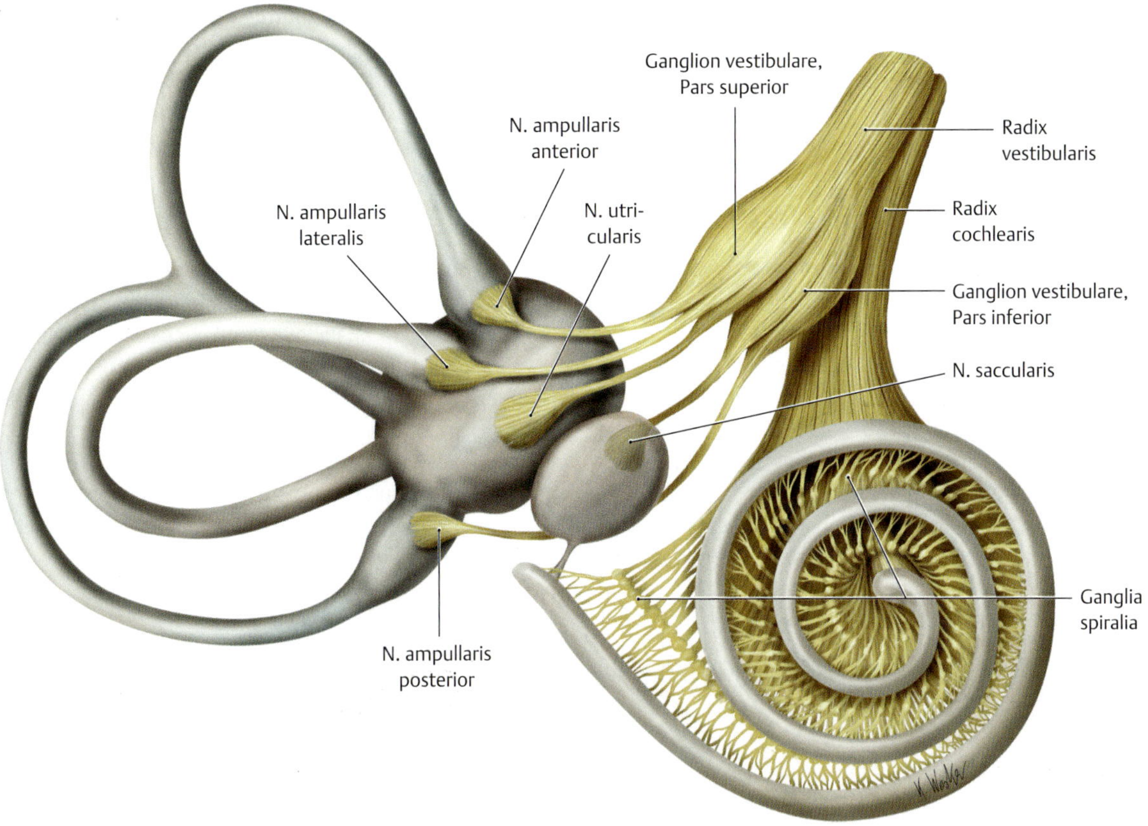

▸ **Abb. 8.22** Ggl. vestibulare und Ggl. cochleare. Die Radix vestibularis und die Radix cochlearis existieren noch im Felsenbein als getrennte Strukturen. (Quelle: Schünke M, Schulte E, Schumacher U. Prometheus. LernAtlas der Anatomie. Kopf, Hals und Neuroanatomie. Illustrationen von M. Voll und K. Wesker. 6. Aufl. Stuttgart: Thieme; 2022)

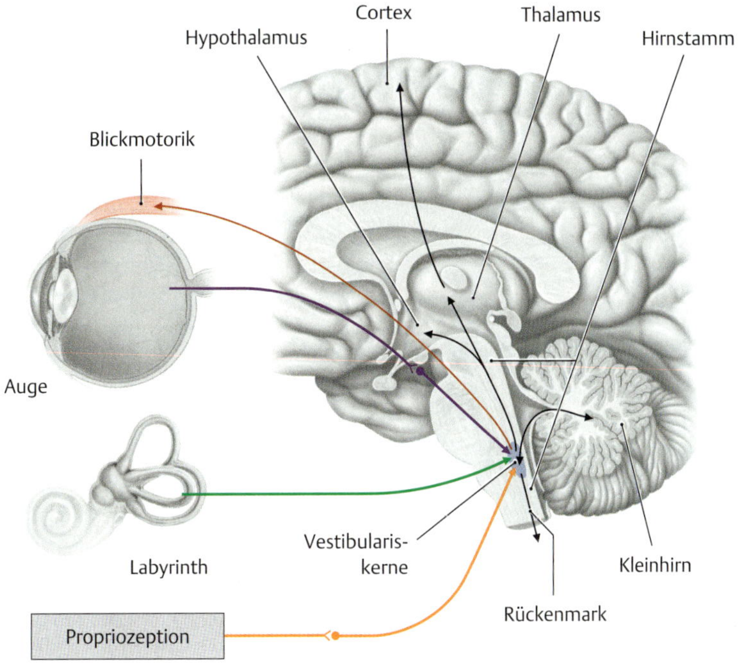

▸ **Abb. 8.23** Zentrale Rolle der Vestibulariskerne bei der Aufrechterhaltung des Gleichgewichts. (Quelle: Schünke M, Schulte E, Schumacher U. Prometheus. LernAtlas der Anatomie. Kopf, Hals und Neuroanatomie. Illustrationen von M. Voll und K. Wesker. 6. Aufl. Stuttgart: Thieme; 2022)

Behandlungshinweise

- Zur Spannungsreduktion bieten sich kombinierte Behandlungstechniken von Os temporale, Os sphenoidale und Os occipitale an.
- Ein vegetativer Ausgleich über die OAA ist möglich.

8.2.9 N. glossopharyngeus (IX)

▶ Abb. 8.24, ▶ Abb. 8.25, ▶ Abb. 8.26

- **Funktion:** sensible und motorische Versorgung des Mund-Rachenbereichs
- **Faserqualität:** allgemein somatoafferent (sensibel), allgemein viszeroefferent (parasympathisch), allgemein viszeroafferent (Blutdruckregulation), speziell viszeroafferent (Geschmackswahrnehmung), speziell viszeroefferent (motorisch)
- **Kerngebiet (Lokalisation):** Ncl. ambiguus, Ncl. tractus solitarii pars superior, inferior, Ncl. salvatorius inferior, Ncl. spinalis n. trigemini (Medulla oblongata), embryologischer Ursprung 3. Kiemenbogen
- **Passagen/Engpässe/Foramina:** Austritt Hirnstamm → sensibles Ggl. superius n. glossopharyngei vor Foramen jugulare → Durchtritt Foramen jugulare → sensosensibles Ggl. inferius n. glossopharyngei unterhalb des Foramens → Verlauf entlang M. stylopharyngeus, M. styloglossus, zwischen A. carotis interna und V. jugularis interna → kaudal zur Zunge → Aufteilung Endäste → **7 Äste:**
- **N. tympanicus und R. tubarius** → aus Ggl. inferius n. glossopharyngei → somatosensible und parasympathische Fasern → Canaliculus tympanicus → Paukenhöhle → Plexus tympanicus mit Ggl. tympanicum → sensible Innervation Schleimhaut Mittelohr, R. tubarius sensible Innervation Tuba auditiva
- aus **Plexus tympanicus** → N. petrosus minor → Durchtritt Vorderwand Felsenbein → zusammen mit N. petrosus major (N. facialis, VII) → Durchtritt Foramen lacerum → zu Ggl. oticum → parasympathische Innervation Gl. parotis

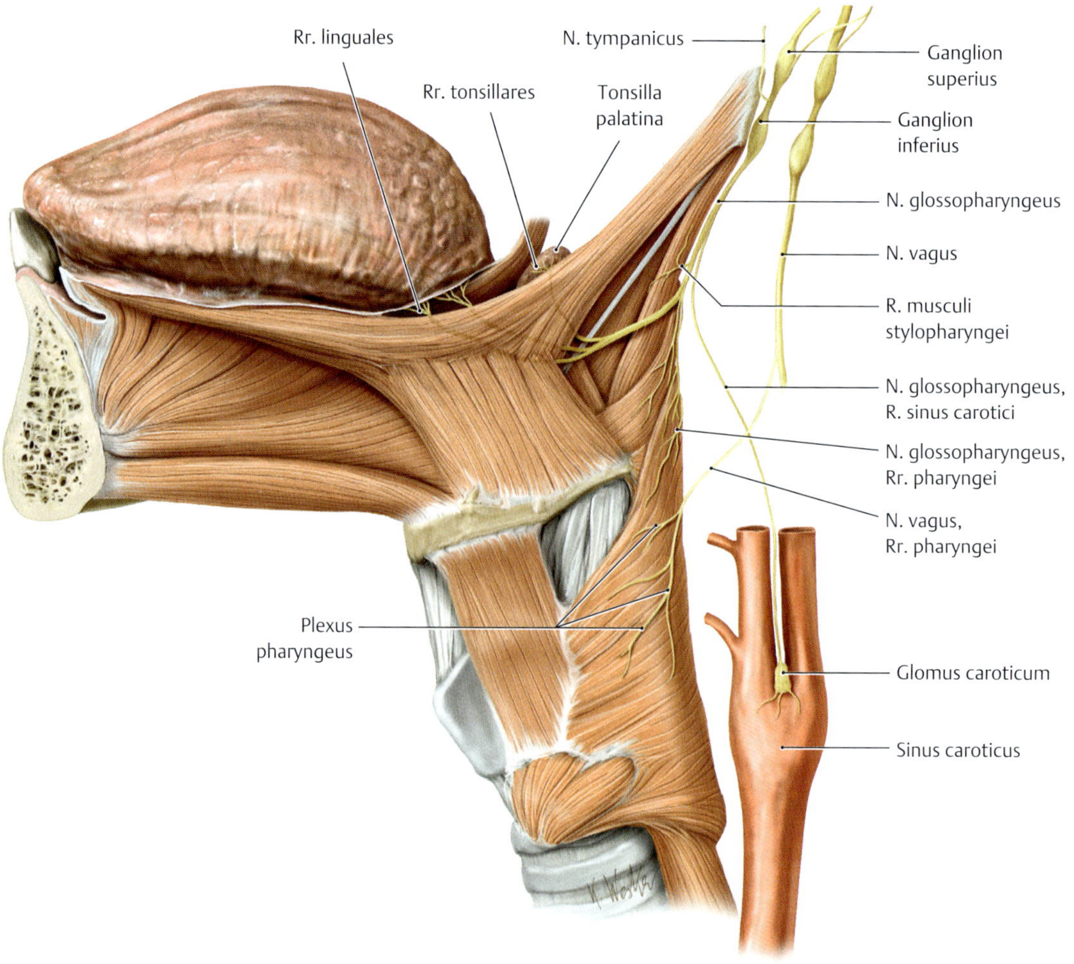

▶ **Abb. 8.24** Aufspaltung des N. glossopharyngeus außerhalb der Schädelbasis. (Quelle: Schünke M, Schulte E, Schumacher U. Prometheus. LernAtlas der Anatomie. Kopf, Hals und Neuroanatomie. Illustrationen von M. Voll und K. Wesker. 6. Aufl. Stuttgart: Thieme; 2022)

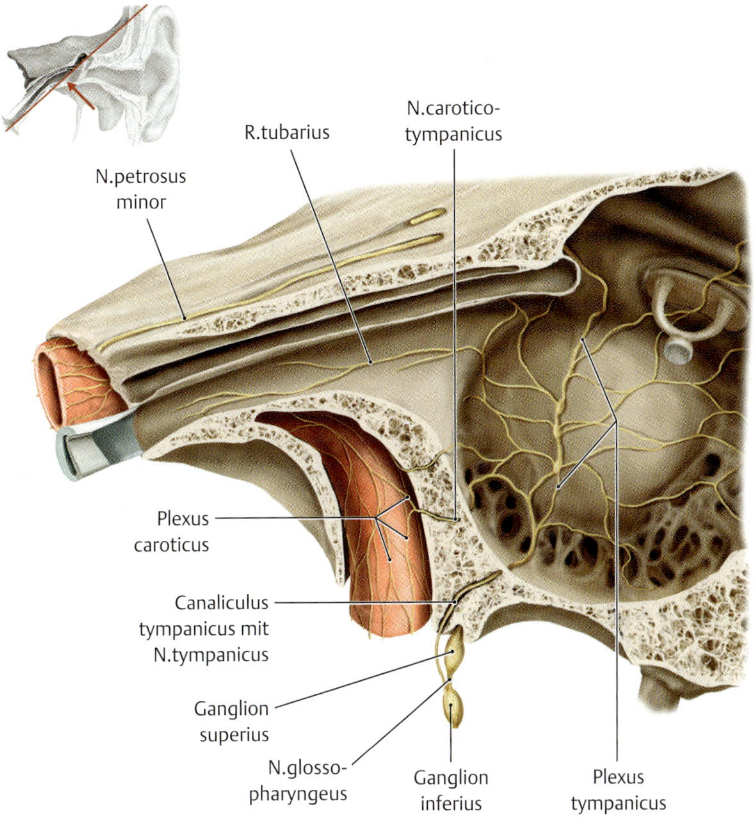

▸ **Abb. 8.25** Aufspaltung des N. glossopharyngeus in der Paukenhöhle. (Quelle: Schünke M, Schulte E, Schumacher U. Prometheus. LernAtlas der Anatomie. Kopf, Hals und Neuroanatomie. Illustrationen von M. Voll und K. Wesker. 6. Aufl. Stuttgart: Thieme; 2022)

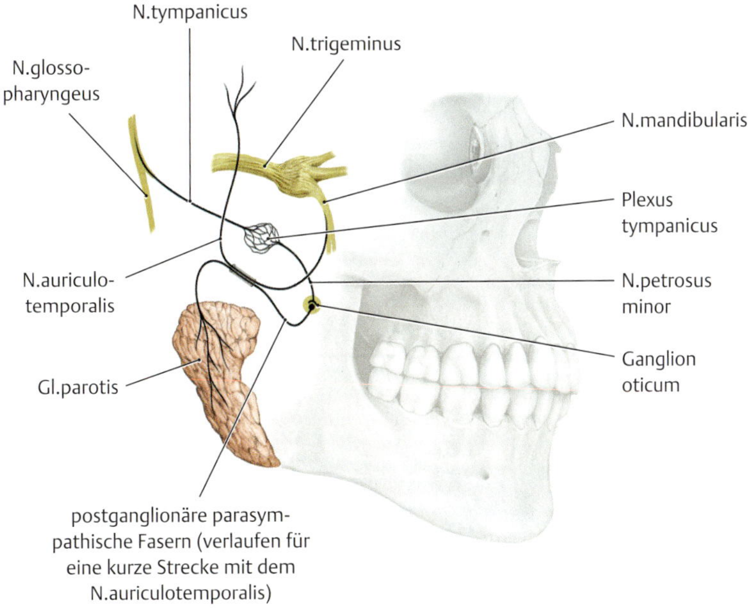

▸ **Abb. 8.26** Viszeroefferente (parasympathische) Fasern des N. glossopharyngeus. (Quelle: Schünke M, Schulte E, Schumacher U. Prometheus. LernAtlas der Anatomie. Kopf, Hals und Neuroanatomie. Illustrationen von M. Voll und K. Wesker. 6. Aufl. Stuttgart: Thieme; 2022)

- **R. sinus carotici** → viszeroafferente Information der Druckrezeptoren im Sinus caroticus und Aortenbogen, Chemorezeptoren im Glomus caroticum
- **Rr. pharyngei n. glossopharyngei** → bilden zusammen mit Rr. pharyngei n. vagi den Plexus pharyngeus → liegt auf der Oberfläche des M. constrictor pharyngis medius → parasympathische Innervation der Gll. pharyngeales, sensibel Pharynxschleimhaut, motorisch Schlund- und Gaumensegelmuskulatur
- **R. lingualis** → sensible Geschmackswahrnehmung hinteres Drittel Zunge
- **Rr. tonsillares** → sensible Innervation Tonsilla palatina
- **R. m. stylopharyngei** → motorische Innervation M. stylopharyngeus

Osteopathische Korrespondenzen

Eine Dysfunktion des Atlas kann das Foramen jugulare in seiner Funktionalität beeinträchtigen. Sind der N. glossopharyngeus, N. accessorius und N. vagus betroffen, kann es zu Schluckstörungen, Geschmacksirritationen im hinteren Zungenbereich, Tachykardie, Dysästhesien in den sensibel versorgten Bereichen kommen.

Dysbalancen in der Schlundmuskulatur und ein Hypertonus des M. stylopharyngeus können die Viskoelastizität des Schlunds beim Schluckakt beeinträchtigen. Schluckstörungen, Globusgefühl können die Folge sein. Die ligamentäre Verbindung zwischen Proc. styloideus und Os hyoideum kann bei Dysfunktion des Os temporale zusätzlich den N. glossopharyngeus in seiner Funktionalität beeinträchtigen.

N. tympanicus zieht als parasympathischer Ast des N. glossopharyngeus in die Paukenhöhle. Er bildet mit den sympathischen Fasern des Plexus caroticus den Plexus tympanicus. Die parasympathischen Fasern (jetzt N. petrosus minor genannt) innervieren die Gl. parotis (Umschaltung im Ggl. oticum). Der N. petrosus minor zieht unter der Dura mater durch die Fissura sphenopetrosa zum Ggl. oticum. Der N. petrosus minor zieht unter der Dura mater durch die Fissura sphenopetrosa zum Ggl. oticum. Spannungen der Dura mater können die Funktionalität der Nervenäste einschränken.

Behandlungshinweise

- CV4-Techniken können die Mikrozirkulation anregen und die Geweberegeneration des Nervs unterstützen.
- Earpull-Techniken können Spannungen in Paukenhöhle und Tuba auditiva lösen und die intrakranialen Membranen ins reziproke Spannungsgleichgewicht bringen. Eine verbesserte parasympathische Versorgung der Gl. parotis ist möglich und kann die physiologische Sekretion unterstützen.

8.2.10 N. vagus (X)

▶ Abb. 8.27, ▶ Abb. 8.28, ▶ Abb. 8.29, ▶ Abb. 8.30

- **Funktion:** Ist im parasympathischen Nervensystem der größte Nerv. Er zieht vom Kranium bis zum Bauchraum. Er versorgt das ZNS mit wichtigen Informationen aus den inneren Organen, die multifunktional verwertet werden (Homöostase steuernd, emotionale

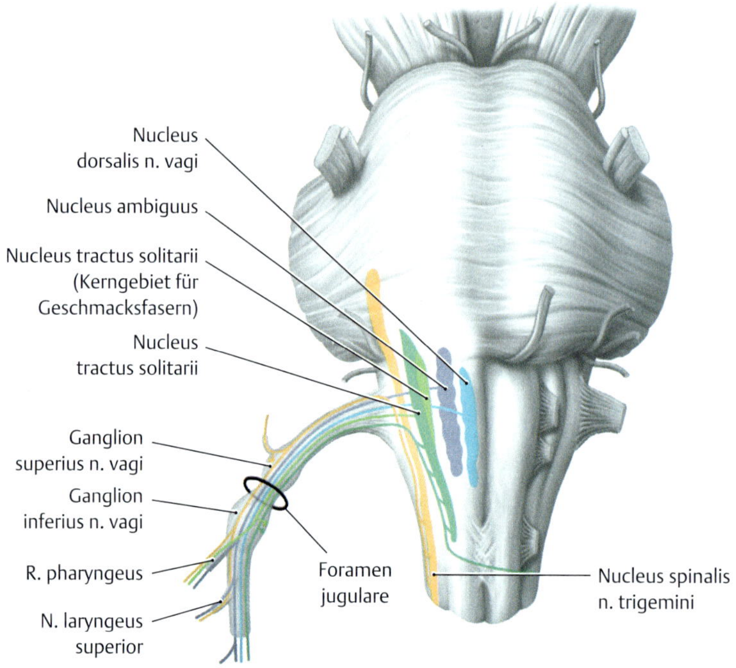

▶ **Abb. 8.27** Kerngebiete des N. vagus. (Quelle: Schünke M, Schulte E, Schumacher U. Prometheus. LernAtlas der Anatomie. Kopf, Hals und Neuroanatomie. Illustrationen von M. Voll und K. Wesker. 6. Aufl. Stuttgart: Thieme; 2022)

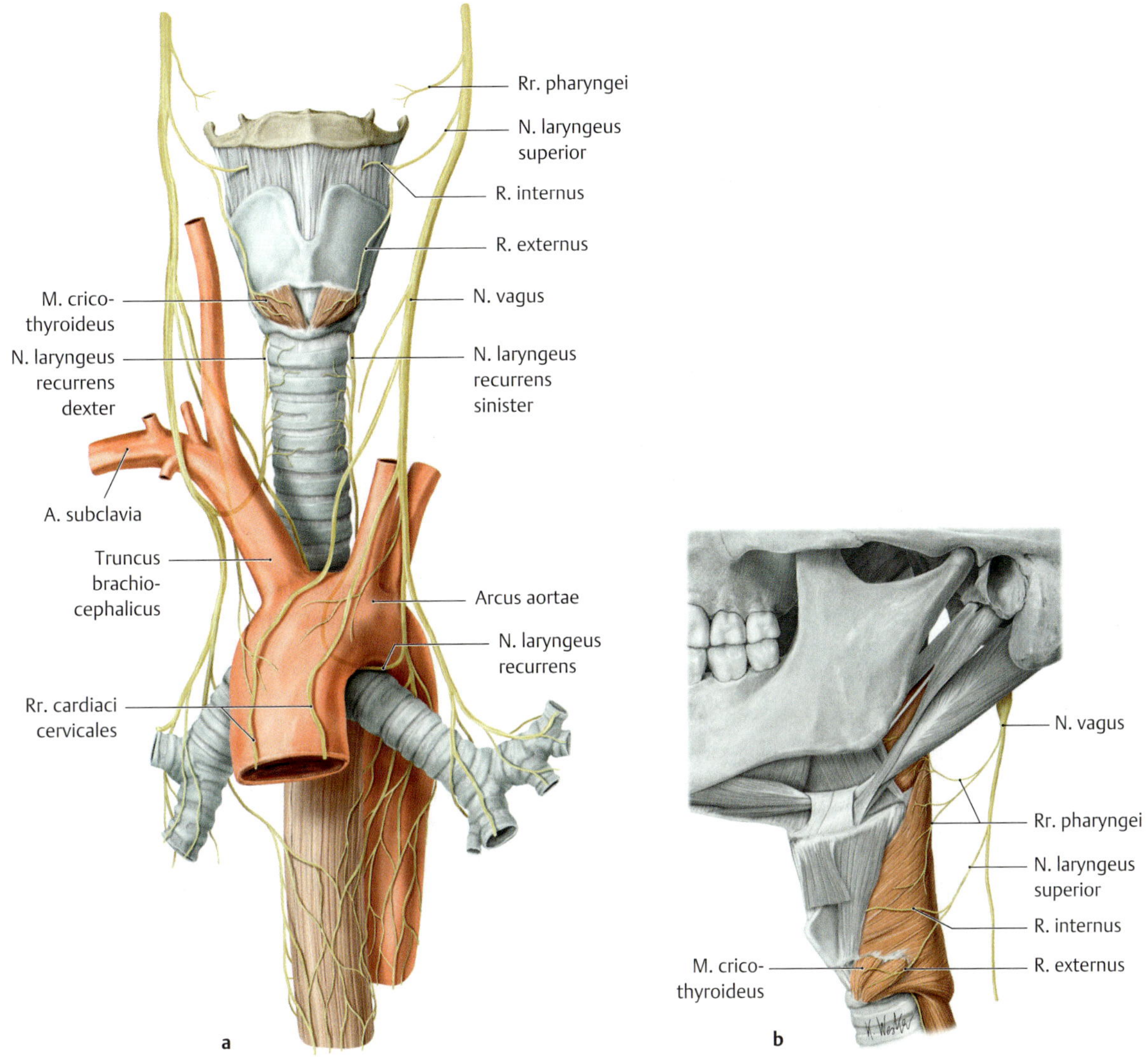

▸ **Abb. 8.28** Äste des N. vagus (X) im Halsbereich.

a Äste des N. vagus (X) im unteren Halsbereich und am zervikothorakalen Übergang. Raumfordernde Prozesse wie Metastasen, Pancoast-Tumor, Aortenaneurysma können den N. laryngeus recurrens in seiner Funktion beeinträchtigen. Typisches Symptom: Heiserkeit bei einseitigem Geschehen. Stimmritzenschluss bei beidseitiger Störung. Folge: Atemnot. (Quelle: Schünke M, Schulte E, Schumacher U. Prometheus. LernAtlas der Anatomie. Kopf, Hals und Neuroanatomie. Illustrationen von M. Voll und K. Wesker. 6. Aufl. Stuttgart: Thieme; 2022)

b Äste des N. vagus (X) im oberen Halsbereich. N. laryngeus superior, R. internus innerviert Schleimhaut der Stimmbänder, R. externus innerviert M. cricothyreoideus (Kehlkopfmuskel, stellt Spannung der Stimmbänder ein). (Quelle: Schünke M, Schulte E, Schumacher U. Prometheus. LernAtlas der Anatomie. Kopf, Hals und Neuroanatomie. Illustrationen von M. Voll und K. Wesker. 6. Aufl. Stuttgart: Thieme; 2022)

Verarbeitung), ist wichtig für die Kehlkopfinnervation und steuert u. a. die Funktion fast aller inneren Organe.

- **Faserqualität:** allgemein somatoafferent (sensible Innervation), allgemein viszeroefferent (parasympathisch), allgemein viszeroafferent (Blutdruckregulation), speziell viszeroafferent (Geschmackssensorik), speziell viszeroefferent (motorische Innervation)
- **Kerngebiet (Lokalisation):** Ncl. spinalis n. trigemini, Ncl. dorsalis n. vagi, Ncl. tractus solitarii pars inferior, Ncl. tractus solitarii pars superior, Ncl. ambiguus, embryologischer Ursprung aus dem 4./6.Kiemenbogen
- **Passagen/Engpässe/Foramina:** gebündelte 4 Fasern, Austritt ventral aus Medulla oblongata → Ggl. superius → Durchtritt Foramen jugulare (zusammen mit N. accessorius, N. glossopharyngeus, A. meningea posterior, V. jugularis interna, Sinus petrosus inferior) → Ggl. inferius → Vagina carotica (zwischen V. jugularis interna und A. carotis interna) → obere Thoraxapertur → Mediastinum → Umschlingung Aortenbogen, A. subclavia rechts → entlang Luftröhre, Ösophagus → Plexus oesophagus → Durchtritt Diaphragma abdominale → Truncus vagalis anterior und Truncus vagalis posterior → weitere Aufzweigung der Trunci vagales zu den Erfolgsorganen
- **Verlaufsabschnitte** N. vagus und abgehende Äste:
  - **kranialer und zervikaler Abschnitt:**
    - Ggl. superius → R. meningeus, R. auricularis
    - Ggl. inferius → N. laryngeus superius (Rr. externus, internus), R. pharyngeus
    - Rr. cardiaci inferiores zum Plexus cardiacus
  - **thorakaler Abschnitt:**
    - N. laryngeus recurrens, Rr. cardiaci cervicales inferiores
    - Rr. cardiaci inferiores zum Plexus cardiacus
    - Rr. bronchiales zum Plexus pulmonalis
    - Ösophagus → Plexus oesophagus
  - **abdominaler Abschnitt:**
    - Magen: Truncus vagalis anterior und Truncus vagalis posterior
    - Aufzweigung zu weiteren Bauchorganen bis zur linken Kolonflexur (Cannon-Böhm-Punkt)

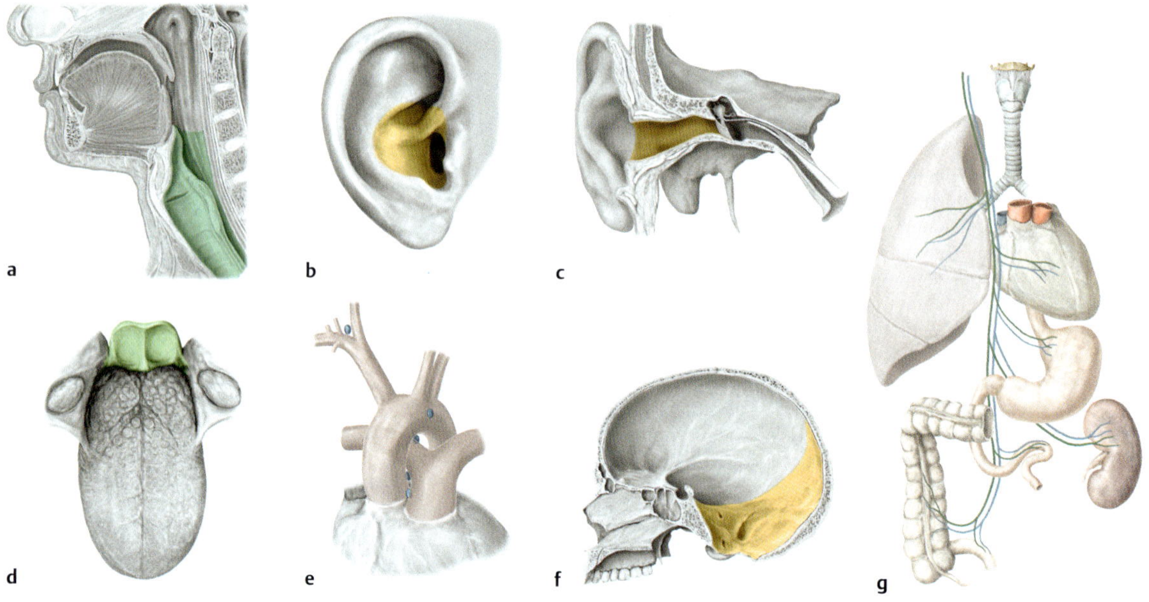

▸ **Abb. 8.29** Viszeromotorische und sensible Versorgungsgebiete des N. vagus (X) .

a Pharynxmuskulatur. (Quelle: Schünke M, Schulte E, Schumacher U. Prometheus. LernAtlas der Anatomie. Kopf, Hals und Neuroanatomie. Illustrationen von M. Voll und K. Wesker. 6. Aufl. Stuttgart: Thieme; 2022)

b Somatosensible Zone äußerer Gehörgang. (Quelle: Schünke M, Schulte E, Schumacher U. Prometheus. LernAtlas der Anatomie. Kopf, Hals und Neuroanatomie. Illustrationen von M. Voll und K. Wesker. 6. Aufl. Stuttgart: Thieme; 2022)

c Somatosensible Zone äußerer Gehörgang (Quelle: Schünke M, Schulte E, Schumacher U. Prometheus. LernAtlas der Anatomie. Kopf, Hals und Neuroanatomie. Illustrationen von M. Voll und K. Wesker. 6. Aufl. Stuttgart: Thieme; 2022)

d Sensible Versorgung der Geschmacksrezeptoren auf der Epiglottis. (Quelle: Schünke M, Schulte E, Schumacher U. Prometheus. LernAtlas der Anatomie. Kopf, Hals und Neuroanatomie. Illustrationen von M. Voll und K. Wesker. 6. Aufl. Stuttgart: Thieme; 2022)

e Parasympathische Fasern Plexus cardiacus. (Quelle: Schünke M, Schulte E, Schumacher U. Prometheus. LernAtlas der Anatomie. Kopf, Hals und Neuroanatomie. Illustrationen von M. Voll und K. Wesker. 6. Aufl. Stuttgart: Thieme; 2022)

f Somatosensible Versorgung der hinteren Schädelgrube. (Quelle: Schünke M, Schulte E, Schumacher U. Prometheus. LernAtlas der Anatomie. Kopf, Hals und Neuroanatomie. Illustrationen von M. Voll und K. Wesker. 6. Aufl. Stuttgart: Thieme; 2022)

g Allgemein viszerosensible Organe des Bauchraums bis zum Cannon-Böhmpunkt. (Quelle: Schünke M, Schulte E, Schumacher U. Prometheus. LernAtlas der Anatomie. Kopf, Hals und Neuroanatomie. Illustrationen von M. Voll und K. Wesker. 6. Aufl. Stuttgart: Thieme; 2022)

Osteopathische Korrespondenzen

Foramen jugulare

Ggl. superius n. vagi: Hier liegt auch ein Zellkörper mit allgemein somatosensiblen Fasern, die mit dem sich daraus fortsetzenden R. meningeus sowohl die Dura mater als auch die hintere Schädelgrube sensibel versorgen. R. auricularis, ein weiterer Ast, versorgt sensibel den Innenteil des Meatus acusticus externus, einen Teil der Ohrmuschel (Concha) und einen Teil des Trommelfells (inferior-posterior).

Ggl. inferius n. vagi (Ggl. nodosum): Hier treten Äste aus, die den M. cricothyroideus motorisch innervieren (N. laryngeus superior, R. externus). R. internus des N. laryngeus innerviert sensibel die Schleimhaut des Larynx. Der zweite Ast ist R. pharyngeus n. vagi, der vegetativ die Gll. pharyngeales und Geschmacksknospen auf der Epiglottis innerviert. Motorisch und sensibel versorgt er die Pharynxmuskulatur bzw. die Schleimhaut des Pharynx. Der Plexus pharyngeus wird ebenfalls von einigen Fasern erreicht. Hier wird die Information für den Schluck- und Würgereflex übermittelt. Dysfunktionen im Bereich des Foramen jugulare, z. B. Kompression der Sutura occipitomastoidea, OAA, können u. a. zu Übelkeit, Ohrenschmerzen, Schluckbeschwerden oder Heiserkeit führen.

Venöser Stau

Durch membranöse Spannungen im Bereich C 0/C 1, Dysfunktion C 1 oder Hypertonus M. sternocleidomastoideus kann es ggf. zu venösen Staus im Bereich der V. jugularis interna kommen. Der Bulbus venae jugularis, der sich im posterolateralen Bereich des Foramens jugulare befindet, kann sich aufdehnen und die durchtretenden Gefäße unter Kompression bringen. Denkbar sind Symptome wie Kopfschmerzen, Schmerzen oder Missempfindungen im Ohrmuschelbereich.

> **Praxistipp**
> **Differenzialdiagnose**
> Es könnte sich auch um eine Rekurrensparese handeln.

M. cricothyroideus ist der einzige außen liegende Kehlkopfmuskel, der Schild- und Ringknorpel zueinander führt. Er wird ausschließlich vom N. laryngeus superior

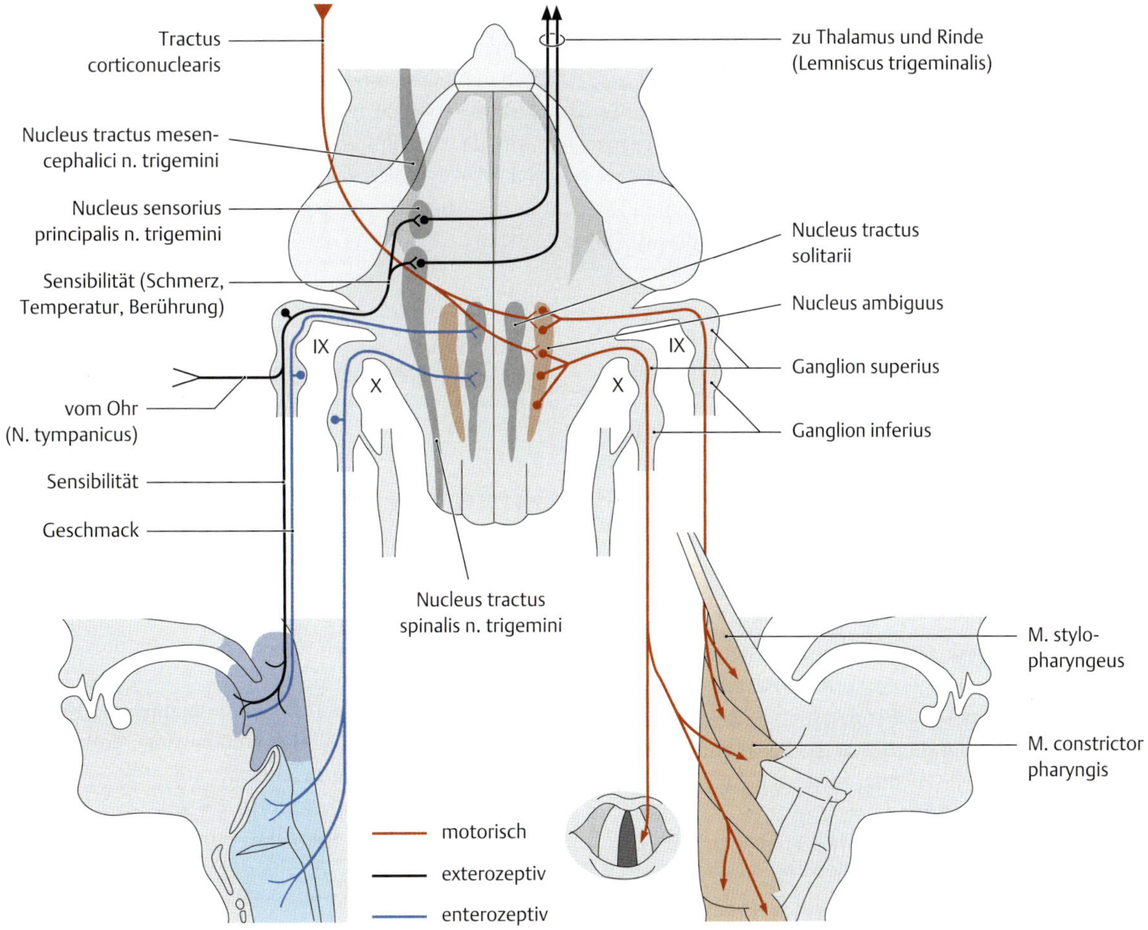

▸ **Abb. 8.30** N. vagus und N. glossopharyngeus: Periphere Innervationsgebiete und Kerngebiete im Hirnstamm (nach Duus). Beide Nerven arbeiten zusammen. Sie versorgen sensibel und motorisch den Rachenraum und bilden gemeinsam den Plexus pharyngeus. (Quelle: Schünke M, Schulte E, Schumacher U. Prometheus. LernAtlas der Anatomie. Kopf, Hals und Neuroanatomie. Illustrationen von M. Voll und K. Wesker. 6. Aufl. Stuttgart: Thieme; 2022)

(R. externus) innerviert. Eine Störung dieser Nervenversorgung hat also nicht zur Folge, dass die übrige Kehlkopfmuskulatur auch betroffen ist. Denn diese wird vom N. laryngeus recurrens über den Endast N. laryngeus inferior versorgt.

M. cricoarytaenoideus posterior gehört zur Kehlkopfmuskulatur und ist der alleinige Muskel, der die Stimmritze öffnet. Durch seinen Verlauf kann der N. laryngeus recurrens in verschiedenen Bereichen unter Kompression kommen: z. B. bei Aortenbogenaneurysma, A. subclavia rechts bei einem Lungenspitzentumor, auf Höhe der Schilddrüse nach chirurgischen Eingriffen am Organ. Typische Symptome können Hustenreiz, Heiserkeit sein, falls eine einseitige Lähmung vorliegt. Bei beidseitiger Nervenläsion kommt es zu Atemnot, weil die Stimmritze nicht geöffnet wird. Je nach Höhe der Läsion können auch Schluckstörungen, Gaumensegellähmung, Heiserkeit und Tachykardien auftreten.

Funktionskomplex Homöostase

Blutdruckregulation: Die arteriellen Barorezeptoren, die in der Gefäßwand vom Sinus caroticus (A. carotis interna) und im Aortenbogen liegen, messen die Dehnung der Gefäßwand, die durch den Blutdruck (oder externen Druck) entsteht. Erhöhter Druck führt reflektorisch zu niedrigem Blutdruck und zur Herzschlagverlangsamung. Der Weg ist über die Informationsweitergabe der Barorezeptoren über den R. sinus carotici zum Ggl. inferius des N. glossopharyngeus und die Fasern des N. vagus zum Hirnstamm (Ncl. tractus solitarii). Aus dem Ncl. dorsalis n. vagi ziehen die parasympathischen efferenten Fasern des N. vagus dann weiter zum Plexus cardiacus. Sie senken Herzfrequenz und Blutdruck.

Atmung: Die Atmung wird reguliert. Hier sendet der N. vagus über seine afferenten Bahnen Dehnungsreize über die bronchopulmonalen Fasern aus der Lunge über seine afferenten Bahnen zum Hirnstamm. Überschreitet das Lungenvolumen mehr als ca. 1,5 l, wird über das Atemzentrum die Einatmung reflektorisch gebremst (Herig-Breuer-Reflex, Schutz vor Lungenüberdehnung). Hustenreiz wird ausgelöst, wenn toxische Stoffe die Atemwege reizen.

Verdauungssystem: Das Verdauungssystem wird auch durch den N. vagus angeregt (u. a. Peristaltik, Sekretion), maßgeblich für das Verdauungssystem ist aber das enterische Nervensystem. Hierbei ist das Zusammenspiel von Mikrobiom und ZNS wichtig, in dessen Korrespondenz der N. vagus integriert ist.

N. vagus ist wegen der oben beschriebenen Komplexität eine sehr wichtige Struktur für osteopathisches Handeln. Als peripherer Nerv bietet er zahlreiche Möglichkeiten für osteopathische Behandlungen. Positive Sinnesreize unterstützen das parasympathische System. Elementar ist die Verbindung zum Hypothalamus. Dieser ist letztendlich Instanz für die Regulation von Herz-Kreislauf, Atmung, Muskeltonus, Körpertemperatur, Metabolismus (Nahrungsaufnahme), Flüssigkeitsbilanz, vegetative Begleitung bei Angriff- oder Fluchtverhalten, Immunabwehr, Schlaf-Wach-Rhythmus, Verhaltenssteuerung (limbisches System).

Behandlungshinweise

- Fasziale Behandlungen der Schlundmuskulatur können bei Globusgefühl und Schluckstörungen hilfreich sein. Die Entspannung der Diaphragmen mit Unwinding-Techniken können das VNS harmonisieren.
- Oszillatorische Techniken zur Behandlung der viszeralen Organe können sich positiv auf das parasympathische Nervensystem auswirken. Die organnahe Verschaltung der vagalen Nervenfasern ist hierbei zu beachten.
- Spannungen im Bereich der kraniosakralen Membranen wirken sich ggf. negativ auf den Verlauf des N. vagus aus. Spread- und Lifttechniken können das Spannungsmuster harmonisieren.
- Ist das parasympathische System in Dysbalance und eine Dysfunktion der OAA liegt vor, können MET in Kombination mit einer anschließenden Impulstechnik sinnvoll sein.
- Behandlungen innerhalb der Zentralsehne können die Mikrozirkulation für den N. vagus verbessern. Dekompression des lumbosakralen Übergangs, Befreiung der sakrokokzygealen Gelenke und ein Unwinding des Sakrums sind für die parasympathische Bahnung hilfreich.

> **Praxistipp**
> **N. vagus**
> Die parasympathische Wirkung des N. vagus kann durch entspannende Hautreize aktiviert werden.

8.2.11 N. accessorius (XI)

▶ Abb. 8.31, ▶ Abb. 8.32

- **Funktion:** innerviert M. trapezius und M. sternocleidomastoideus
- **Faserqualität:** speziell viszeroefferent (motorisch), somatoefferent
- **Kerngebiet** (Lokalisation): Ncl. ambiguus und Ncl. spinalis n. accessorii (Medulla oblongata), embryologischer Ursprung 6. Kiemenbogen
- **Passagen/Engpässe/Foramina: 2 Radii:**
  - **R. externus (Ncl. spinalis)** → spinale Wurzel → Austritt Rückenmark (C 2–C 5/6) → kranialer Verlauf zwischen Hinterhornwurzeln und Lig. denticulatum zum Foramen magnum
  - **R. internus (Ncl. ambiguus)** → kraniale Wurzel → Austritt Hirnstamm → Faserverlauf zum Foramen jugulare

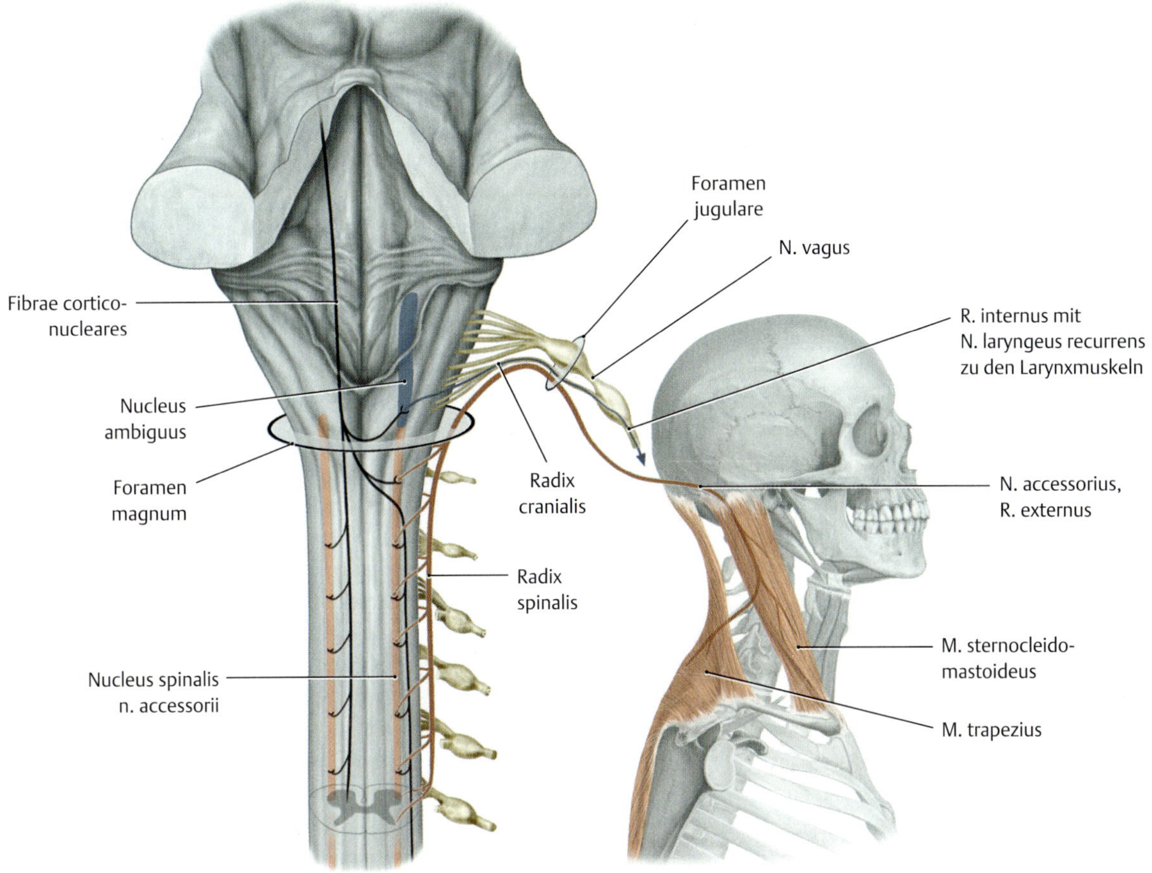

▸ **Abb. 8.31** Kerngebiet und Verlauf des N. accessorius. (Quelle: Schünke M, Schulte E, Schumacher U. Prometheus. LernAtlas der Anatomie. Kopf, Hals und Neuroanatomie. Illustrationen von M. Voll und K. Wesker. 6. Aufl. Stuttgart: Thieme; 2022)

- **Vereinigung** Radix spinalis und Radix cranialis kurz vor Foramen jugulare → N. accessorius → Durchtritt durch Foramen jugulare → erneute Aufzweigung → Radix cranialis jetzt als R. internus → schließt sich N. vagus (X) an → zieht mit Vagus-Nervenast (N. laryngeus superior) zu Larynxmuskeln → Radix spinalis jetzt R. externus (N. accessorius XI) → laterales Halsdreieck (Erb-Punkt) → zu M. sternocleidomastoideus und N. trapezius

Osteopathische Korrespondenzen

Partner des N. vagus

N. accessorius ist ein verselbstständigter Ast des N. vagus. Die Fasern aus dem Ncl. ambiguus innervieren die Kehlkopfmuskeln mit Ausnahme des M. cricothyroideus (führt Ring- und Schuldknorpel zusammen).

Propriozeption

Die Propriozeption, also die unbewusste Sinnesinformationsverarbeitung für Körperhaltung und Bewegung im Raum, ist wichtig für das eigene Körperbild. So können z. B. hypertone Muskeln, Gelenkdysfunktionen und auch die Kopfhaltung dieses Körperbild stören. Die Zentrallinie, hiermit ist die ausbalancierte Ausrichtung des Körpers an der Körpermittellinie gemeint, wird zum einen über den visuellen Input ausgerichtet. Störungen in einem der Systeme (visuell – Körperstrukturen) führen zu Störungen im anderen System. Der M. trapezius neigt zum Hypertonus und kann z. B. mit Triggerpunktbehandlung gut therapiert werden. Falls aber der visuelle Input dysfunktional ist, hilft ein Behandlungskonzept, das sich ausschließlich auf die Körperperipherie bezieht, nicht.

Augen führen die Bewegung

In der frühkindlichen Bewegungsentwicklung führt der visuelle Reiz zur Ausrichtung des Kopfes. Damit wird M. sternocleidomastoideus beim Anheben des Kopfes in Rückenlage und M. trapezius in Bauchlage verstärkt geschult. Beide Muskeln sind Synergisten bei der Kopfrotation und initiieren die Rollbewegung beim Säugling. Die Bewegungen sind über die Nackenreflexe (Kopfgelenkmuskeln) gebahnt. Dysfunktionen im Bereich des Foramen jugulare können die Bewegungsentwicklung von Säuglingen beeinträchtigen.

Behandlungshinweise

- Indikationen für die Behandlung des N. accessorius sind u. a.:
  - eingeschränkte Kopfrotation
  - Fehlhaltung in Seitneigung und Rotation
  - Kopfhaltung dysfunktional zur Zentrallinie
  - Kopfschmerzen durch Hypertonus im Muskelansatzbereich
- Myofasziale Techniken über den Kehlkopf und das Os hyoideum können sich positiv auf Globusgefühl im Hals und Heiserkeit auswirken.
- Ein Okziput-Release für das Foramen jugulare kann bei Koordinationsproblemen der Kopfbewegung hilfreich sein.
- Hinweis auf Pathologie:
  - Lähmung M. trapezius: Schulter fällt auf betroffener Seite ab.
  - Lähmung M. sternocleidomastoideus: Drehen des Kopfes zur Gegenseite (gegen Widerstand) nur schwer möglich.

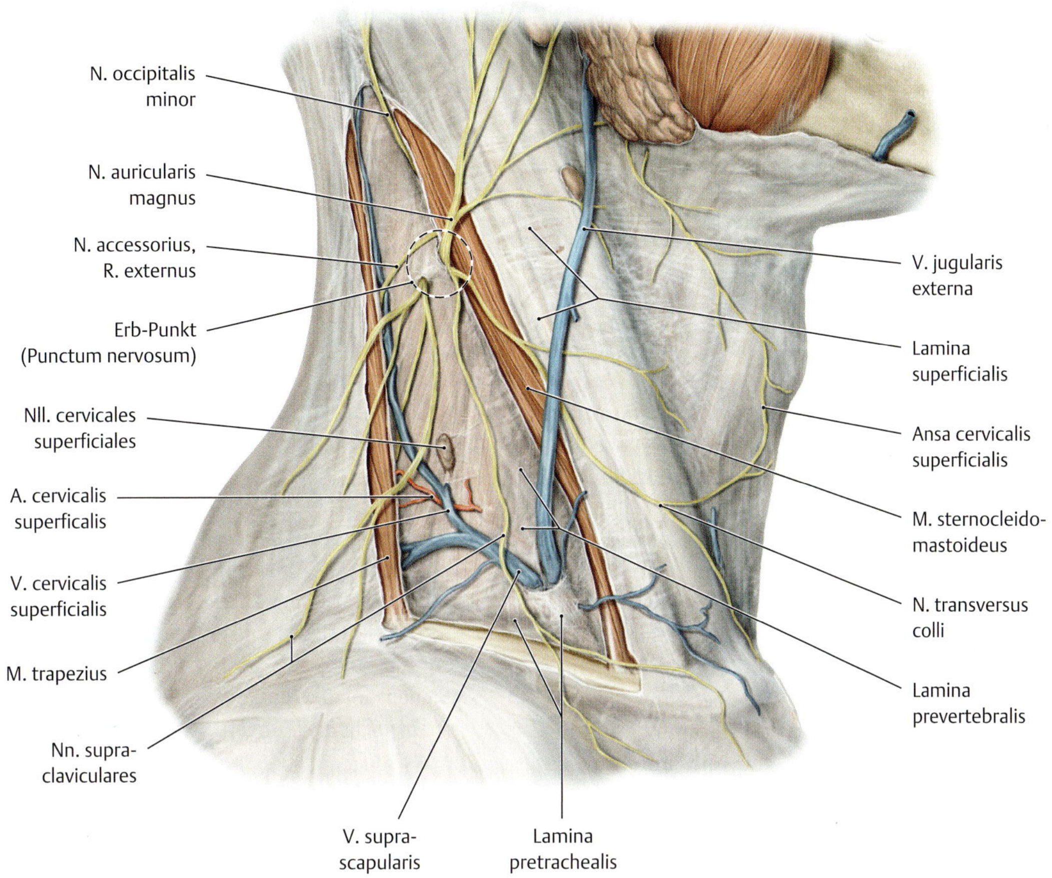

▶ **Abb. 8.32** Regio cervicalis lateralis (laterales Halsdreieck), oberflächliche subfasziale Schicht. (Quelle: Schünke M, Schulte E, Schumacher U. Prometheus. LernAtlas der Anatomie. Kopf, Hals und Neuroanatomie. Illustrationen von M. Voll und K. Wesker. 6. Aufl. Stuttgart: Thieme; 2022)

8.2.12 N. hypoglossus (XII)

▶ Abb. 8.33, ▶ Abb. 8.34

- **Funktion:** motorische Innervation der Zungenmuskulatur
- **Faserqualität:** allgemein somatoefferent (motorisch)
- **Kerngebiet (Lokalisation):** Ncl. n. hypoglossius (Medulla oblongata), embryologischer Ursprung aus dem Neuralrohr (Grundplatte)
- **Passagen/Engpässe/Foramina:** Hirnstamm → Duradurchtritt am Seitenrand des Foramen magnum → Canalis nervi hypoglossi (Os occipitale) → Austritt lateroventral Okziputkondyle → kaudolateral N. vagus, zwischen V. jugularis interna, Aa. carotides interna und externa → zum Trigonum caroticum → dort bogenförmiger Verlauf nach ventral → an der Biegung Abzweig einiger Faserzüge nach kaudal (Radix superior der Ansa cervicalis profunda) → übrige Faserzüge ziehen nach dem Bogen zum Trigonum submandibulare → Durchtritt Mundboden zwischen M. mylohyoideus und M. hypoglossus → Innervation Zungenmuskulatur
- **Ansa cervicalis** ist eine Nervenbrücke von Nervenfasern aus C 1. Die Fasern lagern sich über eine bestimmte Strecke dem N. hypoglossus an. Zusammen mit Fasern aus C 2–C 3 innervieren sie die infrahyoidale Muskulatur (M. sternohyoideus, M. sternothyroideus, M. thyrohyoideus, M. omohyoideus).

Osteopathische Korrespondenzen

Das Trigonum caroticum liegt in der Regio cervicalis anterior. Gebildet wird es vom M. sternocleidomastoideus, M. digastricus (Venter posterior) und M. omohyoideus (superiorer Anteil).

Die fasziale Einbindung des M. sternocleidomastoideus macht es möglich, die Gewebeelastizität der tiefer liegenden Strukturen über den Myofaszialen lift des Kopfwendemuskels zu verbessern. Bessere Drainage und Mikrozirkulation für den Nervenverlauf kann die Folge sein.

Behandlungshinweise

- Indikationen für die Behandlung des N. hypoglossus sind u. a.:
  - Muskelspannungsschmerzen im Mundbodenbereich
  - angestrengtes Sprechen
  - erschwerte Zungenmotorik
  - Globusgefühl
  - Schluckbeschwerden (Unvermögen der Zunge, beim Schlucken gegen den Gaumen zu drücken)
- Myofasziale Behandlungen des Mundbodens und der Zungenunterseite können intraoral durchgeführt werden. Eine sehr intensive Behandlung ist die kombinierte Technik über leichte minimalzirkulatorische Druckpunkttechniken von außen und intraoral am Mundboden.
- Hinweis auf Pathologie:
  - Beim Herausstrecken der Zunge weicht die Zunge zu einer Seite ab. Abweichung entsteht dadurch, dass die funktionsfähige Zungenmuskulatur überwiegt und die Zunge zur kranken Seite abweicht.
  - Zentrale Störung: Hier liegt das pathologische Geschehen auf der entgegengesetzten Seite der Zungenabweichung (Zungenabweichung links, Pathologie rechts).
  - Periphere Störung: Pathologie auf gleicher Seite (Zungenabweichung links, Pathologie links), z. B. bei Fraktur des Canalis n. hypoglossi bei Okziputkondylenfraktur.

8.3 Übersichtsabbildung

▶ Abb. 8.35

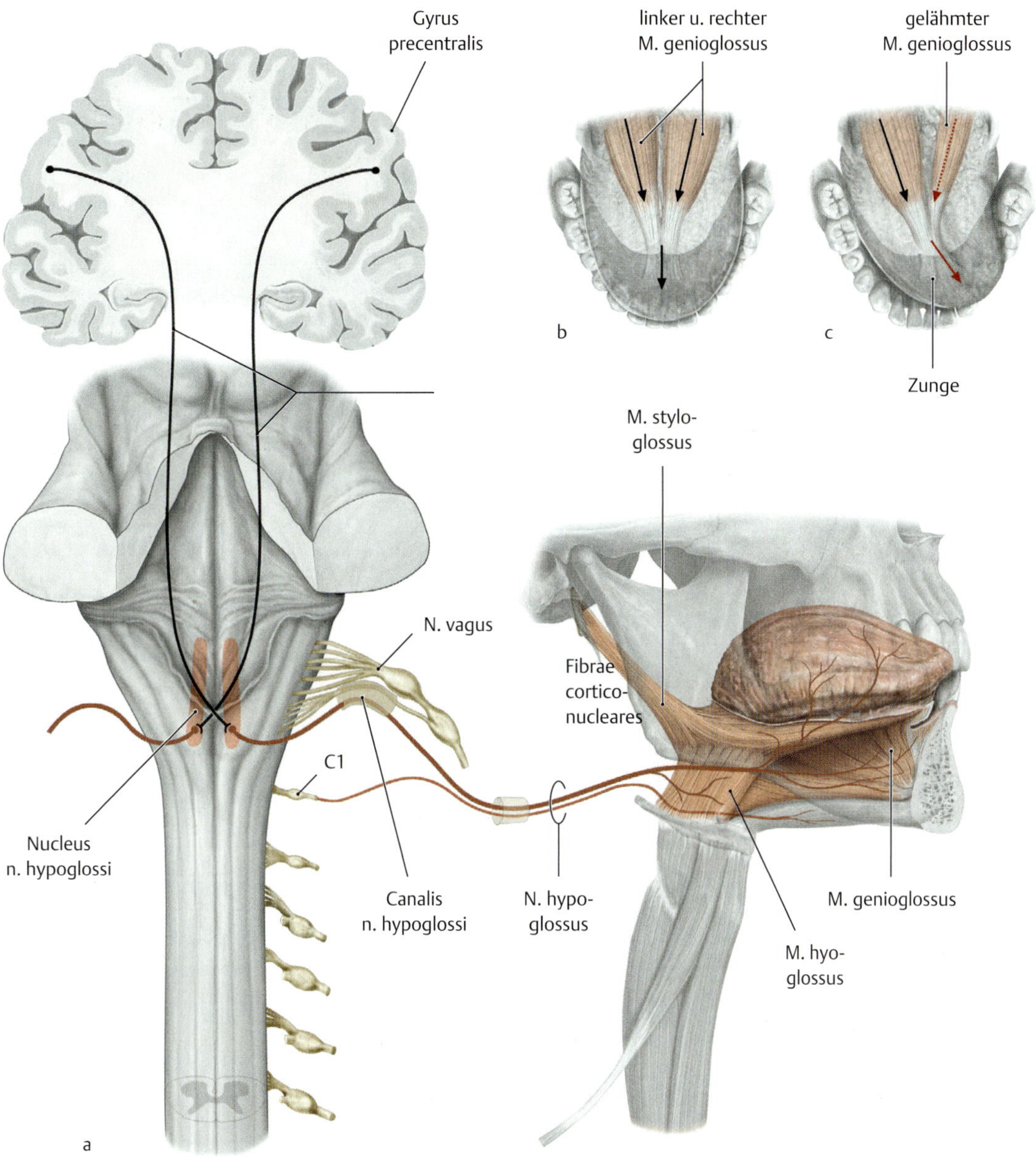

▸ **Abb. 8.33** Innervationsgebiet des N. hypoglossus. (Quelle: Schünke M, Schulte E, Schumacher U. Prometheus. LernAtlas der Anatomie. Kopf, Hals und Neuroanatomie. Illustrationen von M. Voll und K. Wesker. 6. Aufl. Stuttgart: Thieme; 2022)

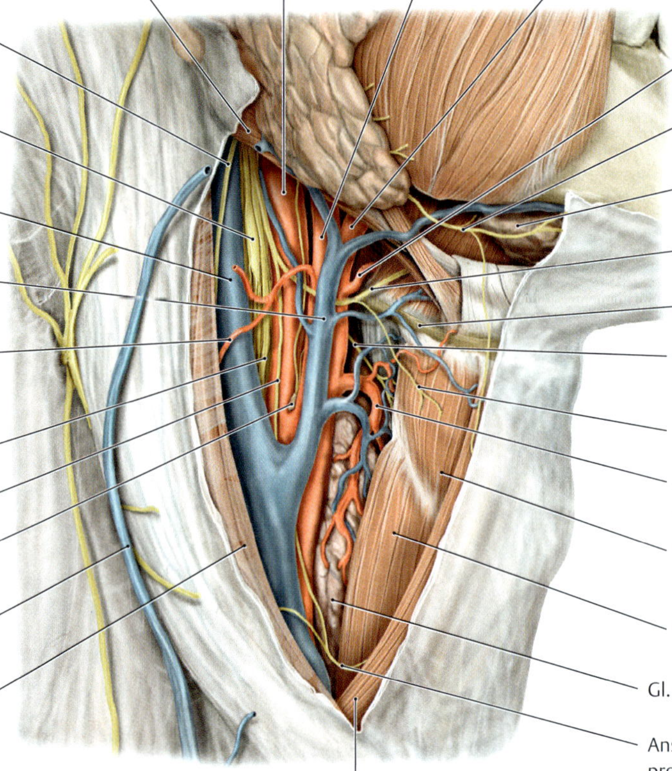

▶ **Abb. 8.34** Karotisdreieck (Trigonum caroticum). (Quelle: Schünke M, Schulte E, Schumacher U. Prometheus. LernAtlas der Anatomie. Kopf, Hals und Neuroanatomie. Illustrationen von M. Voll und K. Wesker. 6. Aufl. Stuttgart: Thieme; 2022)

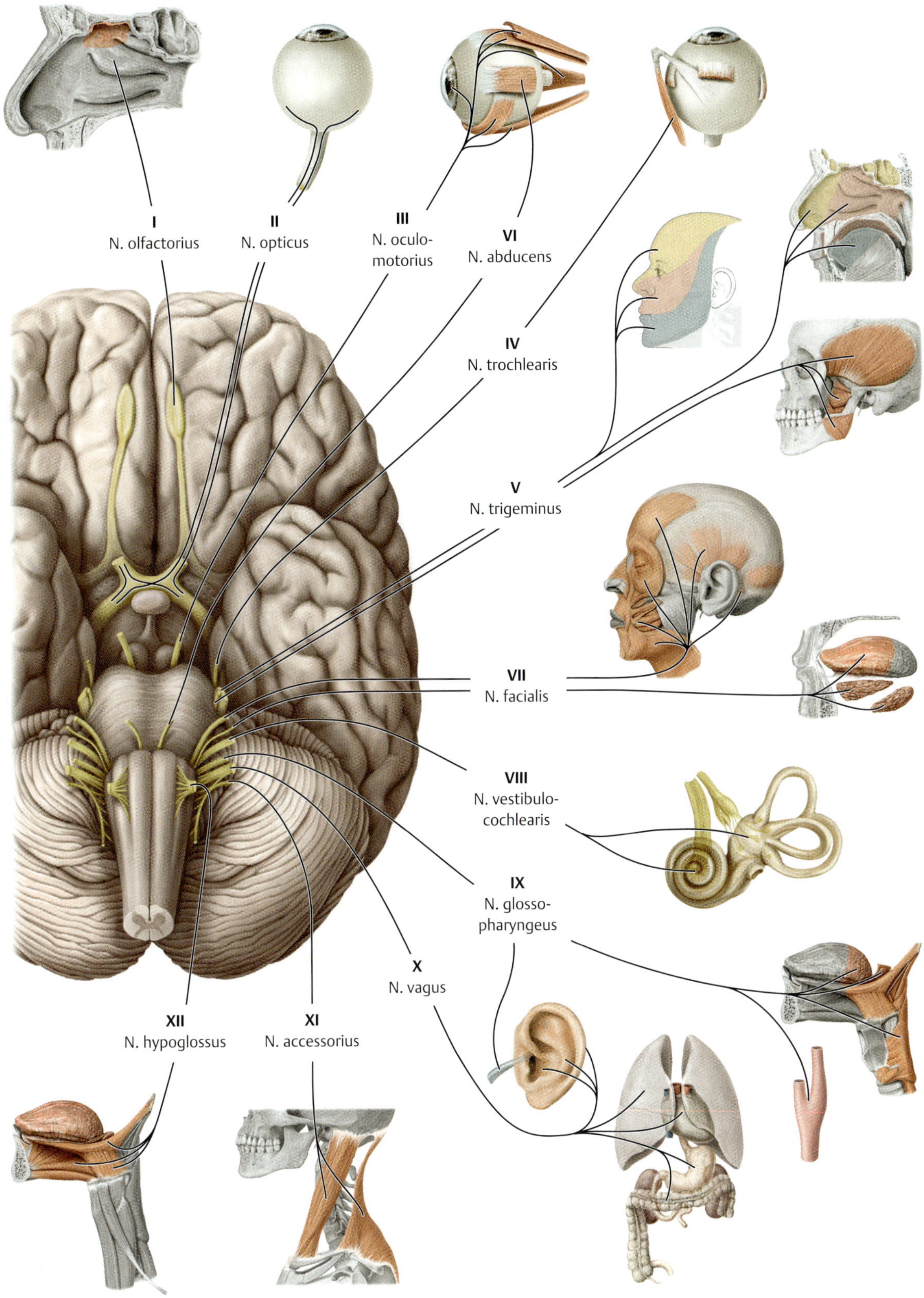

▸ **Abb. 8.35** Nerven und Innervationsgebiete. (Quelle: Schünke M, Schulte E, Schumacher U. Prometheus. LernAtlas der Anatomie. Kopf, Hals und Neuroanatomie. Illustrationen von M. Voll und K. Wesker. 6. Aufl. Stuttgart: Thieme; 2022)

9 Differenzialdiagnostik im Überblick

9.1

Gesichtsödeme

- Nieren: nephrotisches Syndrom, Niereninsuffizienz
- Leber: Leberzirrhose, Leberzellkarzinom, Metastasen
- Magen-Darm-Trakt: Malabsorptionssyndrom
- Pankreas: Maldigestionssyndrom
- medikamenteninduziert: Laxanzien
- allergisches Ödem: Quincke-Ödem
- Hypothyreose
- V. jugularis: Raumforderungen im Mediastinum
- Rechtsherzinsuffizienz
- Erysipel

9.2

Dyspnoe

- Aspirationen
- Fibrosen
- COPD
- Asthma bronchiale
- Pneumonie
- Epiglottitis
- Tuberkulose
- Karzinome: Bronchien, Lunge
- Embolie
- Lungenödem
- Glottisödem
- Atelektase
- Pneumothorax
- Koronarsyndrom, Myokardinfarkt, Angina pectoris
- Peri-, Myo- und Endokarditis
- Aortenstenose und -insuffizienz
- Rhythmusstörungen: Vorhofflimmern, Tachykardie
- Hypertonie
- Anämien
- N.-phrenicus-Lähmung
- Intoxikation
- Stressreaktion, vegetative Entgleisung
- Aszites
- Roemheld-Syndrom

9.3

Heiserkeit

- Entzündungen im Rachenraum
- Tumoren bzw. Metastasen im Kehlkopfbereich
- Fehl- und Überbelastung
- Läsionen N. laryngeus recurrens: Bronchialkarzinom, Ösophaguskarzinom, Aortenaneurysma
- Refluxösophagitis

9.4

Halsvenenstau

- Cor pulmonale: Lungenembolie, Pneumothorax, Atelektase, Lungenödem
- Perikarditis, Myokarditis
- chronisches Lungenödem
- chronische Herzinsuffizienz
- Mediastinum: Lymphome, Lymphknotenschwellungen, Tumoren, Struma, Schilddrüsentumoren
- Lungentumor
- Aortenaneurysma, Kompression der V. jugularis (einseitig)

9.5

Kopfschmerzen

- Trauma
- Hirnödem
- Meningitis, Enzephalitis, Sinusvenenthrombose
- Apoplex, TIA, PRIND
- Volumenmangel
- Intoxikationen
- Neuralgien der Hirnnerven, z. B. N. trigeminus
- Glaukom
- Hypertonie
- Herzinsuffizienz
- Arteriitis temporalis
- Migräne
- Spannungskopfschmerz
- Urämie
- Plasmozytom

9.6
Sehstörungen

- Blitze-, Vorhangsehen: Netzhautablösung
- Gesichtsfeldausfälle: Hypophysentumor
- Doppelbilder: Apoplexie, Meningitis, Multiple Sklerose, Störung Hirnnerven III, IV, VI
- Schleier-, unscharfes Sehen: Glaukom, Netzhautablösung
- Farbensehen: Glaukomanfall, Digitalisintoxikation

9.7
Vertigo

- Ohr: Morbus Menière, Vestibularstörung, Akustikusneurinom
- Augen: Fehlstellung, fehlerhafte Brille
- Stoffwechsel: Anämie, Über-, Unterzuckerung
- Kreislauf: Arteriosklerose, Hyper-, Hypotonie, Herzinsuffizienz
- Atemwegserkrankungen

10 Abkürzungen

A.	Arteria
Aa.	Arteriae
Art.	Articulatio
Artt.	Articulationes
BWS	Brustwirbelsäule
CMD	Kraniomandibuläre Dysfunktion
CTÜ	Kraniozervikaler Übergang
FTL	Faszia thoracolumbalis
Ggl.	Ganglion
Gl.	Glandula
HVLA	High Velocity Low Amplitude
HWS	Halswirbelsäule
ISG	Iliosakralgelenk
i. u.	in uteri
LCS	Liquor cerebrospinalis
Lig.	Ligamentum
Ligg.	Ligamenta
LL	Laterale Linie als myofasziale Wirkungskette
LSÜ	Lumbosakraler Übergang
LWS	Lendenwirbelsäule
M.	Musculus
MCP	(Fingergrundgelenk) Metakarpophalangealgelenk
MET	Muskelenergietechnik(en)
Mm.	Musculi
N.	Nervus
Ncl.	Nucleus
Nn.	Nervi
OAA	Okziput-Atlas-Axis-Region
OFL	Oberflächliche frontale Linie als myofasziale Wirkungskette
ORL	Oberflächliche Rückenlinie als myofasziale Wirkungskette
PBT	Point of Balanced Tension
PBFT	Point of Balanced Fluid Tension
PBMT	Point of Balanced Membranous Tension
PBT	Point of Balanced Tension
PBTL	Point of Balanced Ligamentous Tension
PRM	Primärer respiratorischer Mechanismus
Proc.	Processus
Procc.	Processus (Plural)
R.	Ramus
Rr.	Rami
SBR	Seitneigerotation
SIAI	Spina iliaca anterior inferior
SIAS	Spina iliaca anterior superior
SIPS	Spina iliaca posterior superior
SMAS	Superfizielles muskuloaponeurotisches System
SSB	Synchondrosis sphenobasilaris
SSO	Synostosis sphenooccipitalis
SSW	Schwangerschaftswoche
TMG	Temporomandibulargelenk
TIS	Thoracic-inlet-Syndrom
TLÜ	Thorakolumbaler Übergang
V.	Vena
VNS	Vegetatives Nervensystem
Vv.	Venae
ZNS	Zentrales Nervensystem

11 Glossar

Adhäsion *Syn. Verklebung*
Aus osteopathischer Sicht eine geringe oder nicht mögliche Gewebeverschieblichkeit. Sie kann z. B. zwischen Faszienschichten, Organ und Faszien oder Sehnen innerhalb einer Sehnenscheide vorliegen. Narbengewebe kann zu Adhäsionen auch im umliegenden Gewebe führen.

Ausfallschritt
Übung im Stand (Beine in Schrittstellung) für die Mobilisation einer myofaszialen Wirkungskette, an der beteiligt sind: oberflächliche und tiefe Frontallinie; Schwerpunkt: Hüftbeugemuskulatur

Bogensehne
s. Wirkungsketten, myofasziale

Bogenspanner
Übung im Kniestand für die Mobilisation einer myofaszialen Wirkungskette, an der beteiligt sind: frontale Armlinien, oberflächliche Frontallinie, funktionelle Linien, tiefe Frontallinie; Schwerpunkt: ventrale Rumpfmuskulatur, Muskulatur Oberschenkelvorderseite

CV4-Technik
Behandlungstechnik über Kompression des 4. Ventrikels zur Harmonisierung des kraniosakralen Rhythmus.

Dachstellung Vierfüßlerstand
Übung in Bankstellung (Bodenkontakt mit den Knien und Händen) für die Mobilisation einer myofaszialen Wirkungskette, an der beteiligt sind: oberflächliche Rückenlinie, oberflächliche frontale Armlinie, tiefe frontale Armlinie, funktionelle Linien, tiefe Frontallinie; Schwerpunkt: Rückseitenmuskulatur der unteren Extremität, Fascia thoracolumbalis, tiefe Lendenmuskulatur, Rückenstreckermuskeln, Brustmuskulatur

Delbet-Faszie *(Lamina sacro-recto-genito-pubicalis)*
Zusammenfassung von anatomischen Strukturen der Fascia pelvis, die von posterior nach anterior verlaufen. Bestandteile sind Fascia praesacralis, Septum rectovaginale (Frau), Septum rectovesicale (Mann), Septum vesicovaginale (Frau) und Fascia vesicoumbilicalis.

Descensus
In der Embryonalzeit Lageveränderung der Eingeweide nach kaudal.

Diagonalzug
Übung im weiten Grätschstand für die Mobilisation einer myofaszialen Wirkungskette, an der beteiligt sind: Laterallinien, funktionelle Linien, tiefe Frontallinie, frontale Armlinien; Schwerpunkt: laterale Rumpfmuskulatur, Schulter- und Armmuskulatur, Oberschenkelinnenseitenmuskulatur

Disengagement
Behandlungstechnik, bei der z. B. 2 Gelenkpartner (Schädelknochen, die über eine Sutur miteinander in Verbindung stehen, Extremitätengelenke etc.) voneinandergezogen werden, um anschließend eine bessere Beweglichkeit zu erreichen.

Drehsitz
Übung im aufrechten Sitz (Langsitz: mit gestreckten Beinen, Hände hinter dem Becken auf dem Boden abstützen) für die Mobilisation einer myofaszialen Wirkungskette, an der beteiligt sind: funktionelle Linien, Laterallinien, Spirallinie; Schwerpunkt: Muskulatur des Torsos, Oberschenkelrückseitenmuskulatur

Duraschaukel
Behandlungstechnik für die Dura mater über Sakrum und Okziput.

Dysbalance
Ungleichgewicht; kann z. B. zwischen verschiedenen Muskelgruppen bestehen, eine gestörte Regulation innerhalb eines Gewebes, eine verminderte Elastizität und/oder Gleiteigenschaft verschiedener Gewebe zueinander sein.

Dysfunktion
Bezieht sich aus osteopathischer Sicht auf eine gestörte Funktion innerhalb des Körpersystems. Sie kann sich auf artikuläre, skelettale, myofasziale und/oder zirkulatorische Strukturen (z. B. venös, arteriell, lymphatisch, Liquor) beziehen.

Earpull-Technik
Behandlung der intrakranialen Dura über Ohrzugtechnik.

Enhancer
Verstärkungsmechanismus, der zusätzlich zur Behandlungstechnik eingesetzt wird (z. B. vertiefte Atmung, Gewebekompression, Disengagement).

Fluid Drive
Ein Fluidimpuls wird von der Gegenseite der zu behandelnden Struktur durch das Gewebe geschickt. Die Technik kann für Diagnostik und Behandlung eingesetzt werden.

Gleitfähigkeit
Gewebe gleiten aneinander. Bei der palpatorischen Diagnostik spricht man auch von der Qualität der Gewebeverschieblichkeit. Gegenteil ist die Adhäsion (s. dort).

Horizontaler Armgriff/Armstütz
Übung im Stand (eine Körperseite zeigt zur Wand) für die Mobilisation einer myofaszialen Wirkungskette, an der beteiligt sind: frontale Armlinien; Schwerpunkt: Schulter-, Arm- und Brustmuskulatur

HVLA *(High Velocity Low Amplitude)*
Manipulationstechnik (Impulstechnik), bei der auf sehr kurzer Strecke (Low Amplitude) mit schnellem Krafteinsatz (High Velocity) im physiologischen Bewegungsausmaß eine Dekoaption der Gelenkpartner (Gelenkgapping) erreicht wird.

Kontranutation
s. Gegennutation

Läsion, osteopathische
Synonym für osteopathische Dysfunktion.

Mesenchym
Binnengewebe des Embryos, multipotent, hieraus entstehen sämtliche Stütz- und Bindegewebe, die Muskulatur (glatt und quergestreift), das Endothel der Gefäße sowie zelluläre Bestandteile des Blutes.

MET *(Muskelenergietechnik)*
Techniken zur Behandlung von Dysfunktionen im Bereich von Gelenken und Muskeln. Die PIR (postisometrische Relaxation) ist eine Möglichkeit der MET. Das Prinzip ist, durch die Positionierung des Patienten ihn so weit an den Rand der Gebebeweglichkeit zu bringen, dass der Grenzbereich der Bewegung im dysfunktionalen Bereich erreicht ist. Dann muss der Patient aktiv gegen den mechanischen Widerstand des Behandlers Spannung aufbauen, die er über eine kurze Zeitspanne halten muss (Anspannungsphase). Danach löst der Patient die Spannung auf und der Behandler positioniert den Patienten an die neue Bewegungsgrenze. Dies kann 3–5-mal wiederholt werden.

Mobilität
Aus osteopathischer Sicht die Bewegung von Gelenken, Organen, Faszienschichten und Bindegewebe.

Molding
Behandlungstechnik an Schädelknochen u. a. bei intraossären Spannungsmustern.

Motilität
Aus osteopathischer Sicht die rhythmische Eigenbewegung eines Organs.

Motrizität
Organbewegung, die durch andere Körperbewegungen oder Kräfte provoziert wird.

Ncl. Erdinger-Westphal
Lage: Mittelhirn, Umschaltung allgemein viszeroefferenter Fasern vom M. oculomotorius (III) auf parasympathische Innervation des M. ciliaris und M. sphincter pupillae.

Nutation
Die Basis des Sakrums bewegt sich nach ventral, die Apex nach dorsal.

Okziput-Release
Mobilisierung des Atlantookzipitalgelenks über Dekompression der Pars basilaris des Os occipitale.

Point of Balanced Fascial Tension (PBFT)
Gleichgewichtspunkt, an dem sich Spannungsmuster der Faszien ausgleichen.

Point of Balanced Membranous Tension (PBMT)
Punkt, an dem Membranspannungen ausgeglichen sind.

Point of Balanced Tension (PBT)
Technik zum Ausgleich von Spannungen, bei dem das Gewebe so eingestellt wird, dass es in einem ganz bestimmten Punkt keine Spannung mehr zeigt.

Point of Balanced Ligamentous Tension (PBLT)
Technik, bei der ein Gelenk so eingestellt wird, dass in einem ganz bestimmten Punkt keine Spannung mehr in den artikulären Strukturen vorliegt.

Rideau-Stylien
Stylusdiaphragma

Ruffini-Rezeptoren
Befinden sich in der tieferen Hautschicht (Stratum reticulare), es sind langsam adaptierende Dehnungsrezeptoren.

Sibson-Faszie *(Membrana suprapleurale)*
Feste Verbindung an der Pleurakuppel zwischen Pleura parietale und Fascia endothoracica.

Spirale
Übung im Stand für die Mobilisation einer myofaszialen Wirkungskette, an der beteiligt sind: frontale Armlinien, funktionelle Linien, Spirallinie; Schwerpunkt: Rumpfrotatoren

Techniken, zirkulatorische
Osteopathische Behandlungstechniken, die z. B. den venolymphatischen Rückfluss, die arterielle Gewebeversorgung und/oder Liquorzirkulation anregen.

Thoraxschraube
Übung in Rückenlage für die Mobilisation einer myofaszialen Wirkungskette, an der beteiligt sind: funktionelle Linien, Spirallinie, tiefe Frontallinie

Traktionszug Nacken
Übung im aufrechten Stand für die Mobilisation einer myofaszialen Wirkungskette, an der beteiligt sind: frontale Armlinien, Laterallinie, tiefe Frontallinie; Schwerpunkt: seitliche und hintere Schulter- und Nackenmuskulatur

Umgekehrter Hürdensitz
Übung im Langsitz (Sitz mit gestreckten Beinen) für die Mobilisation einer myofaszialen Wirkungskette, an der beteiligt sind: unilateral oberflächliche Rückenlinie, Spirallinie, funktionelle Linien der Körperrückseite, tiefe Frontallinie, Laterallinie

Wand-Grätsche
Übung in Rückenlage (Beine gestreckt an der Wand anlehnen, Becken so dicht wie möglich an der Wand positionieren, Kissen zur Unterstützung der Kopfposition) für die Mobilisation einer myofaszialen Wirkungskette, an der beteiligt sind: oberflächliche Rückenlinie, tiefe Frontallinie; Schwerpunkt: Oberschenkelrückseiten- und Oberschenkelinnenseitenmuskulatur

Weichteiltechniken
s. Inhibition, MET, PRT, Release, zirkulatorische Techniken

Wirkungsketten, myofasziale
Synergistisch arbeitende, in Reihe miteinander verbundene Faszien- und Muskelstrukturen, die den gesamten Körper umfassen. Dienen der Druck- und Zugübertragung, wirken stoßdämpfend und sind für die Bewegungskoordination und -harmonisierung wichtig. Es existieren verschiedene Denkmodelle (z. B. oberflächliche Frontallinie, Bogensehne, Zentralsehne).

Zentralsehne
s. Wirkungsketten, myofasziale

12 Quellen und weiterführende Literatur

[1] Aumüller G, Aust G, Engele J et al. Duale Reihe Anatomie. 5. Aufl. Stuttgart: Thieme; 2020

[2] Barral JP, Croibier A. Manipulation kranialer Nerven. München: Elsevier/Urban & Fischer; 2008

[3] Barral JP, Croibier A. Manipulation viszeraler Gefäße: Osteopathie in Theorie und Praxis. München: Elsevier/Urban & Fischer; 2011

[4] Barral JP, Mercier P. Lehrbuch der Viszeralen Osteopathie. Band 1 u. 2. 2. Aufl. München: Urban & Fischer; 2005

[5] Bartmer-Leitl E, Kaufer C. Die Anhaftung des Perikards zu seinen Nachbarstrukturen und seine Funktion im Mediastinum. DO 2007; 1: 13–17

[6] Bartmer-Leitl E. Eine Faszienreise vom M. longissimus über den lumbosakralen Übergang bis zum Hyoid und dem Pharynx. DO 2010; 1: 10–13

[7] Baenkler HW, Fritze D, Füeßl HS. Duale Reihe Innere Medizin. Stuttgart: Thieme; 2001

[8] Blechschmidt E. Die Frühentwicklung des Menschen. Eine Einführung. München: Kiener; 2011

[9] Blechschmidt E. Ontogenese des Menschen – Kinetische Anatomie. München: Kiener; 2012

[10] Blechschmidt E. Schriftensammlung Gesicht, Kopf, Nervensystem. München: Kiener; 2015

[11] Breul R. Die tieferen Faszien im Hals- und vorderen Rumpfbereich. In: Schleip R et al. Lehrbuch Faszien: Grundlagen – Forschung – Behandlung. München: Elsevier/Urban & Fischer; 2014

[12] Carreiro JE. Osteopathie bei Kindern und Jugendlichen. 2. Aufl. München: Elsevier; 2011

[13] Chantepie A, Pérot JF, Toussirot P. Concept ostéopathique de la posture. 2. Aufl. Paris: Editions Maloine; 2015

[14] Clark ME. Angewandte Anatomie (1906). Tradition and Research in Osteopathy. Montreal: edition spirales 2005

[15] Corts M. Diagnoseleitfaden Osteopathie. 3. Aufl. Stuttgart: Thieme; 2020

[16] Corts M. Anatomie für Osteopathen. 2. Aufl. Stuttgart: Thieme; 2022

[17] Corts M, ter Harmsel I. Sportosteopathie: Myofasziale Ketten bei Überlastungssyndromen. Stuttgart: Haug; 2013

[18] Croibier A. Diagnostik in der Osteopathie. München: Elsevier/Urban & Fischer; 2006

[19] Dauber W. Feneis Bild-Lexikon der Anatomie. 9. Aufl. Stuttgart: Thieme; 2005

[20] Debroux JJ. Faszienbehandlung in der Osteopathie. Stuttgart: Hippokrates; 2004

[21] De Coster M. Viszerale Osteopathie. 6. Aufl. Stuttgart: Haug; 2016

[22] Dick-Wallace SF. Das glymphatische System; DO 2020; 18(02): 32–38

[23] Diedrich P, Hrsg. Kieferorthopädie I. 4. Aufl. München: Elsevier 2000

[24] Dierlmeier D. Nervensystem in der Osteopathie. 2. Aufl. Stuttgart: Thieme; 2020

[25] Drake RL, Vogl W, Mitchell AWM. Gray´s Anatomie für Studenten. München: Elsevier/Urban & Fischer; 2007

[26] Ernst A, Freesmeyer WB. Funktionsstörungen im Kopf-Hals-Bereich. Stuttgart: Thieme; 2008

[27] Faller A, Schünke M. Der Körper des Menschen. Stuttgart: Thieme; 2016

[28] Fieuw L, Ott M. Osteopathische Techniken im Viszeralen Bereich. Stuttgart: Hippokrates; 2005

[29] Frymann V. Die gesammelten Schriften von Viola M. Frymann, DO: Das osteopathische Erbe für Kinder. Pähl: Jolandos; 2007

[30] Gehin A. Atlas der manipulativen Techniken am Kranium. München: Urban & Fischer; 2002

[31] Girardin M. Die kaudale durale Insertion und das Lig. sacrodurale anterius (nach Trolard). DO 2013; 2: 13–18

[32] Greenman PE. Lehrbuch der osteopathischen Medizin: Grundlagen und Konzepte Techniken und Methoden Klinische Integration und Korrelation. 2. Aufl. Stuttgart: Haug; 2003

[33] Hartmann C, Hrsg. Das große Still-Kompendium. 2. Aufl. Pähl: Jolandos; 2005

[34] Hartmann C, Hrsg. Das große Sutherland-Kompendium. 2. Aufl. Pähl: Jolandos; 2008

[35] Hartmann C, Hrsg. Das große Littlejohn-Kompendium. Pähl: Jolandos; 2009

[36] Hebgen E, Hrsg. Checkliste Viszerale Osteopathie. 2. Aufl. Karl F. Haug; 2014

[37] Hebgen E, Hrsg. Viszeralosteopathie. 6. Aufl. Stuttgart: Thieme; 2018

[38] Helsmoortel J. Lehrbuch der viszeralen Osteopathie: Peritoneale Organe. Stuttgart: Thieme; 2002

[39] Hehlmann A. Leitsymptome – Ein Handbuch für Studenten und Ärzte. 5. Aufl. München: Elsevier; 2007

[40] Hermann W. GOT – Ganzheitliche Osteopathische Therapie: Auf der Grundlage des Body Adjustment nach Littlejohn und Wernham. 4. Aufl. Stuttgart: Karl F. Haug; 2018

[41] Hinkelthein E, Mihajlovic Z. Embryologie in der Osteopathie. Stuttgart: Thieme; 2022

[42] Hinkelthein E, Weitendorff A. Biomechanik in Osteopathischer und Manueller Medizin. 2. Aufl. Stuttgart: Thieme; 2022

[43] Hinkelthein E, Zalpour C. Diagnose- und Therapiekonzepte in der Osteopathie. Berlin: Springer; 2006

[44] Horny J. Differential-diagnostisches Kompendium. 4. Aufl. Basel: Karger; 2003

[45] Hugger A, Göbel H, Schilgen M. Gesichts- und Kopfschmerzen aus interdisziplinärer Sicht. Heidelberg: Springer Medizin; 2006

[46] Huss S. Diaphragmen und die Zirkulation: Fasziale Aspekte und Anwendung in Osteopathie und Yoga. Stuttgart: Karl F. Haug; 2015

[47] Kapandji I A. Funktionelle Anatomie der Gelenke: Schematisierte und kommentierte Zeichnungen zur menschlichen Biomechanik. 3. Aufl. Stuttgart: Hippokrates; 2001

[48] Kwakman R. Entwicklung des Viszerokraniums, DO 2010; 8(03): 16–21

[49] Langer W, Hebgen E. Lehrbuch Osteopathie. 2. Aufl. Stuttgart: Karl F. Haug; 2017

[50] Lanz T, Wachsmuth W. Praktische Anatomie: Rücken. Berlin: Springer; 2004

[51] Lanz T, Wachsmuth W. Praktische Anatomie: Arm. 2. Aufl. Berlin: Springer; 2004

[52] Lanz T, Wachsmuth W. Praktische Anatomie: Bauch. Berlin: Springer; 2004

[53] Lanz T, Wachsmuth W. Praktische Anatomie: Bein und Statik. Berlin: Springer; 2004

[54] Lanz T, Wachsmuth W. Praktische Anatomie: Hals. Berlin: Springer; 2004

[55] Lanz T, Wachsmuth W. Praktische Anatomie: Kopf-, Gehirn- und Augenschädel. Berlin: Springer; 2004

[56] Lanz T, Wachsmuth W. Praktische Anatomie Kopf Teil A – Übergeordnete Systeme, Sonderausgabe, Berlin: Springer; 2019

[57] Liem T. Morphodynamik in der Osteopathie. 2. Aufl. Stuttgart: Karl F. Haug; 2013

[58] Liem T. Kraniosakrale Osteopathie. 7. Aufl. Stuttgart: Thieme; 2018

[59] Liem T. Praxis der Kraniosakralen Osteopathie. 4. Aufl. Stuttgart: Thieme; 2020

[60] Liem T, Ciranna-Raab C, Dobler T, Goldenstein R, Kaiser F, Lenz C, Seyen M. Osteopathie von A–Z. Stuttgart: Karl F. Haug; 2015

[61] Liem T, Dobler TK. Leitfaden Osteopathie: Parietale Techniken. 4. Aufl. München: Elsevier/Urban & Fischer; 2016

[62] Liem T, Dobler T. Checkliste Kraniosakrale Osteopathie. 3. Aufl. Stuttgart: Karl F. Haug; 2018

[63] Liem T, Fessenmeyer MO. Entwicklung des Schädels und Darstellung der Wachstumsbewegung der Schädelknochen. In: Liem T, Schleupen A, Altmeyer P, Zweedijk R, Hrsg. Osteopathische Behandlung von Kindern. 2. Aufl. Stuttgart: Karl F. Haug; 2012, S. 27–47

[64] Liem T, Lenz C, Ciranna-Raab C. Differenzialdiagnosen in der Kinderosteopathie. 1. Aufl. Stuttgart: Thieme; 2019

[65] Liem T, Schleupen A, Altmeyer P, Zweedijk R: Osteopathische Behandlung von Kindern. 2. Aufl. Stuttgart: Karl F. Haug; 2012

[66] Liem T, Vogt R. Intrakranielle und intraspinale Membranstrukturen. In: Schleip R et al. Lehrbuch Faszien: Grundlagen – Forschung – Behandlung. München: Elsevier/Urban & Fischer; 2014

[67] Liem T et al. Osteopathie von A–Z. Stuttgart: Karl F. Haug; 2015

[68] Littlejohn JM, Autor, Hartmann C, Hrsg. Osteopathische Diagnostik und Therapie. Pähl: Jolandos; 2011

[69] Lütjen-Drecoll E, Rohen JW. Fotoatlas Anatomie. Der menschliche Körper und seine Funktionen. 2. Aufl. Stuttgart: Schattauer; 2000

[70] Locher H, Casser HR, Strohmeier M, Griffka J. Spezielle Schmerztherapie der Halte- Bewegungsorgane. Stuttgart: Thieme; 2011

[71] Maassen A. Checkliste Parietale Osteopathie. 2. Aufl. Stuttgart: Thieme; 2021

[72] Magoun H, Druelle P. Osteopathie in der Schädelsphäre. Pähl: Jolandos; 2009

[73] Masuhr KF, Neumann, M. Duale Reihe Neurologie. 7. Aufl. Stuttgart: Thieme; 2016

[74] Meert GF. Das venöse und lymphatische System aus osteopathischer Sicht: Thorax, Abdomen, Becken, Extremitäten. 2. Aufl. München: Elsevier/Urban & Fischer; 2014

[75] Mitchell F, Mitchell P. Handbuch der Muskel-Energie-Technik. Band1: Grundlagen der MET, Diagnostik und Therapie: Halswirbelsäule. Stuttgart: Hippokrates; 2004

[76] Möckel E, Mitha N. Handbuch der pädiatrischen Osteopathie. 2. Aufl. München: Elsevier/Urban & Fischer; 2019

[77] Myers T. Anatomy Trains: Myofasziale Leitbahnen für Manual- und Bewegungstherapeuten. 2. Aufl. München: Elsevier/Urban & Fischer; 2010

[78] Netter F. Netters Neurologie, 2. Aufl. Stuttgart: Thieme; 2007

[79] Niethard F, Pfeil J. Duale Reihe Orthopädie. 9. Aufl. Stuttgart: Thieme; 2022

[80] Paoletti S. Faszien: Anatomie, Strukturen, Techniken, Spezielle Osteopathie. München: Urban & Fischer; 2001

[81] Paoletti S. Zwerchfellartige Strukturen. In: Schleip R et al. Lehrbuch Faszien: Grundlagen – Forschung – Behandlung. München: Elsevier/Urban & Fischer; 2014

[82] Peters K, Bauer C. Checkliste Kinderosteopathie. Stuttgart: Karl F. Haug; 2017

[83] Piekartz HJM. Kraniofaziale Dysfunktionen und Schmerzen. Stuttgart: Thieme; 2000

[84] Pischinger A. Das System der Grundregulation. 9. Aufl. Heidelberg: Karl F. Haug; 1998

[85] Prodinger-Glöckl D. CMD in der Osteopathie. Stuttgart: Karl F. Haug; 2013

[86] Pschyrembel. Klinisches Wörterbuch. 368. Aufl. Berlin: Walter de Gruyter; 2021

[87] Purslow PP, Delage JP. Allgemeine Anatomie der Muskelfaszie. In: Schleip R et al. Lehrbuch Faszien: Grundlagen – Forschung – Behandlung. München: Elsevier/Urban & Fischer; 2014

[88] Rang NG, Höppner S. CSO CranioSacralOsteopathie. 3. Aufl. Stuttgart: Hippokrates; 2002

[89] Richter P, Hebgen E. Triggerpunkte und Muskelfunktionsketten. 5. Aufl. Stuttgart: Thieme; 2021

[90] Rohen JW. Entwicklung des Bewegungsapparates. In: Liem T, Schleupen A, Altmeyer P, Zweedijk R, Hrsg. Osteopathische Behandlung von Kindern. 2. Aufl. Stuttgart: Karl F. Haug; 2012, 18–27

[91] Rohen JW. Funktionelle Neuroanatomie. 6. Aufl. Stuttgart: Schattauer; 2001

[92] Rohen JW. Morphologie des menschlichen Organismus. 4. Aufl. Stuttgart: Freies Geistesleben; 2016

[93] Rohen JW, Lütjen-Drecoll E. Funktionelle Anatomie des Menschen. 11. Aufl. Stuttgart: Schattauer; 2006

[94] Rohen JW, Lütjen-Drecoll E. Funktionelle Embryologie. 3. Aufl. Stuttgart: Schattauer; 2006

[95] Sadler TW. Medizinische Embryologie. 11. Aufl. Stuttgart: Thieme; 2008

[96] Sadler TW und Drews U, Brand-Saberi B. Taschenlehrbuch Embryologie. 11. Aufl. Stuttgart: Thieme; 2020

[97] Stark J. Stills Faszienkonzepte. 2. Aufl. Pähl: Jolandos 2007

[98] Slipek-Ragnitz J, Dratwa M. Funktionelle Differenzialdiagnosen in der Osteopathie. Stuttgart: Thieme; 2019

[99] Sperber GH. Embryologie des Kopfes. Berlin: Quintessenz; 1992

[100] Schiebler TH. Anatomie. 9. Aufl. Heidelberg: Springer; 2005

[101] Schleip R. Das Fasziennetzwerk. In: Schleip R et al. Lehrbuch Faszien: Grundlagen – Forschung – Behandlung. München: Elsevier/Urban & Fischer; 2014

[102] Schleip R, Findley TW, Chaitow L, Huijing PA. Lehrbuch Faszien: Grundlagen – Forschung – Behandlung. München: Elsevier/Urban& Fischer; 2014

[103] Schmidt RF, Schaible HG. Neuro- Sinnesphysiologie. 4. Aufl. Berlin: Springer; 2000

[104] Schumacher GH, Aumüller G. Topographische Anatomie des Menschen. 7. Aufl. München: Elsevier/Urban & Fischer; 2004

[105] Schünke M, Schulte E, Schumacher U. Prometheus. Lern-Atlas der Anatomie. Allgemeine Anatomie und Bewegungssystem. Illustrationen von M. Voll und K. Wesker. 6. Aufl. Stuttgart: Thieme; 2022

[106] Schünke M, Schulte E, Schumacher U. Prometheus. Lern-Atlas der Anatomie. Innere Organe. Illustrationen von M. Voll und K. Wesker. 6. Aufl. Stuttgart: Thieme; 2022

[107] Schünke M, Schulte E, Schumacher U. Prometheus. Lern-Atlas der Anatomie. Kopf, Hals und Neuroanatomie. Illustrationen von M. Voll und K. Wesker 6. Aufl. Stuttgart: Thieme; 2022

[108] Schwind P. Faszien- und Membrantechnik: Handbuch für die Praxis– mit 20 Behandlungsvideos. 3. Aufl. München: Elsevier/Urban & Fischer; 2015

[109] Sergueef N. Die Kraniosakrale Osteopathie bei Kindern. Kötzing: Verlag für ganzheitliche Medizin Wühr; 1995

[110] Silbernagl S, Despopoulos A. Taschenatlas der Physiologie. 9. Aufl. Stuttgart: Thieme; 2018

[111] Simon H. Lehrbuch Chiropraktik. Stuttgart: Karl F. Haug; 2015

[112] Stecco C, Stecco A. Die tiefe Faszie im Schulter-Arm-Bereich. In: Schleip R et al. Lehrbuch Faszien: Grundlagen – Forschung – Behandlung. München: Elsevier/Urban & Fischer; 2014

[113] Stecco C. Atlas des menschlichen Fasziensystems. München: Elsevier 2016

[114] Strunk A. Fasziale Osteopathie. 3. Aufl. Stuttgart: Thieme; 2021

[115] Trepel M. Neuroanatomie: Struktur und Funktion. 8. Aufl. München: Elsevier/Urban & Fischer; 2021

[116] Tillmann B. Atlas der Anatomie mit Muskeltrainer. 3. Aufl. Berlin: Springer; 2016

[117] Upledger JE, Vreedevoogd J. Lehrbuch der CraniosSakralen Therapie II. Stuttgart: Karl F. Haug; 2002

[118] Upledger JE, Vreedevoogd J. Lehrbuch der CraniosSakralen Therapie I. Stuttgart: Karl F. Haug; 2016

[119] Vleeming A. Die Fascia thoracolumbalis. In: Schleip R et al. Lehrbuch Faszien: Grundlagen – Forschung – Behandlung. München: Elsevier/Urban & Fischer; 2014

[120] van der Wal JP. Propriozeption. In: Schleip R et al. Lehrbuch Faszien: Grundlagen – Forschung – Behandlung. München: Elsevier/Urban& Fischer; 2014

[121] Wancura-Kampik I. Segment-Anatomie: Der Schlüssel zu Akupunktur, Neuraltherapie und Manualtherapie. München: Elsevier/Urban& Fischer; 2009

[122] Willard FH. Die somatische Faszie. In: Schleip R et al. Lehrbuch Faszien: Grundlagen – Forschung – Behandlung. München: Elsevier/Urban & Fischer; 2014

[123] Willard FH. Die viszerale Faszie. In: Schleip R et al. Lehrbuch Faszien: Grundlagen – Forschung – Behandlung. München: Elsevier/Urban& Fischer; 2014

Sachverzeichnis